afgeschreven

Clive Cussler

met Dirk Cussler

DUIVELSADEM

the house of books

Oorspronkelijke titel
Arctic Drift
Uitgave
G.P. Putnam's Sons, New York
By arrangement with Peter Lampack Agency, Inc. 551 Fifth Avenue, Suite 1613 New York,
NY 10176-0187 USA and Lennart Sane Agency AB
Copyright © 2008 by Sandecker, RLLLP
Copyright voor het Nederlandse taalgebied © 2010 by The House of Books, Vianen/Antwerpen

Vertaling
Gerrit-Jan van den Berg
Omslagontwerp
Jan Weijman
Omslagillustratie
Roland Dahlquist
Foto auteur
Rob Greer
Opmaak binnenwerk
ZetSpiegel, Best

ISBN 978 90 443 2543 0
D/2010/8899/74
NUR 332

www.thehouseofbooks.com

Ter herinnering aan Leigh Hunt.

En ja, er heeft inderdaad een Leigh Hunt bestaan.

Een dierbare vriend, bon vivant, geestig, een impulsieve Don Juan die een manier had om met vrouwen om te gaan waarop elke man in de stad jaloers was.

Ik heb hem in de prologen van wel tien Dirk Pitt-boeken uit de weg geruimd. Hij wilde altijd een grotere rol spelen in de verhalen, maar klaagde niet omdat hij van de roem genoot.

Tot ziens, ouwe jongen, je wordt pijnlijk gemist.

DE NOORDWESTELIJKE DOORVAART

Noordelijke I.

Alaska

Beaufortzee

Parry Islands

Banks Island

Vis Me S

Victoria Island

Tuktoyaktuk

Kugluktuk

Yukon

Northwest Territories

British Columbia

N

Alberta

Saskatchewan

Ellesmere
Island

Groenland

Devon Island
Beechey Island

Baffinbaai

Franklin-schepen achtergelaten

King
William
Island

Nunavut

Hudsonbaai

Québec

Manitoba

Ontario

Newfoundland
& Labrador

PROLOOG

Doorgang naar de dood

De schepen worden achtergelaten

De kreet ging reutelend door het schip, als het gehuil van een gewond dier in het oerwoud, een triest gejank dat klonk als een smeekbede om de dood. Het gekreun moedigde een tweede stem aan, en toen een derde, totdat een afschuwelijk koor door het duister echode. Toen de morbide kreten waren weggestorven, heerste er enkele ogenblikken lang een ongemakkelijke stilte, totdat de gekwelde ziel zich weer liet horen en alles van voren af aan begon. Een paar bemanningsleden die zich afgezonderd hadden en bij wie het verstand nog intact was, luisterden naar de geluiden terwijl ze baden dat hun eigen dood minder moeizaam zou zijn.

In zijn kajuit luisterde kapitein-luitenant-ter-zee James Fitzjames, terwijl hij met zijn vingers een klompje zilverrots omklemde. Toen hij het koude, glimmende mineraal omhoog bracht en ernaar keek, verwenste hij de glans ervan. Wat de samenstelling ook mocht zijn, het leek zijn schip te hebben vervloekt. Zelfs voordat het aan boord werd gebracht, had het mineraal al de geur van de dood met zich meegedragen. Twee bemanningsleden in een sloep waren overboord gevallen toen ze bezig waren de eerste stukken rots te transporteren, brokstukken die als monster gebruikt zouden worden, om binnen de kortste keren dood te vriezen in de ijskoude arctische wateren. Een andere matroos was gedood bij een messengevecht, nadat hij had geprobeerd bij het zwakzinnige hulpje van de scheepstimmerman wat van de brokken tegen tabak te ruilen. En nu was de afgelopen paar weken meer dan de helft van zijn bemanning langzaam en onverbiddelijk waanzinnig geworden. Ongetwijfeld had de winterse afzondering ermee te maken, besefte hij, maar ook de brokken mineraal speelden daar een rol bij.

Zijn gedachten werden onderbroken door een harde klop op de kajuitsdeur. Zuinig omspringend met de energie die nodig was om op te staan en antwoord te geven, antwoordde hij simpelweg met een raspend 'Ja?'

De deur zwaaide open en een kleine man met een smerige trui aan werd zichtbaar, zijn rossige gezicht mager en onder het vuil.

'Kapitein, een stuk of wat van die lui proberen momenteel weer een bres in de barrière te maken,' meldde de kwartiermeester in een zwaar Schots accent.

'Roep luitenant Fairholme,' antwoordde Fitzjames, die langzaam overeind kwam. 'Vraag hem of hij zijn mannen bij elkaar wil roepen.'

Fitzjames gooide het stukje rots op zijn kooi en liep achter de kwartiermeester aan de deur uit. Ze liepen door een donkere, muffe gang die slechts verlicht werd door een paar lantaarns waarin een kaars brandde. Toen ze het grote luikgat passeerden verdween de kwartiermeester in de duisternis, terwijl Fitzjames doorliep. Even later bleef hij staan aan de voet van een hoge stapel wrakgoed die zijn pad blokkeerde. Een grote hoeveelheid houten tonnen, kisten en vaten was op strategische wijze in dit deel van de gang vastgezet, helemaal tot aan het plafond, waardoor een tijdelijke barricade naar de voorste vertrekken was ontstaan. Van de andere kant van de houten afdichting was het geluid te horen van kisten die weggeschoven werden, terwijl ook menselijk gegrom door de massa resoneerde.

'Ze zijn weer bezig, overste,' zei een slaperig uitziende marinier die met zijn Brown Bess-musket bij de hoop houten spullen op wacht stond. De wacht was nauwelijks negentien jaar oud en droeg een vieze baard die als een soort struikgewas uit zijn kaak leek te groeien.

'Ze zullen het schip snel genoeg van ons over mogen nemen,' zei Fitzjames met een vermoeide stem.

Achter hen kraakte een trap toen drie mannen vanaf het koebrugdek beneden via het luikgat naar boven klommen. Een vlaag ijskoude lucht joeg door de gang totdat een van de mannen een canvas luikdeksel op zijn plaats trok, waardoor die weer dicht kwam te zitten. Een broodmagere man met een dik wollen officiersjasje aan kwam uit de schaduw tevoorschijn en richtte het woord tot Fitzjames.

'Overste, de wapenkast zit nog steeds op slot,' meldde luitenant Fairholme, terwijl er een wolk condens uit zijn mond ontsnapte toen hij sprak. 'Kwartiermeester McDonald verzamelt momenteel de mannen in de grote officierskajuit.' Hij hield een klein percussiepistool omhoog en voegde eraan toe: 'We hebben er alleen drie wapens voor onszelf uit gehaald.'

Fitzjames knikte en liet zijn blik over de twee andere mannen gaan, verwilderd uitziende mariniers, die beiden een musket omklemd hielden.

'Dank je, luitenant. Er wordt niet eerder geschoten dan wanneer ik daar persoonlijk opdracht toe heb gegeven,' zei de overste kalm.

Achter de barrière werd een schrille kreet geslaakt, gevolgd door een luid gerammel van potten en pannen. De geluiden werden steeds opgewondener, bezetener, vond Fitzjames. Hij kon zich met enige moeite voorstellen welke gruwelen zich aan de andere kant van de barricade zouden kunnen afspelen.

'Ze worden steeds gewelddadiger,' zei de luitenant nauwelijks hoorbaar. Fitzjames knikte grimmig. Het onder de duim moeten houden van een bemanning die waanzinnig was geworden was iets dat hij zich met geen mogelijkheid voor had kunnen stellen toen hij zich opgaf voor de Arctic Discovery Service. Hij was intelligent en vriendelijk, en was binnen de Royal Navy – de Britse marine – snel in rang opgeklommen en was al op dertigjarige leeftijd tot commandant van een klein oorlogsschip benoemd. Hij was nu zesendertig en deed zijn uiterste best om te overleven; de officier die ooit de 'best uitziende man van de marine' was genoemd werd nu geconfronteerd met de ergste beproeving uit zijn leven.

Misschien was het geen verrassing dat een deel van de bemanning zijn verstand had verloren. Het overleven van een poolwinter aan boord van een schip dat is ingesloten door het ijs was een angstaanjagende uitdaging. Maandenlang vastzittend in duisternis en niet-aflatende kou, zaten de mannen gevangen in de benauwde ruimtes op het benedendek van het schip. Daar moesten ze strijd leveren tegen ratten, claustrofobie en isolement, met daarnaast nog eens de lichamelijke schade van scheurbuik en bevriezingsverschijnselen. Het doorstaan van één enkele winter was al moeilijk genoeg, maar de bemanning van Fitzjames had nu bijna al een derde achtereenvolgende poolwinter achter de rug, zodat hun kwalen werden verergerd door tekorten aan voedsel en brandstof. De dood van hun expeditieleider, sir John Franklin, al weer enige tijd geleden, had ervoor gezorgd dat het toch al wegebbende gevoel van optimisme nog sneller verdween.

Toch voelde Fitzjames dat er iets veel onheilspellenders aan de hand was. Toen een bootsmaat zich de kleren van het lijf rukte, naar boven klom en luid schreeuwend over de ijsschotsen rende, had dat als een geïsoleerd geval van zwakzinnigheid afgedaan kunnen worden. Maar toen drie kwart van de bemanning in hun slaap begon te gillen, lusteloos begon te worden en zich alleen nog maar wankelend kon voortbewegen, onsamenhangende tekst begon uit te slaan, werd duidelijk dat er nog iets anders speelde. Toen het gedrag geleidelijk aan steeds gewelddadiger werd, had Fitzjames de mannen die dit gedrag vertoonden naar het voordek laten overbrengen en ze daar geïsoleerd gehouden.

'Er is iets aan boord van het schip waardoor ze gek worden,' zei Fairholme kalm, alsof hij Fitzjames' gedachten kon lezen.

Fitzjames wilde net instemmend knikken toen vanuit de bovenste regionen van de barrière een klein krat naar beneden vloog en rakelings langs zijn hoofd schoot. Het bleke gelaat van een uitgemergelde man verscheen in de opening, de ogen rood opgloeiend in het flakkerende kaarslicht. Hij wurmde zich snel door de opening en tuimelde toen langs de voorkant van de barrière naar beneden. Toen de man moeizaam overeind kwam herkende Fitzjames hem als een van de stokers voor de kolengestookte stoommachine waarmee het schip was uitgerust. Ondanks de ijskoude temperatuur die in het schip heerste was zijn bovenlichaam ontbloot en had hij een groot slagersmes in zijn hand dat hij klaarblijkelijk uit de scheepskombuis had meegenomen.

'Waar zijn de lammeren die geslacht moeten worden?' schreeuwde hij, en bracht het mes omhoog.

Voor hij op de anderen kon inhakken, had een van de mariniers razendsnel zijn musket omgedraaid en sloeg hij de stoker met de kolf keihard tegen de zijkant van zijn hoofd. Het mes kletterde tegen een kist en de man zakte op de vloer in elkaar, terwijl langs zijn gezicht een dun straaltje bloed liep.

Fitzjames draaide zich van de bewusteloze stoker naar de bemanningsleden om hem heen. Vermoeid, afgetobd en broodmager vanwege het weinige eten, keken ze hem allemaal aan, wachtend op instructies, op leiding.

'We gaan nú van boord. Het is nog ruim een uur lang licht. We gaan op weg naar de *Terror*. Luitenant, breng de koudweeruitrusting naar de officierskajuit.'

'Hoeveel sleeën zal ik in gereedheid brengen?'

'Geen enkele. Pak net voldoende levensmiddelen in die door één man gedragen kunnen worden. We nemen geen extra uitrusting mee.'

'Jawel, overste,' antwoordde Fairholme, die twee man met zich meenam en in het luikgat verdween. Diep in het inwendige van het schip lagen de parka's, laarzen en handschoenen opgeslagen die door de bemanning werden gedragen als ze aan dek werkten of met een slee op ontdekkingstocht over het ijs gingen. Even later kwamen Fairholme en zijn mannen met de dikke kleding naar boven en sleepten die naar de grote officierskajuit helemaal achter in het schip, vlak boven de achtersteven.

Fitzjames begaf zich naar zijn hut, haalde een kompas tevoorschijn, een gouden horloge en enkele brieven die hij aan zijn familie had geschreven. Hij sloeg het scheepslogboek bij de laatste aantekening open en schreef in een beverig handschrift nog een paar laatste zinnen op, sloot toen verslagen heel even zijn ogen en klapte het in leer gebonden boek dicht. Volgens de traditie moest hij het logboek met zich meenemen, maar in plaats daarvan legde hij het terug in zijn bureau, boven op een mapje met daguerreotypieën.

Elf bemanningsleden, de nog bij zinnen zijnde restanten van de oorspronkelijke, uit achtenzestig koppen bestaande bemanning, stonden in de officierskajuit op hem te wachten. De overste trok, net als de rest van zijn bemanning, een parka en laarzen aan, en ging hun toen voor naar het luikgat. Hij schoof het luikdeksel opzij en ze klommen naar het hoofddek, de elementen tegemoet. Het leek wel alsof ze door de poort van een bevroren hel stapten.

Vanuit het donkere, bedompte interieur van het schip betraden ze een verzengende, nietsontziende witte wereld. Een gierende wind joeg triljoenen speldenpunten kristallijn in de gezichten van de mannen, bestookte hun lichamen met de kracht van een gevoelstemperatuur van minder dan vijfenzeventig graden onder nul. Verschil tussen lucht en grond was niet te zien, en ook niet tussen boven en beneden, in deze draaierig makende witte draaikolk. Worstelend tegen de felle windstoten baande Fitzjames zich tastend een weg over het besneeuwde dek en daalde toen een trapje af naar het lagergelegen pakijs.

Een kleine kilometer verderop, maar onzichtbaar voor het groepje mannen, zat het zusterschip op deze expeditie, het HMS *Terror*, in dezelfde ijsvlakte gevangen. Maar de meedogenloze wind beperkte het zicht tot slechts een paar meter. Als ze er in deze allesverwoestende storm niet in zouden slagen de *Terror* te vinden, zouden ze op de ijsvlakte gaan rondzwerven en omkomen. Voor dit soort noodgevallen waren tussen beide schepen om de dertig meter houten bakens geplaatst, maar de verblindende omstandigheden maakten alleen al van het vinden van het volgende baken een dodelijke uitdaging.

Fitzjames haalde het kompas tevoorschijn en nam een peiling op twaalf graden, want hij wist dat daar de *Terror* moest liggen. In feite lag het zusterschip pal oostelijk van deze positie, maar de nabijheid van de magnetische Noordpool zorgde voor een afwijkende kompasaanduiding. In stilte biddend dat het pakijs niet al te veel was verschoven sinds hij zijn laatste peiling had genomen, boog hij zich over het kompas en begon hij in de beoogde richting over het ijs te sjokken. De bemanningsleden hielden zich vast aan een stuk touw dat van voren naar achteren liep, zodat het groepje zich als een gigantische duizendpoot over het ijs bewoog.

De jonge overste schuifelde behoedzaam verder, met het hoofd naar beneden en de blik op het kompas gericht, terwijl de ijskoude wind en rondwervelende sneeuw zijn gezicht geselden. Nadat hij honderd passen had afgeteld bleef hij staan en tuurde om zich heen. Met een gevoel van opluchting ontdekte hij tussen de wattenachtige wervelingen het eerste houten baken. Hij ging naast de paal staan, nam een nieuwe peiling en ging toen op weg naar het volgende baken. De sliert mannen bewoog zich van baken naar baken, en klauterde over ongelijke sneeuwheuvels die soms wel tien, vijftien meter hoog waren. Fitzjames richtte al zijn energie op deze tocht en probeerde de teleurstelling dat hij zijn schip aan een groep waanzinnigen had moeten overleveren van zich af te schudden. Diep vanbinnen besefte hij dat het een kwestie van overleven was. Na een verblijf van drie jaar in het noordpoolgebied was dat nog het enige wat telde.

Het volgende moment werd zijn hoop door een doffe dreun de bodem in geslagen. Het was een oorverdovend geluid dat duidelijk boven het gehuil van de wind uit te horen was geweest. Het had geklonken als het gebulder van een zwaar kanon, maar Fitzjames wist wel beter. Het was het ijs onder hun voeten, dat uit verschillende dikke lagen bestond die zich bewogen in een nagenoeg ritmische cyclus van krimpen en uitzetten.

Sinds de twee expeditieschepen in september 1846 in het ijs waren komen vast te zitten, waren ze al zo'n twintig mijl van positie veranderd, meegevoerd door de uitgestrekte ijsmassa die de Beaufort-ijsstroom wordt genoemd. Een ongewoon koude zomer had tot gevolg dat ze heel 1847 in het ijs vast waren blijven zitten, terwijl ook dit voorjaar de dooi niet had doorgezet. De bij de volgende koudeperiode aangerichte schade maakte het zeer twijfelachtig of de schepen zich de komende zomer uit het ijs zouden kunnen bevrijden. Ondertussen kon het zich verplaatsende ijs tot fatale gevolgen leiden, waarbij zelfs een stevig gebouwd houten schip geplet kon worden alsof het om een luciferdoosje ging. Zevenenzestig jaar later zou Ernest Shackleton in het zuidpoolgebied hulpeloos moeten toezien hoe zijn schip *Endurance* door het steeds verder uitdijende pakijs werd verpletterd.

Met een wild kloppend hart verhoogde Fitzjames het tempo enigszins toen in de verte opnieuw een donderende knal te horen was. Het touw in zijn handen kwam strak te staan toen de mannen achter hem hun uiterste best moesten doen om hem bij te houden, maar hij weigerde vaart te minderen. Toen hij uiteindelijk het laatste baken bereikte, tuurde hij met half dichtgeknepen ogen in de hevige storm. Tussen de voortjagende witte slierten door ving hij heel even een glimp op van een donker voorwerp recht voor hen uit.

'Ze ligt vlak voor ons,' schreeuwde hij naar de mannen achter hem. 'Nog even doorzetten, we zijn er bijna.'

Als één man drong de groep in de richting van hun einddoel op. Nadat ze over een grillig gevormde berg ijs waren geklommen zagen ze eindelijk de *Terror* voor zich liggen. Met zijn eenendertig meter was het schip wat grootte en aanblik betrof nagenoeg identiek aan hun eigen vaartuig, inclusief de zwartgeverfde romp met daarlangs een brede gouden bies. Maar de *Terror* had nu nog maar weinig weg van een schip, met de zeilen en de ra's opgeborgen, terwijl het achterdek door een groot canvas scherm was afgedekt. De sneeuw was voor een betere isolatie bijna tot de reling op een hoop geschoven, terwijl de masten en het staande want met een dikke laag ijs waren bedekt. Het solide mortierschip, zoals het oorspronkelijk werd genoemd, zag er nu meer uit als een reusachtig leeggelopen pak melk.

Fitzjames ging aan boord van het schip, waar tot zijn grote verbazing enkele bemanningsleden zich over het met ijs bedekte dek haastten. Er kwam een luitenant-ter-zee der derde klasse naar hem toe, die Fitzjames en zijn mannen via een luikgat benedendeks naar de kombuis bracht. Een hofmeester deelde glazen cognac uit terwijl de mannen het ijs van hun kleding schudden en hun handen warmden aan het fornuis. Genietend van de sterkedrank die zijn lichaam warmde, zag de overste dat het in de schemerige ruimte verderop een drukte van belang was: schreeuwende bemanningsleden waren door de gang voorraden aan het verslepen. De bemanning van de *Terror* zag er, net als zijn eigen mensen, bijna angstaanjagend uit. Bleek en uitgemergeld hadden de meeste mannen blijkbaar al behoorlijk wat strijd geleverd tegen een oprukkende scheurbuik. Zelf was Fitzjames door de aandoening – een tekort aan vitamine C die onder andere zwellingen en bloedingen aan het tandvlees veroorzaakte – al twee tanden kwijtgeraakt. Hoewel er vaten citroensap aan boord waren geweest, dat regelmatig aan de hele bemanning was uitgereikt, had het sap in de loop van de tijd zijn effectieve werking verloren. In combinatie met het tekort aan vers vlees had de ziekte geen man ongemoeid gelaten. En zoals elke zeeman wist kon scheurbuik, als die niet op tijd werd ontdekt, uiteindelijk de dood tot gevolg hebben.

Korte tijd later verscheen de commandant van de *Terror* ten tonele, een onverzettelijke Ier die Francis Crozier heette. Crozier, die wat het noordpoolgebied betrof een veteraan genoemd mocht worden, had het grootste deel van zijn leven op zee doorgebracht. Zoals zovelen voor hem, was hij gefascineerd door het idee dat er een scheepvaartroute tussen de Atlantische en de Grote Oceaan moest bestaan, die via de nog niet in kaart gebrachte delen van het noordpoolgebied moest lopen. Het vinden van deze route, de Northwest Passage – de Noordwestelijke Doorvaart – was misschien wel de laatste grote ontdekking op zeevaartgebied die nog gedaan moest worden. Tientallen mannen hadden geprobeerd deze route te vinden, en waren daar niet in geslaagd – maar deze expeditie was anders. Uitgerust met twee schepen die tegen de arctische weersomstandigheden bestand zouden moeten zijn en onder commando van de ondoorgrondelijke sir John Franklin, stond het succes van de expeditie van tevoren bijna vast. Maar Franklin was een jaar geleden gestorven, nadat hij te laat in de zomer had geprobeerd naar de kust van Noord-Amerika door te stoten. Onbeschermd in open zee kwamen de schepen vast te zitten nadat ze door het ijs waren ingesloten. De wilskrachtige Crozier was vastbesloten zijn nog resterende mannen in veiligheid te brengen en roem te putten uit de mislukking die vlak voor hen lag.

'Heb je de *Erebus* verlaten?' vroeg hij Fitzjames bits.

De jongere commandant knikte. 'De daar achtergebleven bemanningsleden zijn volslagen waanzinnig geworden.'

'Ik heb je eerdere boodschap met betrekking tot de problemen ontvangen. Bijzonder merkwaardig. In het verleden zijn een of twee van mijn mensen ook wel eens tijdelijk de kluts kwijt geweest, maar dat mensen zo massaal hun verstand verliezen heb ik nog nooit meegemaakt.'

'Het is verdomde lastig,' antwoordde Fitzjames, die zich duidelijk niet op zijn gemak voelde. 'Ik ben blij dat ik uit dat gekkenhuis weg ben.'

'Ze zijn nu ten dode opgeschreven,' mompelde Crozier. 'En misschien duurt het voor ons ook niet lang meer.'

'Het pakijs... het is aan het breken.'

Crozier knikte. Drukpunten in het pakijs scheurden vanwege de bewegingen die eronder plaatsvonden regelmatig open. Hoewel de meeste scheuren in het najaar en aan het begin van de winter ontstonden, wanneer de open zee voor het eerst begon dicht te vriezen, konden zich ook bij het voorjaarsijs uiterst gevaarlijke situaties voordoen: dooi en ijsschotsen die over elkaar heen schoven.

'De houten spanten van het schip protesteren,' zei Crozier. 'Ik ben bang dat het niet lang meer zal duren. Ik heb opdracht gegeven het grootste deel van onze voedselvoorraad naar het ijs over te brengen en de resterende sloepen te strijken. Het ziet ernaar uit dat we de twee schepen eerder dan de bedoeling was zullen moeten prijsgeven,' voegde hij er angstig aan toe. 'Ik bid maar dat de storm gaat liggen voor we hier echt weg moeten.'

Nadat ze samen een afgemeten portie schapenvlees uit blik en pastinaken hadden genuttigd, hielpen Fitzjames en zijn mannen de bemanning van de *Terror* bij het overbrengen van de voorraden naar het pakijs. De donderende stuiptrekkingen leken zich wat minder vaak voor te doen, hoewel ze nog wel boven het geraas van de wind uit te horen waren. Aan boord van de *Terror* luisterden de mannen naar het zenuwslopende gekraak en gekreun van de houten spanten van het schip die zich tegen het kruiende ijs verzetten. Toen de laatste kisten op het ijs waren neergezet, kropen de mannen in het donkere interieur bij elkaar en wachtten af wat de natuur zou doen.

Achtenveertig uur luisterden ze angstvallig naar het wispelturige ijs, biddend dat het schip gespaard zou blijven. Maar het mocht niet zo zijn. De doodklap kwam snel, en sloeg zonder waarschuwing vooraf met een scheurend geluid toe. Het solide schip werd omhoog gedrukt en tegelijkertijd op z'n kant gegooid, terwijl direct daarna een deel van de romp als een ballon uit elkaar leek te klappen. Slechts twee man raakten daarbij gewond, maar de verwoesting was zodanig dat er geen enkele hoop meer was de boel nog te kunnen repareren. Van het ene moment op het andere was de *Terror* veroordeeld tot een zeemansgraf, alleen moest de datum van zijn begrafenis nog worden vastgesteld.

Crozier evacueerde de bemanning en bracht de voorraden over naar de drie resterende reddingsboten, die van ijzeren glijders waren voorzien, zodat ze beter over het ijs voortgetrokken konden worden. Met vooruitziende blik hadden Crozier en Fitzjames de afgelopen negen maanden al verscheidene met levensmiddelen geladen boten naar het dichtstbijzijnde vasteland laten overbrengen. De voorraden van deze geheime bergplaats op King William Land zouden een welkome aanwinst voor de dakloze bemanning vormen. Maar de vermoeide manschappen werden door zo'n dertig mijl ruw, gevaarlijk ijs van het land en de opslagplaats gescheiden.

'We zouden kunnen proberen de *Erebus* weer in handen te krijgen,' stelde Fitzjames voor terwijl hij naar de masten van zijn vroegere schip tuurde, die boven de grillig gevormde ijskammen uitstaken.

'De mannen zijn te uitgeput om elkaar en de elementen te bevechten,' antwoordde Crozier. 'Ik twijfel er niet aan of hij verdwijnt ook naar de bodem van de zee, net als de *Terror*, of hij blijft nog een hele vervloekte zomer in het ijs vastzitten.'

'Moge God zich over die arme zielen ontfermen,' mompelde Fitzjames binnensmonds terwijl hij nog een laatste blik op het vaartuig in de verte wierp.

Met teams van acht man, ingespannen als muildieren voor een ploeg, sleepten ze de zware reddingsboten voort, moeizaam over de ongelijke ijsschotsen in de richting van het land ploeterend. Gelukkig was de wind wat gaan liggen en was de temperatuur gestegen tot rond vijftien graden onder nul. Maar de inspanningen die van de hongerige en ijskoude bemanningsleden werden gevraagd begonnen het lichaam en de geest van de mannen steeds meer te breken.

Trekkend en duwend aan de loodzware ladingen bereikten ze na vijf folterende dagen de kiezelkust van het eiland. Maar een minder gastvrij oord dan King William Land, dat tegenwoordig King William Island wordt genoemd, is nauwelijks denkbaar. Een plat, voortdurend door wind geteisterd gebied ter grootte van de Amerikaanse staat Connecticut, waarvan het ecosysteem een minimaal planten- en dierenleven onderhoudt. Zelfs de autochtone Inuit meden dit eiland, omdat ze wisten dat er nauwelijks op kariboes en robben kon worden gejaagd, het hoofdbestanddeel van hun voedsel.

Maar Crozier en zijn mannen waren van deze feiten niet op de hoogte. Alleen als ze zelf een eigen slede-expeditie hadden georganiseerd, hadden ze kunnen zien dat het hier om een eiland ging, in tegenstelling met de in 1845 algemeen heersende overtuiging dat het hier om een uitloper van het Noord-Amerikaanse continent ging.

Waarschijnlijk wist Crozier dat, en hij wist nog iets anders. Vanaf de plek waar hij nu stond, op het noordwestelijke uiteinde van King William

Land, besefte hij dat hij zich ruim vijftienhonderd kilometer van de dichtstbijzijnde beschaving bevond. Een kleine handelsnederzetting van de Hudson's Bay Company die een heel stuk verder naar het zuiden langs de oever van de Great Fish River was gevestigd, bood de beste hoop op redding. Maar open water tussen het zuidelijke uiteinde van King Wiliam Land en de monding van die rivier, zo'n tweehonderdveertig kilometer verderop, betekende dat ze die vervloekte boten nog verder over het ijs moesten slepen.

Crozier liet de bemanning een paar dagen uitrusten bij de opgeslagen voorraden en liet ze ook voldoende eten, zodat ze konden aansterken voor de moeilijke reis die nog voor hen lag. Maar nu konden ze niet langer wachten. Binnenkort kon de najaarssneeuw gaan vallen en kon in de race naar de Hudson Bay-nederzetting elke dag van doorslaggevend belang zijn. De doorgewinterde commandant had geen enkele illusie dat de hele bemanning die reis zou voltooien, laat staan ook maar in de buurt van het einddoel zou arriveren. Maar met een beetje geluk zouden enkele van de flinkste kerels net op tijd de eindbestemming weten te bereiken om een reddingsexpeditie naar de anderen te kunnen organiseren. Het was hun enige kans.

Opnieuw werden de boten meter voor meter voortgetrokken, hoewel de mannen het ijs langs de waterlijn deze keer een stuk minder indrukwekkend vonden. Maar toch drong al snel de bittere realiteit tot hen door: ze waren onmiskenbaar met een dodenmars bezig. De lichamelijke ontberingen en de onophoudelijke inspanningen in de bijtende kou waren te veel voor de ondervoede lichamen. De ernstigste marteling, misschien nog wel erger dan de bevriezingsverschijnselen, was de dorst die op geen enkele manier te lessen was. Omdat ze voor hun draagbare gasstellen nauwelijks nog brandstof hadden, beschikten ze niet langer over een doeltreffende manier om van het ijs drinkwater te maken. Mannen stopten wanhopig sneeuw in hun mond in de hoop op wat druppels smeltwater, maar huiverden vervolgens van de kou. Als een karavaan die door de woestijn trok, moesten ze, naast de andere kwalen waaraan ze leden, het ook nog eens tegen uitdrogingsverschijnselen opnemen. Dag na dag en een voor een begonnen de mannen weg te kwijnen om uiteindelijk te sterven, terwijl de groep steeds verder in zuidelijke richting trok. Aanvankelijk werden er nog ondiepe graven gedolven, maar later werden de doden zonder meer op het ijs achtergelaten en werd alle energie aangewend voor de trek naar het zuiden.

Toen Fitzjames de top van een kleine, met sneeuw bedekte richel bereikte stak hij zijn hand omhoog en bleef onbeweeglijk staan. Twee sledeteams van acht man elk kwamen achter hem wankelend tot stilstand en ontdeden zich van het trektuig dat vastzat aan een pinas die van onderen met glijplanken was uitgerust. De zware houten boot, geladen met voedsel en uitrustingsstukken, woog bijna duizend kilo. Het transporteren ervan leek nog het meest op het over het ijs voorttrekken van een neushoorn. Alle mannen lieten zich op hun knieën vallen om uit te rusten en zogen, om weer enigszins op adem te komen, hun longen vol met ijskoude lucht.

De lucht was helder, zodat het landschap in een fel zonlicht baadde dat door de sneeuw oogverblindend werd weerkaatst. Fitzjames haalde een eenvoudige sneeuwbril van staal en donker glas tevoorschijn en liep van man tot man, sprak hen bemoedigend toe en controleerde tegelijkertijd hun niet bedekte huid op bevriezingsverschijnselen. Hij was bijna klaar met het tweede team toen een van de mannen iets schreeuwde.

'Overste, daar is de *Erebus*! Hij zit niet meer in het pakijs vast.'

Fitzjames draaide zich om en zag een van de zeelieden naar de horizon wijzen. De man, een assistent-seiner, wurmde zich uit het sleeptuig, begon in de richting van de oever te hollen en liep toen het pakijs op.

'Strickland! Blijf staan!' beval Fitzjames.

Maar het commando was aan dovemansoren gericht. De zeeman vertraagde zijn tempo geen moment en bleef half struikelend over de ongelijke ijsschotsen naar een donkere vlek aan de horizon hollen. Fitzjames verlegde zijn blik in dezelfde richting en voelde hoe zijn mond openviel. Op een kleine vijftien kilometer afstand waren duidelijk de zwarte romp en de hoge masten van een groot zeilschip te zien. Dat kon alleen maar de *Erebus* zijn.

Fitzjames tuurde er enkele seconden lang naar en kon nauwelijks ademhalen. Strickland had gelijk. Het schip bewoog, blijkbaar bezig bij het pakijs vandaan te drijven.

De geschrokken kapitein-luitenant-ter-zee klom op de pinas en ging op zoek onder een roeibank, om even later met een uitschuifbare telescoop tevoorschijn te komen. Hij richtte hem op het vaartuig en zag onmiddellijk dat het om zijn oude schip ging. Maar hij zag er met zijn gereefde zeilen en lege dekken uit als een spookschip. Terloops vroeg hij zich af of de gek geworden mannen benedendeks wel beseften dat ze stuurloos ronddreven. De opwinding over het weerzien met zijn schip werd enigszins getemperd toen hij de directe omgeving van het vaartuig bekeek. Het was nog helemaal omringd door ijs.

'Hij zit nog steeds in het pakijs vast,' mompelde hij, en zag toen pas dat het schip zich achterstevoren voortbewoog. In feite werd de *Erebus* omringd door een vijftien kilometer lange ijsschots die zich van de dichtgevroren zee had losgemaakt en nu naar het zuiden dreef. Zijn overlevingskansen waren er misschien iets beter op geworden, maar nog steeds kon het vaartuig door losbrekend ijs worden geplet.

Fitzjames zuchtte eens diep en draaide zich toen naar zijn twee fitste bemanningsleden om.

'Reed, Sullivan, haal onmiddellijk matroos Strickland terug,' beval hij.

De twee mannen kwamen overeind en holden achter Strickland aan, die nu het pakijs had bereikt en achter een laag heuveltje was verdwenen. Fitzjames tuurde opnieuw naar het schip, op zoek naar eventuele schade aan de romp en tekenen van leven aan dek. Maar de afstand was te groot om details te kunnen zien. Hij moest weer aan de leider van de expeditie denken, Franklin, wiens in ijs verpakte lichaam diep in het ruim lag opgeslagen. Misschien dat hij alsnog in Engeland zou worden begraven, schoot het door Fitzjames' hoofd, in de wetenschap dat zijn eigen vooruitzichten om ooit nog thuis te komen, dood of levend, niet echt gunstig waren.

Het duurde een halfuur voor Reed en Sullivan bij de boot terugkeerden. Fitzjames zag dat beide mannen naar de grond staarden, terwijl een van hen een sjaal vasthield die van Strickland was geweest.

'Waar is hij?' vroeg Fitzjames.

'Hij is door een met sneeuw bedekte dunne plek in het pakijs gezakt,' antwoordde Sullivan, een zeilmaker met treurige blauwe ogen. 'We hebben geprobeerd hem eruit te trekken, maar voor we hem stevig konden vastpakken verdween hij onder water.' Hij hield de stijfbevroren sjaal omhoog, het enige wat ze van hem te pakken hadden kunnen krijgen.

Het maakte niet uit, bedacht Fitzjames. Als het hun gelukt was hem er wel uit te trekken, was hij, voor ze hem droge kleren hadden kunnen aantrekken, waarschijnlijk toch al gestorven. Strickland mocht nog van geluk spreken. Voor hem was het in elk geval een snelle dood geweest.

Terwijl hij het beeld uit zijn gedachten bande, riep Fitzjames met schorre stem tegen de sombere bemanning: 'Doe het tuig weer om. Laten we proberen die slee weer in beweging te krijgen.' Zonder er verder nog een woord aan vuil te maken zette hij de dood van het bemanningslid uit zijn gedachten.

Naarmate de mannen verder naar het zuiden trokken kostte het hun steeds meer moeite om vol te houden en duurden de dagen steeds langer. Geleidelijk aan vielen de bemanningsleden in afzonderlijke groepjes uiteen, opgesplitst door hun uithoudingsvermogen. Crozier en een klein, van de *Terror* afkomstig groepje, baanden zich zo'n vijftien kilometer voor de anderen uit een weg langs de kust. Fitzjames zat in het volgende groepje, maar werd op enkele kilometers afstand gevolgd door drie, vier ploegjes met achterblijvers, de zwakste en ziekste mannen die geen kans zagen het tempo bij te houden en feitelijk al zo goed als dood waren. Fitzjames had al drie van zijn eigen mensen verloren en kwam, met maar

dertien man om de zware lading voort te trekken, slechts moeizaam vooruit.

Een zwakke wind en gematigde temperaturen hadden de mannen hernieuwde hoop op een ontsnapping gegeven. Maar een verlate voorjaars-
sneeuwstorm had daaraan ruw een einde gemaakt. Als een naderende lijk-
wade was er in het westen een zwarte wolkenmassa verschenen, die furieus
hun kant uit was gerold. Een vernietigende wind joeg over het pakijs en geselde het platte eiland meedogenloos. Geteisterd door de stormwind en niet
in staat ook maar iets te zien, had Fitzjames geen andere keus dan de sloep
om te keren en beschutting te zoeken onder de houten romp. Vier dagen
lang werden ze als door een zware hamer door de wind gegeseld. Gevangen onder de omgekeerde pinas, met bijna geen voedsel en, op hun eigen
lichaam na, nauwelijks een warmtebron, begonnen de uitgemergelde mannen langzaam maar zeker te bezwijken.

Net als de rest van zijn mannen verloor Fitzjames, naarmate zijn li-
chaamsfuncties uitvielen, steeds vaker het bewustzijn. Toen het einde nabij
was, stroomde er nog één keer een vreemde energiegolf door hem heen, gedreven wellicht, voor het allerlaatst, door nieuwsgierigheid. Hij klauterde
over de lichamen van zijn kameraden, gleed onder het dolboord door en
slaagde erin zich tegen de buitenkant van de romp op te richten. Een korte
onderbreking in de storm maakte dat hij, niet gehinderd door de elementen, overeind kon blijven terwijl nu snel de avondschemering inviel. Turend
over het ijs dwong hij zichzelf nog één keer goed te kijken.

Hij was er nog steeds. Als een donker silhouet dat langs de horizon trok
doemde de *Erebus* op, een zwarte geestverschijning die door het ijs werd
meegevoerd.

'Welk mysterie neem je met je mee?' bracht hij moeizaam uit, maar de
laatste woorden die over zijn gebarsten lippen kwamen waren weinig meer
dan gefluister. Met zijn glinsterende ogen op de horizon gericht verslapte
Fitzjames' dode lichaam tegen de romp van de pinas.

Aan de overkant van de ijsvlakte voer de *Erebus* geluidloos voort, een
door ijs omgeven graftombe. Net als zijn bemanning zou hij uiteindelijk
slachtoffer worden van het hardvochtige poolklimaat, een laatste overblijf-
sel van Franklins poging om de Noordwestelijke Doorvaart te bevaren.
Nadat ook dit schip was verdwenen, zou de saga van Fitzjames' gek geworden bemanning voor altijd door de geschiedenis worden opgeslokt.
Maar zonder dat zijn commandant zich daarvan bewust was, voerde dit
schip nog een aanzienlijk groter mysterie met zich mee, een mysterie dat
een eeuw later grote invloed zou hebben op het overleven van de bewoners
van deze planeet.

DEEL I

Duivelsadem

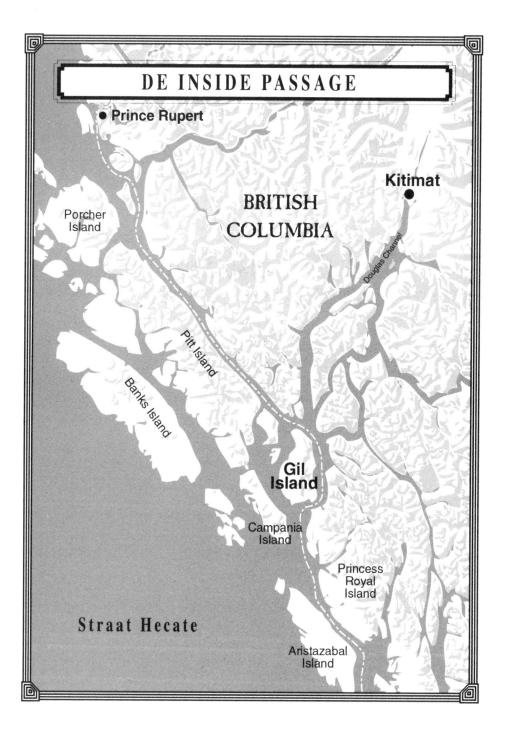

DE INSIDE PASSAGE

● Prince Rupert

Kitimat ●

BRITISH
COLUMBIA

Porcher
Island

Douglas Channel

Pitt Island

Banks Island

Gil
Island

Campania
Island

Princess
Royal
Island

Straat Hecate

Aristazabal
Island

1

De bijna twintig meter lange stalen trawler zag eruit zoals een vissersboot eruit hoort te zien, hoewel dat tegenwoordig nog maar zelden het geval was. Haar netten lagen keurig op de rollers en er lag geen rommel aan dek. Op de romp en de bovenbouw van het schip waren nergens sporen van roest te zien, terwijl de onderdelen die het gewoonlijk het zwaarst te verduren hadden van een nieuwe verflaag waren voorzien. Zelfs de deels afgesleten stootkussens werden regelmatig schoongeboend. Het mocht dan misschien niet de meest succesvolle vissersboot zijn die in de noordelijke wateren van British Columbia actief was, de *Ventura* was in elk geval wél de best onderhouden boot.

Haar keurig nette verschijning weerspiegelde het karakter van de eigenaar, een nauwgezette, hardwerkende man die Steve Miller heette. Net als zijn boot voldeed Miller niet aan het beeld van de gemiddelde onafhankelijke beroepsvisser. Als trauma-arts die er genoeg van had om in en rond Indianapolis alleen maar zwaargewonde slachtoffers van auto-ongelukken op te lappen, was hij teruggekeerd naar het kleine stadje in de Northwest Pacific waar hij zijn jeugd had doorgebracht, om weer eens iets heel anders te proberen. Voorzien van een stevige bankrekening en een grote liefde voor het water had de beroepsvisserij een voor de hand liggende keuze geleken. Op deze ochtend stuurde hij de boot door een lichte motregen, en aan de brede grijns op zijn gezicht was duidelijk te zien hoe gelukkig hij was.

Een jonge man met een wilde haardos stapte het stuurhuis binnen en kwam naast Miller staan.

'Waar bijten ze vandaag, schipper?' vroeg hij.

Miller tuurde door de voorruit, stak toen zijn neus omhoog en snoof de lucht op.

'Nou, Bucky, ik zou zeggen… de westkust van Gil Island, zeker weten,' zei hij grinnikend. 'Je kunt maar beter nu proberen wat te slapen, want voor je het weet moeten ze worden binnengehaald.'

'Oké, baas. Wat dacht je van een minuut of twintig?'

'Ik zou het beperken tot achttien.' Hij glimlachte en keek op de naast hem liggende zeekaart. Hij liet het stuurwiel door zijn vingers glijden, verlegde de koers een paar graden en richtte de voorsteven op een smalle opening tussen de twee stukken land recht voor hem uit. Ze namen de kortere weg door de Inside Passage, een lange, beschermde vaarroute die zich uitstrekte van Vancouver tot aan Juneau. Beschut door tientallen met dennen begroeide eilanden deed de kronkelende waterweg enigszins aan de Noorse fjorden denken.

De incidentele vissersboot – zowel van de beroepsvisser als met toeristen aan boord – die daar op zalm of heilbot viste, diende alleen rekening te houden met een af en toe passerend cruiseschip dat naar Alaska op weg was. Net als de meeste onafhankelijke vissers, was Miller op jacht naar de duurdere rode zalm, waarbij hij gebruikmaakte van sleepnetten die van onderen afsluitbaar waren en die zeer geschikt waren om de vis bij inhammen en op open zee te vangen. Hij was al tevreden wanneer hij kostendekkend kon opereren, want hij wist heel goed dat er in dit deel van de wereld maar weinig mensen rijk werden van de visserij. Ondanks zijn beperkte ervaring was hij, dankzij zijn planning en enthousiasme, erin geslaagd een kleine winst te maken. Hij nipte aan een beker met koffie en wierp een blik op het ingebouwde radarscherm. Toen hij enkele mijlen noordelijker twee vaartuigen waarnam liet hij het stuurwiel los en verliet het stuurhuis om voor de derde keer die dag zijn netten te inspecteren. Nadat hij zich ervan had overtuigd dat ze heel waren, ging hij weer terug naar de brug.

Bucky stond bij de reling en had de gelegenheid om wat te slapen blijkbaar aan zich voorbij laten gaan ten gunste van een sigaret. Hij nam een trekje van zijn Marlboro, knikte naar Miller en keek toen omhoog. Een altijd aanwezige deken van grijze wolken dreef in een luchtige massa die te licht leek om meer dan een motregen tot gevolg te kunnen hebben. Bucky tuurde over Straat Hecate naar de groene eilanden die deze binnenzee in het westen omzoomden. Recht voor zich uit, iets over bakboord, zag hij vlak boven het wateroppervlak een ongewoon dikke wolk. Mist was in deze wateren een vertrouwde metgezel, maar deze formatie had iets eigenaardigs. De kleur was aanzienlijk witter dan die van een normale mistbank, en hij leek veel meer uit te dijen. Bucky nam nog een trekje van zijn sigaret, ademde toen langzaam uit en liep naar het stuurhuis.

Miller had de witte wolk ook gezien en had een verrekijker op de nevel gericht.

'Heb je het ook gezien, baas? Een beetje een rare wolk, vind je niet?' sprak Bucky lijzig.

'Dat mag je wel zeggen. Ik zie ook geen andere schepen in de buurt, schepen die dat veroorzaakt zouden kunnen hebben,' reageerde Miller terwijl hij de horizon afzocht. 'Misschien is het rook of zijn het uitlaatgassen die vanuit Gil deze kant uit zijn komen drijven.'

'Ja, misschien heeft daar wel een visrokerij in de fik gestaan,' antwoordde de dekknecht, wiens scheve tanden dankzij de brede grijns nu goed zichtbaar waren. Miller legde de kijker neer en pakte het stuurwiel beet. Hun route rond Gil Island zou hen recht door het midden van de wolk leiden. Miller tikte ietwat ongemakkelijk met zijn knokkels op het houten stuurwiel dat in de loop der tijd wat uitgesleten was, maar veranderde niet van koers.

Toen de boot de rand van de wolk bereikte tuurde Miller naar het water en verscheen er een diepe rimpel in zijn voorhoofd. De kleur van de zee was zichtbaar aan het veranderen, van groen via bruin naar koperrood. In het karmozijnrode water waren nu een stuk of wat dode zalmen te zien, hun zilverkleurige buikjes omhoog gekeerd. Het volgende moment voer de boot de nevel binnen.

De mannen in het stuurhuis voelden onmiddellijk het verschil in temperatuur, alsof iemand een koude, natte deken over hen heen had gegooid. Miller voelde een vochtigheid in zijn keel en proefde tegelijkertijd een sterke, zurige smaak. Een tintelend gevoel trok door zijn hoofd en plotseling voelde hij hoe zijn borst zich samen leek te trekken. Toen hij opnieuw ademhaalde begonnen zijn knieën te knikken en zag hij sterretjes voor zijn ogen. Even voelde hij geen pijn toen de tweede dekknecht met een schrille kreet het stuurhuis binnenstormde.

'Kapitein... ik stik,' bracht de man hijgend uit, een knaap met een blozend gezicht en lange bakkebaarden. De ogen van de man puilden uit en zijn gezicht was bijna donkerblauw. Miller deed een stap zijn kant uit, maar de man zakte bewusteloos op de vloer in elkaar.

Toen Miller een wanhopige poging deed bij de scheepsradio te komen begon het hele stuurhuis om hem heen te tollen. In een waas zag hij dat Bucky languit op het dek lag. Terwijl zijn borst in elkaar gedrukt leek te worden probeerde Miller de radio te bereiken en slaagde er nog net in de microfoon te pakken te krijgen. Daarbij vielen er wel enkele kaarten en potloden op de grond. Hij bracht de microfoon dichter naar zijn lippen en probeerde een noodoproep te doen, maar hij kon geen woord uitbrengen. Hij viel op zijn knieën en had het gevoel dat zijn hele lichaam op een aambeeld werd verpletterd. De druk op zijn borst werd almaar groter terwijl er langzaam maar zeker een zwart waas voor zijn ogen werd getrokken. Hij vocht om bij bewustzijn te blijven maar voelde hoe hij steeds meer naar een peilloze diepte werd getrokken. Miller worstelde wanhopig, en er ontsnapte hem een laatste ademtocht toen de ijskoude hand van de dood hem gebaarde los te laten.

2

'De vangst is aan boord,' riep Summer Pitt in de richting van het stuurhuis. 'Breng ons maar naar de volgende magische plek.'

De lange, lenige oceanografe stond op het open achterdek van het onderzoeksvaartuig, en was gekleed in een turkooisblauw regenjack. In haar handen hield ze een soort vishengel en haalde met behulp van een spoel een lijn van polypropyleen naar binnen. De lijn stond strak en aan het uiteinde ervan bungelde in de stevige bries haar vangst. Het was geen vis maar een grijze plastic buis, een zogenaamde Niskinfles, waarmee op grotere diepten watermonsters konden worden genomen. Summer pakte de fles behoedzaam beet en liep naar het stuurhuis terwijl de motoren onder het dek plotseling luidruchtig begonnen te ronken. De abrupte vaartvermeerdering zorgde er bijna voor dat ze onderuitging toen de werkboot naar voren spoot.

'Graag wat minder snel optrekken,' riep ze toen ze eindelijk het stuurhuis had bereikt.

Haar broer, die achter het stuur zat, draaide zich naar haar om en moest grinniken.

'Ik wil alleen maar dat je alert blijft,' reageerde Dirk Pitt. 'Maar het was wel een prachtige imitatie van een dronken ballerina, dat moet ik je nageven.'

Van die opmerking werd Summer alleen maar nog kwader, maar even later zag ze er alsnog de humor van in en moest er toen toch ook om lachen.

'Wees niet verbaasd als je vanavond een emmer natte mosselen in je kooi vindt,' zei ze.

'Zolang ze maar gekookt zijn en er cajun-saus bij zit,' antwoordde hij. Dirk nam iets gas terug, zodat er op een wat stabielere snelheid werd gevaren, en keek toen op de monitor naast hem naar de digitale zeekaart.

'Tussen haakjes, dat was dan monster 17-F,' meldde hij.

Summer goot het watermonster over in een doorzichtig flesje en noteerde de aanduiding op een voorgedrukt etiket. Daarna zette ze het flesje in een met piepschuim beklede doos waarin zich al een stuk of tien andere zeewatermonsters bevonden. Wat was begonnen als een eenvoudige studie naar de planktontoestand langs de zuidkust van Alaska, was aanzienlijk omvangrijker geworden toen de Canadian Fisheries and Oceans Department – de Canadese federale dienst voor visserij- en oceanografisch onderzoek – lucht van hun project had gekregen en had gevraagd of ze hun proefnemingen tot aan Vancouver wilden voortzetten. Behalve voor cruiseschepen was de Inside Passage ook een belangrijke migratieroute voor bultruggen, grijze en andere walvissen die zich hier in de aandacht van zeebiologen mochten verheugen. Het microscopisch kleine plankton was de sleutel tot de voedselketen in het zeewater, aangezien het krill aantrok, een van de belangrijkste voedselbronnen voor baardwalvissen. Dirk en Summer beseften het grote belang van het maken van een complete ecologische momentopname van het betreffende gebied, en hadden van hun bazen bij de National Underwater and Marine Agency, de NUMA, toestemming gekregen om hun researchproject uit te breiden.

'Hoe ver is het nog tot het volgende verzamelpunt?' vroeg Summer, die op een houten krukje ging zitten en keek hoe de golven voorbijrolden.

Dirk keek opnieuw naar de computermonitor en lokaliseerde een klein zwart driehoekje boven aan het scherm. De vorige verzamelpunten waren door middel van het HYPACK-softwareprogramma gemarkeerd, en datzelfde systeem zette nu een koers uit naar de volgende positie waar een monster moest worden genomen.

'We hebben nog ongeveer acht mijl te gaan. Ruim voldoende tijd om wat te eten.' Hij trok een koelbox open en haalde er een sandwich met ham en een blikje limonade uit tevoorschijn, waarna hij een rukje aan het stuurwiel gaf om de boot op koers te houden.

De dertienenhalve meter lange aluminium werkboot stoof als een pijl over het vlakke water van de Inner Passage. Turkooisblauw geschilderd, zoals alle onderzoeksvaartuigen van de NUMA, had ook dit vaartuig een duikuitrusting aan boord die geschikt was om in koude wateren te opereren, alsmede apparatuur waarmee de zeebodem in kaart kon worden gebracht, terwijl het zelfs over een kleine ROV – een onderwaterrobot – beschikte om video-opnamen onder water te maken. Van enig comfort voor de opvarenden was nauwelijks sprake, maar de boot vormde een perfect platform voor het uitvoeren van onderzoek vlak onder de kust.

Dirk draaide het stuurwiel naar stuurboord en ging met een wijde boog om een glimmend wit cruiseschip heen, een boot van de Princess Lines die in tegenoverliggende richting voer. Een handjevol toeristen dat aan dek stond zwaaide enthousiast hun kant uit, door Dirk beantwoord door heel even een arm uit een zijraampje te steken.

'Het lijkt wel of er elk uur een voorbijkomt,' merkte Summer op.

''s Zomers maken meer dan dertig vaartuigen per dag van deze doorvaart gebruik. Af en toe lijkt het hier de Jersey Turnpike wel.'

'Jij bent zelfs nog nooit in de búúrt van de Jersey Turnpike geweest.'

'Dirk schudde zijn hoofd. 'Oké. Dan lijkt het op de Interstate H-1 in Honolulu tijdens de spits.'

De broer en zus waren opgegroeid in Hawaii, waar ze een passie hadden ontwikkeld voor alles wat met de zee te maken had. Ook hun ongetrouwde moeder had al vroeg belangstelling voor mariene biologie gehad en had haar beide kinderen aangemoedigd om al op jonge leeftijd te leren duiken. Als twee-eiige tweelingen die beiden zowel sportief als ondernemend waren, hadden Dirk en Summer een groot deel van hun jeugd op of aan het water doorgebracht. Ook aan de universiteit bleven ze belangstelling voor de zee houden, en beiden gingen dan ook oceanografische wetenschappen studeren. Op de een of andere manier belandden ze elk aan een andere Amerikaanse kust; Summer behaalde een graad aan het Scripps Institute in La Jaolla bij San Diego, terwijl Dirk aan het New York Maritime College een opleiding volgde tot scheepswerktuigkundige.

Pas op het sterfbed van hun moeder kregen ze te horen wie hun natuurlijke vader was, de man die leiding gaf aan de National Underwater and Marine Agency en ook Dirk heette. Een emotionele hereniging leidde tot een hechte relatie met de man die ze tot dan toe nooit hadden gekend. Tegenwoordig waren ze onder zijn toezicht bij de afdeling Speciale Projecten van de NUMA werkzaam. Het was een droombaan die hen in staat stelde om samen over de hele wereld te reizen, de oceanen te bestuderen en enkele eeuwenoude mysteries van de diepzee op te lossen.

Toen ze een vissersboot passeerden die in noordelijke richting voer haalde Dirk de gashendel iets naar zich toe, en gaf een kwart mijl later weer wat meer vermogen. Toen ze het van tevoren bepaalde doelwit naderden, schakelde hij beide motoren uit en dreef de boot boven de beoogde positie. Summer liep naar het achterdek en bevestigde net een leeg flesje aan haar vislijn toen een eindje verderop twee Dall-bruinvissen aan de oppervlakte kwamen en nieuwsgierig naar de boot keken.

'Kijk uit voor Flipper als je dat ding in het water gooit,' zei Dirk, die het dek op kwam lopen. 'Als je een bruinvis op zijn kop raakt geeft dat een slecht karma.'

'Hoe zit het eigenlijk als je je broer op z'n kop raakt?'

'Dat is nog erger.' Hij glimlachte toen de zeezoogdieren weer onder water verdwenen. Hij liet zijn blik over het omringende water glijden, wachtend tot de bruinvissen zich weer zouden laten zien, toen hij de vis-

32

sersboot weer zag. Ze was geleidelijk aan van koers veranderd en voer nu naar het zuiden. Dirk merkte dat het scheepje in feite een wijde cirkel beschreef en over niet al te lange tijd hún kant op zou komen.

'Je kunt beter even opschieten, Summer. Ik geloof niet dat die knaap uitkijkt waar hij vaart.'

Summer wierp een snelle blik op de naderende boot en gooide het flesje overboord. Het met gewichten verzwaarde instrument verdween snel in het zwarte water terwijl er enkele tientallen meters lijn werden uitgevierd. Toen de lijn strak kwam te staan gaf Summer er een ruk aan, waardoor het omgekeerde flesje om zou klappen en zich op de gewenste diepte zou vullen met water. Terwijl ze de lijn weer inhaalde keek ze naar de vissersboot. Die bleef een wijde bocht maken en was nu nauwelijks dertig meter van hen verwijderd, terwijl de voorsteven traag maar onmiskenbaar in de richting van het NUMA-vaartuig bleef wijzen.

Dirk was al naar het stuurhuis teruggelopen en drukte op een knop op het dashboard. Het geluid van een misthoorn echode over het water, maar had aan boord van het vissersschip geen enkele reactie tot gevolg. Het bleef zijn trage bocht maken, op weg naar een rendez-vous met het onderzoeksvaartuig.

Dirk startte razendsnel de motoren en duwde de gashendel helemaal naar voren, precies op het moment dat Summer klaar was met het bovenhalen van het watermonster. Met een snelle tussensprint schoot de boot een paar meter naar voren, en minderde weer vaart toen de vissersboot de werkboot op nauwelijks een paar meter passeerde.

'Zo te zien staat er niemand op de brug,' riep Summer. Ze zag hoe Dirk de microfoon van de radiozender ophing.

'Via de radio heb ik ook geen reactie gekregen,' bevestigde hij met een hoofdknik. 'Summer, kom, neem het roer van me over.'

Summer haastte zich naar het stuurhuis, borg het watermonster op en ging op de stoel van de roerganger zitten.

'Ga je proberen aan boord te komen?' vroeg ze, beseffend wat haar broer van plan was.

'Ja. Kijk eens of je dezelfde snelheid kan aanhouden als die boot en breng ons dan langszij.'

Summer ging achter de vissersboot aan, voer door haar kielzog en kwam toen langszij. Ze zag dat de vissersboot steeds grotere cirkels maakte en keek toen geschrokken naar de route die de boot straks zou volgen. Een steeds ruimer wordende cirkel, gecombineerd met hoogwater, zorgde ervoor dat het vaartuig in een wijde bocht op Gil Island af voer. Over een paar minuten zou de boot de kust van het eiland bereiken en zou de romp op de rotsachtige oever worden opengereten.

'Je kunt maar beter snel in actie komen,' riep ze tegen haar broer. 'Want hij loopt straks op de rotsen.'

Dirk knikte en gebaarde Summer dat ze de boot dichterbij moest brengen. Hij was naar de voorsteven gehold, had zijn benen over de lage zijreling geslagen en stond nu enigszins gebogen klaar om de andere boot te enteren. Summer liet de werkboot een ogenblik lang een rechte koers volgen, paste zich toen aan de vaart en de koers van het andere vaartuig aan en schoof er centimeter voor centimeter dichter naartoe. Toen ze de andere boot tot op een halve meter genaderd waren, nam Dirk een sprong en belandde hij op het dek naast een nettenrol. Summer zwenkte onmiddellijk bij de vissersboot vandaan, maakte een korte draai en voer vervolgens op enkele meters afstand achter het vaartuig aan.

Zich langs de netten haastend zette Dirk rechtstreeks koers naar het stuurhuis van de vissersboot, waar hij een afschuwelijke vondst deed. Drie mannen lagen in elkaar gezakt op het dek, en aan hun gezichten was duidelijk te zien dat ze een vreselijke doodsstrijd achter de rug hadden. Een van de mannen staarde door geopende, glazige ogen en hield vreemd genoeg een potlood in zijn verstijfde vingers geklemd. Dirk zag aan hun grijze gelaatskleur dat de mannen dood waren, maar voelde toch nog even hun pols. Tot zijn verbazing zag hij dat de lichamen geen tekenen van geweld vertoonden; er was nergens bloed te zien en ook geen open wonden. Toen hij verder nergens tekenen van leven kon ontdekken ging hij grimmig achter het stuurwiel staan en bracht de vissersboot op een rechte koers, waarna hij via de radio Summer vroeg achter hem aan te varen. Terwijl hij de kilte van zich af probeerde de schudden stuurde hij de boot naar de dichtstbijzijnde haven, zich in stilte afvragend waardoor de mannen die dood aan zijn voeten lagen om het leven waren gekomen.

3

De beveiligingsbeambte van het Witte Huis stond bij de ingang aan Pennsylvania Avenue en werd door de man die over het trottoir kwam aangelopen enigszins in verwarring gebracht. Hij was vrij klein maar liep met stevige, vastbesloten tred, de borst vooruit en de kin omhoog, onmiskenbaar gezag uitstralend. Met vuurrood haar en een bijpassend sikje deed hij de bewaker denken aan een bantammer haan die op weg was naar het kippenhok. Maar het was noch zijn uiterlijke verschijning noch zijn houding die in eerste instantie de aandacht van de bewaker trok. Dat was de lange dunne, nog niet aangestoken sigaar die tussen de lippen van de man naar voren priemde.

'Charlie... is dat niet de vicepresident?' vroeg hij aan zijn metgezel in het wachthuisje. Maar zijn collega-agent was aan de telefoon en hoorde hem niet. De bezoeker had nu het smalle halletje naast het wachthuisje bereikt.

'Goedenavond,' zei hij met een gruizige stem. 'Ik heb om acht uur een afspraak met de president.'

'Mag ik uw legitimatiebewijs zien, meneer?' vroeg de bewaker nerveus.

'Dat soort onzin heb ik nooit bij me,' antwoordde de man nors. Hij haalde de sigaar uit zijn mond. 'Sandecker is de naam.'

'Jawel, meneer. Maar ik wil nog steeds graag een legitimatiebewijs zien,' antwoordde de bewaker, wiens gezicht rood begon te worden.

Sandecker keek de man met half dichtgeknepen ogen aan, en werd enigszins milder. 'Ik begrijp dat je alleen je werk maar doet, jongen. Waarom bel je de chef-staf niet, Meade, en vertel je hem dan dat ik bij het hek sta, oké?'

Voor de in verwarring gebrachte bewaker kon reageren, stak zijn collega zijn hoofd uit het raampje.

'Goedenavond, meneer de vicepresident. Nog een late bespreking met de president?' vroeg hij.

'Goedenavond, Charlie,' antwoordde Sandecker. 'Ja, ik ben bang dat dit het enige tijdstip is waarop we ongestoord kunnen praten.'

'Waarom loopt u niet door?' zei Charlie.

Sandecker deed een stap en bleef toen staan. 'Ik zie dat je een nieuwe collega hebt,' zei hij, en draaide zich om naar de met stomheid geslagen bewaker die hem had tegengehouden. De vicepresident stak zijn arm naar voren en drukte hem de hand.

'Ga zo door, jongen,' zei hij en wandelde op zijn gemak over de oprit naar het Witte Huis.

Hoewel hij het grootste deel van zijn loopbaan in 's lands hoofdstad had doorgebracht, had James Sandecker zich nooit iets van het officiële Washingtonse protocol aangetrokken. Als gepensioneerd admiraal stond Sandecker binnen de Beltway bekend om de resolute wijze waarop hij jarenlang leiding had gegeven aan de National Underwater and Marine Agency. Hij was enigszins geschrokken toen de president hem had gevraagd of hij bereid was zijn gekozen tweede man op te volgen, de vicepresident die tijdens zijn ambtsperiode was overleden. Hoewel hij absoluut geen politicus was, besefte Sandecker dat hij op deze manier kon uitgroeien tot een krachtig beschermer van het milieu en de oceanen waarvan hij zo hield, en had het aanbod uiteindelijk geaccepteerd.

Als vicepresident deed Sandecker zijn best het uiterlijk vertoon dat bij de functie hoorde zoveel mogelijk uit de weg te gaan. Onophoudelijk frustreerde hij de Secret Service-mensen die hem moesten bewaken door hen op de meest onverwachte momenten naar huis te sturen. Hij deed veel aan lichaamsbeweging en kon dan ook vaak in z'n eentje joggend op de Mall worden gezien. Hij werkte liever vanuit een kantoor in het Eisenhower Executive Office Building dan vanuit een soortgelijke ruimte in de westelijke vleugel, want hij gaf er de voorkeur aan de politieke nevelen die alle Witte Huis-coterieën omhulden zoveel mogelijk te mijden. Zelfs bij slecht weer liep hij voor een vergadering over Pennsylvania Avenue naar het Witte Huis, de voorkeur gevend aan een frisse neus boven de ondergrondse tunnel die de twee gebouwen met elkaar verbond. Bij mooi weer jogde hij zelfs wel eens helemaal naar Capitol Hill, als hij bij een vergadering van het Congres aanwezig moest zijn, waarbij de agenten van de Secret Service die hem moesten bewaken hun uiterste best moesten doen hem bij te houden.

Nadat hij bij de ingang van de westelijke vleugel een tweede controlepost was gepasseerd, werd Sandecker door een staflid van het Witte Huis naar het Oval Office geëscorteerd. Hij werd via de noordwestelijke ingang binnengelaten, liep door het vertrek met de blauwe vloerbedekking en nam plaats op een stoel tegenover het bureau waarachter de president zat. Nadat hij was gaan zitten keek hij de president eens goed aan, en moest onwillekeurig huiveren.

Garner Ward zag er abominabel uit. De populistische, partijloze president uit Montana, die een oppervlakkige gelijkenis vertoonde – zowel qua karakter als qua uiterlijk – met Teddy Roosevelt, zag eruit alsof hij een week lang zijn bed niet had gezien. Onder zijn vlekkerige roodomrande ogen bevonden zich brede, opgezette wallen, en zijn grauwe gezicht stond somber. Hij keek Sandecker aan met een grimmige blik die absoluut niet hoorde bij de gewoonlijk zo opgewekte president.

'Garner, volgens mij ben jij de laatste tijd veel te laat naar bed gegaan,' zei Sandecker met een zorgelijke ondertoon in zijn stem.

'Ik had geen andere keus,' antwoordde de president vermoeid. 'We bevinden ons momenteel in een ernstige crisis.'

'Ik zag op het nieuws dat de benzineprijs tot boven de tien dollar de gallon is gestegen. De laatste prijsverhoging van ruwe olie komt hard aan.'

Het land werd wat de olieprijzen betrof opnieuw met een onverwachte piek geconfronteerd. Recentelijk had Iran, als reactie op sancties van de westelijke landen, alle olieleveranties naar deze landen stopgezet, terwijl stakingen in Nigeria ervoor hadden gezorgd dat de olie-export vanuit Afrika bijna tot nul was teruggelopen. Maar erger nog voor de Verenigde Staten was het opschorten van olieleveranties vanuit Venezuela, in opdracht van de nogal wispelturige president van dat land. De prijs van benzine en stookolie schoot omhoog, terwijl overal in het land tekorten ontstonden.

'We hebben hier het ergste nog niet van gezien,' reageerde de president. Hij schoof Sandecker een brief toe.

'Dit komt van de Canadese premier,' vervolgde Ward. 'In het kader van wetgeving die recentelijk door het parlement daar is aangenomen, en die bedoeld is om de broeikasgassen drastisch terug te dringen, is de Canadese regering gedwongen om de winning van olie uit teerzand in het gebied van de Athabasca grotendeels te staken. De premier deelt ons tot zijn spijt mee dat alle daaruit voortvloeiende olie-exporten naar de Verenigde Staten zullen worden opgeschort, totdat ze de problemen rond de koolstofemissie hebben opgelost.'

Sandecker las de brief en schudde langzaam zijn hoofd. 'Dat teerzand is goed voor bijna vijftien procent van de door ons geïmporteerde olie. Dat is een vernietigende klap voor onze economie.'

De recente prijsverhogingen waren toch al hard aangekomen in het land. In het noordoosten waren tijdens een korte periode van hevige kou honderden mensen gestorven, terwijl daar nergens meer stookolie te krijgen was. Luchtvaartmaatschappijen, autotransportbedrijven en aanverwante transportondernemingen stevenden in een hoog tempo op een bankroet af, terwijl honderdduizenden arbeiders in andere bedrijfstakken al naar huis waren gestuurd. De hele economie leek op het punt van instorten te staan, terwijl de bevolking alleen maar woedender werd op een overheid die nauwelijks iets aan de krachten van vraag en aanbod kon doen.

'Het heeft geen zin om boos te worden op de Canadezen,' zei de president. 'Het niet langer exploiteren van het Athabasca-veld is in het licht van de steeds sneller oplopende opwarming van de aarde waarmee we worden geconfronteerd een nobel gebaar.'

Sandecker knikte. 'Ik heb net van het National Underwater and Marine Agency een rapport over de watertemperatuur van de oceanen binnengekregen. De zeeën warmen aanzienlijk sneller op dan aanvankelijk voorspeld was, terwijl de zeespiegel in hetzelfde tempo blijft stijgen. Aan het smelten van de poolkappen lijkt maar geen einde te komen. De zeespiegelstijging zal wereldwijd een onvoorstelbare onrust geven.'

'Alsof we niet al genoeg problemen hebben,' mompelde de president. 'En dat niet alleen, we zitten ook nog eens opgezadeld met economische repercussies die wel eens vernietigend zouden kunnen uitpakken. De wereldwijde campagne tegen het gebruik van steenkool krijgt nu overal steun. Veel landen overwegen een boycot van Amerikaanse en Chinese goederen, tenzij we ophouden met het verstoken van steenkool.'

'Het probleem is,' merkte Sandecker op, 'dat met steenkool gestookte elektriciteitscentrales de belangrijkste bron van broeikasgassen zijn – maar ze leveren ook de helft van onze elektriciteit. En we hebben de grootste steenkoolreserves ter wereld. Het is een pijnlijk dilemma.'

'Ik weet zo net nog niet of ons land economisch kan overleven als die boycot grootschalig gesteund gaat worden,' antwoordde de president met zachte stem. Hij leunde achterover in zijn stoel en wreef in zijn ogen. 'Ik ben bang dat we het kantelpunt hebben bereikt, Jim, zowel wat de economie als het milieu betreft. Als we niet de juiste maatregelen nemen zitten we straks met een ramp opgezadeld.'

Al deze situaties zorgden voor een steeds groter wordende druk en Sandecker zag duidelijk dat de gezondheid van de president er steeds meer onder leed. 'We staan voor een aantal moeilijke beslissingen,' reageerde Sandecker. Omdat hij medelijden had met de man die hij als een goede vriend beschouwde, voegde hij eraan toe: 'Je kunt het niet allemaal in je eentje oplossen, Garner.'

Plotseling begon er een fel, woedend vuur in de ogen van de president te branden. 'Misschien heb je gelijk. Maar ik mag geen moment ophouden het te proberen. We hebben dit al een decennium of langer zien aankomen, maar niemand was bereid er iets aan te doen. Vorige regeringen zijn alleen maar bezig geweest de oliemaatschappijen overeind te houden, en hebben nauwelijks fondsen beschikbaar gesteld voor het onderzoek naar duurzame energie. Datzelfde geldt voor de opwarming van de aarde. Het Congres had het te druk met het beschermen van de steenkoolindustrie om te zien dat we bezig waren de planeet naar de verdoemenis te helpen. Iedereen wist dat onze economische afhankelijkheid van olie uit het buitenland zich op een gegeven moment tegen ons zou keren, en dat moment is nu aangebroken.'

'We moeten het maar niet hebben over de kortzichtigheid van onze voorgangers,' merkte Sandecker op. 'Washington is nooit een stad geweest die bekendstond om zijn moed. Maar we zijn aan het Amerikaanse volk verplicht om onze uiterste best te doen de fouten uit het verleden recht te zetten.'

'Het Amerikaanse volk,' reageerde de president gekweld. 'Wat zou ik ze op dit moment moeten vertellen? Sorry, we hebben onze kop een hele tijd in het zand gestoken? Sorry, we worden momenteel geconfronteerd met een waanzinnig brandstoftekort, hyperinflatie, een verbijsterende werkloosheid en een economische depressie? O ja, nogmaals sorry, de rest van de wereld wil dat we ophouden met het opstoken van steenkool, dus straks gaat ook het licht nog uit?'

De president liet zich in zijn stoel onderuitzakken en staarde nietsziend naar de muur.

'Ik heb geen wonderen in de aanbieding,' merkte hij op.

Lange tijd was het stil in het vertrek, maar op een gegeven moment reageerde Sandecker met zachte stem. 'Ze verlangen geen wonderen van je, alleen de bereidheid de pijn met ze te delen. Het is een bittere pil die geslikt moet worden, maar we zullen een standpunt moeten innemen en ons energieverbruik minder afhankelijk van olie moeten maken. Als het erop aankomt zijn de mensen veerkrachtig. Leg de feiten eerlijk op tafel, Garner, dan scharen ze zich aan onze zijde en accepteren ze de opofferingen die eraan gaan komen.'

'Misschien,' antwoordde de president aangeslagen. 'Maar kiezen ze ook onze kant als ze beseffen dat het misschien wel eens te laat zou kunnen zijn?'

4

Elizabeth Finlay liep naar het slaapkamerraam en keek naar de lucht. Er viel een lichte motregen, zoals dat al nagenoeg de hele dag het geval was geweest, terwijl uit niets bleek dat het binnenkort zou ophouden met regenen. Ze wendde haar blik af en keek naar het water van de haven van Victoria – de hoofdstad van de Canadese provincie British Columbia – dat tegen de stenen zeewering achter haar huis klotste. Het water in de haven zag er kalm uit, slechts onderbroken door hier en daar wat kleine schuimkammen die door de lichte bries werden opgeworpen. Eigenlijk was het niet veel slechter zeilweer dan je in de Pacific Northwest in het voorjaar kon verwachten, bedacht ze.

Ze trok een dikke trui en vervolgens een veelgebruikte gele regenjas aan, en daalde de trap af van haar dure huis aan de kust. Dat was in de jaren negentig van de twintigste eeuw door wijlen haar echtgenoot gebouwd en bestond voornamelijk uit een honingraatstructuur met brede vensters, van waaruit je een spectaculair uitzicht had op de binnenstad van Victoria, dat aan de overkant van de haven lag. T.J. Finlay had het zo gepland, als een voortdurende herinnering aan de stad waarvan hij zoveel hield. Finlay, een opvallende persoonlijkheid, had jarenlang de plaatselijke politiek gedomineerd. Als erfgenaam van het Canadian Pacific Railway-fortuin was hij al op jonge leeftijd in de politiek gegaan en was hij lange tijd parlementslid voor het district Victoria geweest, een functie waarin hij grote populariteit verwierf. Hij was onverwacht aan een hartaanval overleden, maar hij zou opgetogen zijn geweest als hij had geweten dat zijn vijfendertigjarige echtgenote de verkiezingen bijna moeiteloos had gewonnen en nu zijn zetel in het parlement had ingenomen.

Elizabeth Finlay, een fijngevoelige maar avontuurlijke vrouw, stamde af van vroege Canadese kolonisten en was ongelooflijk trots op haar afkomst. Ze maakte zich zorgen over wat zij als onrechtvaardige invloeden van buitenaf op Canada beschouwde en was een welbespraakt voorstandster van strengere immigratienormen en meer beperkende maatregelen als het ging om buitenlandse eigenaars en investeringen. Hoewel ze in de zakenwereld nogal wat mensen tegen zich in het harnas had gejaagd, werd ze alom bewonderd om haar moed, directheid en eerlijkheid.

Ze stapte de achterdeur uit, liep over een keurig verzorgd gazon en daalde het trapje af naar de zware houten steiger die in de baai stak. Een blije zwarte labrador volgde haar op de voet en kwispelde in onvermoeibare gelukzaligheid met zijn staart. Aan de steiger lag een fraai gestroomlijnd, twintig meter lang zeewaardig motorjacht afgemeerd. Hoewel het vaartuig bijna twintig jaar oud was, glom het nog als nieuw, het resultaat van onberispelijk onderhoud. Tegenover het jacht lag een kleine houten Wayfarer-zeilboot van nog geen vijf meter lang, voorzien van een felgele romp. Net als het jacht zag de bijna antieke zeilboot, die speciaal voor wedstrijden ontworpen was, er dankzij het gepoetste koper en de nieuwe tuigage en zeilen nog als nieuw uit.

Toen hij haar hoorde aankomen stapte er een magere man met grijs haar van het jacht.

'Goedemorgen, mevrouw Finlay,' begroette hij haar. 'Wilt u er met de *Columbia Express* op uit?' Hij gebaarde naar het jacht.

'Nee, Edward, ik wilde vandaag maar eens gaan zeilen. Dat is nog steeds dé manier om Ottawa en de politiek uit mijn hoofd te bannen.'

'Een uitstekend plan,' antwoordde hij terwijl hij haar en de hond hielp bij het aan boord gaan van de zeilboot. Nadat hij voor en achter de meerlijn had losgemaakt duwde hij, terwijl Finlay het grootzeil hees, de boot bij de steiger vandaan.

'Kijk uit voor vrachtschepen,' zei de huisbewaarder. 'Het scheepvaartverkeer lijkt vandaag een tikkeltje aan de drukke kant.'

'Dank je, Edward. Tegen lunchtijd ben ik weer terug.'

Het briesje vulde het grootzeil al snel, en Finlay kon de haven binnenmanoeuvreren zonder van de buitenboordmotor gebruik te maken. Toen de haven zich voor haar uitstrekte ging ze door de wind en volgde een zuidoostelijke koers, waarna ze langs de veerboot naar Seattle voer. Ze ging in de kleine kuip zitten, klikte zich in een veiligheidsharnas en keek om zich heen. De schilderachtige oever van Victoria Island week links van haar terug, en de puntgevels van de rond 1900 gebouwde huizen daar leken nu wel wat op poppenhuizen. In de verte, recht voor haar uit, voer een gestage rij vrachtboten over de Straat Juan de Fuca, om iets oostelijker uit elkaar te gaan naar Vancouver of Seattle. Er waren nog enkele andere onverschrokken zeil- en vissersboten op de zeestraat te zien, maar op het uitgestrekte open water bleven die zoveel mogelijk uit de buurt van andere vaartuigen. Finlay keek toe hoe er een kleine speedboot voorbijspoot, waarvan de enige opvarende vriendelijk naar haar zwaaide om vervolgens voor haar uit door het water te klieven.

Ze leunde achterover en zoog de zilte lucht in zich op, waarna ze haar kraag tegen het stuifwater omhoogsloeg. Ze voer naar een groepje eilanden ten oosten van Victoria en liet de Wayfarer voor de wind varen terwijl ze ook haar gedachten de vrije loop liet. Twintig jaar geleden waren zij en T.J. op een aanzienlijk grotere boot de Grote Oceaan overgezeild. Bij het oversteken van verlaten stukken oceaan had ze ontdekt dat de eenzaamheid haar een gevoel van troost en voldoening gaf. Ze had de zeilboot altijd al een uitzonderlijk opmerkelijk therapeutisch hulpmiddel gevonden. Al na een paar minuten op het water verdwenen nagenoeg alle dagelijkse spanningen en kwamen haar emoties tot rust. Ze grapte vaak dat het land meer zeilboten nodig had en minder psychologen.

Toen Finlay uiteindelijk de open baai op voer scheerde de kleine boot over de geleidelijk aan steeds hogere golven. Discovery Island naderend ging ze overstag, volgde een tijdje een zuidoostelijke koers, om even later een beschutte inham van het groene eiland binnen te varen die zo'n anderhalve kilometer lang was. Vlak bij haar kwam een school orka's aan de oppervlakte, en Finlay voer enkele minuten achter hen aan, totdat ze weer onder water verdwenen. Opnieuw overstag gaand, terug naar het eiland, zag ze dat er geen schepen op het water om haar heen aanwezig waren, afgezien dan van de speedboot die haar net was gepasseerd. Dat scheepje leek een eindje voor haar uit grote cirkels te beschrijven. Finlay schudde vol afkeer haar hoofd, zich storend aan het lawaai dat de zware buitenboordmotor maakte.

Plotseling stopte de speedboot, een stukje voor haar uit, en Finlay zag dat de bestuurder met een vishengel in de weer was. Ze duwde de helmstok iets van zich af en loefde naar bakboord, van plan om de boot aflandig te passeren. Toen ze er op enkele meters afstand langsvoer, schrok ze toen ze een luide plons hoorde, direct gevolgd door een kreet om hulp.

Finlay keek op en zag de man wild met zijn armen in het water slaan, een duidelijk teken dat hij niet kon zwemmen. Hij leek door zijn zware jack naar beneden getrokken te worden en verdween heel even onder water, om zich enkele seconden later weer terug naar de oppervlakte te worstelen. Finlay gooide het roer abrupt om en ving met het grootzeil een windstoot op die de boot dichter naar de overboord gevallen man schoof. Toen ze vlakbij gekomen was streek ze snel de zeilen en dreef nog een paar meter door, terwijl ze de boot tot naast de wild spartelende man manoeuvreerde

Finlay zag dat het om een forse kerel ging, met kort stekeltjeshaar en een verweerd gezicht. Ondanks zijn paniekerige bewegingen keek de man zijn redder aan met doordringende ogen die een totaal gebrek aan angst lieten zien. Hij draaide zich om en keek nijdig naar de zwarte labrador, die onophoudelijk blaffend bij de reling van de zeilboot stond.

Finlay wist maar al te goed dat ze niet zelf moest proberen de drenkeling uit het water te trekken, dus liet ze haar blik over het dek gaan, op zoek naar een bootshaak. Toen ze die niet vond, rolde ze snel de achterlijn van de zeilboot op en wierp die de man vakkundig toe. Hij slaagde erin een arm om het touw te slaan, om het volgende moment opnieuw onder water te verdwijnen. Finlay zette één been schrap tegen het dolboord en begon aan de lijn te trekken. Een meter of wat bij de achtersteven vandaan kwam de man weer aan de oppervlakte, hijgend en naar lucht happend.

'Kalm aan maar,' stelde ze de man gerust. 'Alles komt in orde.' Ze trok hem dichter naar zich toe en maakte de lijn toen aan een kikker vast.

De man leek zijn kalmte herwonnen te hebben en hield zichzelf zwaar ademend aan de achtersteven vast.

'Kunt u me aan boord helpen?' bracht hij raspend uit terwijl hij een arm omhoogstak.

Instinctief reikte Finlay naar beneden en greep de dikke hand van de man beet. Voor ze zichzelf schrap kon zetten om te trekken, voelde ze hoe ze ruw naar het water werd getrokken. De man had haar pols beetgegrepen en gooide zichzelf naar achteren terwijl hij zich tegelijkertijd met zijn voeten tegen de achtersteven van de zeilboot afzette. Uit haar evenwicht gebracht vloog de tengere, al wat oudere vrouw over de reling en kwam met het hoofd vooruit in het water terecht.

Maar Elizabeth Finlays verrassing dat ze over de reling werd getrokken werd overtroffen door de schok die ze onderging toen ze geheel omringd werd door het ijskoude water. Ze huiverde van de kou, wist zich toen te oriënteren en trapte zich omhoog naar de oppervlakte. Alleen lukte het haar niet die te bereiken.

De drenkeling had haar pols losgelaten maar hield nu haar arm stevig beet, vlak boven de elleboog. Tot Finlays afgrijzen merkte ze dat ze steeds dieper onder water werd getrokken. Alleen haar veiligheidslijn, die nu tot de maximale lengte was uitgetrokken, verhinderde dat ze nog verder de diepte in werd gesleurd. Gevangen in een dodelijke krachtmeting keek ze door de kolkende waas van luchtbellen naar de man die haar had aangevallen. Verbijsterd zag ze dat hij een ademautomaat in zijn mond had waaruit een lange stroom uitgeademde luchtbelletjes ontsnapte. Ze kronkelde in een poging zich uit zijn greep te bevrijden, duwde tegen hem aan en voelde een sponsachtige laag onder zijn kleren.

Een droogpak. Plotseling drong de afschuwelijke waarheid tot haar door. Hij probeerde haar te vermoorden.

Angst en paniek maakten plaats voor een enorme adrenalinestoot, en het taaie vrouwtje trapte en sloeg voor alles wat ze waard was. Met een van haar ellebogen wist ze de man vol in het gezicht te raken, waardoor de ademautomaat uit zijn mond viel. Heel even liet hij haar arm los en ze probeerde zichzelf wanhopig naar de oppervlakte te trappen. Maar zijn andere hand kwam omhoog en het lukte hem haar enkel te pakken te krijgen, vlak voor haar hoofd het wateroppervlak zou bereiken en haar lot werd bezegeld.

Wanhopig verzette Finlay zich nog een minuut, terwijl haar longen het uitschreeuwden om lucht, en even later werd haar zicht door een donkere sluier vertroebeld. Te midden van de doodsangst maakte ze zich merkwaardig genoeg nog heel even zorgen over de veiligheid van haar labrador, van wie het gedempte geblaf zelfs nog onder water te horen was. Toen er niet langer zuurstof naar haar hersenen werd getransporteerd werd haar verzet snel minder. Niet in staat nog langer haar adem in te houden hapte ze onwillekeurig naar lucht, waardoor haar longen zich met koud, zout water vulden. Met een spastische snik en een laatste wilde beweging van de armen zakte Elizabeth Finlay in elkaar.

Haar aanvaller hield haar slappe lichaam nog twee minuten onder water en kwam toen behoedzaam vlak naast de zeilboot aan de oppervlakte. Toen hij geen andere boten in de buurt zag, zwom hij naar de speedboot en hees zichzelf omhoog. Hij trok een losse overjas uit, waardoor er een zuurstoftank en een loodgordel zichtbaar werden, die hij snel afdeed. Nadat hij ook het droogpak had uitgetrokken, deed hij snel wat droge kleren aan, startte de buitenboordmotor en voer bij de zeilboot vandaan. Aan boord van het zeilbootje blafte de labrador somber naar zijn eigenaresse, die levenloos bij de achtersteven dreef.

De man keek zonder medelijden naar de hond, wendde zijn blik van de plaats delict af en zette kalmpjes koers richting Victoria.

5

De terugkeer van de *Ventura* in zijn thuishaven Kitimat creëerde onmiddellijk beroering. Het grootste deel van de elfduizend inwoners van het plaatsje kenden de overleden vissers als buurman, vriend of kennis. Al enkele minuten nadat Dirk de boot langs de steiger van de Royal Canadian Mounted Police had afgemeerd, bleek het nieuws al tot de plaatselijke bevolking te zijn doorgedrongen. Familie en vrienden verzamelden zich al snel bij de haven, totdat ze door een gigantische Mountie – een lid van de Canadese bereden politie – achter een dranghek werden teruggeduwd.

Nadat Summer de NUMA-boot er vlak achter had vastgemaakt, voegde ze zich bij haar broer, waarbij de toeschouwers haar nogal nieuwsgierig aankeken. Een ziekenwagen was achteruit de steiger opgereden en de drie met een deken afgedekte lichamen werden op brancards naar binnen geschoven. In een groezelig winkeltje waar aas werd verkocht, enkele tientallen meters verderop, deden Dirk en Summer verslag van hun morbide ontdekking.

'Waren ze alle drie al dood toen je aan boord ging?'

De monotone stem van de ondervrager paste bij diens gezicht. De politiechef van Kitimat keek Dirk en Summer aan met grijze ogen die niet één keer knipperden, met daaronder een kleine neus en een uitdrukkingsloze mond. Dirk had de inspecteur onmiddellijk weten te plaatsen als een gefrustreerde politieman die vast was komen zitten in een baantje dat volgens hem niet paste bij zijn ambities.

'Ja,' antwoordde Dirk. 'Het eerste wat ik heb gedaan is hun pols gevoeld, maar uit hun gelaatskleur en lichaamstemperatuur was al op te maken dat ze, kort voor ik aan boord was geklommen, al gestorven moesten zijn.'

'Heb je de lichamen verplaatst?'

'Nee. Toen we de haven naderden heb ik alleen een deken over ze heen gelegd. Ik kreeg de indruk dat ze gestorven zijn op de plaats waar ze in elkaar zijn gezakt.'

De politieman knikte alleen maar. 'Heb je daarvoor via de radio misschien nog noodoproepen opgevangen? En waren er nog andere vaartuigen in de buurt?'

'We hebben geen noodoproepen ontvangen,' reageerde Summer.

'Het enige andere vaartuig dat ik in de Inside Passage heb gezien was een cruiseschip. Dat bevond zich ettelijke mijlen ten noorden van ons toen we de *Ventura* vonden,' voegde Dirk eraan toe.

De inspecteur keek hem een minuut lang een tikkeltje onaangenaam aan en klapte toen een klein notitieboekje dicht waarin hij aantekeningen had gemaakt. 'Wat denk je dat er is gebeurd?' vroeg hij, terwijl een frons in zijn voorhoofd eindelijk barstjes in zijn uit steen gehouwen gelaat veroorzaakte.

'Dat mag de patholoog-anatoom vaststellen,' zei Dirk, 'maar als u me zou dwingen met een vermoeden op de proppen te komen, zou ik zeggen kooldioxidevergiftiging. Misschien heeft een lekkende uitlaat voor een opeenhoping van gassen in het stuurhuis gezorgd.'

'Ze zijn met z'n allen op de brug gevonden, dus dat zou kunnen,' zei de politieman en knikte. 'Heb jij nergens last van?'

'Ik voel me prima. Maar ik heb voor de veiligheid wel alle ramen opengezet.'

'Kun je me nog meer vertellen wat ons eventueel zou kunnen helpen?'

Dirk keek op en knikte bevestigend. 'In de beenruimte staat een vreemde boodschap geschreven.'

De wenkbrauwen van de inspecteur gingen opnieuw omhoog. 'Laat me die eens zien dan.'

Dirk liep voor hem en Summer uit naar de *Ventura* en stapte de brug op. Bij het roer wees hij met zijn voet naar de stuurstang. De inspecteur liet zich op zijn knieën zakken om een en ander beter te kunnen bekijken, lichtelijk geïrriteerd door het feit dat hij bij het eerste onderzoek van de plaats delict iets over het hoofd had gezien. Onder het instrumentenpaneel en enkele centimeters boven de plint, was nog net zichtbaar iets geschreven, met potlood. Het was een plaats waar een stervende, op de grond liggende man misschien een laatste boodschap zou kunnen achterlaten.

De inspecteur haalde een zaklantaarn tevoorschijn en richtte die op de potloodletters. In een beverig handschrift was het woord STI KD geschreven, met een spatie tussen de I en de K. De politieman boog zich naar voren en raapte een geel potlood op dat tegen de wand was gerold.

'Deze geschreven tekst bevindt zich vlak bij de plaats waar we het lichaam van de kapitein hebben gevonden,' zei Dirk. 'Misschien is hij in elkaar gezakt en kon hij niet meer bij de radio.'

De inspecteur gromde iets, nog steeds kwaad omdat hij het niet eerder had gezien. 'Het hoeft niets te betekenen. Misschien heeft het daar al een hele tijd gestaan.' Hij kwam overeind, draaide zich om en keek Dirk en Summer aan. 'Wat zijn jullie eigenlijk in Straat Hecate aan het doen?'

'Wij zijn van het National Underwater and Marine Agency, en zijn bezig met een onderzoek naar de toestand van het fytoplankton langs de Inner Passage,' legde Summer uit. 'We verzamelen watermonsters tussen Juneau en Vancouver, op verzoek van het Canadese ministerie van Visserij.'

De inspecteur keek naar de NUMA-boot en knikte toen. 'Ik zal jullie moeten vragen nog een dag of twee hier in Kitimak te blijven, totdat het voorlopig onderzoek is afgerond. Jullie kunnen je boot hier laten liggen; dit is een gemeentesteiger. Een blok of twee verderop is een motel, mocht je daar gebruik van willen maken. Zouden jullie morgenmiddag om een uur of drie bij me op kantoor langs willen komen? Ik stuur een auto om jullie op te halen.'

'We zijn blij dat we u van dienst kunnen zijn,' antwoordde Dirk droogjes, lichtelijk geïrriteerd door het feit dat ze behandeld werden als potentiële verdachten.

Na het verhoor stapten Dirk en Summer de steiger op en liepen naar hun boot terug. Ze keken op toen een glasvezel-werkboot die bijna identiek was aan die van hen richting steiger aan kwam ronken. De bestuurder was veel te lang gas blijven geven en slechts enkele seconden nadat de motoren waren uitgeschakeld sloeg de voorsteven dan ook met een harde klap tegen de steiger. Een lange man in een flanellen shirt kwam uit het stuurhuis gestormd, pakte een boeglijn en sprong op de steiger. Nadat hij achter de NUMA-boot de tros snel aan een meerpaal had vastgemaakt, beende hij met grote passen over de steiger, waarbij zijn laarzen op de houten planken bonkten. Toen hij aan kwam lopen zag Summer dat hij grove gelaatstrekken en een woeste haardos had, maar ze meende in zijn brede, donkere ogen toch ook een zekere vriendelijkheid waar te nemen.

'Zijn jullie degenen die de *Ventura* hebben gevonden?' vroeg hij, en keek Dirk en Summer met een doordringende blik aan. Zijn stem klonk beschaafd, wat Summer in schril contrast vond staan met het uiterlijk van de man.

'Ja,' antwoordde Dirk. 'Ik heb het schip terug naar de haven gebracht.'

De man knikte nadrukkelijk, stormde toen de steiger af en wist, nadat hij de kade had bereikt, nog net de politie-inspecteur in te halen. Summer zag dat de man en de Mountie in een redelijk verhit gesprek verwikkeld raakten, waarbij hun stemmen af en toe oversloegen.

'Ik kan niet zeggen dat ons hier een warm onthaal ten deel valt,' mompelde Dirk terwijl hij aan boord van het NUMA-vaartuig stapte. 'Gedraagt iedereen hier zich als een grizzlybeer?'

'Ik denk dat we het slaperige kleine Kitimat met te veel drama hebben opgezadeld,' antwoordde Summer.

Nadat ze hun boot wat steviger hadden afgemeerd en hun watermonsters hadden verzameld, gingen ze het stadje in, dat helemaal door bossen was omringd, en merkten al snel dat het helemaal niet zo slaperig was als ze hadden verwacht. Kitimat, het bijproduct van de haveninstallaties die speciaal voor schepen met grote diepgang zuidwestelijk van het centrum waren aangelegd, zat economisch gezien blijkbaar in de lift. De internationale industrie had in alle rust kennisgenomen van de mogelijkheden die deze installaties boden en was nu druk bezig de stad te veranderen in de drukste Canadese haven ten noorden van Vancouver. Een smeltoven van Alcon Aluminium die hier al jaren in gebruik was, had recentelijk een uitbreiding ter waarde van een miljard dollar ondergaan, terwijl zowel de houtindustrie als het toerisme bleven groeien.

Ze vonden het kantoor van een koeriersdienst, verstuurden hun watermonsters naar een NUMA-laboratorium in Seattle en gingen daarna nog wat eten. Toen ze naar hun motel terugliepen maakten ze een kleine omweg om nog wat spullen van boord te halen. Summer stond op de brug en staarde naar de *Ventura*, die vlak voor hen lag afgemeerd. De politie was klaar met het onderzoek en de boot lag er verlaten bij, terwijl er een stille deken van morbiditeit overheen hing. Dirk kwam van benedendeks en zag de gepijnigde blik van zijn zus.

'We kunnen ze op geen enkele manier weer tot leven brengen,' zei hij. 'Het is een lange dag geweest. Laten we naar het motel teruglopen en naar bed gaan.'

'Ik moet weer aan die boodschap in het stuurhuis denken, en wat de kapitein ermee probeerde te zeggen. Ik vroeg me af of het een soort waarschuwing was.'

'Ze moeten erg snel gestorven zijn. We weten niet eens zeker of het wel een laatste boodschap ís.'

Summer dacht opnieuw aan de met potlood geschreven letters en schudde haar hoofd. Het betekende meer dan zo op het eerste gezicht het geval leek, daar was ze van overtuigd. Verder had ze geen flauw idee. Maar, hield ze zichzelf voor, daar kwam ze nog wel achter.

6

Aan het interieur van het restaurant zou in de *Architectural Digest* nooit aandacht worden besteed, besefte Dirk, maar de gerookte zalm en spiegeleieren verdienden in elk geval vijf sterren. Hij grinnikte naar de elandenkop die boven Summers hoofd aan de muur hing en nam nog een hap van zijn ontbijt. De eland was slechts één van de twaalf opgezette dierenhoofden die in het restaurant hingen. En stuk voor stuk leken ze met hun harde glazen ogen Summer aan te kijken.

'Je zou van al deze aangereden dieren bijna vegetariër worden,' grimaste Summer terwijl ze hoofdschuddend in de open bek van een grizzlybeer keek.

'Volgens mij is de plaatselijke taxidermist de rijkste man van Kitimat,' reageerde Dirk.

'Misschien is het motel ook wel van hem.'

Ze nipte net van haar kop koffie toen de deur van de zaak openging en een lange man het restaurant binnenstapte. Hij kwam rechtstreeks op hun tafeltje af, en Dirk en Summer herkenden hem als de geagiteerde man die ze de dag ervoor op de steiger waren tegengekomen.

'Mag ik bij jullie komen zitten?' vroeg hij vriendelijk.

'Maar natuurlijk,' zei Dirk, terwijl hij een stoel naar achteren schoof. Hij stak zijn hand naar de vreemdeling uit. 'Ik ben Dirk Pitt, en dit is mijn zus Summer.'

De wenkbrauwen van de man gingen iets omhoog toen hij naar Summer keek.

'Prettig met jullie kennis te maken,' antwoordde hij, terwijl hij hen de hand schudde. 'Ik ben Trevor Miller. Mijn oudere broer, Steve, was de kapitein van de *Ventura*.'

'Het spijt ons enorm wat er gisteren is gebeurd,' merkte Summer op. Ze kon aan de blik in de ogen van de man zien dat de dood van zijn broer hem enorm aangegrepen had.

'Het was een fijne kerel,' zei Trevor, die in de verte leek te staren. Toen keek hij Summer weer aan en er verscheen en verlegen grijns op zijn gezicht. 'Mijn verontschuldigingen voor mijn nogal botte gedrag van gisteren. Ik had net via de scheepsradio te horen gekregen dat mijn broer was overleden en was nogal ontdaan en in de war.'

'Dat is een heel natuurlijke reactie,' zei Summer. 'Ik denk dat we allemaal een beetje ontdaan waren.'

Trevor vroeg hoe ze bij het voorval betrokken waren geraakt, en Summer vertelde dat ze de vissersboot hadden opgemerkt terwijl ze bezig waren met hun onderzoek in Straat Hecate.

'Viste je broer al langer in deze wateren?' vroeg Dirk.

'Nee, nog maar een jaar of twee, drie. In feite was hij arts, maar hij heeft zijn praktijk verkocht en is zich toen gaan wijden aan zijn grote passie, de visserij. En hij deed het lang niet slecht, ondanks alle beperkingen die de beroepsvisserij tegenwoordig worden opgelegd om de visstand te beschermen.'

'Dat is wel een heel opmerkelijke carrièreoverstap,' merkte Summer op.

'We zijn op het water opgegroeid. Onze vader werkte bij een mijnbouwmaatschappij en was een enthousiast visser. We zijn vaak verhuisd, maar hadden thuis wel altijd een boot. Zodra hij daartoe de kans kreeg zat Steve op het water. Toen hij op de middelbare school zat is hij in de vakantie zelfs met een trawler mee geweest.'

'Hij had in elk geval een keurig onderhouden boot,' zei Dirk. 'Ik heb nog nooit zo'n smetteloze vissersboot gezien.'

'De *Ventura* was de trots van de Northwest, grapte Steve altijd. Hij was een behoorlijke perfectionist. Hij zorgde er altijd voor dat zijn boot door een ringetje te halen was, terwijl hij zijn uitrusting altijd optimaal onderhield. Dat maakt alles zo verwarrend.' Hij tuurde uit het raam, opnieuw met een afwezige blik in zijn ogen. Toen draaide hij zich naar Dirk om en vroeg kalm: 'Waren ze al dood toen je ze vond?'

'Ik ben bang van wel. Toen we de boot voor het eerst zagen draaide hij rondjes, terwijl er niemand achter het roer te zien was.'

'De *Ventura* zou op de rotsen van Gil Island zijn gelopen als Dirk niet aan boord was gesprongen,' voegde Summer eraan toe.

'Ik ben blij dat je het gedaan hebt,' zei Trevor. 'Uit de autopsie is gebleken dat de mannen door verstikking om het leven zijn gekomen. De politie is ervan overtuigd dat koolmonoxidevergiftiging de oorzaak is. Alleen, ik heb de hele *Ventura* onderzocht maar kan nergens aanwijzingen van een lek afvoerkanaal vinden.'

'De motor bevindt zich een heel eind achter het stuurhuis, en dat maakt het nog onwaarschijnlijker. Misschien is er van een lek helemaal geen sprake, en was het alleen een toevallige combinatie van de wind en de vaaromstandigheden die ervoor gezorgd heeft dat zich in het stuurhuis uitlaatgassen konden verzamelen,' opperde Dirk. 'Het blijft vreemd dat de drie mannen zo snel zijn bezweken.'

'Zo vreemd is dat niet,' zei Summer. 'Een paar jaar geleden was er sprake van een aantal mysterieuze verdrinkingsgevallen op Lake Powell, met name onder vakantiegangers die daar met zo'n caravan op drijvers rondvoeren. Uiteindelijk kwam men erachter dat zwemmers in het water het bewustzijn verloren door uitlaatgassen die zich vlak bij de achtersteven hadden opgehoopt.'

'Steve was altijd uiterst voorzichtig,' merkte Miller op.

'Zo moeilijk is het niet om door een onzichtbare moordenaar overrompeld te worden,' zei Dirk.

Het gesprek eiste duidelijk zijn tol van Trevor, en hij zag bleek van de spanning. Summer schonk een kop koffie voor hem in en probeerde de conversatie een andere kant op te sturen.

'Als er iets mocht zijn waarmee we je kunnen helpen, laat dat dan weten,' zei ze, en in haar zachte grijze ogen was oprecht mededogen te zien.

'Bedankt dat je hebt geprobeerd mijn broer en zijn bemanning te redden, en voor het feit dat je de *Ventura* hebt weten te behouden. Mijn familie is jullie uiterst dankbaar.' Trevor aarzelde, en voegde er toen aan toe: 'Ik zou jullie om een gunst willen vragen. Ik vraag me af of jullie mij naar de plek zouden kunnen brengen waar je het schip hebt gevonden.'

'Dat is hier ruim vijftig mijl vandaan,' zei Dirk.

'We kunnen mijn boot nemen. Die loopt vijfentwintig knopen. Ik wil alleen zien waar hij op dat moment was.'

Summer wierp een blik op de klok die vlak onder de kop van een grijnzende bergleeuw hing. 'We hoeven pas om drie uur bij die politie-inspecteur te zijn,' zei ze tegen haar broer. 'Misschien kunnen we er snel naartoe en dan gelijk weer terug.'

'Ik moet de ROV nog nalopen en kijken of er al iets binnen is van het laboratorium in Seattle,' reageerde Dirk. 'Als jij nou eens met meneer Miller meegaat, dan ga ik wel met de inspecteur praten, mocht je wat later terugkomen.'

'Noem me alsjeblieft Trevor. En ik zorg ervoor dat ze weer op tijd terug is,' zei Miller, terwijl hij Summer glimlachend aankeek, alsof hij haar vader om toestemming vroeg een avondje met haar uit te mogen. Tot haar verrassing voelde ze hoe ze een blos op haar wangen kreeg.

'Hou onder die felle verhoorlamp een plekje voor me vrij,' zei ze tegen Dirk terwijl ze uit haar stoel omhoogkwam. 'Ik zie je om drie uur.'

7

Trevor hielp Summer aan boord van zijn boot en gooide toen snel los. Terwijl de werkboot behoedzaam bij de steiger vandaan schoof leunde ze enigszins overboord en zag het logo van NATURAL RESOURCES CANADA – het Canadese ministerie voor Natuurlijke Hulpbronnen – dat op de zijkant van de romp was geschilderd. Toen de boot eenmaal veilig en wel het havenbassin had verlaten en met hoge snelheid door het Douglas Channel voer, stapte Summer de stuurhut binnen en ging op een bank vlak bij de stoel van de roerganger zitten.

'Wat doe jij eigenlijk voor het ministerie voor Natuurlijke Hulpbronnen?' vroeg ze.

'Ik ben kustecoloog voor de dienst Bosbouw van het ministerie,' antwoordde hij terwijl hij om een schip met boomstammen voer dat midden in de vaargeul voortploeterde. 'Ik werk hoofdzakelijk samen met grote industriële concerns in de noordelijke kuststrook van British Columbia. Ik heb het geluk dat ik in Kitimat ben gestationeerd, aangezien de voortdurende uitbreiding van de haven daar voor voldoende activiteiten zorgt.' Hij draaide zich glimlachend naar Summer om. 'Niet bepaald interessant werk, vergeleken met wat jij en je broer voor de NUMA doen, denk ik zo.'

'Het verzamelen van planktonmonsters langs de Inside Passage is ook niet bepaald opwindend,' reageerde ze.

'Ik ben best geïnteresseerd in de resultaten van jullie onderzoek. We hebben een stuk of wat meldingen binnengekregen over een concentratie van vissterfte in enkele gebieden hier in de buurt, maar tot nu toe zijn we nooit in staat geweest die gevallen behoorlijk te documenteren.'

'Het is alleen maar prettig om samen te mogen werken met een medestander,' zei ze lachend.

De boot voer met hoge snelheid door de kronkelige doorvaart en gleed moeiteloos over het kalme water. Groene uitlopers land met dicht opeen staande dennen staken het water in en vormden een groepje schilderachtige obstakels. Summer volgde de route op een zeekaart en zei, toen ze de belangrijkste kruising van Straat Hecate op voeren, tegen Trevor dat hij vaart moest minderen. Enkele minuten lang werden ze door een felle regenbui gegeseld, die hen in een grijze schemering achterliet. Toen ze Gil Island naderden hield de regen op, waardoor het zicht verbeterde tot een mijl of twee. Toen ze van de radar naar de horizon keek, zag Summer dat er geen andere vaartuigen in de buurt waren.

'Kom, laat mij maar sturen,' zei Summer, die opstond en een hand op het stuurwiel legde. Trevor keek haar aarzelend aan, stond toen op en deed een stap opzij. Summer draaide de boot in de richting van het eiland, minderde toen vaart en zwenkte naar het noorden.

'Hier zaten we ongeveer toen we de *Ventura* op pakweg een mijl vanuit het noordwesten zagen naderen. Het schip maakte een wijde bocht, en kwam geleidelijk aan steeds dichter naar ons toe. Als we hem niet uit de weg waren gegaan, had hij ons overvaren.'

Trevor staarde uit het raam en probeerde zich de gebeurtenis voor te stellen.

'Ik had net een watermonster genomen. We zagen niemand achter het stuurwiel staan, en toen we haar via de radio opriepen kwam er geen antwoord. Ik ben langszij gaan varen en Dirk is toen aan boord gesprongen. En toen vond hij je broer,' zei ze, en haar stem stierf weg.

Trevor knikte, liep toen naar het achterdek en tuurde over het water uit. Er begon een lichte motregen te vallen, zodat de druppels even later over zijn gezicht stroomden. Summer liet hem enkele minuten alleen met zijn gedachten, liep toen naar hem toe en pakte zijn hand.

'Het spijt me, wat er met je broer is gebeurd,' zei ze zacht.

Hij kneep zachtjes in haar hand en bleef in de verte turen. Maar plotseling verscherpte zijn blik en richtte hij die op iets, een eindje verderop. Enkele tientallen meters voor de boot had zich vlak boven het water een witte damp gevormd. De wolk werd snel groter en kwam steeds dichter in de buurt van de boot.

'Die is wel erg wit voor een mistbank,' zei Summer met een nieuwsgierige blik. Toen de nevel dichterbij kwam merkte ze dat de lucht een doordringende geur had gekregen.

De wolk was tot aan de voorplecht uitgedijd toen de lichte motregen plotseling plaatsmaakte voor een enorme stortbui. Trevor en Summer doken het stuurhuis in terwijl de hoosbui het scheepje geselde. Door het raam zagen ze de naderende witte wolk onder het neerplenzende regengordijn verdwijnen.

'Dat was vreemd,' merkte Summer op terwijl Trevor de motor weer startte. Hij draaide de boot in de richting van Kitimat, schoof de gashendels naar voren en zag toen pas een stuk of wat dode vissen in het kolkende water ronddraaien.

'Duivelsadem,' zei hij kalm.

'Duivels wát?'

'Duivelsadem,' herhaalde hij, en hij keek Summer zorgelijk aan. 'Een paar weken geleden was hier een plaatselijke Haisla, een lid van het inheemse volk dat hier woont, aan het vissen en spoelde na een paar dagen dood op een van de eilanden aan. De autoriteiten zeiden dat hij was verdronken, mogelijk overvaren door een schip dat hem vanwege de mist niet had gezien. Het kan ook zijn dat hij een hartaanval heeft gehad, ik weet het niet.' Buiten was het opgehouden met regenen maar Trevor hield zijn blik op de te volgen route van zijn schip gericht.

'Vertel verder,' drong Summer na een lange pauze aan.

'Ik heb er eigenlijk weinig meer aan gedacht. Maar een paar dagen geleden vond mijn broer, toen hij hier aan het vissen was, het bootje van de man terug en heeft mij toen gevraagd het bij zijn familie af te leveren. De man woonde in Kitamaat Village, een Haisla-nederzetting. Ik had voor het dorpje wat waterstudies verricht, dus kon ik met een aantal dorpelingen redelijk goed opschieten. Toen ik bij de familie op bezoek ging, bleef een oom van de overleden man verdrietig uitroepen dat hij door de Duivelsadem was gedood.'

'Wat bedoelde hij daarmee?'

'Hij zei dat de duivel tot de conclusie was gekomen dat de tijd van zijn neef gekomen was en toen een kille witte wasem had uitgeademd die hem en alles om hem heen doodde.'

'Heeft hij ook vissterfte gemeld?'

Trevor draaide zich om en keek Summer scheef grijnzend aan. 'Ik ben er redelijk zeker van dat die oude knakker dronken was toen hij me dat vertelde. In de verhalen van de Haisla komt een overvloed aan bovennatuurlijke gebeurtenissen voor.'

'Het klinkt inderdaad als bijgeloof,' was Summer het met hem eens.

Maar ondanks haar woorden kroop er een plotselinge kilte langs haar ruggengraat omhoog. De rest van de tocht werd in stilte afgelegd, terwijl ze beiden nadachten over de vreemde woorden van de Haisla-man en hoe die leken aan te sluiten bij de dingen die ze hadden gezien.

Ze bevonden zich op enkele mijlen afstand van Kitimat toen een privéhelikopter vlak voor hen langs laag over het water vloog. De heli draaide in de richting van een in het water stekend stuk land aan de noordelijke oever, waar tussen de bomen een industrieel complex was aangelegd. In de zeeengte strekte zich een houten pier uit, waaraan verscheidene kleinere vaartuigen en een groot luxejacht lagen afgemeerd. Op een aangrenzend grasveld stond een grote witte partytent opgesteld.

'Is dat een particulier jachtgebied voor de *rich and famous*?' vroeg Summer met een knikje van haar hoofd.

'Nee, hoor, dat is het prototype van een installatie waarmee koolstof kan worden afgescheiden, gebouwd door Terra Green Industries. Ik ben tijdens de bouw bij een deel van het locatiegoedkeurings- en inspectiewerk betrokken geweest.'

'Ik ben een beetje bekend met het concept van de koolstofafscheiding. Het verzamelen en vloeibaar maken van industriële koolstofdioxidegassen om ze vervolgens diep onder de grond of onder de zeebodem te pompen. Het lijkt me een dure manier om verontreinigende stoffen uit de atmosfeer te houden.'

'De nieuwe beperkingen op het gebied van broeikasgasemissies maken het tot een populaire technologie. Vooral in Canada zijn de beperkende maatregelen met betrekking tot de industriële koolstofdioxide-uitstoot uiterst streng. Bedrijven kunnen nu handelen in koolstoftegoeden, maar de kosten liggen veel hoger dan veel mensen aanvankelijk hadden verwacht. Mijnbouw- en elektriciteitsbedrijven zijn wanhopig op zoek naar goedkopere alternatieven. Goyette verwacht een hoop geld te verdienen met zijn afvang- en opslagtechnologie, dat wil zeggen, als hij toestemming krijgt om het proces verder te ontwikkelen.'

'Mitchell Goyette, de milieumagnaat?'

'Ja, hij is de eigenaar van Terra Green. Voor veel Canadezen is Goyette een soort cultuurheld. Hij heeft in het hele land dammen, windmolenparken en terreinen met zonnepanelen aangelegd, terwijl hij zich verder nog heeft ingespannen voor brandstoftechnologieën die op waterstof zijn gebaseerd.'

'Ik heb gehoord dat hij heeft opgeroepen tot het bouwen van windmolenparken op zee, met name langs de Atlantische kust, waar ze voor schone energie konden zorgen. Ik moet wel zeggen dat dat schip daar er niet bepaald uitziet als een door waterstof aangedreven jacht,' zei Summer, terwijl ze naar het in Italië gebouwde uiterst luxueuze vaartuig wees.

'Nee, hij leeft bepaald niet het sobere leven van een ware milieuactivist, maar niemand maakt daar een punt van. Maar er zijn mensen die zeggen dat hij zelf niet gelooft in de beweging, dat het voor hem alleen maar een manier is om geld te verdienen.'

'Blijkbaar is hem dat gelukt,' zei ze, nog steeds naar het jacht kijkend. 'Waarom heeft hij híér een CO_2 afvang- en opslaginstallatie laten bouwen?'

'In feite komt het op één woord neer: Athabasca. Om het teerzand van Athabasca, in de provincie Alberta, tot ruwe olie te raffineren is een enorme hoeveelheid energie nodig. Een nevenproduct van dat proces is koolstofdioxide, dat klaarblijkelijk in grote hoeveelheden vrijkomt. De nieuwe broeikasgasovereenkomst maakt aan die raffinagewerkzaamheden een einde, tenzij ze een manier vinden om het CO_2-probleem op te lossen. En daar komt Mitchell Goyette in beeld. De oliemaatschappijen waren al bezig met de bouw van een kleine pijpleiding, die van de olievelden naar Kitimat loopt. Goyette wist hen ervan te overtuigen dat ze een extra pijpleiding voor vloeibare koolstofdioxide moesten aanleggen.'

'We hebben inderdaad een paar kleine olietankers in het Douglas Channel zien varen,' zei Summers.

'We hebben ons enorm tegen die pijpleidingen verzet uit angst voor lekkende olie, maar de zakelijke belangen hebben het uiteindelijk gewonnen. Goyette wist intussen de overheid ervan te overtuigen dat een plaats aan de kust van doorslaggevend belang was voor deze installatie, en het ministerie voor Natuurlijke Hulpbronnen heeft daarvoor zelfs land beschikbaar gesteld.'

'Het is een schande dat het op zo'n ongerept stukje grond is neergezet.'

'Er was een groot verschil van mening op het ministerie, maar uiteindelijk is de minister voor Natuurlijke Hulpbronnen ermee akkoord gegaan. Ik heb zelfs gehoord dat hij vandaag, bij de officiële opening, een van de gasten zal zijn.'

'En jij hebt de selectie niet gehaald?' vroeg Summer.

'Ik denk dat mijn uitnodiging in de post verloren is gegaan. Nee, wacht even, opgegeten door de hond.' Hij moest lachen. Summer zag Trevor voor het eerst in een iets luchthartiger stemming, en ze ontdekte een plotselinge warmte in zijn ogen.

Ze voeren met hoge snelheid Kitimat binnen, waarna Trevor zijn boot behoedzaam achter het daar afgemeerde NUMA-vaartuig manoeuvreerde. Ze zagen Dirk in de kajuit van het onderzoeksvaartuig zitten, druk bezig iets op een laptop in te tikken. Hij klapte de computer dicht en stapte met een somber gezicht naar buiten, precies op het moment dat Summer en Trevor het andere scheepje hadden vastgemaakt en naar hem toe kwamen gelopen.

'Voor drieën terug, we hebben zelfs nog tijd over,' begroette Summer haar broer terwijl ze een blik op haar horloge wierp.

'Ik denk dat het bezoek aan de politiechef hier onze minste zorg is,' reageerde Dirk. 'Ik heb net de laboratoriumgegevens gedownload van de watermonsters die we gisteren naar Seattle hebben gestuurd.'

'Waarom dan zo mistroostig?'

Dirk gaf de uitdraai aan Summer en tuurde toen over het water van de inham. 'De wateren rond Kitimat, die er zo ongerept uitzien, zijn zo giftig als de pest.'

8

Mitchell Goyette sloeg met een zelfvoldaan glimlachje het laatste restje van zijn glas champagne – Krug Clos du Mesnil – achterover. Hij zette de lege kristallen flûte op een cocktailtafeltje, terwijl op datzelfde moment het doek van de partytent waarin hij zich bevond door de rotorbladen van de heli begon te klapperen.

'Excuseer me, heren,' zei hij met zijn lage stem. 'Dat moet de premier zijn.' Goyette maakte zich los uit het kleine groepje provinciale politici, liep de tent uit en beende met grote passen naar de verderop gelegen landingsplaats.

Goyette, een grote, indrukwekkende man, maakte een gepolijste indruk, hoewel je hem voor hetzelfde geld 'gladjes' zou kunnen noemen. Met zijn brede ogen, strak naar achteren gekamde haar en een constante glimlach op zijn gezicht had hij wel iets weg van een wild zwijn. Maar toch bewoog hij zich op een soepele, bijna gracieuze manier voort, wat in schril contrast stond met zijn onderhuidse arrogantie. Het was de hoogmoed van een man die zijn rijkdom had vergaard door middel van sluwheid, misleiding en intimidatie.

Hoewel het standaardverhaal 'van krantenjongen-tot-miljonair' niet op hem van toepassing was, had Goyette het door hem geërfde grondbezit van zijn familie weten uit te bouwen tot een klein fortuin. Een elektriciteitsmaatschappij had een stuk van die grond nodig om er een waterkrachtcentrale op neer te zetten, en Goyette wist door slim onderhandelen te bereiken dat hij, in ruil voor het gebruik van de grond, een percentage van de opbrengst van de elektriciteit kreeg uitbetaald, waarbij hij in de nagenoeg onverzadigbare energiebehoefte van het steeds verder uitdijende Vancouver voorzag. Hij slaagde erin de ene investering na de andere door te drukken, kocht mijn- en bosbouwconcessies alsmede thermische centrales, en bouwde ook eigen waterkrachtcentrales. Via een effectieve publiciteitscampagne werd de aandacht vooral gericht op zijn belangen in de alternatieve energie en werd hij afgeschilderd als een man van het volk, zodat hij zijn onderhandelingspositie ten opzichte van de overheid kon verstevigen. Omdat hij enig aandeelhouder was, wisten maar weinig mensen van zijn grote belangen op aardgas-, steenkool- en oliegebied, laat staan van de totale hypocrisie van zijn zorgvuldig gecultiveerde imago.

Goyette keek toe hoe de Sikorsky S-76 heel even bewegingloos in de lucht hing, langzaam zakte, waarna de piloot het toestel behoedzaam midden op het grote, ronde heliplatform neerzette. Toen de twee turbinemotoren waren uitgeschakeld stapte eerst de copiloot uit, die vervolgens de passagiersdeur aan de zijkant opende. Vervolgens verliet een kleine man met zilvergrijs haar het toestel en boog zich iets voorover om uit de buurt te blijven van de nog steeds rondzwiepende rotorbladen, op de voet gevolgd door twee medewerkers.

'Meneer de premier, hartelijk welkom in Kitimat en bij onze nieuwe Terra Green-installatie,' begroette Goyette de man met een extra brede glimlach. 'Hoe was uw vlucht?'

'Wat is dát een luxueus toestel. Ik ben blij dat het ophield met regenen, zodat we nog wat van het uitzicht konden genieten.' De Canadese premier, een beschaafd uitziende man die Barrett heette, stak zijn hand uit en schudde die van Goyette. 'Fijn je weer eens te zien, Mitch. En bedankt voor de lift. Ik wist niet dat je een van mijn kabinetsleden ook al voor je karretje hebt gespannen.'

Hij gebaarde naar een mismoedig ogende man met een kalend voorhoofd die net uit de heli was gestapt en nu naar het groepje toe kwam gelopen.

'Minister van Natuurlijke Hulpbronnen Jameson heeft bij het verlenen van toestemming voor deze installatie een grote rol gespeeld,' zei Goyette stralend. 'Welkom bij het uiteindelijke resultaat,' voegde hij eraan toe terwijl hij zich naar Jameson omdraaide.

De minister van Natuurlijke Hulpbronnen reageerde een stuk minder enthousiast. Met een geforceerd glimlachje antwoordde hij: 'Ik ben blij dat de installatie eindelijk operationeel is.'

'De eerste van vele, dankzij uw hulp,' zei Goyette, en knipoogde daarbij naar de premier.

'Ja, uw directeur financiële planning vertelde ons net dat u al bezig bent met de ontwikkeling van een nieuwe locatie in New Brunswick.' Barrett wees naar de helikopter.

'Mijn directeur financiële planning?' vroeg Goyette ietwat in verwarring gebracht. Hij volgde de blik van de premier en draaide zich naar de heli om. Op dat moment kwam er nog een andere man de zijdeur uit, die zich vervolgens heel even uitstrekte. Hij kneep zijn donkere ogen halfdicht tegen het kortstondig doorbrekende zonlicht en haalde een hand door zijn kortgeknipte haar. Het blauwe maatpak dat hij droeg slaagde er niet in zijn gespierde bouw te verdoezelen, maar voldeed aan de kledingvoorschriften voor leidinggevend personeel binnen het bedrijfsleven. Toen de man op hem af kwam lopen had Goyette de grootste moeite om te voorkomen dat zijn mond zou openvallen.

'Meneer Goyette' – hij grinnikte en er verscheen een zelfverzekerd glimlachje rond zijn lippen – 'ik heb de papieren bij me van onze desinvestering met betrekking tot het onroerend goed in Vancouver. Die kunt u ondertekenen.' Hij klopte ter verhoging van het effect op een leren aktetas die hij onder zijn arm geklemd hield.

'Uitstekend.' Goyette liet heel even een minachtend gesnuif horen, maar wist zich direct weer onder controle te krijgen bij de aanblik van de door hem ingehuurde moordenaar die zojuist op zijn gemak uit de privéhelikopter was gestapt. 'Waarom loop je niet door naar het kantoor van de bedrijfsleider, dan kijken we er straks even naar.'

Goyette draaide zich om en begeleidde enigszins gehaast de premier naar de witte tent. Onder begeleiding van een strijkje werden daar wijn en hors-d'oeuvres geserveerd, waarna Goyette de hoogwaardigheidsbekleders naar de ingang van de afvang- en opslaginstallatie escorteerde. Een technicus met een rond gezicht die de bedrijfsleider bleek te zijn nam de groep onder zijn hoede en leidde hen kort rond. Ze wandelden door twee grote pompstations en gingen toen naar buiten, waar de bedrijfsleider naar enkele reusachtige opslagtanks wees die gedeeltelijk door dennen aan het oog werden onttrokken.

'Het koolstofdioxide wordt in vloeibare vorm vanuit Alberta hierheen gepompt en in deze tanks opgeslagen,' legde hij uit. 'Daarna wordt het onder druk in de grond onder onze voeten gepompt. Daar is een achthonderd meter diepe put geslagen, dwars door een dikke, harde rotslaag, zogenaamde *caprock*, die uitkomt in een poreuze sedimentaire formatie die met pekel is gevuld. Dat is de ideale bodemgesteldheid om CO_2 vast te houden en nagenoeg ondoordringbaar, zodat er niets naar de oppervlakte kan ontsnappen.'

'Wat gebeurt er als er een aardbeving plaatsvindt?' vroeg de premier.

'We bevinden ons minimaal vijftig kilometer van de dichtstbijzijnde bekende breuklijn, dus de kans dat hier een zware aardbeving zal plaatsvinden is erg klein. En gezien de diepte waarop wij het product opslaan, is er eigenlijk geen enkele kans dat er bij een beving per ongeluk iets vrijkomt.'

'Hoeveel van het door de Athabasca-raffinaderijen veroorzaakte koolstofdioxide wordt hier precies gescheiden?'

'Slechts een fractie, ben ik bang. Willen we de volledige CO_2-opbrengst van de teerzandvelden opvangen, zodat we daar weer maximaal olie kunnen produceren, dan zullen er nog veel meer installaties nodig zijn.'

Goyette maakte van deze vraag gebruik om een verkooppraatje af te steken. 'Zoals u allen weet, wordt de olieproductie in Alberta naar aanleiding van een strengere regelgeving inzake koolstofemissies met ernstige beperkingen geconfronteerd. De situatie ziet er met name uitermate somber uit voor de kolengestookte centrales in het oosten. De economische impact voor het land zal gigantisch zijn. Maar u staat nu bij het hart van de oplossing. We hebben al een aantal locaties in de regio op het oog die ook voor afvang- en opslaginstallaties geschikt zijn. Het enige wat we nodig hebben, willen we voortgang blijven boeken, is uw hulp.'

'Misschien, maar ik weet alleen niet zeker of ik het wel een prettig idee vind om de kust van British Columbia de vergaarbak van Alberta's industriële afval te laten worden,' merkte de premier droogjes op. Hij was geboren en getogen in Vancouver, en was nog steeds bijzonder trots op zijn thuisprovincie.

'Vergeet de belastingopbrengst niet die British Columbia krijgt voor elke kubieke meter koolstofdioxide die het binnen zijn grenzen haalt, en waarvan slechts een fractie in de federale schatkist verdwijnt. Zeker is dat het voor de provincie een gegarandeerde opbrengst betekent. En dan is daar, u heeft het misschien al gezien, onze laad- een losinstallatie nog.' Goyette wees naar een enorme hal aan de overkant van het terrein, dat aan een kleine inham grensde. 'We beschikken over een honderdvijftig meter lange, overdekte kade, speciaal aangelegd voor tankers die vloeibare CO_2 vervoeren. Er zijn al transporten binnengekomen en we zijn van plan om te laten zien dat we het koolstofafval van de industrieën rond Vancouver moeiteloos kunnen verwerken, evenals dat van de hout- en mijnbouwindustrie hier langs de kust. Als u ons toestaat om elders in het land soortgelijke installaties te bouwen, kunnen we een groot deel van onze nationale koolstofquota aan. En als we die nieuwe installaties langs de kust een wat grotere capaciteit geven, kunnen we eventueel ook nog koolstofdioxide uit de VS en China tegen een leuk winstje onder de grond stoppen.'

Bij het vooruitzicht op extra inkomsten voor de staatskas begonnen de ogen van de politici te glimmen.

'Is deze technologie volkomen veilig?' vroeg de premier.

'We hebben het hier niet over kernafval. Deze installatie is gebouwd als prototype en functioneert nu al enkele weken vlekkeloos. Meneer de premier, het is een win-winsituatie. Ik bouw de installaties en exploiteer ze, én ik garandeer hun veiligheid. De overheid hoeft me alleen maar toestemming te geven en krijgt een deel van de opbrengst.'

'En u zorgt ervoor dat u er ook nog iets aan overhoudt?'

'Ik red me wel,' antwoordde Goyette, en liet zijn hyenalachje horen. 'Het enige wat ik nodig heb is een permanente vergunning om de grond en de pijpleiding te mogen gebruiken, en die moet door u en door de minister van Natuurlijke Hulpbronnen worden afgegeven. En dat zal vast geen problemen opleveren, hè, minister Jameson?'

Jameson keek Goyette met een soort verslagen onderdanigheid aan. 'Volgens mij is er maar weinig wat onze vertrouwensrelatie kan verstoren,' antwoordde hij.

'Uitstekend,' zei Barrett. 'Stuur mij de conceptvoorstellen toe, dan zal ik die doorspelen aan mijn adviseurs. Goed, was er nog iets van die heerlijke champagne over?'

Toen de groep op weg ging naar de tent met verfrissingen, nam Goyette de minister van Natuurlijke Hulpbronnen even terzijde.

'Ik neem aan dat de BMW bij u is afgeleverd?' vroeg Goyette met een haaiachtige grijns op zijn gezicht.

'Een geschenk waar mijn vrouw zeer enthousiast over was. Maar ik zou het zeer op prijs stellen als toekomstige onkostenvergoedingen op een wat minder opvallende manier worden gehonoreerd.'

'Maak je geen zorgen. De bijdrage aan jouw in het buitenland gevestigde trustfonds is al overgemaakt.'

Jameson deed net of hij die opmerking niet had gehoord. 'Wat is dat voor nonsens over nieuwe installaties langs de kust? We weten allebei dat de bodemgesteldheid hier op z'n best marginaal genoemd mag worden. Jouw zogenaamde waterhoudende grondlaag hier heeft binnen een paar maanden zijn maximale capaciteit bereikt.'

'Deze installatie zal eindeloos operationeel kunnen blijven,' reageerde Goyette. 'We hebben het capaciteitsprobleem opgelost. En zolang jij mij hetzelfde geologische beoordelingsteam maar blijft sturen, lopen onze uitbreidingsplannen langs de kust geen gevaar. De chef-geoloog was maar al te zeer bereid om zijn conclusies tegen een spotprijsje aan te passen.' Hij moest grinniken.

Jameson trok een grimas bij het besef dat de corruptie binnen zijn ministerie welig tierde, en dat hij niet de enige was met vuile handen. Op de een of andere manier kon hij zich de exacte dag dat hij wakker werd en zich realiseerde dat Goyette hem helemaal klem had, niet meer herinneren. Het was al een aantal jaren geleden. Ze hadden elkaar ontmoet tijdens een ijshockeywedstrijd, toen Jameson voor het eerst een poging deed in het parlement gekozen te worden. In Goyette had hij ogenschijnlijk een rijke weldoener gevonden die zijn progressieve visie voor het land deelde. Naarmate Jamesons carrière zich verder ontwikkelde, werden de financiële bijdragen aan zijn campagnes steeds groter, en ergens onderweg had hij daarbij een grens overschreden. Bijdragen aan de verkiezingskas hadden zich geleidelijk aan ontwikkeld tot gratis vervoer met particuliere straalvliegtuigen en gratis vakanties, en uiteindelijk tot regelrecht smeergeld in contanten. Ambitieus als hij was, en met een vrouw en vier kinderen die hij van zijn ambtenarensalaris moest onderhouden, nam hij het geld blindelings aan, terwijl hij zichzelf probeerde wijs te maken dat het beleid dat hij ten behoeve van Goyette propageerde goed was. Pas nadat hij tot minister van Natuurlijke Hulpbronnen was benoemd kreeg hij de andere kant van Goyette te zien. Zijn publieke imago als milieuprofeet was niet meer dan een uiterst slim ontwikkelde façade, merkte hij, die bedoeld was om Goyettes ware aard te maskeren; in werkelijkheid was de man een megalomane geldwolf. Tegenover elk windmolenpark dat hij met veel ophef ontwikkelde, stonden vijf, zes kolenmijnen die hij exploiteerde, terwijl het feit dat hij de eigenaar was diep werd weggestopt in een waslijst van onduidelijke dochtermaatschappijen. Vervalste mijnconcessies, aangepaste milieueffectrapportages en de rechtstreekse overdracht van overheidsgronden aan bedrijven van Goyette, alles werd door de minister geregeld. In ruil daarvoor waren de smeergelden gestaag en in ruime mate binnengevloeid. Jameson was in staat geweest om een mooi huis in Rockcliffe Park te kopen, een van de betere wijken van Ottawa, en had ruim voldoende geld op de bank staan om zijn kinderen naar de beste particuliere scholen van het land te sturen. Toch was hij nooit van plan geweest om de zaak zo gigantisch uit de hand te laten lopen, en hij besefte dat hij er onmogelijk aan kon ontsnappen.

'Ik weet niet in hoeverre ik je met dit alles nog kan blijven steunen,' zei hij met een vermoeide stem tegen Goyette.

'Jij steunt me zolang ik je nog nodig heb,' siste Goyette hem toe, en zijn ogen werden plotseling ijskoud. 'Tenzij jij de rest van je leven in de Kingston-gevangenis wilt doorbrengen.'

Jameson leek een paar centimeter kleiner te worden en accepteerde deze realiteit met een zwak knikje.

Ervan overtuigd dat Jameson besefte hoe de vlag erbij stond, verzachtten Goyettes gelaatstrekken zich enigszins en gebaarde hij naar de tent.

'Kom op, kijk een beetje vrolijk,' zei hij. 'Laten we naar de premier gaan en toosten op de rijkdom die hij binnenkort over ons uit zal storten.'

9

Clay Zak had zijn voeten op het bureau van de bedrijfsleider gelegd en bladerde op zijn gemak in een boek over de geschiedenis van het Wilde Westen. Hij wierp een blik door het brede venster toen het kloppende geluid van de rotorbladen van de vertrekkende heli het glas in de sponningen deed trillen. Een paar seconden later kwam Goyette het vertrek binnen, met op zijn gezicht een blik van onderdrukte irritatie.

'Nou, kijk eens aan, mijn directeur financiële planning,' merkte Goyette op. 'Zo te zien heb je je terugvlucht gemist.'

'Het toestel zat vol,' reageerde Zak, en stopte het boek in zijn aktetas. 'Het was ook nogal benauwd, met al die politici aan boord. Je zou eigenlijk een Eurocopter EC-155 moeten aanschaffen. Die vliegt aanzienlijk sneller. Dan hoef je niet meer zo lang met die lui in één ruimte te zitten. Tussen haakjes, die minister van Natuurlijke Hulpbronnen? Die man mag jou echt niet.'

Goyette negeerde die opmerking en ging in een leren stoel aan het bureau zitten. 'De premier vertelde me net dat Elizabeth Finlay is overleden. Hij had het over een ongeluk bij het zeilen.'

'Ja, dat klopt. Ze is overboord gevallen en verdronken. Je zou toch denken dat een bemiddelde dame als zij goed kan zwemmen,' zei hij glimlachend.

'Heb je geen sporen achtergelaten?' vroeg Goyette bijna fluisterend.

Er verscheen een gepijnigde blik in Zaks ogen. 'Je weet dat ik juist daarom niet een van de goedkoopste krachten ben. Er is geen enkele reden om aan te nemen dat het hier om iets anders dan een tragisch ongeluk is gegaan – tenzij haar hond kan praten.'

Zak leunde achterover in zijn stoel en tuurde naar het plafond. 'En met het heengaan van Elizabeth Finlay, zal straks ook de beweging ophouden te bestaan die een einde wil maken aan de export van aardgas en olie naar China.' Toen boog hij zich naar voren en stootte Goyette zachtjes aan. 'Hoeveel zou die nieuwe wetgeving de exploratie van het Melville-aardgasveld je precies hebben gekost?'

Goyette staarde in de ogen van de huurmoordenaar, maar zag slechts totale leegte. Op het verweerde, vrij lange gelaat van de man was geen enkele emotie af te lezen. Hij had de perfecte pokerface. De donkere ogen boden geen inzicht in zijn ziel, als hij al een ziel hád, bedacht Goyette. Het inhuren van een huurling was spelen met vuur, maar Zak was duidelijk een tactvolle professional. En het rendement van zijn acties bleek buitengewoon hoog.

'Het is een niet onbelangrijk bedrag,' antwoordde hij ten slotte.

'Dat brengt me op mijn onkostenvergoeding.'

'Je krijgt het bedrag dat we hebben afgesproken. De helft nu, de andere helft nadat het onderzoek is afgesloten. Het geld zal worden overgemaakt naar jouw rekening op de Kaaimaneilanden, net als bij eerdere gelegenheden.'

'De eerste halteplaats van vele.' Zak glimlachte. 'Misschien wordt het tijd dat ik eens ga kijken hoe het met mijn appeltje voor de dorst is gesteld, dan kan ik in het zonnige Caribische gebied gelijk een paar weken bijkomen.'

'Ik denk dat een tijdje weg uit Canada lang geen slecht idee is.' Goyette aarzelde even, wist niet precies of hij het risico moest blijven lopen. Hij moest toegeven dat de man uitstekend werk had verricht en nog nooit sporen had achtergelaten. 'Ik heb nog een ander project voor je,' stelde hij uiteindelijk voor. 'Een klein klusje. In de States. En er hoeft geen geweld gebruikt te worden.'

'Zeg het maar,' zei Zak. Tot nu toe had hij een verzoek nog nooit afgewezen. Hoezeer hij Goyette ook een stomme idioot mocht vinden, hij moest toegeven dat de man goed betaalde. Heel goed zelfs.

Goyette overhandigde hem een map. 'Tijdens de volgende vlucht hiervandaan kun je het lezen. Bij het hek staat een chauffeur klaar om je naar het vliegveld te brengen.'

'Vlieg ik met een reguliere luchtvaartmaatschappij? Als dat zo doorgaat moet je straks nog achter een nieuwe directeur financiële planning aan.'

Zak kwam overeind en liep als een keizer het kantoor uit, een hoofdschuddende Goyette achterlatend.

10

Lisa Lane wreef vermoeid in haar ogen en liet opnieuw haar blik langs de kaart met het periodiek systeem der elementen glijden, dezelfde standaardkaart die in nagenoeg alle scheikundelokalen van alle middelbare scholen in het land aan de muur hing. De in onderzoek gespecialiseerde biochemicus had de kaart met daarop alle bekende elementen al lang geleden uit het hoofd geleerd en kon hem zonodig van achteren naar voren voorlezen. Maar nu tuurde ze naar de kaart in de hoop op enige inspiratie, iets dat haar op een nieuw idee zou brengen.

Ze was op zoek naar een duurzame katalysator waarmee een zuurstofmolecule van een koolstofmolecule gescheiden zou kunnen worden. Toen ze opnieuw haar blik over de kaart liet glijden stopten haar ogen bij het vijfenveertigste element, rhodium, aangeduid met het symbool Rh. Lanes computermodellen bleven wat betreft een voor de hand liggende katalysator naar een metaalverbinding wijzen. Rhodium bleek de beste te zijn die ze tot nu toe had gevonden, maar was totaal inefficiënt. En bovendien was het ook nog eens een ongelooflijk kostbaar metaal. Haar project bij het Environmental Research and Technology Lab van de George Washington University werd 'zuiver wetenschappelijk onderzoek' genoemd, en misschien zou het dat wel blijven. Maar de potentiële voordelen van een doorbraak waren te gigantisch om zomaar aan voorbij te gaan. Er moest een antwoord zijn.

Turend naar het vierkantje waarop rhodium stond afgebeeld, gleed haar blik naar het element ervoor, Ru. In gedachten verzonken aan een streng lang bruin haar draaiend sprak ze de naam ervan hardop uit: 'Ruthenium.' Een overgangsmetaal en lid van de platinafamilie, en een element dat ze tot nu toe nog niet had kunnen testen.

'Bob,' riep ze tegen een pezige man met een laboratoriumjas aan die een eindje verderop achter een computer zat, 'hebben wij ooit het ruthenium-monster binnengekregen dat we hadden besteld?'

Bob Hamilton wendde zich van het scherm af en rolde met zijn ogen. 'Ruthenium. Dat spul is moeilijker te krijgen dan een dag vrij. Ik denk dat ik wel twintig leveranciers heb gebeld, maar niemand had het in voorraad. Ik ben uiteindelijk doorverwezen naar een geologisch laboratorium in Ontario dat over een beperkte hoeveelheid zou beschikken. Het kost zelfs nog meer dan dat rhodiummonster van jou, dus ik heb maar vijftig gram besteld. Ik loop wel even naar de voorraadkamer om te kijken of het is gearriveerd.'

Hij verliet het lab en liep via de hal naar een kleine voorraadruimte waar de speciale materialen achter slot en grendel werden bewaard. Een postdoctoraal student die als assistent fungeerde en achter een van tralies voorzien loket zat kwam met een klein doosje aanzetten en legde dat op de balie. Bob keerde naar het laboratorium terug en zette het doosje op Lisa's bureau neer.

'Je hebt geluk. Het spul is gisteren gearriveerd.'

Lisa maakte het doosje open en zag een plastic houder waarin enkele sliertjes van een dof metaal zaten. Een daarvan haalde ze eruit en legde dat op een transparant plaatje. Vervolgens onderzocht ze het onder een microscoop. Het nietige sliertje had vergroot wel iets weg van een harige sneeuwbal. Nadat ze de hoeveelheid van het monster had gemeten legde ze het in een luchtdicht compartiment van een groot grijs apparaat dat aan een massaspectrometer verbonden was. Aan het instrument waren vier computers en verscheidene onder druk staande gastanks gekoppeld. Lisa ging achter een van de toetsenborden zitten en tikte een reeks softwarecommando's in die een testprogramma op gang moesten brengen.

'Gaat dat de ontdekking worden die je een ticket voor de Nobelprijs gaat bezorgen?' vroeg Bob.

'Als het blijkt te werken ben ik al blij met een kaartje voor de Redskins.'

Ze wierp een blik op de wandklok en vroeg: 'Heb je zin om wat te eten? Het eerstkomende uur hoef ik toch nog geen voorlopige resultaten te verwachten.'

'Ik ga met je mee,' antwoordde Bob. Hij trok zijn laboratoriumjas uit en was als eerste bij de deur.

Na in de cafetaria een broodje ham gegeten te hebben liep Lisa terug naar haar kleine kantoortje helemaal achter in het laboratorium. Een paar minuten later stak Bob zijn hoofd om de hoek van de deur, de ogen wijd opengesperd van opwinding.

'Lisa, je kunt beter even komen kijken,' stamelde hij.

Ze liep snel achter hem aan naar het lab, en haar hart sloeg over toen ze zag dat Bob naar de spectrometer ging. Hij wees naar het beeldscherm van een van de computers, waarop een hele reeks cijfers te zien was die naast een steeds variërende staafdiagram over het scherm flitste.

'Je hebt vergeten het rhodiummonster weg te halen voor je aan je nieuwe proef begon. Maar kijk eens naar de resultaten. De hoeveelheid oxalaten is enorm,' zei hij kalm.

Lisa keek naar het scherm en huiverde. In de spectrometer was een detectiesysteem bezig met het classificeren van de moleculaire uitkomst van de onvrijwillige chemische reactie. De rutheniumkatalysator slaagde er blijkbaar in de koolstofdioxideverbinding te scheiden, met als resultaat dat de deeltjes zich weer samenvoegden tot een verbinding die uit twee koolstofmoleculen bestond, en die een oxalaat werd genoemd. In tegenstelling tot haar eerdere katalysators kende de ruthenium/rhodium-combinatie als bijproduct geen materiële afvalstoffen. Ze was per ongeluk op een resultaat gestuit waar wetenschappers over de hele wereld al tijden naar op zoek waren.

'Ik kan het nauwelijks geloven,' mompelde Bob. 'De katalytische reactie is precies goed.'

Lisa voelde zich een tikkeltje duizelig worden en liet zich in een stoel zakken. Ze controleerde de uitkomst en controleerde die nóg een keer, op zoek naar een fout, maar kon niets vinden. Eindelijk stond ze zichzelf toe de mogelijkheid te aanvaarden dat ze op goud was gestuit.

'Ik moet het Maxwell vertellen,' zei ze. Dr. Horace Maxwell was directeur van het GWU Environmental Research and Technology Lab.

'Maxwell? Ben je gek geworden? Die man moet over twee dagen bij een hoorzitting van het Congres opdraven.'

'Dat weet ik. Ik word geacht hem bij zijn bezoek aan Capitol Hill te vergezellen.'

'Nou, over een zelfmoordmissie gesproken,' zei Bob hoofdschuddend. 'Als je het hem nu vertelt, bestaat de kans dat hij het tijdens zijn verklaring ter sprake brengt om op die manier meer geld voor het lab los te krijgen.'

'Kan dat dan kwaad?'

'Dat kan kwaad als de resultaten van jouw proef bij een tweede test heel anders blijken te zijn. Eén laboratoriumproef lost de mysteriën van het universum nog niet op. Laten we de test nog eens herhalen, en dan gaan we elke stap nauwkeurig documenteren. Daarna gaan we pas naar Maxwell. Laten we in elk geval wachten tot hij voor die commissie heeft getuigd,' drong Bob aan.

'Waarschijnlijk heb je gelijk. We kunnen het experiment voor de zekerheid nog een paar keer herhalen, maar dan aan de hand van verschillende scenario's. De enige beperkende factor is onze voorraad ruthenium.'

'Ik weet zeker dat dat ons minst grote probleem zal blijken te zijn,' zei Bob profetisch.

11

Het straaltoestel van Air Canada vloog hoog boven Ontario, terwijl het landschap eronder vanuit de raampjes van de eerste klasse nog het meest op een lappendeken leek. Clay Zak had geen enkele belangstelling voor het uitzicht, maar had zich in plaats daarvan geconcentreerd op de fraaie benen van een jonge stewardess die een trolley met drankjes voor zich uit duwde. Ze ving zijn blik op en bracht hem een martini en een plastic bekertje.

'Dit is de laatste die ik u mag geven,' zei ze met een parmantig glimlachje. 'Straks landen we op het vliegveld van Toronto.'

'Dan zal ik er des te meer van genieten,' antwoordde hij met een wellustige grijns.

Gekleed in het uniform van de reizende zakenman – een kakikleurige pantalon en een blauwe blazer – zag hij eruit als elke andere verkoopleider op weg naar een vergadering. Maar de werkelijkheid was wat gecompliceerder.

Als enig kind van een aan alcohol verslaafde alleenstaande moeder was hij vrijwel zonder enig toezicht opgegroeid in een achterbuurt van Sudbury, Ontario. Op z'n vijftiende ging hij van school om in de nabijgelegen nikkelmijnen te gaan werken, waarbij hij een lichaamskracht ontwikkelde waarover hij twintig jaar later nog steeds beschikte. Maar aan zijn loopbaan als mijnwerker kwam al snel een einde toen hij zijn eerste moord pleegde: hij had zijn pikhouweel in het oor van een collega-mijnwerker geramd toen die een smalende opmerking over Zaks afkomst had gemaakt.

Hij ontvluchtte Ontario, nam in Vancouver een nieuwe identiteit aan en kwam in de drugshandel terecht. Zijn fysieke kracht en onverzettelijkheid kon hij inzetten als zaakwaarnemer voor een belangrijke plaatselijke handelaar in methamfetaminen, een man met de bijnaam 'de Zweed'. Het geld stroomde bij hem binnen, maar Zak ging er ongewoon intelligent mee om. Als autodidact was hij een alleslezer en bestudeerde ijverig alles wat met het zakenleven en de financiële wereld te maken had. In plaats van zijn onrechtmatig verkregen middelen aan verkeerde vrouwen en snelle auto's uit te geven, zoals al zijn trawanten deden, investeerde hij slim in aandelen en vastgoed. Maar aan zijn lucratieve drugscarrière kwam via een hinderlaag een voortijdig einde.

Die hinderlaag was niet georganiseerd door de politie maar door een leverancier uit Hongkong die zijn controle over de markt wilde vergroten. De Zweed en de mannen die hem escorteerden werden neergeschoten tijdens een nachtelijke deal in het uitgestrekte Stanley Park, dat ten westen van het centrum van Vancouver aan zee lag. Zak slaagde erin aan de kogels te ontkomen door weg te duiken en wist via een labyrint van heggen ongedeerd te ontsnappen.

Hij wachtte rustig zijn tijd af voor hij wraak nam, en hield het luxejacht dat door het Chinese syndicaat was gehuurd wekenlang in de gaten. Met behulp van een springlading die van een tijdmechanisme was voorzien, en die hij in elkaar had gezet met de kennis die hij in de nikkelmijn had opgedaan, liet hij de boot met alle Hongkongse medeplichtigen de lucht in vliegen. Toen hij vanuit een kleine speedboot toekeek hoe het jacht in een vuurbal veranderde, zag hij hoe op een in de buurt liggende boot een man door de schokgolf het water in werd geblazen. Hij besefte dat de autoriteiten nauwelijks onderzoek zouden doen naar de dood van een bekende drugsdealer, maar dat ze hun net zouden uitbreiden zodra een van de slachtoffers een rijke beroemdheid bleek te zijn, en hij haastte zich dan ook met zijn speedboot naar hem toe en haalde de bewusteloze man uit het water.

Toen een naar adem happende Mitchell Goyette weer een beetje was bijgekomen, was zijn dankbaarheid ongewoon groot geweest.

'Je hebt mijn leven gered,' bracht hij hoestend uit. 'Daar zal ik je rijkelijk voor belonen.'

'Ik heb liever dat je me een baan geeft,' zei Zak.

Zak moest enorm lachen toen hij Goyette jaren later nog eens aan die gebeurtenis herinnerde. Zelfs Goyette zag er de humor van in. Tegen die tijd had de grootindustrieel grote bewondering gekregen voor de subversieve talenten van de voormalige mijnwerker, en zette ook hij hem in als zaakwaarnemer, maar dan op een wat hoger niveau. Goyette besefte dat Zaks loyaliteit uitsluitend gebaseerd was op geld, en hield hem dan ook voortdurend in de gaten. Van zijn kant vond Zak het prettig om een einzelganger te zijn. Hij had enige invloed bij Goyette, en hoewel hij genoot van de financiële vergoeding, vond hij het ook leuk om zijn rijke werkgever af en toe het vuur na aan de schenen te leggen.

Het vliegtuig landde een paar minuten eerder dan gepland op het Lester B. Pearson International Airport, het vliegveld van Toronto. Zak schudde de effecten van de martini's die hij aan boord had gedronken van zich af, verliet het toestel en ging op weg naar de balie van het autoverhuurbedrijf, terwijl ondertussen zijn bagage werd uitgeladen. Hij nam de sleuteltjes van een beige personenauto in ontvangst, reed in zuidelijke richting en volgde daarna de westelijke oever van Lake Ontario. De snelweg langs het meer bleef hij nog zo'n honderdtien kilometer volgen en nam toen de afslag NIAGARA. Anderhalve kilometer ten noorden van de beroemde watervallen stak hij de Rainbow Bridge over en reed de staat New York binnen, waar hij de immigratiebeambte een vervalst Canadees paspoort overhandigde.

Hij passeerde de watervallen, waarna het naar Buffalo nog maar een kort stukje rijden was. Toen hij op het vliegveld aankwam had hij ruim voldoende tijd om het vliegtuig naar Washington, D.C., te halen, een halflege 767. Hij vloog opnieuw onder een andere naam en gebruikte deze keer een vervalste Amerikaanse identiteitskaart. Toen het straaltoestel vlak voor de landing op Reagan National Airport over de rivier de Potomac vloog, was het al aan het schemeren. Het was Zaks eerste bezoek aan de hoofdstad van de Verenigde Staten en hij nam vanaf de achterbank van een taxi zorgvuldig alle monumenten in zich op. Toen hij de knipperende rode lichtjes boven op het Washington Monument zag, vroeg hij zich onwillekeurig af of George deze zinloze, hoog optorende obelisk zelf ook mooi zou hebben gevonden.

Nadat hij bij de receptie van het Mayflower Hotel was ingecheckt, bladerde hij door het dossier dat Goyette hem had meegegeven, en ging vervolgens weer met de lift naar beneden, waar hij op de begane grond de Town & Country Lounge binnenwandelde. Hij vond een rustig, afgescheiden hoekje, bestelde een martini en keek op zijn horloge. Stipt om kwart over zeven kwam er een magere man met een slordige baard naar zijn tafeltje gelopen.

'Meneer Jones?' vroeg hij, terwijl hij Zak nerveus aankeek. Zak keek de man met een flauw glimlachje aan.

'Jazeker. Gaat u zitten,' antwoordde Zak.

'Ik ben Hamilton. Bob Hamilton, van het Environmental Research and Technology Lab van de George Washington University,' zei de man. Hij keek Zak angstig aan, haalde toen adem en ging aarzelend zitten.

12

K ort na zijn gesprek met Sandecker belandde er toch een soort wonder op het bureau van de president. Het was wederom een brief van de Canadese premier, maar nu een waarin hij met een mogelijke oplossing voor de steeds verder uitdijende crisis kwam. In alle stilte was het afgelopen jaar een groot aardgasveld ontdekt, schreef de premier, en wel in een afgelegen gedeelte van het Canadese poolgebied. Uit voorlopig onderzoek was gebleken dat de locatie, gesitueerd in de Viscount Melville Sound, wel eens een van de belangrijkste aardgasreserves ter wereld zou kunnen zijn. Het particuliere bedrijf dat de ontdekking had gedaan hield al een vloot tankschepen achter de hand om het aardgas naar de Verenigde Staten te transporteren.

Dat was nou net het tonicum waarnaar de president op zoek was om zijn bredere doelstellingen een duwtje in de goede richting te geven. Een koopcontract voor een grote hoeveelheid, op korte termijn te ondertekenen, was het enige wat nodig was om de gasstroom op gang te brengen. Hoewel de marktprijs buitensporig was, beloofde het bedrijf zoveel mogelijk gas te zullen leveren. Althans, dat werd gegarandeerd door de president-directeur van deze particuliere exploratiefirma, een zekere Mitchell Goyette.

Ondanks de smeekbedes en betogen van zijn economische en politieke adviseurs, die vonden dat hij veel te overhaast te werk ging, reageerde de president razendsnel op dit nieuws. In een door alle nationale televisiemaatschappijen uitgezonden toespraak vanuit het Oval Office vatte hij zijn ambitieuze plannen in grote lijnen voor de Amerikanen samen.

'Landgenoten, we bevinden ons momenteel in een uiterst gevaarlijke periode,' zei hij recht in de camera, en zijn gebruikelijke opgewektheid werd gemaskeerd door ernst. 'Ons dagelijks leven wordt bedreigd door een energiecrisis terwijl ons toekomstige bestaan wordt bedreigd door een milieucrisis. Onze afhankelijkheid van olie uit het buitenland heeft uiterst schadelijke economische consequenties die we allemaal voelen, terwijl we steeds meer gevaarlijke broeikasgassen uitstoten. Uit nieuwe, verontrustende gegevens blijkt dat we de strijd tegen de opwarming van de aarde aan het verliezen zijn. Voor uw eigen veiligheid, en voor de veiligheid van de gehele wereld, deel ik hierbij mee dat de Verenigde Staten er naar dienen te streven dat het land in het jaar 2020 klimaatneutraal moet zijn. Hoewel sommige mensen dit streven te drastisch zullen vinden, of zelfs onmogelijk te bereiken, hebben we geen andere keus. Ik heb vanavond opdracht gegeven tot een onderzoek op korte termijn, uit te voeren door het particuliere bedrijfsleven, academische instellingen en onze eigen overheidsinstanties; een onderzoek dat moet leiden tot de oplossing van onze energiebehoefte op basis van alternatieve brandstoffen en duurzame energiebronnen. Aardolie kan en zal niet langer de brandstof zijn die onze toekomstige economie aandrijft. Op korte termijn zal aan het Congres een begrotingsvoorstel worden aangeboden, waarin de specifieke investeringen in nieuw onderzoek en technologie uiteen zullen worden gezet.

Met behulp van de juiste energiebronnen en onze wilskracht kunnen we, daar ben ik van overtuigd, samen dit doel bereiken. Niettemin dienen we vandaag nog offers brengen, moeten we onze uitstoot van schadelijke gassen beperken en moeten we onze afhankelijkheid van olie verder verkleinen, want dat laatste dreigt onze economie te verstikken. Gezien het recent vrijkomen van nieuwe aardgasvoorraden, geef ik hierbij opdracht om alle plaatselijke kolen- en oliecentrales binnen twee jaar zodanig te verbouwen dat ze van aardgas gebruik kunnen maken. Het doet me genoegen te kunnen aankondigen dat president Zhen van China heeft toegezegd dezelfde maatregelen in zijn land te zullen afkondigen. Daarnaast zal ik binnenkort met richtlijnen komen voor onze auto-industrie, die tot doel hebben de productie van auto's op aardgas en hybride auto's te vergroten, en waarvan ik hoop dat ze op internationaal niveau zullen worden overgenomen.

We staan voor moeilijke tijden, maar met uw steun kunnen we verder werken aan een aanzienlijk veiliger toekomst. Dank u.'

Terwijl de camera's wegzwenkten liep de chef-staf van de president, een klein, kalend mannetje dat Charles Meade heette, op Ward af.

'Uitstekend gedaan, meneer de president. Ik denk dat dit een effectieve speech is geweest waardoor de fanatici die de steenkool in de ban willen doen, toch wat minder hoog van de toren zullen blazen.'

'Dank je, Charlie, ik denk dat je gelijk hebt,' zei de president. 'Hij was behoorlijk effectief. En met effectief bedoel ik dan, dat ik een herverkiezing nu wel helemaal op mijn buik kan schrijven,' voegde hij er met een wrang glimlachje aan toe.

13

Kamer 2318 van het Rayburn House Office Building zat helemaal vol met verslaggevers en toeschouwers. Openbare hoorzittingen van de subcommissie voor Energie en Milieu van het Huis van Afgevaardigden trokken zelden meer dan een handjevol belangstellenden. Maar de opdracht van de president met betrekking tot broeikasgasemissies had een zodanige mediagekte tot gevolg dat voor deze subcommissie en de al enige tijd geleden geplande hoorzitting een reusachtige belangstelling was ontstaan. Het onderwerp: de stand van zaken rond nieuwe technologieën die bij de slag tegen de opwarming van de aarde ingezet konden worden.

De verzamelde menigte viel geleidelijk aan stil toen er een zijdeur opening en achttien leden van het Congres binnenkwamen die vervolgens op het podium hun plaats achter de tafel innamen. Als laatste kwam er een aantrekkelijke vrouw met geelbruin haar naar binnen. Ze droeg een donkerpaars Prada-jasje en dito rok, die bijna dezelfde kleur hadden als haar ogen.

Loren Smith, toegewijd congreslid en vertegenwoordigster van het zevende district van de staat Colorado, had haar vrouwelijkheid sinds ze een jaar of wat geleden tussen de met blauwe pakken volgepakte zalen van het Congres was terechtgekomen, nooit onder stoelen of banken gestoken. Hoewel ze al ruim in de veertig was, was ze nog steeds een knappe en stijlvolle verschijning, maar haar collega's waren er al lang geleden achtergekomen dat Lorens schoonheid en gevoel voor mode haar vakkundigheid en intelligentie in de politieke arena geenszins in de weg stonden.

Ze liep gracieus naar het midden van het podium en ging naast een ietwat mollige, witharige man zitten, een congreslid uit Georgia dat de subcommissie voorzat.

'Ik open deze hoorzitting,' zei hij met luide stem en een stevig zuidelijk accent. 'Gezien de grote publieke belangstelling voor ons onderwerp, zal ik de openingswoorden vandaag overslaan en nodig ik direct onze eerste spreker uit om zijn verklaring af te leggen.' Hij draaide zich om en knipoogde naar Loren, die als reactie daarop even naar hem glimlachte. Ze waren al

73

langere tijd collega's en vrienden van elkaar, ondanks het feit dat ze aan verschillende kanten van het middenpad zaten, en behoorden beiden tot die zeldzame minderheid in het Congres die niets moest hebben van partij- gebonden druktemakerij en zich liever concentreerde op het welzijn van het land.

Een hele reeks sprekers uit het bedrijfsleven en het universitaire wereld- je legde om de beurt een verklaring af met betrekking tot de laatste vorde- ringen op het gebied van alternatieve energie die geen CO_2 meer zou uit- stoten. Hoewel ze allerlei zonnige langetermijnvooruitzichten opsomden, deinsde elke spreker terug zodra de commissie er bij hem of haar op aan- drong met een technische oplossing te komen die onmiddellijk in de prak- tijk kon worden gebracht.

'De grootschalige productie van waterstof is nog steeds niet geperfectio- neerd,' verklaarde een deskundige. 'Als elke man, vrouw en kind in het land een auto heeft die wordt voortbewogen door waterstofcellen, dan komt er net voldoende waterstof beschikbaar om een fractie daarvan daadwerke- lijk te laten rijden.'

'Hoelang gaat dat nog duren?' vroeg een afgevaardigde uit Missouri.

'Ik denk een jaar of tien,' antwoordde de spreker. Op de publieke tribune verspreidde zich razendsnel gemompel. Elke woordvoerder kwam met het- zelfde verhaal. De markt werd steeds vaker geconfronteerd met technolo- gische ontwikkelingen en productverbetering, maar de vorderingen die daarbij werden gemaakt waren af te meten in babystapjes, en bepaald niet in sprongen. Van een op handen zijnde doorbraak die zou voldoen aan het mandaat van de president – dat het land en de wereld van de fysieke en economische vernietiging ten gevolge van een steeds sneller verlopende op- warming van de aarde gered moest worden – was absoluut geen sprake.

De laatste spreker was een kleine, bebrilde man die aan het hoofd stond van het Environmental Research and Technological Lab van de George Washington University. Loren boog zich iets naar voren en glimlachte toen ze Lisa Lane herkende, die op de stoel naast dr. Horace Maxwell plaats- nam. Nadat de directeur van het laboratorium een inleidende verklaring had afgelegd, onderbrak ze hem met een eerste vraag.

'Dr. Maxwell, uw laboratorium neemt een vooraanstaande plaats in bin- nen de onderzoekscentra naar alternatieve brandstoffen. Kunt u ons ver- tellen welke technologische vooruitgang we binnenkort van uw werkzaam- heden kunnen verwachten?'

Maxwell knikte en begon toen met een hoog stemmetje te spreken. 'We zijn bezig met een aantal opmerkelijke onderzoeksprogramma's naar zonne- energie, biobrandstoffen en waterstofsynthese. Maar om een antwoord op uw vraag te geven, ik ben bang dat er momenteel geen product wordt ontwikkeld dat voldoet aan het lastige mandaat waarmee de president ons heeft geconfronteerd.'

Loren zag dat Lisa op haar lip beet bij die laatste opmerking van dr. Maxwell. De rest van het panel volksvertegenwoordigers nam het van haar over en onderwierp Maxwell nog een uur lang aan een kruisverhoor, maar het was duidelijk dat er geen belangwekkende onthullingen zouden komen. De president had zich in een lastige positie gemanoeuvreerd door de beste breinen binnen de industrie en de academische wereld uit te dagen het energieprobleem op te lossen, maar hij was duidelijk een nieuwe weg ingeslagen.

Toen de hoorzitting werd geschorst en de verslaggevers haastig het vertrek verlieten om hun artikelen door te sturen, stapte Loren het podium af en bedankte dr. Maxwell voor zijn verklaring. Vervolgens begroette ze Lisa.

'Hoi, *roomie*,' zei ze glimlachend en omhelsde haar oude kamergenootje van college. 'Ik dacht dat je nog bij het Brookhaven National Laboratory in New York werkte.'

'Nee, ik ben daar een paar maanden geleden vertrokken om aan het programma van dr. Maxwell te werken. Hij had meer financiële middelen voor zuiver wetenschappelijk onderzoek tot zijn beschikking.' Ze grinnikte. 'Ik wilde je al sinds ik naar Washington ben teruggekeerd bellen, maar ik heb het zo druk gehad.'

'Ik voel met je mee. Na de toespraak van de president is het werk in jullie laboratorium plotseling erg belangrijk geworden.'

Lisa's gezicht stond plotseling ernstig en ze ging wat dichter bij Loren staan. 'Ik zou erg graag een keertje met jou over mijn eigen onderzoek willen praten,' zei ze zacht.

'Kan dat vanavond, onder het eten? Over een halfuurtje word ik door mijn man opgehaald. We zouden het ontzettend leuk vinden als je blijft dineren.'

Lisa dacht daar even over na. 'Dat lijkt me een goed idee. Dan ga ik dr. Maxwell vertellen dat ik vanavond op eigen gelegenheid naar huis ga. Vindt je man het niet erg om me naar huis te rijden?'

Loren moest lachen. 'Een stukje rijden met een aardig meisje aan boord is een van zijn favoriete hobby's.'

Loren en Lisa stonden op het noordelijke bordes van het Rayburn Building terwijl een rij limousines en Mercedes-personenauto's van de voor hoogwaardigheidsbekleders bestemde rijstrook gebruikmaakten om de wat vermogender leden van het Congres op te pikken, die zoals altijd omringd werden door allerlei lobbyisten. Lisa werd even afgeleid toen de

House Majority Leader in de deuropening verscheen, de leider van de grootste partij in de Senaat, en zag daardoor bijna een gestroomlijnde antieke cabriolet niet aankomen die met een kalm gangetje aan kwam rollen. De vrij ver naar voren geplaatste bumper, die aan beide uiteinden van een krul was voorzien, miste haar maar net. Ze zag met wijd opengesperde ogen hoe een nogal ruig uitziende man met zwart haar en fonkelende groene ogen uit de auto sprong, om Loren eerst stevig te omhelzen en haar vervolgens gepassioneerd te kussen.

'Lisa,' zei Loren nadat ze de man een tikkeltje opgelaten een eindje van zich af had geduwd, 'dit is mijn echtgenoot, Dirk Pitt.'

Pitt zag de verraste blik in Lisa's ogen en schudde haar vriendelijk glimlachend de hand. 'Maak je geen zorgen,' zei hij lachend, 'ik bespring uitsluitend aantrekkelijke vrouwen als ze lid van het Congres zijn.'

Lisa voelde hoe ze enigszins begon te blozen. Ze zag een avontuurlijke gloed in zijn ogen, getemperd door een warmbloedige ziel.

'Ik heb Lisa voor het eten uitgenodigd,' legde Loren uit.

'Leuk dat je de uitnodiging hebt aangenomen. Ik hoop alleen dat je geen problemen hebt met een beetje wind,' zei Pitt, knikkend naar zijn auto.

'Dat is een mooie auto,' stamelde Lisa. 'Wat is het er voor een?'

'Dit is een Auburn Speedster, bouwjaar 1932. Gisteravond heb ik het groot onderhoud aan de remmen afgemaakt en ik dacht dat het wel leuk was om er weer eens een stukje mee te rijden.'

Lisa keek naar de slanke, gestroomlijnde auto, die in twee kleuren was gespoten: donkerblauw en crème. De open cockpit bood net voldoende ruimte voor twee personen, en een achterbank was er niet. In plaats daarvan liep de carrosserie achter het bestuurderscompartiment taps toe, met direct daarachter de bumper, zodat het geheel nog het meest leek op de achtersteven van een klassiek schip.

'Ik geloof niet dat er voor iedereen ruimte is,' merkte ze op.

'Dat is zo, tenzij iemand bereid is helemaal achterin te gaan zitten,' antwoordde Pitt. Hij liep om de auto heen en duwde even op een nauwelijks zichtbaar paneel boven op de achtersteven. Er sprong een smal soort kofferdeksel open en het volgende moment werd er een eenpersoons passagierscompartiment zichtbaar.

'Kijk nou, ik heb altijd al eens in een kattenbak willen zitten,' zei Lisa. Zonder te aarzelen zette ze haar voet op het opstapje en liet zich op de zitplaats zakken.

'Mijn opa heeft me wel eens verteld dat hij tijdens de Depressie op de uitklapbank van zijn vaders Packard mocht zitten,' verduidelijkte ze.

'Een betere manier om de wereld te bekijken bestaat er niet,' grapte Pitt, knipoogde naar haar en hielp toen Loren voorin plaatsnemen. Ze baanden zich een weg door de drukke spits, eerst langs de Mall en daarna over de George Mason Bridge om vervolgens in zuidelijke richting Virginia binnen te rijden. Naarmate de monumenten van de stad achter hen steeds kleiner werden, werd het op de weg minder druk en drukte Pitt het gaspedaal nog wat dieper in. Met een soepel lopende, krachtige twaalfcilinder motor onder de kap, overschreed de gestroomlijnde Auburn binnen de kortste keren de maximumsnelheid. Terwijl de auto steeds meer vaart won, zwaaide Lisa grinnikend als een klein meisje naar het passerende verkeer en genoot ze van de wind die door haar haren speelde. Voorin legde Loren een hand op Pitts knie en keek glimlachend naar haar echtgenoot, die, waar hij ook naartoe ging, altijd tegen iets avontuurlijks leek aan te lopen.

Pitt reed langs Mount Vernon en verliet daarna de snelweg. Bij een smalle zijweg aangekomen draaiden ze een onverhard grindpad op dat tussen de bomen door kronkelde en uitkwam bij een klein restaurant dat uitzicht bood op de Potomac. Pitt parkeerde de Auburn en bracht de motor tot zwijgen, waarna hij de doordringende geur van Old Bay Seasoning opving.

'De heerlijkste gekruide krabben die hier in de buurt te krijgen zijn,' beloofde Pitt.

Het restaurant was een oud woonhuis dat was omgebouwd tot een soort café; het was nauwelijks van tierelantijnen voorzien maar ademde een gezellige sfeer. Ze werden naar een tafeltje met uitzicht op de rivier gebracht, waarna er steeds meer bezoekers, bijna allemaal mensen uit de omgeving, binnendruppelden.

'Loren vertelde me dat je scheikundige bent aan de George Washington University en onderzoek doet,' zei Pitt tegen Lisa nadat hij drie bier en drie porties krab had besteld.

'Ja, ik maak deel uit van een milieutechnische studiegroep die het probleem van de opwarming van de aarde onderzoekt,' antwoordde ze.

'Als dat je ooit gaat vervelen, kun je altijd nog bij de NUMA komen werken, waar we met behulp van de allernieuwste technieken aan onderwateronderzoek doen,' merkte hij glimlachend op. 'We hebben een groot team dat de effecten van het warmer worden van het zeewater bestudeert, en de hogere zuurwaarden die daar tegenwoordig in worden aangetroffen. Ik heb net een projectoverzicht binnengekregen van een team dat de CO_2-verzadiging in de oceanen bestudeert en ook kijkt of er manieren bestaan om de absorptie van CO_2 in diep water te bevorderen.'

'Met al die belangstelling voor de atmosfeer ben ik blij dat er ook nog mensen zijn die aandacht hebben voor de zee. Zo te horen zijn er overeenkomsten met mijn onderzoek. Ik ben bezig met een project dat te maken heeft met het beperken van de CO_2-uitstoot in de lucht. Ik zou de resultaten van dat team dolgraag willen inzien.'

'Het is nog maar een voorlopig verslag, maar misschien heb je er wat aan. Ik zal je een exemplaar toesturen. Of, beter nog, ik breng het morgenochtend wel even langs. Ik moet morgen zelf ook op Capitol Hill verschijnen,' voegde hij eraan toe, en rolde met zijn ogen naar Loren.

'Alle uitvoerende overheidsinstanties moeten hun jaarlijkse begroting verantwoorden,' legde Loren uit. 'Vooral de instanties die door vogelvrijverklaarde piraten worden geleid.'

Ze lachte en drukte Pitt even tegen zich aan, waarna ze zich weer tot haar vriendin richtte. 'Lisa, je wekte na afloop van de hoorzitting de indruk dat je graag met mij over je onderzoekswerk wilde praten. Vertel me er eens wat meer over.'

Lisa nam een grote slok bier en keek Loren zorgelijk aan.

'Afgezien van mijn assistent op het lab heb ik hier nog met niemand over gesproken, maar ik denk dat we op een belangwekkende ontdekking zijn gestuit.' Ze sprak met zachte stem, alsof ze bang was dat gasten aan de tafeltjes om hen heen haar zouden kunnen horen.

'Vertel op,' drong Loren aan, en schoof vanwege Lisa's gelaatsuitdrukking iets dichterbij.

'Mijn onderzoek betreft het moleculair manipuleren van koolwaterstoffen. We hebben een belangrijke katalysator ontdekt waarvan ik denk dat die voor grootschalige kunstmatige fotosynthese kan zorgen.'

'Je bedoelt net als bij planten? Licht omzetten in energie?'

'Ja, je hebt je plantkundige kennis nog helemaal paraat, merk ik. Maar voor de zekerheid... Neem nou die plant daar,' zei ze, en wees naar een grote krulvaren die in een plantenbak voor het raam hing. 'Die vangt van de zon afkomstige lichtenergie op, zuigt uit de bodem water op, en neemt uit de lucht koolstofdioxide op om die om te zetten in koolhydraten, de brandstof die hij nodig heeft om te groeien. Zijn enige bijproduct is zuurstof, die ons in staat stelt te overleven. Dat is in het kort de basiscyclus van fotosynthese.'

'En toch is het feitelijke proces zo gecompliceerd dat het wetenschappers tot nu toe nog steeds niet gelukt is het te imiteren,' zei Pitt met groeiende interesse.

De serveerster kwam aangelopen en Lisa keek zwijgend toe hoe ze een groot vel bruin, vetvrij papier over tafel uitrolde en toen een hele berg gestoomde blauwe zwemkrabben voor hen uitstortte. Nadat ze elk met een houten hamer een gekruide krab te lijf waren gegaan, hervatte ze haar relaas.

'In algemene zin heb je gelijk. Bepaalde elementen van fotosynthese zijn succesvol nagedaan, maar zonder dat men ook maar een beetje in de buurt komt van de efficiency waarmee dat in de natuur gebeurt. De complexiteit is uitermate reëel. Daarom concentreren de honderden wetenschappers die zich, verspreid over de hele wereld, met kunstmatige fotosynthese bezighouden, zich over het algemeen op één enkele component van het proces.'

'En dat geldt ook voor jou?' vroeg Loren.

'Dat geldt ook voor mij. Het onderzoek in ons laboratorium richt zich op het vermogen van planten om watermoleculen af te breken tot hun individuele elementen. Als we dat proces op efficiënte wijze kunnen dupliceren, en op een gegeven moment lukt ons dat, dan beschikken we straks over een onbeperkte bron voor goedkope waterstof die we als brandstof kunnen gebruiken.'

'Maar jouw doorbraak ligt op een iets ander gebied?' vroeg Loren.

'Ik heb me geconcentreerd op een reactie die Photosystem I wordt genoemd, en de opsplitsing van koolstofdioxide die tijdens dat proces plaatsvindt.'

'Wat zijn de belangrijkste uitdagingen?' vroeg Pitt.

Lisa brak een tweede krab open en zoog het vlees uit een achterpoot.

'Tussen haakjes, ze zijn heerlijk. Het fundamentele probleem was het ontwikkelen van een efficiënte manier om de chemische opsplitsing te activeren. In de natuur wordt die rol door chlorofyl vervuld, maar dat desintegreert in het laboratorium te snel. De truc waar ik naar op zoek was, was het vinden van een kunstmatige katalysator die de koolstofdioxidemoleculen kon splitsen.'

Lisa legde de krab neer en liet haar stem een paar octaven dalen. 'En toen ontdekte ik een oplossing. Dat wil zeggen, ik liep er per ongeluk tegenaan. Ik had per ongeluk een rhodiummonster in de testkamer laten zitten en voegde daar toen een ander element aan toe: ruthenium. Toen beide met een lichte lading werden gecombineerd, bestond de reactie uit een onmiddellijke dimerisatie van de CO_2-moleculen in een oxalaat.'

Loren veegde het krabbensap van haar handen en nam een slokje bier. 'Mijn hoofd gaat tollen van al die scheikunde,' klaagde ze.

'Weet je zeker dat dat niet komt door het bier en de Bay Seasoning?' vroeg Pitt met een grijns.

'Het spijt me,' zei Lisa. 'De meeste van mijn vrienden zijn biochemici, met als gevolg dat ik af en toe vergeet mijn verbale laboratoriumjas uit te trekken.'

'Loren heeft meer met landspolitiek dan met wetenschap,' grapte Pitt. 'Je had het over de uitkomst van je experiment.'

'Met andere woorden, de katalytische reactie veranderde het koolstofdioxide in een eenvoudige verbinding. Als we dat verder gaan bewerken kunnen we wellicht een brandstof ontwikkelen die op koolstof is gebaseerd, zoals ethanol. Maar de kritische reactie bestond uit de feitelijke opsplitsing van het koolstofdioxide.'

De berg krabben was veranderd in een massa gebroken klauwen en lege omhulsels. De serveerster van middelbare leeftijd ruimde behendig alle rommel op en keerde even later terug met koffie met limoentaart voor het drietal.

'Je moet het me maar niet kwalijk nemen, maar ik weet niet zeker of ik goed heb begrepen wat je zojuist zei,' zei Loren tussen twee happen door.

Lisa tuurde door het raam naar buiten en zag de fonkelende lichtjes aan de overkant van de rivier.

'Ik ben ervan overtuigd dat het toepassen van mijn katalysator gebruikt kan worden voor het construeren van een installatie waarmee grootschalige kunstmatige fotosynthese kan plaatsvinden.'

'Zou die installatie uitgebreid kunnen worden tot industriële proporties?' vroeg Pitt.

Lisa knikte deemoedig. 'Ik weet het zeker. Het enige wat ervoor nodig is zijn een beetje licht, rhodium en ruthenium. Dan moet het werken.'

Loren schudde haar hoofd. 'Dus je zegt in feite dat we in staat zijn om een installatie te bouwen waarmee koolstofdioxide tot een onschadelijke substantie wordt omgevormd? En dat dat proces kan worden toegepast bij elektriciteitscentrales en andere industriële vervuilers?'

'Ja, dat zijn de vooruitzichten. Maar er is nog meer.'

'Hoe bedoel je?'

'Er kunnen hónderden van dit soort installaties worden gebouwd. In termen van CO_2-reductie, is het net of je een heel dennenbos in een doos stopt.'

'Dus je hebt het in feite over het reduceren van het bestaande CO_2-niveau in de atmosfeer,' stelde Pitt vast.

Lisa tuitte haar lippen en knikte opnieuw.

Loren pakte Lisa's hand vast en kneep er even in. 'Dan... heb jij een echte oplossing voor de opwarming van de aarde gevonden.' Ze sprak de woorden fluisterend uit.

Lisa keek bedeesd naar haar taart en knikte toen. 'Het proces is waterdicht. Er moet nog wel aan gewerkt worden, maar ik zie geen enkele reden waarom we niet binnen een paar maanden een grootschalige installatie ten behoeve van kunstmatige fotosynthese zouden kunnen ontwerpen en bouwen. Het enige wat daarvoor nodig is is geld en de politieke wil,' zei ze, en keek Loren aan.

Loren was te verbijsterd om van haar dessert kunnen eten. 'Maar die hoorzitting vandaag,' zei ze. 'Waarom heeft dr. Maxwell het daar helemaal niet over gehad?'

Lisa keek omhoog naar de varen. 'Ik heb het hem nog niet verteld,' antwoordde ze kalm. 'Ik heb die ontdekking nog maar een paar dagen geleden gedaan. Eerlijk gezegd was ik nogal overdonderd door dat resultaat. Mijn onderzoeksassistent overtuigde me ervan dat het beter was om het zo vlak voor de hoorzitting nog niet aan dr. Maxwell te vertellen, dat we er ons eerst van moesten overtuigen dat de resultaten inderdaad klopten. We waren beiden bang voor de enorme aandacht die het in de pers zou krijgen.'

'Daar zou je best wel eens gelijk in kunnen hebben,' reageerde Pitt.

'Dus je hebt nog steeds zo je twijfels over de resultaten?' vroeg Loren.

Lisa schudde haar hoofd. 'We zijn nu minstens tien, twaalf keer op hetzelfde resultaat uitgekomen, heel consequent allemaal. Ik ben er heilig van overtuigd dat de katalysator werkt.'

'Dan is het tijd om handelend op te treden,' drong Loren aan. 'Breng Maxwell morgen op de hoogte, dan kom ik daarna tijdens de hoorzitting met een onschuldig vraagje. Dan zal ik daarna proberen een ontmoeting met de president te regelen.'

'De president?' zei Lisa, en begon te blozen.

'Zeker weten. We hebben de goedkeuring van de president nodig om op korte termijn een productieprogramma op te starten, totdat er een tussentijdse begroting wordt aangenomen. De president is volkomen op de hoogte van de CO_2-problematiek. Als een oplossing daarvoor inderdaad binnen ons bereik ligt, weet ik zeker dat hij onmiddellijk in actie zal komen.'

Lisa zweeg, overweldigd door de gevolgen van haar ontdekking. Na een tijdje schudde ze haar hoofd.

'Je hebt gelijk. Natuurlijk heb je gelijk. Ik zal het doen. Morgen al.'

Pitt betaalde de rekening en het drietal liep in gedachten verzonken naar de auto. De rit naar huis vond plaats in relatieve stilte, hun gedachten geheel in beslag genomen door de draagwijdte van Lisa's ontdekking. Nadat Pitt de auto voor het herenhuis van Lisa tot stilstand had gebracht, stapte Loren snel uit en omhelsde haar oude vriendin.

'Ik ben zo trots op wat je hebt gedaan,' zei ze. 'We maakten vroeger altijd grapjes over het redden van de wereld. En nu is het je nog gelukt ook.' Ze glimlachte.

'Bedankt dat je me de moed hebt gegeven door te gaan,' reageerde Lisa. 'Goedenacht, Dirk,' zei ze, en ze zwaaide naar Pitt.

'Niet vergeten. Morgenochtend kom ik dat rapport over het CO_2-niveau in de oceanen bij je langsbrengen.'

Nadat Loren weer was ingestapt zette Pitt de versnelling in z'n een en gaf gas.

'Georgetown of de hangar?' vroeg hij aan Loren.

Ze nestelde zich wat dichter tegen hem aan. 'Doe vanavond de hangar maar.'

Pitt glimlachte toen hij de Auburn in de richting van Reagan National

Airport stuurde. Hoewel ze getrouwd waren, hadden ze beiden hun eigen woning aangehouden. Loren bewoonde een stijlvol herenhuis in Georgetown, maar bracht het grootste deel van haar tijd in Pitts postmoderne woning door.

Toen ze het terrein van het vliegveld bereikten, sloeg hij een stoffig weggetje in dat naar een donker, afgelegen deel van het veld leidde. Nadat hij een op afstand te bedienen hek was gepasseerd, stopte hij even later bij een nauwelijks verlichte hangar die eruitzag alsof hij al ettelijke tientallen jaren stof had staan verzamelen. Pitt toetste op een draadloos zendertje de beveiligingscode in en zag hoe een zijdeur van de hangar opengleed. Een heel stel plafondlampen sprong aan, waardoor een glimmend interieur zichtbaar werd dat nog het meest op een kruising van een auto-, spoorweg- en luchtvaartmuseum leek. Tientallen glimmend gepoetste antieke auto's stonden midden in het gebouw keurig op een rij. Langs een van de wanden stond op in de vloer verzonken rails een majestueus Pullman-spoorwegrijtuig opgesteld. Een eindje verderop stonden een roestige badkuip die van een oude buitenboordmotor was voorzien en een aftandse opblaasboot met een vaste bodem, die vergeleken met de andere vervoermiddelen enorm uit de toon vielen. Toen Pitt de Auburn de hangar in reed, viel het schijnsel van de koplampen heel even op enkele vliegtuigen die helemaal achter in het gebouw stonden geparkeerd. Een ervan was een oude Ford Tri-Motor, en vlak ernaast stond een Messerschmitt Me-262, een slanke, tweemotorige straaljager die tijdens de Tweede Wereldoorlog door de Luftwaffe was ingezet. De vliegtuigen waren, net als heel wat auto's uit de collectie, restanten van in het verleden beleefde avonturen. Zelfs de badkuip en de rubberboot vertelden een verhaal van levensgevaarlijke situaties en verloren liefdes, verhalen die Pitt bewaarde als een sentimenteel aandenken aan de broosheid van het leven.

Pitt parkeerde de Auburn naast een Rolls-Royce Silver Ghost uit 1921 die werd gerestaureerd, en schakelde de motor uit. Terwijl de garagedeur achter hen dichtgleed draaide Loren zich naar Pitt om en vroeg: 'Wat moeten de mensen uit mijn kiesdistrict wel niet van me denken als ze ontdekken dat ik in een oude vliegtuighangar woon?'

'Waarschijnlijk krijgen ze medelijden met je en maken ze meer geld naar je verkiezingspotje over,' antwoordde Pitt lachend.

Hij nam haar bij de hand en leidde haar via een wenteltrap naar boven, waar zich in een hoek van het gebouw een uitgebreide zolderetage bevond. Loren had haar huwelijkse rechten doen gelden en Pitt gedwongen een nieuwe keuken te installeren en het appartement met een vertrek uit te breiden, dat ze als oefenruimte en kantoor gebruikte. Maar ze liet het wel uit haar hoofd om de koperen patrijspoorten, zeegezichten en andere nautische voorwerpen aan te raken die de woning een duidelijke masculiene uitstraling gaven.

'Denk je echt dat Lisa's ontdekking in staat zal zijn om de opwarming van de aarde tegen te gaan?' vroeg Loren, terwijl ze twee glazen pinot noir inschonk uit een fles die van een etiket was voorzien waarop *Sea Smoke Botella* stond.

'Als er voldoende hulpbronnen zijn, lijkt er geen reden te zijn om te denken dat zoiets niet zou kunnen. Natuurlijk, de overgang van het laboratorium naar de productiefase verloopt altijd problematischer dan de meeste mensen denken. Maar als er een functionerend ontwerp bestaat, dan is het moeilijke werk in feite al gedaan.'

Loren liep het vertrek door en overhandigde Pitt zijn glas. 'Als dit straks als een bom inslaat, zou het wel eens bijzonder hectisch kunnen worden,' zei ze, nu al beducht voor alle tijd die ze eraan zou moeten spenderen.

Pitt sloeg een arm om haar middel en trok haar tegen zich aan. 'Dat geeft niet,' zei hij met een smachtende grijns op zijn gezicht. 'We hebben nog een hele nacht voor de wolven weer gaan huilen.'

14

Nadat hij Loren bij het metrostation van het vliegveld had afgezet voor de rit met de ondergrondse naar Capitol Hill, reed Pitt naar het NUMA-hoofdkantoor, een hoog, glazen gebouw dat vlak langs de oever van de rivier de Potomac stond. Nadat hij binnen een exemplaar van het onderzoeksrapport over de opname van koolstof door het zeewater had opgehaald keerde hij naar de Auburn terug en reed D.C. in, waar hij over Massachusetts Avenue in noordwestelijke richting reed. Het was een prachtige lentedag in de hoofdstad. De drukkende hitte en de vochtigheid van de zomer, wanneer iedereen er weer aan werd herinnerd dat de stad in feite op een moeras was gebouwd, zouden nog weken op zich laten wachten. De stilte van de ochtend maakte het rijden in een cabriolet tot een aangename ervaring. Hoewel hij wist dat hij de wagen beter veilig opgeborgen in zijn hangar had kunnen laten staan, kon Pitt de verleiding niet weerstaan nog een keertje zonder kap te rijden. De oude auto was opmerkelijk wendbaar en het overgrote deel van het omringende verkeer gaf hem de ruimte, ondertussen met grote ogen naar de fraaie lijnen van de antieke wagen kijkend.

Pitt was in alle opzichten het anachronisme dat hij naar buiten toe uitstraalde. Zijn liefde voor oude vliegtuigen en auto's zat erg diep, alsof hij in een ander leven met deze bejaarde machines was opgegroeid. De aantrekkingskracht van deze apparaten evenaarde bijna die van het water en de mysteries die verbonden waren aan het onderzoeken van de diepzee. Hij voelde een knagende rusteloosheid, die zoals altijd zijn behoefte om erop uit te trekken voedde. Misschien was het zijn gevoel voor geschiedenis dat hem onderscheidde, waardoor hij in staat was om problemen van de moderne wereld op te lossen door eerst op zoek te gaan in het verleden.

Pitt vond het Environmental Research and Technology Lab van de George Washington University in een rustige zijstraat bij Rock Creek Park, niet ver van de Libanese ambassade. Hij vond een vrije parkeerplaats vlak voor het drie verdiepingen hoge bakstenen gebouw en liep met het onderzoeksrapport onder zijn arm naar binnen. De bewaker in de lobby liet hem het bezoekersregister tekenen, overhandigde hem een badge en vertelde waar op de eerste etage hij het kantoor van Lisa kon vinden.

Pitt nam de lift en wachtte even tot een schoonmaker in een grijze over-all een wagentje met afvalzakken naar buiten had geduwd. De schoon-maker, een breedgeschouderde man met donkere ogen, keek Pitt een ogenblik lang doordringend aan, om hem tijdens het passeren een goed-hartig glimlachje toe te werpen. Pitt drukte op de knop voor de eerste etage en wachtte geduldig tot de kabels de liftcabine omhoogtrokken. Hij hoorde een gedempt *ding* toen de cabine de eerste etage naderde, maar voor de deuren opengleden werd hij door een enorme klap tegen de grond geslagen.

Het centrum van de ontploffing lag ruim dertig meter verderop, maar toch stond het hele gebouw op zijn grondvesten te trillen alsof het om een aardbeving ging. Pitt voelde de lift heen en weer schudden, maar toen hield de stroom het voor gezien en werd het pikdonker in de cabine. Hij wreef over een bult op zijn achterhoofd, krabbelde behoedzaam overeind en tast-te naar het bedieningspaneel. De knoppen reageerden nergens meer op. Hij liet zijn handen langs de deur glijden, slaagde erin zijn vingers tussen de twee deurhelften te wringen en schoof de binnendeuren open. Een paar centimeter verderop en ongeveer dertig centimeter hoger dan de vloer van de cabine bevonden zich de buitendeuren van de eerste etage. Pitt rekte zich iets uit, dwong de buitendeuren uit elkaar en klauterde vervolgens omhoog naar de hal op de eerste etage, waar hij met een chaotische toestand werd geconfronteerd.

Een noodalarm blèrde oorverdovend en overstemde talrijke schreeu-wende stemmen. Een dichte stofwolk hing in de lucht, waardoor enkele mi-nuten lang ademhalen nauwelijks mogelijk was. Door de stoffige nevel zag Pitt een groepje mensen dat zich een eindje verderop via een trappenhuis een weg naar beneden probeerde te banen. De schade leek het grootst in de hoofdgang die zich recht voor hem uitstrekte. De explosie was niet zwaar genoeg geweest om de structuur van het gebouw aan te tasten, maar had wel heel wat ramen en binnenwanden weggeblazen. Toen hij iets verder keek, besefte Pitt huiverend dat Lisa's laboratorium zich vlak bij het cen-trum van de ontploffing bevond.

Hij zocht zich een weg door de gang en moest even opzij voor een groep-je hoestende wetenschappers die onder een dikke laag stof schuilgingen. De grond kraakte onder zijn schoenen toen hij de verbrijzelde restanten van een venster passeerde. Een bleek uitziende vrouw met een bloedende hand kwam uit een kantoor gewankeld en Pitt bleef staan om haar te hel-pen de wond met een sjaal te omwikkelen.

'Waar is het kantoor van Lisa Lane?' vroeg hij.

De vrouw wees naar een gapend gat aan de linkerkant van de gang en schuifelde vervolgens richting trappenhuis.

Pitt liep naar het grillig gevormde gat waar ooit een deur had gezeten en stapte het vertrek binnen. Een dikke wolk witte rook hing nog steeds in de lucht, maar dreef nu ook langzaam door een verbrijzeld venster naar buiten. Door het ontbrekende raam hoorde hij in de verte de sirenes van naderende brandweerwagens.

Het laboratorium zelf was een wirwar van smeulende elektronica en brokstukken. Pitt zag dat een oude bunsenbrander door de kracht van de explosie in een zijwand was geslagen. De rokende resten en de gaten in de wanden bevestigden wat hij al gevreesd had. Lisa's laboratorium vormde inderdaad het epicentrum van de ontploffing. De muren stonden nog overeind en de inrichting was niet totaal vernield, dus was het duidelijk geen explosie geweest die het hele gebouw had moeten opblazen. Pitt vermoedde dat er in de rest van het gebouw geen doden waren gevallen, maar dat eventuele aanwezigen in het lab waarschijnlijk minder gelukkig waren.

Pitt liet zijn blik snel door het vertrek glijden, riep Lisa's naam en ging op zoek in het puin. Bijna had hij haar over het hoofd gezien, maar hij zag nog net een onder het stof zittende schoen onder het deurtje van een omgevallen kast uit steken. Hij trok de kast razendsnel opzij en zag Lisa in een slordige hoop op de vloer liggen. Haar linkeronderbeen stak in een vreemde hoek naar buiten en haar bloes zat onder het bloed. Maar haar matte ogen draaiden zijn kant uit, ze sloeg ze heel even naar Pitt op, waarna ze ze een ogenblik lang sloot ten teken dat ze hem had herkend.

'Hebben ze je niet geleerd dat je uit de buurt moet blijven van chemische experimenten die knallen kunnen veroorzaken?' zei Pitt met een geforceerd glimlachje.

Hij liet voorzichtig zijn hand over haar bebloede schouder glijden totdat hij op een grote glasscherf stuitte die uit haar bloes stak. Die zat zo te voelen los, dus trok hij hem met een snelle ruk uit de wond, waarna hij er met zijn handpalm op drukte om het bloeden te stelpen. Lisa trok heel even een grimas, en verloor toen het bewustzijn.

Pitt hield haar vast en voelde met zijn vrije hand haar pols, en juist op dat moment kwam een brandweerman met een bijl in de hand het vertrek binnengesneld.

'Hier moet zo snel mogelijk een ziekenbroeder bij komen!' riep Pitt.

De brandweerman keek Pitt verrast aan en sprak in zijn radio. Enkele minuten later arriveerde er een ambulanceteam dat snel en vakkundig Lisa's verwondingen behandelde. Toen ze op een brancard werd gelegd en naar de wachtende ziekenwagen werd gebracht, liep Pitt er achteraan.

'Haar polsslag is zwak, maar ik denk wel dat ze het haalt,' zei een van de ziekenbroeders tegen Pitt voor het voertuig met gillende sirenes naar het Georgetown University Hospital vertrok.

Toen Pitt zich moeizaam een weg tussen een horde reddingswerkers en toeschouwers zocht, werd hij plotseling door een jonge ziekenbroeder vastgegrepen.

'Meneer, u kunt beter even gaan zitten, dan kan ik dit wat beter bekijken,' zei de jongeman opgewonden terwijl hij naar Pitts arm knikte. Pitt keek naar beneden en zag dat zijn mouw onder het bloed zat.

'Maak je geen zorgen,' zei hij schouderophalend. 'Dat is mijn bloed niet.'

Hij liep richting het trottoir en bleef toen verbijsterd staan. De Auburn ging bijna schuil onder een dikke laag glasscherven. De auto zat van voor tot achter vol butsen en krassen. Een stuk archiefkast had zich in de grille geboord en onder de auto was een steeds groter wordende plas radiatorvloeistof te zien. In de auto was een brok metselspecie zo hard op de leren bekleding terechtgekomen dat er een grote scheur in zat. Pitt keek op en schudde zijn hoofd toen hij besefte dat hij onbewust zijn auto pal onder Lisa's laboratorium had geparkeerd.

Hij ging op de treeplank zitten om een beetje bij te komen en keek naar de chaos om zich heen. Sirenes loeiden terwijl tientallen gehavende laboratoriummedewerkers verdoofd rondliepen. Er kwam nog steeds rook uit het gebouw, hoewel er gelukkig geen brand was uitgebroken. Terwijl hij alles in zich opnam had Pitt op de een of andere manier het vreemde gevoel dat de explosie geen ongeluk was. Terwijl hij overeind kwam en naar de beschadigde Auburn keek, moest hij onwillekeurig aan Lisa denken. Een steeds groter wordende woede maakte zich van hem meester.

Van achter een heg aan de overkant van de weg bekeek Clay Zak de puinhoop met een soort lege voldoening. Nadat Lisa's ambulance met hoge snelheid was weggescheurd en de rook begon op te trekken, liep hij enkele blokken verder, waar hij in een steegje zijn huurauto had geparkeerd. Hij ritste zijn grijze overall open, trok die uit en gooide hem in een afvalbak. Toen stapte hij in de wagen en reed kalmpjes naar Reagan National Airport.

15

Boven de bewegingloze wateren die Kitimat omringden hing een lage nevel, terwijl aan de oostelijke hemel de eerste grijze strepen van een nieuwe dageraad te zien waren. Het geronk in de verte van een vrachtwagen die door de straten van het stadje reed kwam over het water aandrijven, waardoor de vroege ochtendstilte werd verbroken.

In de kajuit van de NUMA-werkboot zette Dirk een beker hete koffie neer en startte de motor van het vaartuig. De diesel kwam onmiddellijk tot leven en liet in de vochtige lucht een zacht gebrom horen. Dirk keek door het raam van de stuurhut naar buiten en zag op de steiger een lange gestalte naderen.

'Je vrijer is precies op tijd,' sprak Dirk luid.

Summer klom vanuit de ruimte benedendeks waar de kooien zich bevonden naar boven, keek haar broer vol minachting aan en stapte vervolgens het achterdek op. Trevor Miller had een redelijk zwaar kistje onder zijn arm.

'Goedemorgen,' begroette Summer hem. 'Succes gehad?'

Trevor overhandigde het kistje aan Summer en stapte toen aan boord. Hij keek Summer bewonderend aan en knikte toen.

'Het is voor ons een gelukkig toeval dat de gemeente Kitimat over zijn eigen zwembad met olympische afmetingen beschikt. De directeur onderhoud was bereid om in ruil voor een kratje bier tijdelijk afstand te doen van zijn waterkwaliteitsanalysator.'

'De prijs der wetenschap,' zei Dirk terwijl hij zijn hoofd naar buiten stak.

'De resultaten zullen ongetwijfeld niet exact overeenkomen met de computeranalyse van de NUMA, maar in elk geval kunnen we de pH-waarden meten.'

'We moeten daardoor een globale indruk kunnen krijgen. Als we een lage pH-waarde vinden, weten we dat de zuurgraad is toegenomen. En een toename van het zuurgehalte kan het gevolg zijn van toegenomen hoeveelheden koolstofdioxide in het zeewater,' zei Summer.

Summer maakte het kistje open en zag dat het een draagbare wateranalysator bevatte, samen met een hele serie plastic flesjes. 'Het gaat erom dat we de hoge zuurwaarden die door het laboratorium zijn vastgesteld opnieuw boven water weten te halen. En hiermee zou het moeten kunnen lukken.'

De resultaten van de laboratoriumproeven in Seattle waren schokkend geweest. De pH-waarden in verschillende watermonsters die in de monding van het Douglas Channel waren genomen waren driehonderd keer lager dan de basiswaarden die elders in de Inside Passage waren gemeten. Het meest verontrustende was het laatste monster, dat slechts enkele minuten voor de *Ventura* bijna tegen de NUMA-boot aan was geknald was genomen. De testresultaten lieten een buitengewoon hoge zuurgraad zien die heel dicht in de buurt kwam van de bijtende vloeistof die gewoonlijk voor accu's werd gebruikt.

'Bedankt voor het feit dat jullie nog even zijn gebleven,' zei Trevor terwijl Summer de meertouwen losmaakte en Dirk de boot het water op stuurde. 'Dit lijkt me typisch een plaatselijk probleem.'

'Deze wateren hebben nergens een raakpunt met internationale grenzen. Als er sprake is van een inbreuk op het milieu, zullen we moeten onderzoeken wie daarvoor verantwoordelijk is,' reageerde Dirk.

Summer keek Trevor in zijn ogen en zag onmiddellijk dat zijn zorgen veel verdergingen. Wat onuitgesproken bleef was het potentiële verband met de dood van zijn broer.

'We hebben gisteren met de politie-inspecteur gesproken,' zei Summer kalm. 'Hij had geen nieuwe informatie met betrekking tot de dood van je broer.'

'Ja,' antwoordde Trevor, en zijn stem klonk kil. 'Hij heeft de zaak afgesloten en gaat ervan uit dat het een ongeluk is geweest. Hij denkt dat een opeenhoping van uitlaatgassen zich in het stuurhuis heeft verzameld, waardoor iedereen om het leven is gekomen. Alleen bestaat daar helemaal geen bewijs voor...' zei hij, en zijn stem stierf weg.

Summer dacht aan de vreemde wolk die ze op het water hadden gezien, en het griezelige Haisla-verhaal over de Duivelsadem. 'Ik geloof dat ook niet.'

'Ik weet niet wat er in werkelijkheid is gebeurd. Misschien helpt dit ons achter de waarheid te komen,' zei ze, turend naar de set watermonsters.

Dirk liet de boot twee uur lang op vol vermogen over het water scheren, totdat ze Straat Hecate bereikten. Hij hield het navigatiesysteem in de gaten en schakelde de motor uit toen ze de gps-coördinaten bereikten waar ze het laatste watermonster hadden genomen. Summer gooide een Niskinfles overboord en haalde een fiool met zeewater omhoog, waar ze vervolgens een peilsonde van de wateranalysator in stopte.

'De pH-waarde is ongeveer 6,4. Niet bepaald de extreem hoge waarde die we twee dagen geleden hebben gemeten, maar nog steeds een heel stuk onder het gebruikelijke niveau dat in zeewater wordt aangetroffen.'

'Maar laag genoeg om verwoestingen aan te richten onder het fytoplankton, en dat zal uiteindelijk leiden tot verstoring van de voedselketen,' merkte Dirk op.

Summer keek naar de serene schoonheid van Gil Island en de omringende toegangen tot de Inside Passage, en schudde toen het hoofd. 'Je kunt je toch nauwelijks voorstellen hoe in deze ongerepte omgeving zulke hoge zuurwaarden kunnen voorkomen,' zei ze.

'Misschien een passerend vrachtschip met een lekkende dubbele bodem, of een schip dat hier giftig afval heeft gedumpt,' opperde Dirk.

Trevor schudde zijn hoofd. 'Dat lijkt me niet waarschijnlijk. De beroepsvaart passeert gewoonlijk aan de andere kant van Gil Island. Het enige scheepvaartverkeer dat je hier tegenkomt zijn vissersschepen en veerboten. En dan verder nog af en toe een cruiseschip dat naar Alaska onderweg is of juist terugkomt.'

'Dan moeten we het gebied waar we monsters nemen net zo lang uitbreiden totdat we de exacte bron hebben vastgesteld,' zei Summer, terwijl ze het monster van een etiket voorzag en de Niskinfles voor een volgende drop gereedmaakte.

De uren daarop liet Dirk de boot steeds groter wordende cirkels beschrijven, terwijl Summer en Trevor tientallen watermonsters namen. Tot hun teleurstelling benaderde geen van die monsters de lage pH-waarden die door het lab in Seattle waren gemeld. Terwijl ze de boot wat rond lieten drijven en een late lunch nuttigden, printte Dirk een kaart uit die hij vervolgens aan de anderen liet zien.

'We hebben een serie cirkels gemaakt die zich uitstrekt tot acht mijl van het punt waar we ons eerste monster hebben genomen. En nu blijkt dat eerste monster ook nog eens de hoogste waarde te hebben. Alles ten zuiden van hier liet normale pH-waarden zien. Maar ten noorden van dat punt is het een heel ander verhaal. De lagere pH-waarden die we meten vertonen ruwweg de vorm van een kegel.'

'Die met de heersende stroming wordt meegevoerd,' merkte Trevor op. 'Het zou dus best een eenmalige dumping van verontreinigende stoffen kunnen zijn.'

'Misschien is het een natuurlijk fenomeen,' opperde Summer. 'Een onderzees vulkanisch mineraal dat hier een hoge zuurgraad veroorzaakt.'

'Nu we weten waar we moeten kijken, zouden we toch in staat moeten zijn het antwoord te vinden,' zei Dirk.

'Ik begrijp het niet,' antwoordde Trevor met een beteuterde blik.

'Maar dan snelt de NUMA-technologie te hulp,' reageerde Summer. 'We hebben side-scansonar en een ROV aan boord. Als er iets op de bodem aanwezig is, moeten we dat op de een of andere manier kunnen zien.'

'Maar dat zal dan wel op een andere dag moeten gebeuren,' zei Dirk nadat hij had gezien hoe laat het al was. Hij startte de motor weer en wendde de steven in de richting van Kitimat, waarna hij gas gaf tot de boot zo'n vijfentwintig knopen voer. Toen ze in de buurt van Kitimat kwamen liet Dirk een laag gefluit horen en gebaarde naar een LNG-tanker die in een kleine inham onder een van een dak voorziene laad- en loskade lag.

'Ongelooflijk dat ze met dit soort schepen hier rondvaren,' zei hij.

'Die moet aan het lossen zijn bij Mitchell Goyettes afvanginstallatie voor koolstofdioxide,' antwoordde Summer. Toen zij en Trevor aan Dirk het doel van de installatie uitlegden, nam hij gas terug en draaide in de richting van de afgemeerde tanker.

'Wat doe je?' vroeg Summer.

'Het afvangen van koolstof. Koolstofdioxide en zuurgehalte gaan samen als pindakaas en jam – dat heb je zelf gezegd,' reageerde hij. 'Misschien heeft het iets met die tanker te maken.'

'Die tanker voert CO_2 aan die vervolgens naar de installatie wordt gepompt. Een schip op weg naar de installatie zou in de Inside Passage per ongeluk een aanzienlijke hoeveelheid van dat spul gelekt kunnen hebben,' zei Trevor. 'Maar dan moet die specifieke tanker wel gisteravond of vanochtend zijn gearriveerd.'

'Trevor heeft gelijk,' vervolgde Summer. 'Gisteren was die tanker er nog niet, en we hebben hem daarvoor ook niet in de Inside Passage gezien.' Ze keek aandachtig naar de pier die bij de installatie hoorde, die zich ook nog een stuk in het water uitstrekte, en ontdekte dat het luxejacht van Goyette en de andere bezoekende schepen allemaal verdwenen waren.

'Het kan helemaal geen kwaad om hier een paar monsters te nemen, dan weten we in elk geval zeker dat ze zich aan de regels houden,' reageerde Dirk.

Enkele seconden later kwam er een donkere speedboot uit de overdekte laad- en losinstallatie scheuren en voer rechtstreeks op het NUMA-vaartuig af. Dirk deed net of hij de boot niet zag en hield zijn koers en vaart aan.

'Er wordt iemand wakker,' mompelde hij. 'En we zijn nog minstens een mijl van die pier af. Een tikkeltje lichtgeraakt, vind je niet?'

Toen de speedboot dichterbij kwam draaide hij iets bij, maakte een cirkel rond de werkboot en kwam toen pas langszij. Er zaten drie man aan boord, gestoken in het onschuldige bruine uniform van een bewakingsbedrijf. Maar er was absoluut niets onschuldigs aan de Heckler & Koch HK-416 automatische geweren die ze op hun schoot hadden liggen.

'Jullie naderen particulier water,' blafte een van de mannen door een megafoon. 'Keer onmiddellijk om.' Een van zijn partners, een gedrongen Inuit met stekeltjeshaar gebaarde met zijn geweer in de richting van het stuurhuis van de NUMA-boot om de woorden van zijn collega nog eens extra te onderstrepen.

'Ik wil alleen maar een hengel uitgooien voor deze inham,' schreeuwde Dirk terug, en wees naar het water dat naar de overdekte ligplaats leidde. 'Vlak voor de monding bevindt zich een diep gat dat vol zit met cohozalm.'

'Er wordt hier niet gevist,' bulderde de stem door de megafoon. Stekeltjeshaar kwam overeind en richtte zijn wapen heel even op Dirk, en gebaarde toen met de loop dat hij moest omkeren. Dirk draaide het stuurwiel nonchalant naar stuurboord en voer een stukje weg, terwijl hij ondertussen net deed of de bedreiging geen enkele indruk op hem maakte, en wuifde ten slotte nog even vriendelijk naar de speedboot. Toen de boot wegdraaide, boog Summer zich nonchalant over de reling van het achterdek en schepte met haar hand een fiool met water uit de golven.

'Vanwaar die zware bewaking?' vroeg Dirk aan Trevor terwijl ze de laatste paar mijlen naar Kitimat aflegden.

'Ze zeggen dat ze proberen hun eigen technologie te beschermen, maar wie zal het zeggen? Vanaf het allereerste moment dat ze hier zijn gaan bouwen heeft het bedrijf al tekenen van paranoia vertoond. Ze hebben hun eigen bouwvakkers ingevlogen om de installatie te bouwen, en ze hebben ook hun eigen mensen die dat ding runnen. Het zijn voornamelijk Tlingit, maar die komen hier niet uit de buurt. Ik heb gehoord dat er niet één plaatselijke werknemer is ingehuurd, tijdens welke fase van de operatie dan ook. En daar komt dan nog bij dat de mensen die er werken allemaal op het terrein van de installatie wonen. Je ziet ze nooit in de stad.'

'Ben jij wel eens bij die afvanginstallatie op bezoek geweest?'

'Nee,' antwoordde Trevor. 'Ik ben er helemaal aan het begin bij betrokken geweest, met milieurapportages en dergelijke. Ik heb de plannen beoordeeld en ben er tijdens de bouw een paar keer geweest, maar ben nooit meer terug geweest nadat ze voor alle gebouwen goedkeuring hebben gekregen. Ik heb een paar keer een verzoek ingediend om nog een keertje te mogen rondkijken nadat de installatie in gebruik was gesteld, maar als het ging om het afdwingen van toestemming daarvoor ben ik op geen enkele wijze door mijn superieuren gesteund.'

'Een machtige knaap als Mitchell Goyette kan op de juiste plaatsen behoorlijk wat angst inboezemen,' merkte Dirk op.

'Dat is zo. Ik heb geruchten gehoord dat hij hier en daar behoorlijk wat druk heeft uitgeoefend om hier te mogen beginnen. Zijn bouw- en milieuvergunningen kwamen zonder problemen af, en dat is in deze omgeving iets ongehoords. Op de een of andere manier, door wie dan ook, is er behoorlijk wat smeergeld van eigenaar veranderd.'

Summer onderbrak het gesprek door de brug op te lopen met een fiool water dat ze voor zich uit hield. 'De zuurwaarde is normaal, althans op anderhalve kilometer van de afvanginstallatie.'

'Die afstand is veel te groot om ergens zeker van te zijn,' zei Trevor, die in gedachten verzonken achterom naar de laad- en lossteiger keek.

Dirk had iets vastberadens gekregen. Hij gaf er de voorkeur aan alles volgens het boekje te doen, maar met autoritaire lieden die door middel van intimidatie hun zin probeerden door te drukken had hij weinig geduld. Summer grapte wel eens dat hij een soort joviale Clark Kent was, die altijd wel iets aan een bedelaar gaf en deuren openhield voor dames. Maar als iemand tegen hem zei dat hij iets niet kon, veranderde hij binnen de kortste keren in een Tasmaanse duivel. De confrontatie met de boot met bewakers vormde een aanslag op zijn rechtvaardigheidsgevoel en wakkerde zijn argwaan aan, terwijl tegelijkertijd zijn bloeddruk steeg. Hij wachtte tot de boot was afgemeerd en Trevor met een zwaai afscheid had genomen, nadat ze hadden afgesproken over een uurtje met z'n drieën te gaan eten. Toen draaide hij zich naar Summer om.

'Ik zou wel eens een kijkje bij die afvang- en opslaginstallatie willen nemen,' merkte hij op.

Summer zag hoe in Kitimat de eerste lichtjes aangingen en door het water weerspiegeld werden, nu de avondschemering viel. Toen gaf ze antwoord, op een manier die Dirk absoluut niet had verwacht.

'Weet je, ik denk dat ik dat ook best zou willen.'

16

Het was even na zessen 's avonds toen Loren en Pitt bij het Georgetown University Hospital aankwamen en toestemming kregen om naar de kamer van Lisa Lane door te lopen. Voor iemand die eerder die dag op het nippertje aan de dood was ontsnapt, maakte ze een opmerkelijk flinke indruk. Om haar linkerschouder zat een enorm verband en haar gebroken been zat in het gips en was iets omhoog gevijzeld. Afgezien van haar bleke gelaatskleur vanwege het bloedverlies leek ze volkomen helder en ze kwam bij het zien van haar twee bezoekers met een ruk overeind.

Loren snelde op haar af en gaf haar een snelle kus op de wang, terwijl Pitt een grote vaas roze lelies op het kastje naast haar bed zette.

'Het ziet ernaar uit dat die aardige mensen in Georgetown je behoorlijk hebben opgelapt,' merkte Pitt grijnzend op.

'Meisje, hoe gaat het met je?' vroeg Loren, die een stoel naar het bed trok en ging zitten.

'Best goed, gezien de omstandigheden,' antwoordde Lisa met een geforceerde glimlach. 'De medicijnen onderdrukken de pijn in mijn been niet helemaal, maar de artsen hebben me verteld dat alles weer zo goed als nieuw zal worden. Ik moet alleen niet vergeten mijn aerobicslessen voor de komende weken af te zeggen.'

Ze draaide zich met een ernstig gezicht naar Pitt om. 'Sinds ik hier ben binnengedragen hebben ze me zes eenheden met rode bloedlichaampjes gegeven. De dokter zei dat ik geluk heb gehad. Als jij me niet had gevonden zou ik zijn doodgebloed. Bedankt dat je mijn leven hebt gered.'

Pitt gaf haar een knipoog. 'Jij bent nu veel te belangrijk om dood te gaan,' zei hij, over zijn eigen daden heen stappend.

'Het was een wonder,' zei Loren. 'Dirk heeft me verteld dat het laboratorium nagenoeg in puin lag. Het is verbazingwekkend dat niemand in het gebouw is omgekomen.'

'Dr. Maxwell is al bij me op bezoek geweest. Hij heeft beloofd dat ik een nieuw lab krijg.' Ze glimlachte. 'Hoewel hij enigszins teleurgesteld was dat ik niet meer wist wat er gebeurd is.'

'Jij weet niet waardoor de ontploffing is veroorzaakt?' vroeg Loren.

'Nee. Ik dacht dat er in een naburig lab iets fout ging.'

'Van wat ik heb gezien, kreeg ik de indruk dat de explosie heeft plaatsgevonden in het vertrek waar ik jou heb gevonden,' zei Pitt.

'Ja, dat vertelde dr. Maxwell me ook al. Ik weet niet zeker of hij me geloofde toen ik hem vertelde dat er in mijn lab niets aanwezig was dat zo'n grote ontploffing zou kunnen veroorzaken.'

'Het was een behoorlijk harde klap,' beaamde Pitt.

Lisa knikte. 'Ik heb hier, zittend in mijn bed, me elk element en elk stukje uitrusting in dat lab voor de geest proberen te halen. Alle materialen waarmee we hebben gewerkt zijn inert. We beschikken over een aantal gastanks voor onze experimenten, maar dr. Maxwell vertelde me dat die allemaal intact zijn teruggevonden. De uitrusting kan over het algemeen geen gevaar opleveren. Voor zover ik kan nagaan was er simpelweg geen explosief of ontvlambaar materiaal aanwezig dat zo'n reactie tot gevolg kan hebben.'

'Je moet niet direct de fout bij jezelf zoeken,' zei Loren. 'Misschien was er iets met het gebouw aan de hand, een oude gasleiding of iets dergelijks.'

Ze werden gestoord door een streng kijkende verpleegster die het hoofdeinde van Lisa's bed nog wat omhoog krikte en vervolgens een dienblad met het avondeten voor haar neerzette.

'Misschien kunnen we beter gaan, dan kun jij in alle rust van de culinaire hoogstandjes van het ziekenhuis genieten,' merkte Pitt op.

'Ik weet zeker dat die in het niet zullen vallen bij de krab van gisteravond,' zei Lisa, die haar best deed te lachen. Toen verscheen er een diepe frons in haar voorhoofd. 'Tussen haakjes, dr. Maxwell had het erover dat een oude auto die vlak voor het gebouw geparkeerd stond door de explosie ernstig beschadigd is geraakt. De Auburn?'

Pitt knikte, een gekrenkte blik in zijn ogen. 'Ik ben bang van wel,' zei hij. 'Maar maak je daar geen zorgen over. Net als jij kan hij worden hersteld en wordt die auto weer zo goed als nieuw.'

Achter hen werd er op de deur geklopt en even later stapte een magere man met een onverzorgde baard de kamer binnen.

'Bob!' begroette Lisa hem. 'Ik ben blij dat je er bent. Maak alsjeblieft kennis met mijn vrienden,' zei ze, en stelde Loren en Pitt aan haar laboratoriumassistent Bob Hamilton voor.

'Ik vind het nog steeds ongelooflijk dat je geen schrammetje hebt opgelopen,' grapte Lisa.

'Ik had het geluk dat ik net in het bedrijfsrestaurant aan het lunchen was toen het lab ontplofte,' zei hij, terwijl hij Loren en Pitt enigszins onzeker aankeek.

'Dat mag je inderdaad geluk noemen,' was Loren het met hem eens. 'Ben je over dit alles net zo met stomheid geslagen als Lisa?'

'Volkomen. Misschien heeft er een lek gezeten in een van onze drukvaten, en is die op de een of andere manier geëxplodeerd, maar ik denk eigenlijk dat het iets in het gebouw moet zijn geweest. Het is in elk geval een raar, toevallig ongeluk, wat de oorzaak ervan ook geweest mag zijn. En daar komt bij dat alle resultaten van Lisa's onderzoek ook nog eens vernietigd zijn.'

'Is dat zo?' vroeg Pitt.

'Alle computers zijn zwaarbeschadigd, en daar zaten alle databases met de onderzoeksresultaten in,' antwoordde Bob.

'Als ik weer terug ben in het lab moeten we toch in staat zijn om alle gegevens weer op een rijtje te zetten... als ik dan tenminste nog een lab héb,' zei Lisa.

'Ik zal er bij de leiding van de George Washington University op aandringen dat het gebouw, voor jij er weer naar binnen gaat, eerst helemaal op alle veiligheidsaspecten wordt nagelopen,' merkte Loren op.

Ze draaide zich naar Bob om. 'We stonden op het punt te vertrekken. Leuk je ontmoet te hebben, Bob.' Toen boog ze zich iets naar voren en gaf Lisa opnieuw een kus. 'Pas goed op jezelf, liefje. Morgen kom ik weer bij je langs.'

'Wat een ongelooflijke pech,' zei Loren tegen Pitt nadat ze het vertrek hadden verlaten en door de felverlichte ziekenhuisgang naar de lift liepen. 'Ik ben zo blij dat ze straks weer helemaal de oude zal zijn.'

Toen ze van Pitt in reactie op haar opmerking alleen een kort knikje kreeg, keek ze hem in zijn groene ogen. Die leken in de verte te staren, zoals ze al zo vaak had gezien, gewoonlijk wanneer Pitt druk bezig was een al lang geleden verdwenen scheepswrak op te sporen of het geheim van een of ander oud document probeerde te ontcijferen.

'Waar zit je aan te denken?' vroeg ze hem ten slotte.

'Lunch,' antwoordde hij cryptisch.

'Lunch?'

'Hoe laat gaan de meeste mensen lunchen?' vroeg hij.

Ze keek hem niet-begrijpend aan. 'Zo tussen halftwaalf en enen, denk ik, voor wat het waard is.'

'Ik ben vlak voor de explosie het gebouw binnengelopen. Het was toen kwart over tien, en onze vriend Bob was al aan het lunchen,' zei hij met een sceptisch ondertoontje. 'En ik ben er redelijk zeker van dat ik hem, toen de ambulance met Lisa wegreed, als een toeschouwer aan de overkant van de straat heb zien staan. Hij leek zich niet bepaald grote zorgen te maken over het feit dat zijn naaste medewerkster de klap eens niet kon hebben overleefd.'

'Mogelijk verkeerde hij in shock. Maar nu we het daar toch over hebben, jíj kan ook in een shocktoestand hebben verkeerd. En misschien is hij wel een van die knapen die 's ochtends om vijf uur al aan het werk gaan, dan zal hij om tien uur best wel trek hebben.' Ze keek hem sceptisch aan. 'Ik denk dat je met betere argumenten op de proppen moet komen,' voegde ze er hoofdschuddend aan toe.

'Waarschijnlijk heb je gelijk,' zei hij, en hij pakte haar hand beet terwijl ze door de hoofdingang van het ziekenhuis naar buiten liepen. 'Wie ben ik om te gaan debatteren met een politicus?'

17

Arthur Jameson was net bezig zijn mahoniehouten bureau een beetje op te ruimen toen een medewerker op de open deur klopte en naar binnen stapte. Het ruime maar conservatief ingerichte kantoor van de minister van Natuurlijke Hulpbronnen bood vanaf zijn hoge positie op de eenentwintigste etage van het Sir William Logan Building een indrukwekkend uitzicht op Ottawa, en de medewerker moest onwillekeurig even naar buiten kijken toen hij naar het bureau van de minister liep. Jameson, zittend in een lederen stoel met een hoge rugleuning, liet zijn blik van de medewerker naar een staand horloge glijden dat de tijd wegtikte en nu bijna vier uur aangaf. Met de naderende voetstappen van zijn medewerker verdween ook de hoop op een vroegtijdige ontsnapping aan de bureaucratie.

'Ja, Steven,' begroette de minister de jonge assistent die oppervlakkig gezien wel iets van Jim Carrey weg had. 'Wat heb je nu weer om mijn weekend te bederven?'

'Maakt u zich geen zorgen, meneer, geen grote milieurampen deze keer,' zei de medewerker glimlachend. 'Alleen een korte melding van het Pacific Forestry Centre in British Columbia waarvan ik dacht dat u hem moest zien. Een van onze veldecologen heeft ongewoon hoge zuurwaarden in de wateren bij Kitimat vastgesteld.'

'Kitimat, zei je?' vroeg de minister, die plotseling verstarde.

'Ja. U hebt daar recentelijk een afvang- en opslaginstallatie voor koolstofdioxide bezocht, toch?'

Jameson knikte, nam snel het dossier aan en liet zijn blik over de tekst glijden. Nadat hij een kaartje van het betreffende gebied had bestudeerd, ontspande hij zich enigszins. 'Dit zijn de resultaten van metingen die zo'n zestig mijl van Kitimat, langs de Inside Passage, zijn uitgevoerd. In dat gebied zijn helemaal geen industriële installaties. Mogelijk is er bij het nemen van monsters wat verkeerd gegaan. Je weet dat we regelmatig verkeerde meldingen binnenkrijgen,' zei hij met een geruststellende blik. Kalm sloeg hij het dossier dicht en schoof het zonder verdere belangstelling naar de zijkant van zijn bureau.

'Moeten we het kantoor in British Columbia niet bellen en vragen of ze nieuwe watermonsters willen nemen?'

Jameson ademde langzaam uit. 'Ja, dat is wellicht verstandig,' zei hij kalm. 'Bel ze maandag op en vraag of ze opnieuw monsters willen nemen. Pas als ze met dezelfde resultaten op de proppen komen moeten we ons zorgen gaan maken.'

De medewerker knikte instemmend maar bleef verder onbeweeglijk voor het bureau staan. Jameson keek hem vaderlijk aan.

'Waarom ga je niet naar huis, Steven? Neem die verloofde van je mee uit eten. Ik heb gehoord dat er langs de rivier een nieuwe bistro is geopend.'

'Ik ben bang dat u me niet genoeg betaalt om daar uit eten te gaan,' zei de medewerker grinnikend. 'Maar wat betreft dat iets eerder weggaan zal ik uw raad opvolgen. Een goed weekend, meneer, en tot maandag.'

Jameson keek zijn assistent na en wachtte tot hij diens voetstappen op de gang had horen wegsterven. Toen trok hij het dossier naar zich toe, sloeg het open en las aandachtig het hele rapport door. De zuurwaarden leken geen enkel verband te houden met de installatie van Goyette, maar Jamesons onderbuik zei hem iets heel anders. Hij was er nu te zeer bij betrokken om ten opzichte van Goyette dwars te gaan liggen, bedacht hij, terwijl zijn instinct het van hem overnam. Hij nam de hoorn van de telefoon en toetste uit het hoofd een nummer in, om vervolgens bezorgd te horen hoe het toestel aan de andere kant van de lijn drie keer overging. Uiteindelijk werd er opgenomen en hoorde hij een vrouwenstem die vriendelijk maar tegelijkertijd heel efficiënt klonk.

'Met Terra Green Industries. Waarmee kan ik u helpen?'

'Met Jameson van Natuurlijke Hulpbronnen,' antwoordde hij kortaf. 'Ik wil Mitchell Goyette spreken.'

18

Dirk en Summer duwden hun boot kalm en beheerst bij de gemeente-steiger vandaan en dreven naar het midden van de haven. Nadat de stroming hen uit het zicht van de steiger had meegevoerd startte Dirk de motor en stuurde hij de boot langzaam in de richting van het open water. Er waren gaten in de bewolking gevallen, zodat het licht van de sterren af en toe op het wateroppervlak weerkaatste. Het was middernacht, en de luidruchtige klanken van een kroeg een eindje verderop waren de enige andere geluiden die met hen wedijverden terwijl ze traag bij het stadje vandaan voeren.

Dirk hield de boot midden in het Douglas Channel en volgde het mastlicht van een vissersboot die een heel eind voor hen uit voer, op zoek naar de waardevolle cohozalm. De lichtjes van Kitimat achter zich latend, legden ze in het duister enkele mijlen af totdat ze een brede bocht in de rivier bereikten. Recht voor hen uit glinsterde het water als opgepoetst chroom, waarin de felle lampen van de Terra Green-afvanginstallatie weerkaatsten.

Terwijl de boot zich stroomafwaarts bewoog, zag Dirk dat het terrein van de installatie vol stond met felle schijnwerpers, die op de omringende dennenbomen abstracte schaduwen wierpen. Alleen de grote overdekte laad- en losplaats viel grotendeels buiten het schijnsel van de lampen, zodat de LNG-tanker die daar lag afgemeerd grotendeels in de schaduw schuilging.

Summer pakte een nachtkijker en bestudeerde de oever terwijl ze op een behoorlijke afstand voorbijvoeren.

'Alles rustig aan het westelijk front,' zei ze. 'Ik heb maar heel even een blik onder dat grote afdak kunnen werpen, maar heb rond de steiger en bij het schip geen tekens van leven kunnen ontdekken.'

'Volgens mij bestaat de bewaking op dit late uur uit niet meer dan een paar uilskuikens die ergens in een hokje naar een paar beeldschermen staren.'

'Laten we hopen dat ze in plaats daarvan naar een worstelwedstrijd op tv zitten kijken, dan kunnen we onze watermonsters nemen en weer verdwijnen.'

Dirk liet de boot een gestage vaart aanhouden totdat ze de installatie twee mijl achter zich hadden. Door verscheidene bochten in de zee-engte veilig en wel aan het oog onttrokken, draaide hij het stuurwiel razendsnel naar stuurboord, bracht de werkboot tot vlak onder de oever en doofde de navigatielichten. Het fragmentarische sterrenlicht zorgde voor net voldoende zicht om de met bomen omzoomde oever te kunnen onderscheiden, maar hij minderde toch nog wat gas, terwijl hij ook de diepteaanduidingen op het Odom-echolood nauwkeurig in de gaten hield. Summer stond naast hem, met de nachtkijker uitkijkend naar obstakels en zo nodig gefluisterde koerscorrecties aan haar broer doorgevend.

Geluidloos en uiterst langzaam kropen ze voort, totdat de afstand tot de Terra Green-installatie nog maar twaalfhonderd meter was, waarbij ze nog steeds uit het zicht bleven. Een kleine inham vormde de laatste plek waar ze zich konden verbergen vóór de schijnwerpers het wateroppervlak in een felle gloed zetten. Summer liet vanaf de voorplecht snel het anker in het water zakken terwijl Dirk de motor uitschakelde. Een lichte fluistering van de wind deed in de buurt wat dennen ruisen, maar dat was het enige geluid in een verder spookachtig stille nacht. Op dat moment draaide de wind enigszins en was het zachte gezoem van pompen en het gebrom van generatoren te horen die tot de installatie behoorden, maar deze geluiden zouden hun bewegingen moeiteloos verhullen.

Dirk wierp een snelle blik op zijn Doxa-duikhorloge en trok toen, net als Summer, snel een zwart droogpak aan.

'Het wordt straks afgaand tij,' zei hij kalm. 'Als we erop afgaan hebben we de stroming tegen, maar op de terugtocht krijgen we een duwtje in de rug.'

Hij had dat eerder die avond al berekend, want hij besefte maar al te goed dat ze op weg terug naar de boot het niet ook nog eens tegen de stroming wilden opnemen. Hoewel het er waarschijnlijk niet zo heel erg toe deed. Zowel Dirk als Summer was een uitstekend zwemmer, en ze deden zodra ze in de buurt van warm water kwamen altijd aan langeafstandszwemwedstrijden mee.

Summer trok de riemen van haar trimvest, waarin zich één enkele duiktank bevond, wat strakker aan en maakte er een kleine duiktas aan vast met daarin verschillende lege monsterflesjes. Ze wachtte tot Dirk zijn tank had aangegespt en deed toen haar zwemvliezen aan.

'Een middernachtelijk zwempartijtje in de Pacific Northwest,' zei ze terwijl ze omhoog naar de sterren keek. 'Het klinkt bijna romantisch.'

'Er is helemaal niets romantisch aan een zwempartij in water van zes graden Celsius,' antwoordde Dirk en klemde vervolgens een snorkel tussen zijn tanden. Met een kort knikje zwaaiden ze hun benen overboord en lieten zich in het ijskoude zwarte water zakken. Nadat ze hun trimvest hadden afgesteld oriënteerden ze zich en zwommen toen met beheerste slagen de inham uit in de richting van de installatie. Ze zwommen vlak onder het wateroppervlak, waarbij hun hoofd er net iets boven uitstak, zodat ze wel iets weg hadden van alligators. Om hun duiktanks zo lang mogelijk te ontzien maakten ze voor hun ademhaling gebruik van de snorkels, en zogen via de buizen van zacht plastic de nachtelijke lucht in zich op.

De stroming was iets sterker dan Dirk had verwacht, voortgestuwd door het overtollige regenwater dat door de Kitimat River aan het einde van de lange fjord werd aangevoerd. Ze konden die tegenkrachten moeiteloos aan, maar de extra inspanningen zorgden er wel voor dat hun lichaamswarmte toenam. Ondanks het ijskoude water voelde Dirk hoe hij in het thermische droogpak begon te transpireren.

Op achthonderd meter van de installatie voelde Dirk Summer op zijn schouder tikken. Hij draaide zich om en zag haar naar de oever gebaren. In de schaduw van een grillige rij dennen kon hij nog net een boot onderscheiden die vlak bij de oever lag afgemeerd. De boot voerde geen verlichting, net als hun eigen vaartuig, maar hij kon in het donker niet exact zien hoe groot hij was.

Dirk knikte naar Summer en ging wat dieper onder water zwemmen, waarbij hij ervoor zorgde dat hij een eind uit de buurt van de andere boot bleef. Ze zwommen gestaag door totdat ze de installatie tot op tweehonderd meter genaderd waren. Dirk stopte even om uit te rusten en probeerde de indeling van het terrein onder de felle schijnwerpers in zich op te nemen.

Op het terrein stond een groot L-vormig gebouw, waarvan de voorkant bijna tot aan de overdekte laad- en losplaats reikte. Uit het gebouw, waarin het vloeibare koolstofdioxide werd verwerkt, klonk het gestamp van pompen en het gebrom van generatoren. Een ander, van vensters voorzien gebouw vlak naast het helikopterplatform, stond enigszins afgezonderd en bood waarschijnlijk onderdak aan het kantoor. Dirk vermoedde dat de onderkomens voor de werknemers een eindje verderop lagen, langs de weg naar Kitimat. Rechts van hem stak een robuuste pier het water in, waarlangs slechts één vaartuig lag afgemeerd. Het was dezelfde donkere speedboot die hen eerder die dag had weggejaagd.

Summer kwam naast hem zwemmen en reikte toen in haar duiktas. Ze haalde de kurk van een lege fiool en nam terwijl ze daar ronddreven een watermonster.

'Ik heb op weg hiernaartoe al twee monsters genomen,' fluisterde ze. 'Als we er nog een of twee in de buurt van de losplaats kunnen nemen, hebben we alles wat we nodig hebben.'

'Op weg naar de volgende halteplaats,' antwoordde hij. 'Maar laten we vanaf hier helemaal onder water zwemmen.'

Dirk bepaalde met behulp van het kompas op zijn pols de te nemen richting, stopte de ademautomaat tussen zijn tanden en liet wat lucht uit zijn trimvest ontsnappen. Nadat hij tot een centimeter of zestig onder het wateroppervlak was gezakt, begon hij met kalme bewegingen in de richting van de overdekte kade te zwemmen. Het bouwsel, dat uit golfplaat was opgetrokken, was vrij smal, zodat er naast het eronder afgemeerde schip maar een paar meter ruimte over was. Toch was de laad- en losplaats langer dan een voetbalveld, zodat de negentig meter lange tanker er moeiteloos in paste.

Terwijl Dirk de vastgestelde koers volgde was de lichtgevende wijzer van het kompas in het inktzwarte water nauwelijks te zien. Toen hij de toegang tot de kade naderde werd het water iets lichter, maar dat kwam door de schijnwerpers op de wal. Hij bleef doorzwemmen totdat de donkere vorm van de tankerromp voor hem opdoemde. Langzaam stijgend kwam hij aan de oppervlakte, bijna pal onder de achtersteven van de tanker. Snel liet hij zijn blik over de kade glijden, en constateerde dat die er op dit late uur verlaten bij lag. Hij maakte een oor vrij en luisterde of hij stemmen hoorde, maar het gestamp van de pompen klonk zo luid dat zelfs geschreeuw er waarschijnlijk door overstemd zou worden. Met een paar forse slagen verwijderde hij zich van de zijkant van het schip en probeerde het schip wat beter in zich op te nemen.

Hoewel het vanuit Dirks gezichtspunt een groot schip genoemd mocht worden, behoorde het in feite tot een van de kleinere LNG-tankers. Het vaartuig was van het shelterdeck-type en kon vijfentwintighonderd kubieke meter vloeibaar aardgas vervoeren in twee horizontale metalen tanks die zich benedendeks bevonden. Het was speciaal voor de kustvaart gebouwd en viel in het niet bij grote, zeegaande tankers die soms wel vijftig keer zoveel vloeibaar gas konden transporteren.

Dirk schatte dat het schip zo'n tien, twaalf jaar oud was, en hier en daar was best wat roest te zien, maar over het algemeen zag het er goed onderhouden uit. Hij wist niet welke modificaties er waren uitgevoerd om het schip geschikt te maken voor het transport van vloeibare CO_2, maar ging ervan uit dat het er niet al te veel waren geweest. Hoewel CO_2 iets compacter was dan LNG, waren er minder hoge temperaturen en minder druk voor nodig om het vloeibaar te maken. Hij nam de naam van het schip in zich op, *Chichuyaa*, die in gouden letters op de achtersteven was aangebracht, met er vlak onder in witte letters de thuishaven: Panama City.

Een paar meter verderop verschenen een stuk of wat luchtbellen aan de oppervlakte en het volgende moment kwam Summers hoofd boven het water uit. Ze wierp een snelle blik op het schip en de kade, knikte naar haar broer, haalde een fiool tevoorschijn en nam een watermonster. Toen ze daarmee klaar was, wees Dirk naar de voorsteven en verdween onder het wateroppervlak. Summer volgde zijn voorbeeld en zwom achter haar broer aan. Het donkere silhouet van de tankerromp volgend zwommen ze het hele schip langs om even later bij de boeg weer geluidloos aan de opper- vlakte te komen. Dirk keek naar het Plimsoll-merk van de tanker, dat zo'n zestig centimeter hoger op de zijkant van de romp was aangebracht, en kwam tot de conclusie dat het schip nog dertig centimeter dieper in het water kon liggen voor het zijn maximale draagvermogen had bereikt.

Summer richtte haar aandacht op een serie buizen die als dikke tentakels vanaf het dek van het schip naar het pompstation op de kade liepen. De grote, flexibele buizen – zogenaamde Chiksan-armen – zwiepten door de kracht waarmee de CO_2 erdoorheen werd gestuwd enigszins heen en weer. Iele slierten witte rook ontsnapten uit het dak van het pompgebouw, con- dens, afkomstig van het gekoelde en onder druk staande gas. Summer reik- te naar beneden en haalde de laatste lege fiool uit haar duiktas, terwijl ze zich afvroeg of het water om haar heen inderdaad vol verontreinigende stoffen zat. Ze nam een laatste monster, stopte de volle fiool terug in haar duiktas en zwom met een paar krachtige slagen naar haar broer, die wat dichter naar de kade was afgedreven.

Toen ze vlak bij hem was, wees Dirk naar de toegang tot de afmeerplaats en fluisterde: 'Laten we gaan.'

Summer knikte en wilde omkeren, maar aarzelde toen plotseling. Ze had haar blik op de Chiksan-armen boven Dirks hoofd gericht. Met een vra- gend gezicht bracht ze een hand omhoog en wees op de buizen tussen het schip en de kade. Dirk hield zijn hoofd wat scheef en tuurde toen ook om- hoog naar de buizen, maar kon niets vreemds ontdekken.

'Wat zie je?' fluisterde hij.

'Er is iets vreemds aan de beweging van die buizen,' antwoordde ze, tu- rend naar de flexibele armen. 'Ik heb het gevoel dat het koolstofdioxide áán boord van het schip wordt gepompt, in plaats van andersom.'

Dirk tuurde naar de heen en weer wiegende armen. De buizen bewogen bijna ritmisch, maar er was nauwelijks uit af te leiden welke kant het vloei- bare gas op ging. Hij keek zijn zus even aan en knikte. Haar zich af en toe manifesterende voorgevoelens en intuïtie bleken meestal wel te kloppen. Voor hem was dat voldoende reden om het uit te willen zoeken.

'Denk je dat het iets te betekenen zou kunnen hebben?' vroeg Summer, terwijl ze bij de voorsteven van het schip omhoogkeek.

'Moeilijk te zeggen of het enige relevantie heeft,' antwoordde Dirk kalm. 'Als er inderdaad CO_2 aan boord van dit schip wordt gepompt, slaat dat ei- genlijk helemaal nergens op. Maar misschien loopt er een LPG-pijpleiding van Athabasca hiernaartoe.'

'Trevor zei dat er alleen maar sprake was van een kleine oliepijpleiding en de CO_2-leiding.'

'Heb jij vanmorgen nog gezien of het schip toen hoger op het water lag dan nu?'

'Ik zou het niet weten,' reageerde Summer. 'Maar als het aan het lossen is, zou het nu nóg een stuk hoger op het water moeten liggen.'

Dirk liet zijn blik langs de scheepsromp omhoog glijden. 'Wat ik van LNG-tankers weet, en dat is niet veel, is dat pompen aan de wal worden gebruikt om het vloeibare gas aan boord te pompen, terwijl ze pompen aan boord hebben om het spul op de plaats van bestemming te lossen. En zo te horen staan de pompen momenteel aan de wal te stampen.'

'Dat kan ook zijn om het gas onder de grond te pompen, of naar tijdelijke opslagtanks.'

'Dat zou kunnen. Maar het is te lawaaiig om vast te stellen of de pompen aan boord ook lopen.' Met enkele slagen zwom hij iets dichter naar de steiger, stak zijn hoofd omhoog en keek om zich heen. De kade en de zichtbare delen van het schip lagen er nog steeds verlaten bij. Dirk gleed uit zijn trimvest en deed zijn loodgordel af, en hing beide over een klamp.

'Je was toch niet van plan om aan boord te gaan?' fluisterde Summer, die heel even de indruk had dat haar broer gek was geworden.

Dirks witte tanden grijnsden haar heel even toe. 'Hoe zou ik dit mysterie anders moeten oplossen, mijn beste Watson?'

Summer besefte dat afwachten tot haar broer terug zou komen veel te zenuwslopend was voor haar, dus hing ze haar eigen duikuitrusting naast die van hem en klom ook tegen de steiger op. Toen ze geluidloos achter hem aan naar het schip sloop, moest ze onwillekeurig binnensmonds mompelen: 'Hartelijk dank, Sherlock.'

19

De beweging op het beeldscherm was nauwelijks waarneembaar. Het zou helemaal niet vreemd zijn geweest als de van de Aleoeten afkomstige bewaker het had gemist. Een toevallige blik op de rij beeldschermen liet een lichte rimpeling in het water zien, geregistreerd door een van de bewakingscamera's die op het water vlak achter de tanker stond gericht. De bewaker drukte snel op de inzoomknop van de op het dak gemonteerde camera, en zag heel even een donker voorwerp in het water, dat vervolgens weer snel onder het oppervlak verdween. Naar alle waarschijnlijkheid een eigenzinnige zeehond, vermoedde de bewaker, maar het was een uitstekend excuus om het troosteloze onderkomen waarin de bewakingspost was ondergebracht even te verlaten.

Hij reikte naar de radio en riep de wachtsman aan boord van de *Chichuyaa* op.

'Hier de bewakingsdienst. Ik zie op een van de beeldschermen zojuist een donker voorwerp in het water, vlak bij jullie achtersteven. Ik pak even een bootje en vaar dan langs om te kijken wat het is.'

'Begrepen, bewakingsdienst,' antwoordde een slaperige stem. 'Ik zal het licht voor je aan laten.'

De bewaker trok een jack aan, pakte een zaklantaarn van tafel en bleef toen voor een wapenkast staan. Hij keek naar het H&K automatische geweer, maar bedacht zich toen en stopte in plaats daarvan toch maar een Glock automatic in zijn holster.

'Ik kan op dit uur van de nacht maar beter niet op zeehonden schieten,' mompelde hij in zichzelf terwijl hij naar de pier liep.

Terwijl het sterk afgekoelde gas door de buizen tussen het schip en de vaste wal werd geperst liet de LNG-tanker een kakofonie van mechanische geluiden horen. Dirk besefte dat de gasstroom ongetwijfeld door enkele medewerkers in de gaten zou worden houden, maar dat die mannen waarschijnlijk ergens in het binnenste van het schip waren gestationeerd of achter een controlepaneel in het pompgebouw. Hoewel het op de kade schemerig was, baadde het schip zelf in een zee van licht, zodat iemand al snel zou worden gezien. Dirk vermoedde dat ze een minuut of twee nodig hadden om aan boord te komen en vast te stellen of de pompen van het schip werkten of niet.

Langs de kade sluipend gingen ze op weg naar de loopplank, die zich halverwege het schip bevond. Hun doorweekte droogpakken maakten tijdens het lopen een enigszins zuigend geluid, maar ze deden geen enkele poging het lawaai te onderdrukken. Het gezoem en gestamp van het nabijgelegen pompgebouw waren luider dan ooit en overstemde het geluid van hun bewegingen moeiteloos. Het overstemde ook het geluid van een buitenboordmotor die in de richting van de overdekte kade kwam getuft.

De bewaker stuurde het kleine vaartuig, dat geen lichten voerde, het bassin binnen. Hij cirkelde enkele minuten in de buurt van de achtersteven rond, zonder gezien te worden, en voer toen langs de buitenkant van de tanker naar voren. Nadat hij de voorsteven van het schip had bereikt, wilde hij net omdraaien om weer terug te gaan toen hij de duikuitrusting aan de steiger zag hangen. Snel schakelde hij de motor uit en dreef naar de kade, waar hij de rubberboot vastlegde en vervolgens de uitrusting onderzocht.

Summer zag hem het eerst; toen ze zich omdraaide om de loopplank op te lopen ving ze in haar ooghoek nog net een beweging op. Dirk liep een paar meter voor haar uit.

'We hebben gezelschap gekregen,' fluisterde ze, en gebaarde met haar hoofd in de richting van de bewaker.

Dirk wierp een snelle blik op de man, die met zijn rug hun kant uit stond. 'Laten we aan boord gaan. Als hij ons ziet moeten we toch in staat zijn, als we eenmaal aan boord zijn, hem van ons af te schudden.'

Hij maakte zich zo klein mogelijk en sprintte met lange passen de loopplank op. Summer nam zijn tempo over en holde geluidloos achter hem aan. Vanaf de plaats waar de bewaker zich bevond waren ze duidelijk zichtbaar en ze verwachtten elk moment dat hij zou schreeuwen dat ze moesten blijven staan, maar die kreet bleef uit. Ze wisten het eind van de loopplank te bereiken zonder door hem gezien te worden. Maar toen Dirk nog maar één stap van de opening in de reling van het schip verwijderd was, verscheen er een fletse schaduw aan boord, gevolgd door een donker waas. Te laat besefte Dirk dat die waas een zwiepende wapenstok was die op de zijkant van zijn hoofd was gericht. Hij probeerde midden in zijn pas te bukken, maar was niet bij machte de klap te ontwijken. De houten knuppel trof hem met een harde dreun vol op het hoofd. Gelukkig ving de capuchon van zijn droogpak nog iets van de kracht ervan op, anders had het wel eens een fatale klap kunnen zijn. Een caleidoscoop vol sterren verscheen voor zijn ogen en zijn knieën werden van rubber. Uit balans gebracht door de klap wankelde hij opzij en sloeg met zijn heup tegen de reling van de loopplank. Zijn vaart en het feit dat hij zich vrij hoog bevond zorgden ervoor dat zijn bovenlijf over de reling sloeg, terwijl zijn voeten omhoogschoten.

Heel even ving hij een glimp op van Summer, die nog probeerde hem beet te grijpen, maar haar handen klauwden in het luchtledige. Haar mond ging open voor een korte schreeuw, hoewel Dirk haar stem niet kon horen. Van het ene op het andere moment was ze verdwenen, terwijl hij in een diepe put leek te vallen.

De klap leek eindeloos lang op zich te laten wachten. Toen hij uiteindelijk met het water in aanraking kwam, veroorzaakte dat verrassend genoeg geen enkele pijn. Hij ving alleen nog heel even de geur van het duister op, waarna alles om hem heen zwart werd.

20

De gestalte boven aan de loopplank stapte uit de schaduw tevoorschijn, en het volgende moment werd er een enorme kerel zichtbaar met een lange, onverzorgde baard die tot op zijn borst hing. Hij keek Summer met vlammende ogen aan terwijl zijn lippen zich krulden tot een flauwe grijns en hij nonchalant met de knuppel haar kant uit zwaaide.

Summer bleef onbeweeglijk op de loopplank staan en deed toen instinctief een stapje achteruit terwijl haar blik van de bruut naar het donkere water beneden schoot. Dirk was met een harde klap in het water terechtgekomen en was nog niet aan de oppervlakte gekomen. Ze voelde de loopplank onder haar voeten schudden, draaide zich snel om en zag dat de bewaker van achteren naar haar toe kwam gehold. De Aleoet-bewaker had een uniform aan en was gladgeschoren, en leek daardoor een veiliger kandidaat dan de barbaar die van het schip afkomstig was. Summer deed snel een paar passen zijn kant op.

'Mijn broer ligt in het water. Hij verdrinkt!' riep ze hem toe en maakte aanstalten langs hem heen te rennen. Snel griste hij zijn Glock automatic uit de holster en richtte die op Summers smalle middel.

'Je bevindt je zonder toestemming op privéterrein,' antwoordde hij met een monotone stem waarin geen enkel mededogen doorklonk. 'Je wordt opgesloten totdat ik morgenochtend contact met de bedrijfsleiding kan opnemen.'

'Laat mij haar maar opsluiten,' zei de bij het schip horende bruut. 'Dan zal ik haar eens laten zien wat je nog meer zonder toestemming kunt doen.' Hij liet een bulderend gelach horen, waarbij de klodders speeksel over zijn baard sproeiden.

'Dit is een zaak voor de walbewaking, Johnson,' zei de beveiligingsbeambte terwijl hij de wachtsman minachtend aankeek.

'De motor van onze boot hield ermee op. We hebben hier alleen maar aangelegd omdat we naar hulp op zoek waren,' bracht Summer bijna smekend uit. 'Mijn broer…'

Ze keek naar beneden en kromp ineen. Het water onder de loopplank lag er rimpelloos bij en van Dirk was geen spoor te bekennen.

De bewaker gebaarde met zijn pistool dat Summer de loopplank af moest lopen. Hij liep achter haar aan, keek over zijn schouder en snauwde richting Johnson: 'Haal die man uit het water. Als hij nog leeft kun je hem naar de bewakingspost brengen.' Hij wierp de man een doordringende blik toe en voegde eraan toe: 'En omwille van je eigen hachje kun je maar beter hopen dat hij inderdaad nog leeft.'

De massieve gestalte gromde iets en slenterde met tegenzin achter hen aan de loopplank af. Toen ze langs de kade liepen probeerde Summer in het water vergeefs een glimp van Dirk op te vangen. Op nieuwe smeekbedes aan het adres van de bewaker werd niet gereageerd. Toen ze onder een lamp door liepen zag ze een kilheid in zijn ogen die haar tot nadenken stemde. Hij mocht dan waarschijnlijk niet zo'n sadist zijn als de wachtsman aan boord van het schip, hij leek zeer wel in staat om tegenover een onbereidwillige gevangene de trekker van zijn pistool over te halen. Summer werd plotseling overvallen door een gevoel van moedeloosheid en ze sjokte met gebogen hoofd voort, overspoeld door hulpeloosheid. Ze vermoedde dat Dirk misschien wel bewusteloos was geweest toen hij in het water viel. Sinds dat moment waren er al verscheidene minuten verstreken, en nu werd haar keel bijna dichtgesnoerd door de bittere realiteit.

Johnson bereikte de voet van de loopplank en tuurde in het water. Van Dirks lichaam was geen spoor te bekennen. De uit de kluiten gewassen barbaar onderzocht de rand van de kade, maar vond nergens plasjes water waaruit zou kunnen blijken dat de man aan wal was geklommen. Hij kon onmogelijk de hele lengte van het schip hebben gezwommen zonder te zijn gezien. Ergens onder de oppervlakte, wist hij, lag een dode man. De wachtsman tuurde nog een laatste keer vanaf de loopplank naar het rimpelloze water, draaide zich om en beende terug naar het schip, de bewaker van de vaste wal binnensmonds vervloekend.

Drie meter onder het wateroppervlak was Dirk inderdaad buiten bewustzijn maar verre van dood. Na de val had hij gevochten om weer bij kennis te komen, maar hij zat nog hopeloos in de duisternis verstrikt. Heel af en toe was hij bij machte om door dat waas heen te breken en had hij weer een vage notie van gevoel. Hij had het idee dat zijn lichaam moeiteloos door het water bewoog. Toen kwam er iets klem te zitten tussen zijn tanden, gevolgd door de gewaarwording dat er een tuinslang in zijn mond werd gestoken waaruit water kwam. Kort daarna werd het gordijn weer dichtgetrokken en opnieuw kwam hij in een kalme duisternis terecht.

Een kloppend gevoel bij zijn slaap bracht hem voor de tweede keer bij bewustzijn. Hij voelde hoe er tegen zijn rug en benen werd geklopt, en had vervolgens het idee dat hij in een kast werd gestopt. Hij hoorde een stem zijn naam noemen, maar de rest van de woorden was niet te ontcijferen. De stem verdween, mét het geluid van wegstervende voetstappen. Hij probeerde uit alle macht een oog open te krijgen, maar zijn oogleden leken dichtgelijmd. De pijn in zijn hoofd keerde terug, zwol aan totdat een bonte hemel vol sterren voor zijn gesloten ogen uit elkaar spatte. En toen verdwenen de lichtjes en het geluid en de pijn goddank opnieuw.

21

Summer werd bij de kade vandaan geleid en liep nu langs het lange gebouw waarin de pompen waren ondergebracht. Het onverwachte geweld tegen haar broer had haar geschokt, maar nu dwong ze zichzelf om haar emoties onder controle te houden en te proberen logisch na te denken. Wat was zo belangrijk aan deze installatie dat het dit soort gedrag rechtvaardigde? Waren ze soms bezig CO_2 áán boord te pompen? Ze wierp een snelle blik over haar schouder op de bewaker, die met getrokken pistool enkele passen achter haar aan liep. Zelfs het ingehuurde bewakingspersoneel gedroeg zich alsof dit een geheime installatie was.

Het gezoem van de pompen stierf langzaam weg naarmate ze langs het hoofdgebouw liepen en een open terrein overstaken. Toen ze het kantoorblok en de aangrenzende bewakingspost naderden hoorde Summer in het struikgewas links van haar iets ritselen. Ze herinnerde zich de opgezette grizzlybeer in het café en deed snel een stap naar rechts om uit de buurt van het geluid te blijven. De in verwarring gebrachte bewaker zwaaide zijn hand met het pistool in de richting van Summer, terwijl hij gelijktijdig zijn hoofd naar de struiken draaide. Het geritsel hield op toen de bewaker er wat dichter naartoe liep, maar plotseling rees er een gestalte van achter het struikgewas op die fel met zijn arm uithaalde. De bewaker trok snel zijn rechterhand bij om te vuren, maar uit de hand van de donkere gestalte zwiepte een voorwerp dat de bewaker, voor hij kon vuren, vol op de zijkant van zijn gezicht trof. Summer draaide zich om en zag een duikgordel waarvan de gewichten naar één kant waren geschoven tegen de grond slaan. De bewaker was ook neergegaan, maar was er op de een of andere manier toch in geslaagd zich op een knie half op te richten. Half verdoofd en bloedend richtte hij langzaam zijn pistool op de duistere gestalte een haalde de trekker over.

Als de tenen van Summers voet de kaak van de bewaker niet hadden geraakt, had de kogel wel eens doel kunnen treffen. Maar een keiharde trap tegen zijn mond zorgde ervoor dat het schot te hoog was en deed de man opnieuw neergaan. Bewusteloos zakte hij in elkaar, waarbij het pistool uit zijn hand gleed.

'Die mooie benen zijn gevaarlijker dan ik dacht,' hoorde ze een bekende stem zeggen.

Summer keek naar de struiken en zag Trevor Miller tevoorschijn komen met een scheve lach op zijn gezicht. Net als Summer had hij een droogpak aan en wekte hij de indruk enigszins buiten adem te zijn.

'Trevor,' stamelde ze, geschrokken hem hier aan te treffen. 'Waarom ben je hier?'

'Om dezelfde reden dat jij hier bent. Kom op, laten we gaan.' Hij pakte het pistool van de bewaker van de grond en gooide dat in de struiken, pakte toen haar hand beet en begon richting kade te hollen. Summer zag in het gebouw een licht aanspringen en moest vervolgens sprinten om Trevor bij te houden.

Ze stopten pas toen ze de kade hadden bereikt en haastten zich vervolgens naar de plek waar de bewakingsboot lag afgemeerd. Summer bleef staan en tuurde naar het water terwijl Trevor de vlak in de buurt liggende duikspullen van de grond griste en in de boot gooide.

'Dirk is in het water gevallen,' bracht Summer hijgend uit, en wees naar de loopplank.

'Ik weet het,' antwoordde Trevor. Hij knikte naar de boot en deed toen een stap opzij.

Languit op de achterbank liggend, versuft en groggy, staarde Dirk hen met glazige ogen aan. Hij moest zijn uiterste best doen om zijn hoofd wat op te tillen, en knipoogde naar zijn zus. Summer sprong in de boot en liet zich opgelucht en verrast naast hem vallen.

'Hoe ben je uit het water gekomen?' vroeg ze, en zag wat geronnen bloed op zijn slaap zitten.

Dirk bracht zwakjes een arm omhoog en wees naar Trevor, die de meertouwen losmaakte en nu ook in de boot sprong.

'Ik ben bang dat we geen tijd hebben voor gemeenplaatsen,' zei Trevor met een gejaagde glimlach. Hij startte de motor, gaf gas, liet het bootje rond de achterkant van de tanker draaien en voer de overdekte laad- en losplaats uit. Hij keek niet één keer achterom, draaide de steven van het scheepje in de richting van het Douglas Channell en ramde vervolgens de gashendel helemaal naar voren.

In het schijnsel van de sterren bekeek Summer de wond op Dirks hoofd wat beter en vond boven op zijn hoofd een grote bult, die nog vochtig was van het bloed. De capuchon van zijn duikpak had ervoor gezorgd dat het geen diepere wond was geworden, en had hem misschien ook nog wel voor een erger lot behoed.

'Vergeten mijn helm op te doen,' mompelde hij, terwijl hij zijn best moest doen om zijn blik op Summer te concentreren.

'Dat hoofd van jou is veel te hard, dat breek je zomaar niet,' zei ze, hardop lachend nu ze haar emoties even de vrije loop kon laten.

De boot doorkliefde het duister, terwijl Trevor zo dicht mogelijk de oever bleef volgen, tot hij plotseling het gas dichtdraaide. De verduisterde boot die Summer eerder had gezien doemde voor hen op, en was nu herkenbaar als de boot van Trevor, het vaartuig van het Canadese ministerie voor Natuurlijke Hulpbronnen. Trevor bracht het bootje met de buitenboordmotor langszij en hielp Dirk en Summer aan boord, om daarna het bewakingsbootje los te laten en weg te laten drijven. Hij lichtte snel het anker en stuurde het onderzoeksvaartuig door de zee-engte. Toen ze een heel eind uit het zicht van de installatie waren, stak hij over naar de andere kant van het water, keerde toen en voer vervolgens met een kalm vaartje in de richting van Kitimat.

Toen ze de Terra Green-installatie passeerden zagen ze verschillende lichtbundels van zaklantaarns over het terrein zwiepen, maar uit niets bleek dat er grootschalig alarm was geslagen. De boot gleed ongezien het haventje van Kitimat binnen, Trevor schakelde de motor uit en meerde af langs de steiger. Op het achterdek was Dirk weer een beetje bij zijn positieven gekomen, afgezien van nog enige duizeligheid en een kloppende hoofdpijn. Nadat de ecoloog hem aan wal had geholpen schudde hij Trevor de hand.

'Bedankt dat je me uit het water hebt gevist. Als jij er niet was geweest zou ik nu aan een lange slaap onder water bezig zijn.'

'Puur geluk. Ik zwom langs de kade toen ik een klein bootje hoorde aankomen. Op het moment dat die bewaker aan land kwam hield ik me net onder de loopplank schuil, in het water. Ik realiseerde me pas dat jij het was toen ik Summers stem herkende, vlak voordat je overboord ging. Je kwam maar een meter of twee naast me in het water terecht. Toen je niet meer bewoog heb ik onmiddellijk mijn ademautomaat in jouw mond gestopt. Het moeilijkste was nog om beiden onder water te blijven totdat we uit het zicht waren.'

'Foei, een federale ambtenaar die zomaar privéterrein betreedt,' zei Summer met een brede grijns.

'Het is allemaal jullie schuld,' antwoordde Trevor. 'Jullie bleven maar hameren op hoe belangrijk die watermonsters zijn, dus vond ik dat we moesten weten of er misschien een link met die installatie bestond.' Hij gaf Summer een duiktas waarin verschillende flesjes met water zaten.

'Ik hoop dat ze overeenkomen met die van mij,' reageerde Summer, en liet haar eigen monsters zien. 'Uiteraard moet ik eerst terug naar onze boot om de analyse te kunnen afronden.'

'Millers taxiservice staat altijd tot uw dienst. Ik moet morgenochtend eerst een mijnbouwproject bekijken, maar ik kan jullie er 's middags wel naartoe brengen.'

'Dat zou mooi zijn. Bedankt, Trevor. Misschien dat we de volgende keer wat nauwer kunnen samenwerken,' zei Summer met een verleidelijke glimlach.

Bij die woorden begonnen Trevors ogen te fonkelen.

'Ik zou niets anders willen.'

22

Het traag deinende water van Straat Lancaster was bespikkeld met verspreid liggende brokken ijs, die er in de schemering uitzagen als grillig gevormde marshmallows in een zee van warme chocolade. Tegen de vage achtergrond van Devon Island kroop een zwarte kolos langs de horizon, een zwart rookspoor achter zich aan trekkend.

'Afstand twaalf kilometer, meneer. Ze baant zich een weg recht voor ons uit.' De roerganger, een roodharige luitenant-ter-zee der derde klasse met flaporen, maakte zijn blik van het radarscherm los, keek zijn commandant aan en wachtte op een reactie.

Kapitein-ter-zee Dick Weber liet zijn kijker zakken, maar hield daarbij onafgebroken het schip in de verte in het oog.

'Hou een onderscheppingsroute aan, in elk geval tot we dat schip kunnen identificeren,' antwoordde hij zonder zich om te draaien.

De roerganger draaide het stuurwiel een halve slag om en keek vervolgens weer aandachtig naar het radarscherm. Het vijfentwintig meter lange patrouillevaartuig van de Canadese kustwacht ploegde door de donkere arctische wateren in de richting van het naderende schip. De *Arp*, die als opdracht had de oostelijke toegangsroutes tot de Noordwestelijke Doorvaart te controleren, was nog maar een paar dagen op station. Hoewel het winterijs nog steeds de neiging had om redelijk vroeg in stukken te breken, was dit het eerste koopvaardijschip dat het patrouillevaartuig dit seizoen in deze ijskoude wateren had waargenomen. Over een maand of twee zou er een gestage stroom van grote tankers en containerschepen te zien zijn, die in het gezelschap van ijsbrekers de noordelijke doorgangsroute namen.

Nog maar een paar jaar geleden zou alleen al de gedachte om in de Noordwestelijke Doorvaart het scheepvaartverkeer te moeten regelen lachend zijn afgedaan. Al sinds de eerste tochten van de mens in het poolgebied waren grote delen van het jaarlijkse winterpakijs, op een paar zonnige dagen na, dichtgevroren gebleven. Slechts een handvol stoutmoedige ontdekkingsreizigers en af en toe een ijsbreker durfden zich een weg door de geblokkeerde doorvaart te vechten. Maar de opwarming van de aarde had alles veranderd, en nu was de doorvaart enkele maanden per jaar bevaarbaar.

Wetenschappers schatten dat de afgelopen dertig jaar ruim honderdduizend vierkante kilometer poolijs is verdwenen. Dat snelle smelten is grotendeels te wijten aan het zogenaamde albedo-feedbackeffect – het weerkaatsingsvermogen – van het ijs. In bevroren toestand zal het poolijs tot zo'n negentig procent van de inkomende zonnestralen weerkaatsen. Zodra het gesmolten is, zal het resulterende zeewater het tegenovergestelde gaan doen: het absorbeert ongeveer een gelijke hoeveelheid zonnestraling en weerkaatst nog maar zo'n tien procent. Dit warmtecircuit is er verantwoordelijk voor dat de temperaturen in het poolgebied twee keer zo snel stijgen als in de rest van de wereld.

Weber keek toe hoe de boeg van zijn patrouilleboot door het dunne drijfijs sneed en vervloekte binnensmonds de wereldwijde klimaatverandering. Hij was in Quebec gestationeerd geweest, van waaruit hij langs de St.-Lawrence River en in het aangrenzende zeegebied had gepatrouilleerd, een uiterst plezierige taak, maar voerde nu het bevel over een schip dat dienstdeed in een van de verste uithoeken van de aarde. En zijn functie, vond hij, was gedegradeerd tot nauwelijks meer dan die van tolgaarder.

Maar Weber kon het zijn superieuren nauwelijks kwalijk nemen, want die handelden alleen maar in opdracht van de premier van Canada, die graag met harde maatregelen schermde. Toen de delen van de Noordwestelijke Doorvaart die in het verleden altijd dichtgevroren waren begonnen te smelten en openvielen, reageerde de premier razendsnel; hij bevestigde nog maar eens dat de doorvaart tot de Canadese binnenwateren behoorde en keurde fondsen goed waarmee een arctische diepwaterhaven bij Nanisivik zou worden aangelegd. De belofte om een vloot militaire ijsbrekers te bouwen en nieuwe poolbases te stichten volgde korte tijd later. Krachtig lobbyen van een schimmige belangengroep zorgde ervoor dat het parlement de premier steunde, en er kwam dan ook een regeling tot stand waarbij buitenlandse vaartuigen die van de doorvaart gebruik wilden maken met ernstige beperkingen werden geconfronteerd.

Bij wet waren alle schepen die niet onder Canadese vlag voeren en die van de doorvaart gebruik wilden maken verplicht de kustwacht van hun geplande route op de hoogte te stellen, en moest er een vergoeding worden betaald die gelijk was aan het tarief van het Panamakanaal. Ook dienden de schepen in de lastiger delen van de doorgang vergezeld te worden door een Canadese commerciële ijsbreker. Een paar landen, waaronder Rusland, Denemarken en de Verenigde Staten, tekenden protest aan tegen de Canadese maatregelen en ontmoedigden vervolgens het varen door deze wateren. Maar andere industrielanden gingen er op economische gronden maar al te graag mee akkoord. De scheepvaartroute tussen Europa en Oost-Azië werd op deze manier duizenden mijlen korter, want de schepen hoefden niet langer door het Panamakanaal. De besparingen waren nog groter voor schepen die te omvangrijk waren voor dat kanaal, en tot dan toe verplicht waren rond Kaap Hoorn te varen. Omdat het transport van een container op die manier duizend dollar goedkoper kon, beschouwden zowel grote als kleine rederijen de arctische doorvaart al snel als een lucratieve handelsroute.

Terwijl het ijs sneller smolt dan de wetenschappers hadden verwacht, waren de eerste scheepvaartmaatschappijen begonnen met het uitproberen van de ijskoude wateren. Een groot deel van het jaar waren nog steeds stukken van de route met een ijslaag bedekt, maar 's zomers was de hele doorvaart al regelmatig geheel ijsvrij. Krachtige ijsbrekers hielpen de meer ambitieuze scheepvaartmaatschappijen die tussen april en september van de doorvaart gebruik wilden maken. Het werd steeds duidelijker dat binnen twintig jaar de Noordwestelijke Doorgang het hele jaar door bevaarbaar zou zijn.

Turend naar het naderende zwarte koopvaardijschip wenste Weber dat de hele doorgang weer eens stevig dicht zou vriezen. Maar de aanwezigheid van dit schip brak in elk geval de eentonigheid een beetje. Hoefden ze niet constant naar ijsbergen te kijken, bedacht hij droogjes.

'Vier kilometer en komt nog steeds dichterbij,' meldde de roerganger.

Weber draaide zich om naar de slungelachtige radioman die zich in een hoek van de kleine brug had klemgezet.

'Hopkins, vraag om een identificatie en naar de aard van de lading,' blafte hij.

De radioman riep het schip op, verschillende malen achter elkaar, maar al zijn oproepen werden gevolgd door een doodse stilte. Hij controleerde zijn radio en riep het schip toen nog enkele keren op.

'Hij reageert niet, meneer,' reageerde hij na een tijdje met een onthutste blik in zijn ogen. Zijn ervaringen in het poolgebied met passerende vaartuigen was zodanig dat bemanningen over het algemeen maar al te graag even met iemand anders wilden kletsen.

'Blijf het proberen,' beval Weber. 'We zijn bijna dichtbij genoeg voor een visuele identificatie.'

'Afstand nog twee kilometer,' meldde de roerganger.

Weber bracht zijn kijker weer omhoog en bestudeerde het vaartuig aandachtig. Het was een verhoudingsgewijs klein containerschip met een lengte van zo'n honderdtwintig meter. Zo te zien was het een vrij nieuw schip, maar vreemd genoeg waren er aan dek maar een paar containers te zien. Soortgelijke schepen, wist hij, vervoerden de containers soms wel zes, zeven lagen hoog. Nieuwsgierig keek hij naar de Plimsoll-lijn en zag dat het gelijknamige merk bijna een meter boven het water uitstak. Hij bracht zijn kijker omhoog en keek naar een verduisterde brug, en toen naar een mast die vlak achter de opbouw stond. Hij schrok toen hij in de stijve bries de Stars-and-Stripes zag wapperen.

'Het is een Amerikaans schip,' mompelde hij. De nationaliteit verraste hem, aangezien Amerikaanse schepen op aandringen van hun overheid de doorgang voorlopig niet gebruikten. Weber richtte zijn kijker op de boeg van het schip en kon in het steeds zwakker wordende avondlicht nog net de naam onderscheiden: ATLANTA.

'De naam is *Atlanta*,' zei hij tegen Hopkins. De radioman knikte en probeerde het schip nu te praaien door het schip bij naam op te roepen, maar er kwam nog steeds geen enkele reactie.

Weber hing de kijker aan een metalen haak, pakte toen een map die op de kaartentafel lag en sloeg die open, om op een computeruitdraai naar de naam *Atlanta* op zoek te gaan. Alle niet-Canadese schepen die van de Noordwestelijke Doorvaart gebruik wilden maken moesten zich zesennegentig uur van tevoren bij de kustwacht aanmelden. Weber controleerde of zijn lijst eerder die dag via de satellietverbinding was geüpdatet, maar hij kon nog steeds geen enkele verwijzing naar de *Atlanta* vinden.

'Breng ons ter hoogte van zijn bakboordsteven, Hopkins, en zeg ze dat ze zich binnen de Canadese territoriale wateren bevinden en dat ze moeten stoppen, dat er een enterploeg aan boord komt en dat we hun lading willen controleren.'

Terwijl Hopkins de boodschap doorgaf paste de roerganger de koers aan en wierp een blik op het radarscherm.

'Voor ons uit wordt de vaargeul een stuk smaller, meneer,' meldde hij. 'Pakijs dat aan bakboord op zo'n drie kilometer afstand steeds dichterbij komt.'

Weber knikte, zijn blik nog steeds op de *Atlanta* gericht. De koopvaarder had een verrassend hoge vaart, ruim vijftien knopen, schatte hij. Terwijl het kustwachtvaartuig behoedzaam dichterbij kwam, merkte Weber opnieuw op dat het schip hoog in het water lag. Waarom zou zo'n lichtgeladen vaartuig proberen deze doorvaart te nemen? vroeg hij zich af.

'Nog één kilometer tot onderschepping.' zei de roerganger.

'Bijdraaien. Breng ons tot op honderd meter,' beval de commandant.

Het zwarte schip deed net of de patrouilleboot van de kustwacht niet bestond, althans, die indruk kregen de Canadezen. Hadden ze het radarscherm wat beter in de gaten gehouden, dan hadden ze gezien dat het Amerikaanse schip tegelijkertijd meer vaart begon te maken en zijn koers enigszins verlegde.

'Waarom reageren ze niet?' mompelde de roerganger, die moe werd van de radio-oproepen van Hopkins die onbeantwoord bleven.

'We zullen eens even hun aandacht trekken,' zei Weber. De commandant liep naar een console en drukte op een knop waarmee de scheepshoorn werd geactiveerd. Twee lange stoten doorsneden de koude lucht en het lage geluid echode over het water. Het geloei deed de mannen op de brug zwijgen, wachtend op een reactie. Opnieuw werd er door het andere schip niet gereageerd.

Er was weinig wat Weber verder nog kon doen. In tegenstelling tot de Amerikaanse kustwacht, was die van Canada in feite een niet-militaire organisatie. De bemanning van de *Harp* had geen militaire opleiding gehad en het vaartuig had geen bewapening aan boord.

De roerganger keek naar het radarscherm en meldde: 'Hij mindert geen vaart. Ik krijg zelfs de indruk dat hij steeds sneller gaat varen. Meneer, we bereiken straks het pakijs.' Weber hoorde een plotselinge urgentie in zijn stem. Omdat zijn aandacht steeds op het koopvaardijschip gericht was geweest, had de roerganger nagelaten het harde pakijs te volgen dat zich nu aan bakboord uitstrekte. Aan stuurboord voer op enkele tientallen meters de snel varende koopvaarder voorbij en bevond zich nu nagenoeg op gelijke hoogte met het patrouillevaartuig.

Weber keek omhoog naar de brug van de *Atlanta* en vroeg zich af welke dwaas het commando over dat schip voerde. Toen zag hij de boeg van het vrachtschip plotseling de kant van zijn eigen vaartuig op draaien en besefte hij dat dit geen spelletje meer was.

'Hard bakboord!' schreeuwde hij.

Het laatste wat iemand verwachtte was dat de koopvaarder hun kant op zou komen, maar binnen enkele seconden torende het grotere vaartuig hoog boven de *Harp* uit. Als een insect onder de opgeheven poot van een olifant probeerde de patrouilleboot zich als een bezetene onder de verpletterende klap uit te wurmen. Razendsnel op Webers bevel reagerend gaf de roerganger het stuurwiel een slinger helemaal naar links en bad dat ze aan het grotere schip konden ontsnappen. Maar de *Atlanta* was te dichtbij.

De zijkant van de romp van het vrachtschip sloeg met een doffe dreun tegen de *Harp* aan. Maar het punt van impact bevond zich bij de achtersteven van de patrouilleboot, op het moment dat het kleinere vaartuig bijna was weggedraaid. De klap deed de *Harp* bijna kapseizen, terwijl er het volgende moment een grote golf over de dekken sloeg. Voor de verbijsterde bemanning leek het een eeuwigheid te duren voor het kustwachtvaartuig, eenmaal uit de buurt van de hoge flanken van het koopvaardijschip, zich weer langzaam oprichtte. Maar het gevaar was nog niet geweken. Zonder dat de bemanning het doorhad was bij de botsing het roer van het schip verloren gegaan. Maar de schroef draaide nog woest in het rond en de patrouilleboot voer recht op het nabijgelegen pakijs af. De *Harp* boorde zich een paar meter in het dikke ijs en kwam toen plotseling en met veel gekraak stil te liggen, waarbij de bemanning van het schip naar voren werd geslingerd.

Op de brug krabbelde Weber weer overeind en hielp bij het uitschakelen van de scheepsmotoren, waarna hij zich snel op de hoogte stelde van de toestand van zijn mensen en zijn schip. De verwondingen bij de bemanning bestonden voornamelijk uit wat schaafwonden en blauwe plekken, maar de patrouilleboot was er aanzienlijk slechter aan toe. Afgezien van het verdwenen roer waren er bij de verfrommelde boeg een aantal buitenste rompplaten ontzet. De *Harp* zou vier dagen lang in het ijs vast blijven zitten voor er een sleepboot arriveerde om het schip voor reparatie naar haar thuishaven te slepen.

Weber, die wat bloed van zijn wang veegde, betrad de brugvleugel en tuurde in westelijke richting. Hij zag de navigatielichten van de koopvaarder nog enkele seconden, maar even later verdween het grote schip in een naargeestige, halfdonkere mistbank die zich over de hele horizon uitstrekte. Weber keek het verdwijnende schip hoofdschuddend na.

'Jij schaamteloze klootzak,' mompelde hij. 'Hier zul je voor boeten.'

Webers woorden bleken volkomen inhoudsloos. Een zich snel voortbewegend stormfront ten zuiden van Baffin Island zorgde ervoor dat een CP-140 Aurora – de Canadese versie van de Orion – van de Canadese luchtmacht die door de kustwacht te hulp was geroepen, aan de grond moest blijven. Toen het toestel uiteindelijk vanaf zijn basis in Greenwood, Nova Scotia, opsteeg en boven Straat Lancaster arriveerde, waren er al meer dan zes uur verstreken. Verder naar het westen sloten een ijsbreker van de marine en een kotter van de kustwacht ter hoogte van het Prince of Wales Island de doorgang af, wachtend tot het agressieve vrachtschip zou arriveren. Maar het grote zwarte schip liet zich niet meer zien.

Drie dagen lang zochten de kustwacht en de luchtmacht de bevaarbare zeeën rond Straat Lancaster af, op zoek naar het bandietenschip. Elke mogelijke route naar het westen werd verscheidene keren nauwgezet onderzocht. Toch was het Amerikaanse schip nergens meer te zien. Verbijsterd staakten de Canadese strijdkrachten de zoektocht, terwijl Weber en zijn bemanning zich afvroegen of het vreemde schip misschien niet op de een of andere manier in het poolijs was verdwenen.

23

D r. Kevin Bue tuurde naar de steeds donker wordende lucht en trok een grimas. Nog maar een paar uur geleden had de zon stralend aan de hemel gestaan en was er nauwelijks sprake van enige wind geweest, terwijl het kwik in de thermometer min zeven graden Celsius aangaf. Maar toen was de barometer plotseling razendsnel gaan zakken, vergezeld door een geleidelijk aan steeds verder aanwakkerende westenwind. Zo'n vierhonderd meter verderop kwam het grijze poolwater aangerold, diepe golfdalen vormend, om vervolgens met enorme schuimfonteinen op de grillige randen van het pakijs stuk te slaan.

Hij trok de capuchon van zijn parka wat verder aan, wendde zich af van de bijtende wind en keek naar zijn onderkomen van de afgelopen weken. Ice Research Lab 7 zou wat luxe en comfort betrof in de *Mobil Travel Guide* maar weinig sterren krijgen. Het kampement bestond uit een stuk of zes geprefabriceerde bouwsels die in een halve cirkel waren geplaatst en waarvan de ingang zich aan de zuidkant bevond. Drie kleine slaapruimten stonden vlak bij elkaar, naast het grootste gebouw van het kamp, een combinatie van keuken, eetzaal en recreatieruimte. Een laag, plat bouwsel er vlak tegenover bood onderdak aan een laboratorium, terwijl in dezelfde ruimte ook de radio-installatie was ondergebracht. Aan de andere kant werd het kampement gecompleteerd door een onder een dikke sneeuwlaag zittende opslagruimte.

Het researchlaboratorium was een van de tijdelijke ijskampementen die de Canadese federale dienst voor visserij- en oceanografisch onderzoek had ingericht en die als drijvende laboratoria fungeerden voor het volgen van het arctische pakijs. Sinds het moment dat Ice Research Lab 7 was opgezet, nu zo'n jaar geleden, was het kampement bijna driehonderd kilometer van plaats veranderd, boven op een enorm stuk poolijs in de Beaufortzee. Het kamp bevond zich nu op zo'n tweehonderdveertig kilometer van de Noord-Amerikaanse kust, en was gepositioneerd aan de rand van het schelfijs, nagenoeg pal noordelijk van Yukon Territory. Maar het kamp zou maar kort bestaan. De naderende zomer betekende dat het pakijs in stukken zou breken, waar het kamp zich op dat moment ook mocht bevinden. Dagelijks uitgevoerde metingen van het ijs onder hun voeten wees al op een gestaag smelten, waardoor de dikte van het pakijs, oorspronkelijk negentig centimeter, was gereduceerd tot vijfendertig centimeter. Bue vermoedde dat ze misschien nog twee weken de tijd hadden voor hij en zijn uit vier man tellende team het kampement zouden moeten afbreken, om vervolgens te wachten tot ze door de met ski's uitgeruste Twin Otter zouden worden geëvacueerd.

De pooloceanograaf sjokte door de enkeldiepe sneeuw in de richting van de radioruimte. Boven het knisperen van de laag over de grond jagende ijsdeeltjes uit hoorde hij het geronk van een dieselmotor waarvan het toerental werd opgevoerd, om even later weer gas terug te nemen. Hij keek langs het kampement en zag een kleine gele bulldozer heen en weer scheuren, zo een met de bestuurder helemaal voorin, terwijl met het stompe dozerblad grote hoeveelheden stuifsneeuw aan de kant werden geschoven. De dozer was bezig met het vrijmaken van een honderdvijftig meter lange start- en landingsbaan van ijs die zich langs de hele achterkant van het kampement uitstrekte. Deze simpele landingsstrip vormde de levenslijn van het kamp, en stelde Twin Otters in staat om een keer per week voedsel en andere voorraden te komen brengen. Bue zag erop toe dat de geïmproviseerde landingsbaan te allen tijde sneeuwvrij was.

Bue negeerde het heen en weer raggende bulldozertje, ging het gebouw binnen waarin het lab en de radioruimte waren ondergebracht, schudde in een halletje de sneeuw van zijn schoenen en stapte vervolgens het feitelijke hoofdgebouw binnen. Hij liep langs enkele kasten vol wetenschappelijke tijdschriften en apparatuur, en ging de kleine ruimte binnen waarin het satellietradiostation was gevestigd. Een woest ogende man met zandkleurig haar en een opgewekte grijns op zijn gezicht keek op van achter de radio. Scott Case was een briljant natuurkundige die gespecialiseerd was in de invloed van de zon in de poolgebieden. Net als iedereen in het kamp droeg Case een veelheid aan petten, waaronder die van hoofd communicatie.

'Atmosferische storingen maken van onze radiosignalen opnieuw een puinhoop,' zei hij tegen Bue. 'Via de satelliet ontvangen we helemaal niets meer, en met onze gewone zender gaat het nauwelijks beter.'

'Ik ben ervan overtuigd dat die naderende storm het niet gemakkelijker maakt,' antwoordde Bue. 'Weet Tuktoyaktuk eigenlijk wel dat we ze proberen op te roepen?'

Case schudde zijn hoofd. 'Ik heb geen flauw idee, maar ik heb nog geen reacties kunnen ontdekken.'

Het geluid van de dozer die net buiten het gebouwtje een lading ijs dumpte, echode door de dunne wanden.

'Hou je het veld schoon voor het geval dat?' vroeg hij Bue.

'Tuktoyaktuk heeft voor ons nog een bevoorradingsvlucht op het programma staan, aan het eind van de dag. Misschien weten ze niet dat we over een uurtje waarschijnlijk midden in een sneeuwstorm zitten. Blijf het proberen, Scott. Kijk of je die vlucht van vandaag ongedaan kunt maken, al was het alleen maar om die piloten niet in gevaar te brengen.'

Voor Case opnieuw een oproep kon doen, kwam de radio plotseling krakend tot leven. Een gebiedende stem, met op de achtergrond veel statisch geruis, schalde uit de speaker.

'Ice Research Lab 7, Ice Research Lab 7, hier het NUMA-onderzoeksvaartuig *Narwhal*. Ontvangt u mij?'

Bue was net iets sneller dan Case en antwoordde snel: '*Narwhal*, hier dr. Kevin Bue van Ice Research Lab 7. Zegt u het maar, alstublieft.'

'Dr. Bue, we proberen u niet af te luisteren, maar we hebben uw herhaalde oproepen aan het kustwachtstation van Tuktoyaktuk gehoord, en we hebben een paar onbeantwoorde reacties vanuit Tuktoyaktuk opgevangen. Het lijkt erop dat het weer ervoor zorgt dat u geen verbinding met elkaar kunt maken. Kunnen we u misschien helpen bij het doorgeven van een boodschap?'

'Dat stellen we zeer op prijs.' Bue liet het Amerikaanse schip een boodschap aan Tuktoyaktuk doorgeven waarin werd gevraagd het bevoorradingsvliegtuigje vanwege het slechte weer vierentwintig uur later te sturen. Een paar minuten later gaf de *Narwhal* via de radio een bevestiging door die het schip zojuist vanuit Tuktoyaktuk had ontvangen.

'Onze oprechte dank,' meldde Bue. 'Dat bespaart die arme vliegers een lastige trip.'

'Graag gedaan. Tussen haakjes, waar is dat kamp van u eigenlijk gelokaliseerd?'

Bue gaf de laatst bekende positie van het drijvende kamp door en de *Narwhal* deed hetzelfde.

'Zijn jullie er wel goed op voorbereid om die naderende storm uit te zitten? Het ziet er wat ons betreft uit als een behoorlijk zware,' meldde de *Narwhal*.

'Tot nu toe hebben we alles wat de Goede Fee van het Noorden naar ons toe heeft geslingerd overleefd, maar in elk geval bedankt,' antwoordde Bue.

'Tot ziens, Ice Lab 7. *Narwhal* over en uit.'

Bue legde de microfoon met een zucht van verlichting neer.

'Wie durft er nog te beweren dat de Amerikanen helemaal niet in het poolgebied thuishoren?' zei hij tegen Case, hij trok toen zijn parka weer aan en verliet het gebouw.

Zo'n zestig kilometer naar het zuidwesten bestudeerde kapitein Bill Stenseth met een zorgelijke blik in zijn ogen een plaatselijke weersvoorspelling. Stenseth, een indrukwekkende man met Scandinavische gelaatstrekken en de lichaamsbouw van een NFL-linebacker, had op elke oceaan ter wereld stormen overleefd. Maar de confrontatie met een plotseling opstekende storm in de Noordelijke IJszee die ook nog eens bezaaid was met ijsschotsen, maakte de ervaren kapitein van de *Narwhal* toch een tikkeltje nerveus.

'De wind lijkt volgens dat laatste weerbericht behoorlijk aan te wakkeren,' zei hij zonder van het document op te kijken. 'Ik denk dat we met een stevige storm rekening moeten houden. Ik moet er niet aan denken om net als die knakkers op dat ijs vast te zitten en alleen maar te kunnen afwachten,' voegde hij eraan toe terwijl hij naar de radio wees.

Rudi Gunn, die naast Stenseth op de scheepsbrug stond, onderdrukte een pijnlijke grijns. Dwars door het oog van een hevige poolstorm varen was allesbehalve leuk. Hij was zonder meer bereid om de plaats van die lui in dat ijskamp in te nemen, die deze storm waarschijnlijk rustig over zich heen zouden laten komen, zittend in een warme hut en een kaartje leggend met elkaar, dacht Gunn. Stenseths voorkeur om het op zee tegen de elementen op te nemen, liet duidelijk zien dat je te maken had met iemand die zijn hele leven op zee had gezeten, iemand die zich nooit echt prettig voelde als hij met beide voeten op het land stond.

Gunn had die neiging absoluut niet. Hoewel hij was afgestudeerd aan de marineacademie in Annapolis en verscheidene jaren op zee had doorgebracht, zat hij de laatste jaren voornamelijk achter een bureau. Als adjunct-directeur van de National Underwater and Marine Agency was Gunn tegenwoordig meestal te vinden in het hoofdkwartier van de organisatie in Washington, D.C. Gedrongen maar gespierd en met een brilletje met stalen montuur op zijn neus was hij qua uiterlijk nagenoeg het tegenovergestelde van Stenseth. Toch vertoonde hij dezelfde avontuurlijke zucht naar oceanografische uitdagingen en was hij vaak in de buurt als er voor het eerst een nieuw vaartuig in gebruik werd genomen of als er nieuwe onderwatertechnologie werd beproefd.

'Ik heb eigenlijk meer medelijden met de ijsberen,' zei Gunn. 'Hoelang duurt het nog voordat dat stormfront arriveert?'

Stenseth keek naar het groeiende aantal schuimkoppen dat voor de boeg van het schip te zien was. 'Over pakweg een uur. Op z'n hoogst twee. Ik stel voor de *Bloodhound* het komende half uur aan boord te nemen en vast te zetten.'

'Ze zullen het niet leuk vinden om zo snel al naar de kennel teruggeroepen te worden. Ik loop naar het commandocentrum en geef het nieuws door. Kapitein, laat me alsjeblieft weten als het weer sneller dan verwacht gaat verslechteren.'

Stenseth knikte Gunn toe, waarna laatstgenoemde naar achteren liep. Het zestig meter lange onderzoeksschip rolde en slingerde onverstoorbaar door de steeds hoger wordende golven, en Gunn moest regelmatig een leuning vastgrijpen om zijn evenwicht niet te verliezen. Toen hij in de buurt van de achtersteven kwam keek hij neer op het grote duikersgat dat in de romp was aangebracht. Er klotste oppervlaktewater in heen en weer dat af en toe op het omringende dek sloeg. Hij daalde een kajuitstrap af en deed een deur open waarop het woordje LAB was geschilderd, die toegang gaf tot een grote ruimte. Helemaal aan het eind ervan bevond zich een afgescheiden gedeelte waar enkele beeldschermen aan de wand waren bevestigd. Achter een console zaten twee techneuten die alleen maar oog hadden voor uit de diepte afkomstige beelden en gegevens.

'Zitten ze op de bodem?' vroeg Gunn aan een van de technici.

'Ja,' antwoordde de man. 'Ze bevinden zich ongeveer twee mijl oostelijk van ons. Tussen jou en mij gezegd en gezwegen, ze zijn net de grens van de Canadese territoriale wateren overgestoken.'

'Heb jij liveverbinding met ze?'

De man knikte en gaf Gunn zijn koptelefoon en bijbehorende microfoon.

'*Bloodhound*, hier de *Narwhal*. We zien hier het weer in hoog tempo verslechteren. U wordt verzocht de verkenningstocht te beëindigen en naar de oppervlakte terug te keren.'

Gunns woorden werden gevolgd door een lange pauze, maar toen kwam er uiteindelijk – door het statische geruis heen – toch nog antwoord.

'Begrepen, *Narwhal*,' klonk een knorrige stem met een sterk Texaans accent. 'We breken de verkenningstocht over dertig minuten af. *Bloodhound*, over en uit.'

Gunn wilde reageren, maar bedacht zich toen. Het was zinloos om in discussie te gaan met de twee stijfkoppen aan de andere kant van de lijn, besefte hij. Hij rukte de koptelefoon af, schudde zwijgend het hoofd, ging in een gemakkelijke stoel met hoge rugleuning zitten en wachtte tot het halfuur verstreken zou zijn.

24

Net als het dier waarnaar hij was vernoemd doorzocht deze *Bloodhound* met de neus op de grond het terrein, alleen bevond dit terrein zich zo'n zeshonderd meter onder het wateroppervlak van de Beaufortzee en bestond zijn neus uit een vaste houder met verschillende elektronische sensoren. De *Bloodhound* was een tweepersoonsonderwatervaartuig met een romp van titanium, dat speciaal ontworpen was om op grote diepte hydrothermale fumaroles te onderzoeken. Deze onderzeese geisers, die superheet water dwars door de aardkorst de zee in spoten, vormden vaak ware schatkamers met een opmerkelijk planten- en een niet minder belangwekkend diepzeeleven. Van groter belang voor de mannen in de NUMA-duikboot waren de mogelijk aanwezige minerale afzettingen die met veel hydrothermale fumaroles in verband worden gebracht. Van diep onder de zeebodem spuwen deze fumaroles vaak een mineraalrijk mengsel uit dat uit kleine knolletjes bestaat waarin mangaan, ijzer en soms zelfs goud zit. Technische vooruitgang op het gebied van de onderzeese winning van mineralen maakten velden met thermale fumaroles tot een waardevol potentieel aan natuurlijke hulpbronnen.

'De watertemperatuur is opnieuw met een graad gestegen. Die oude schoorsteen móét hier ergens in de buurt zijn,' klonk de lage, lijzige stem van Jack Dahlgren.

De gespierde scheepvaartkundig ingenieur zat in de stoel van de copiloot van het onderwatervaartuig en keek met zijn staalblauwe ogen naar een computerbeeldscherm. Hij krabde eens aan zijn dikke cowboysnor en keek door het perspex raam aan bakboord naar een saaie, kleurloze bodem die door zes krachtige schijnwerpers in een fel schijnsel werd gezet. In dit onderzeese landschap viel uit niets op te maken dat er zich ergens in de buurt een hydrothermale fumarole moest bevinden.

'Misschien varen we achter gehik van *down under* aan,' reageerde de bestuurder. Hij draaide zich naar Dahlgren om, keek hem scherp aan, en voegde eraan toe: 'Misleidende informatie, zogezegd.'

Al Giordino grinnikte om het grapje van de veel jongere Texaan, zodat de onaangestoken sigaar die uit zijn mond bungelde er bijna uit viel. Giordino, een kleine, stevig gebouwde Italiaan met armen die even dik waren als boomstammen, voelde zich helemaal thuis achter het stuur van dit onderwatervaartuig. Nadat hij jarenlang voor de afdeling Speciale Projecten van de NUMA werkzaam was geweest, waar hij zo'n beetje in van alles had gevlogen en gevaren, van luchtschepen tot bathyscafen, stond hij nu aan het hoofd van de afdeling Onderwatertechnologie van de NUMA. Voor Giordino was het bouwen en beproeven van vaartuigen als de *Bloodhound* eerder een passie dan een baan.

Hij en Dahlgren zochten al twee weken lang de arctische zeebodem af, op zoek naar thermale fumarolen. Gebruikmakend van recentelijk uitgevoerd bathymetrisch onderzoek, richtten ze zich op gebieden met onderzeese kloven en bodemverheffingen die het gevolg waren van vulkanische activiteit en dus potentiële vindplaatsen voor actieve thermale fumaroles moesten zijn. Tot nu toe had de speurtocht niets opgeleverd, waardoor de beide techneuten enigszins ontmoedigd waren geraakt, want ze wilden niets liever dan laten zien waartoe het onderwatervaartuig in staat was.

Dahlgren deed net of hij Giordino's opmerking niet had gehoord en keek op zijn horloge.

'Het is nu twintig minuten geleden dat Rudi ons meldde dat we moesten terugkeren. Hij is op dit moment waarschijnlijk op van de zenuwen. Misschien is het verstandig om eens te overwegen op de OMHOOG-knop te drukken, anders staan ons boven twéé stormen te wachten.

'Rudi is pas echt blij als hij iets heeft waarover hij zich zorgen kan maken,' antwoordde Giordino, 'maar ik neem aan dat het geen zin heeft om de weergoden in verzoeking te brengen.' Hij draaide de korte stuurknuppel naar links, waardoor het onderwatervaartuig in westelijke richting draaide, maar daarbij vlak boven de zeebodem bleef hangen. Ze hadden enkele duizenden meters afgelegd toen ze op de bodem een hele reeks kleine rotsblokken zagen liggen. Toen Giordino merkte dat de bodem geleidelijk aan omhoogkwam, zag hij ook dat de rotsblokken steeds groter werden. Dahlgren pakte de bathymetrische kaart en probeerde hun positie te bepalen.

'Zo te zien is er een kleine onderzeese berg in de buurt. Om de een of andere reden vonden de seismische jongens hem er niet al te veelbelovend uitzien, denk ik.'

'Misschien komt dat omdat ze al veel te lang in een airconditioned kantoor zitten.'

Dahlgren legde de kaart opzij, tuurde naar het computerscherm en kwam toen plotseling met een ruk overeind.

'Wel verdorie! De watertemperatuur is net tien graden omhooggeschoten!'

Er verspreidde zich een flauwe grijns over Giordino's gezicht toen hij zag dat de rotsen op de zeebodem qua grootte en aantal nog steeds toenamen. 'De geologie van de zeebodem is ook aan het veranderen,' merkte hij op. 'Het profiel ziet er wat fumaroles betreft veelbelovend uit. Laten we eens kijken of we via de watertemperatuur bij de kern kunnen komen.'

Hij paste de route van het onderwatervaartuig aan, terwijl Dahlgren de temperatuur van het water hardop voorlas. De hogere temperaturen leidden hen naar een steile helling in de zeebodem. Plotseling werd hun weg geblokkeerd door een hoge stapel rotsblokken en Giordino trok de *Bloodhound* op alsof het een vliegtuig was, en ze schoten omhoog totdat ze boven de top uit kwamen. Toen ze het toestel aan de andere kant weer lieten dalen, veranderde het decor vóór hen plotseling spectaculair. Het grauwe, kleurloze maanlandschap was in een iriserende onderwateroase getransformeerd. Gele weekdieren, rode kokerwormen en heldergouden reuzenkrabben bedekten de zeebodem in een regenboog van kleuren. Een blauwe pijlinktvis schoot langs het observatievenster, gevolgd door een school zilvergeschubde arctische kabeljauw. Bijna van het ene op het andere moment waren ze vanuit een desolate wereld van zwart en wit terechtgekomen in een eclectisch gekleurde aanplant die barstte van het leven.

'Nu weet ik hoe Dorothy zich voelde toen ze in Oz belandde,' mompelde Dahlgren.

'Wat is de watertemperatuur nu?'

'Die is opgelopen tot tweeëntwintig graden Celsius en gaat nog steeds omhoog. Gefeliciteerd, baas, u hebt zojuist een thermische fumarole ontdekt.'

Giordino knikte tevreden. 'Markeer onze positie. En laten we dan de mineralensnuffelaar activeren voor...'

Plotseling kwam de radio krakend tot leven met een boodschap die via een tweetal onderwatertransponders werd doorgegeven. '*Narwhal* aan *Bloodhound... Narwhal* aan *Bloodhound*,' klonk een gespannen stem uit de speaker. 'Kom alsjeblieft onmiddellijk omhoog. We hebben hier nu golven van drie meter hoog, en het wordt snel erger. Ik herhaal, ik gelast jullie onmiddellijk naar boven te komen.'

'... voor Rudi ons naar huis roept,' zei Dahlgren, Giordino's zin afmakend.

Giordino grinnikte. 'Heb je wel eens gemerkt dat Rudi's stem een paar octaven omhooggaat als hij zenuwachtig is?'

'De laatste keer dat ik keek tekende hij nog steeds mijn salarischeque,' reageerde Dahlgren behoedzaam.

'Ik neem aan dat we geen zin hebben de verf van onze nieuwe baby hier te beschadigen, hè? Laten we snel een paar grondmonsters nemen, dan kunnen we naar boven.'

Dahlgren gaf via de radio antwoord aan Gunn, reikte toen naar voren en omvatte de knoppen van een mechanische arm die ingeklapt aan de buitenkant van het onderwatervaartuig vastzat. Giordino leidde de *Bloodhound* naar een stuk zeebodem waar knollen ter grootte van grapefruits lagen en liet de houder met sensoren over de rots gaan. Met behulp van de roestvrijstalen arm, die hij als een soort bezem gebruikte, veegde Dahlgren enkele van de kleine rotsblokjes in een stalen mandje dat zich onder de sensorkop bevond. Razendsnel analyseerden de computers aan boord de densiteit en magnetische eigenschappen van de rotsmonsters.

'De samenstelling wijst erop dat het door stolling is gevormd en het lijkt consistent met pyroxeen. Ik zie mangaan- en ijzerconcentraties. Ik zie ook elementen nikkel, platina en kopersulfaat,' meldde Dahlgren terwijl hij een computeruitdraai raadpleegde.

'Dat is een veelbelovende start. Als die metingen tenminste kloppen. We zullen de jongens van het lab die monsters laten analyseren, dan weten we ook hoe nauwkeurig die sensoren zijn. Zodra de storm is overgewaaid gaan we deze plek eens grondig onderzoeken.'

'Het ziet er goed uit.'

'Ik ben nog steeds een tikkeltje teleurgesteld, mijn waarde West-Texaanse vriend,' antwoordde Giordino hoofdschuddend.

'Geen goud?'

'Geen goud. Ik denk dat ik vandaag naar de oppervlakte zal moeten terugkeren in gezelschap van klatergoud.'

Tot grote ergernis van Dahlgren begeleidde Giordino's gelach het overgrote deel van hun tocht naar boven.

25

Toen de *Bloodhound* in het duikersgat van de *Narwhal* aan de opper-vlakte kwam, stonden er op de Beaufortzee golven van vier meter hoog en een harde wind die af en toe stormkracht bereikte. Het water binnen het gat klotste op het dek, terwijl het onderzoeksvaartuig stampte en rolde in de steeds woester wordende zee. De stalen flanken van het onderwatervaartuig sloegen twee keer hard tegen de met stootkussens beklede randen van het duikersgat voor de hijskabel kon worden aangebracht en het apparaat uit het water omhoog werd getakeld. Giordino en Dahlgren klommen snel uit de *Bloodhound*, verzamelden hun rotsmonsters en ontvluchtten de elementen door haastig het ernaast gelegen commandocentrum binnen te stappen. Daar stond Gunn hen al met een afkeurende blik in zijn ogen op te wachten.

'Het onderwatervaartuig dat jullie bijna als een bierblikje in elkaar hebben laten drukken heeft wél tien miljoen dollar gekost,' zei hij, terwijl hij Giordino woedend aankeek. 'Je weet dat we er onder deze weersomstandigheden niet mee mogen werken.'

Alsof dit punt nog eens benadrukt moest worden, begon de schroefas van het schip vlak onder hun voeten hevig te trillen terwijl het vaartuig zich moeizaam een weg door een diep golfdal worstelde.

'Rustig maar, Rudi,' zei Giordino met een glunderend gezicht en wierp Gunn een van de drijfnatte stukken rots toe. De adjunct-directeur van de NUMA kon hem nog net opvangen, maar zijn shirt kwam daarbij wel onder de modder en het zeewater te zitten.

'Ben je iets op het spoor?' vroeg hij, terwijl hij met opgetrokken wenkbrauwen het stuk rots wat beter bekeek.

'Veel beter nog,' onderbrak Dahlgren hen. 'We hebben wat thermische afwijkingen geconstateerd. Waarna Al ons linea recta naar het hart van een fumarole heeft gebracht. Een prachtige kloof van anderhalve kilometer lengte waaruit heerlijke, gloeiend hete soep komt, met daarin ruim voldoende knollen.'

Gunns gezicht verzachtte zich enigszins. 'Je kunt maar beter op iets goeds gestuit zijn, om zo laat terug aan boord te komen.' Zijn gelaat veranderde in dat van een klein jongetje in een snoepwinkel. 'Hebben jullie aanwijzingen gevonden die op een mineralenveld wijzen?'

'Behoorlijk, zo te zien,' antwoordde Giordino, die instemmend knikte. 'We hebben er maar een deel van gezien, maar het lijkt over een groot gebied verspreid te liggen.'

'En de elektronische sensoren? Hoe heeft de *Bloodhound* het gedaan?'

'Die blafte als een prairiewolf tijdens vollemaan,' antwoordde Dahlgren. 'De sensoren hebben meer dan dertien verschillende elementen gediagnosticeerd.'

'We zullen op de laboratoriumanalyses moeten wachten voor we zullen weten hoe nauwkeurig de *Bloodhound* is,' voegde Giordino eraan toe. 'Maar volgens de sensoren zit het drijfnatte stuk rots dat je momenteel in handen hebt boordevol mangaan en ijzer.'

'Waarschijnlijk ligt er hier op de bodem voldoende van dat spul om wel duizend *Bloodhound*s van te kunnen kopen, Rudi,' zei Dahlgren.

'Hebben de sensoren ook nog goud aangegeven?' vroeg Gunn.

Giordino rolde met zijn ogen en draaide zich om, duidelijk van zins het commandocentrum te verlaten.

'Blijkbaar denkt iedereen dat ik Midas ben,' mopperde hij, en hij liep de deur uit.

26

De voorjaarsstorm was niet wijdvertakt maar beschikte wel, terwijl hij zich in zuidwestelijke richting over de Beaufortzee repte, over de geconcentreerde stootkracht van een bokser uit het zwaargewicht. Woeste windstoten van bijna honderd kilometer per uur joegen de sneeuw nagenoeg horizontaal voort, waarbij de vlokken verhardden tot stukjes ijs. Windvlagen verspreidden dikke gordijnen over het witte ijs, zodat het zicht af en toe tot nul werd gereduceerd. De toch al vijandige omgeving van het arctische noorden werd een oord vol meedogenloze woestheid.

Kevin Bue luisterde hoe de spanten van de eetzaal kraakten en trilden onder de uithalen van de storm en vroeg zich af, zonder dat hij er verder veel aan had, in hoeverre dit bouwsel tegen dit geweld was opgewassen. Hij sloeg het laatste beetje koffie uit zijn beker achterover en probeerde zich te concentreren op een wetenschappelijk tijdschrift dat op tafel lag opengeslagen. Hoewel hij tijdens zijn verblijf in het poolgebied tientallen stormen had meegemaakt, vond hij hun woestheid nog steeds verontrustend. Terwijl de rest van de ploeg in alle rust zijn werk deed, vond Bue het bijzonder moeilijk om zich te concentreren als het kamp klonk alsof het elk moment kon wegwaaien.

Een zwaargebouwde kok die ook als timmerman fungeerde, een man die Benson heette, ging tegenover Bue aan tafel zitten en nipte aan zijn eigen dampende beker koffie.

'Er staat een aardig windje, hè?' zei hij, door een dikke zwarte baard heen grinnikend.

'Het klinkt alsof hij ons elk moment mee de lucht in kan nemen,' reageerde Bue, die het dak boven hen zwakjes heen en weer zag bewegen.

'Nou, als dat gebeurt, dan hoop ik maar dat-ie ons ergens dumpt waar het lekker warm weer is en de drankjes beter smaken als ze ijskoud worden opgediend,' antwoordde hij nadat hij weer een slokje van zijn koffie had genomen. Toen hij Bues lege beker zag, stak hij zijn hand uit, pakte het oor ervan beet en stond toen op.

'Kom, ik zal hem nog eens vullen.'

Benson liep door de eetzaal naar een grote, zilverkleurige ketel en schonk de beker vol. Hij was net naar Bue op weg, toen hij met een vragende uitdrukking op zijn gezicht stokstijf bleef staan. Boven het kabaal van de windstoten uit meende hij een laag, bijna mechanisch kolken te horen. Maar dat was niet datgene wat hem zorgen baarde. Het was het scherpe, krakende geluid waarmee het gepaard ging dat een gevoelige zenuw diep in zijn ziel raakte.

Bue keek naar Benson, en hoorde het geluid toen ook. Het lawaai kwam snel hun kant uit en Bue dacht dat hij ergens in het kamp iemand hoorde schreeuwen, voor zijn hele wereld om hem heen instortte.

Met een scheurend, knarsend geluid spatte de hele achterwand van de eetzaal uiteen, en werd vervangen door een massieve grijze wig. Het hoog oprijzende voorwerp drong zich door het vertrek en trok een tien meter breed spoor van vernietiging achter zich aan. Losgerukt van zijn steunen werd het dak van de hut door een windstoot weggerukt en werd het interieur op slag gevuld door een ijskoude windvlaag. Bue keek ontzet toe hoe de grijze massa Benson verslond in een nevel van ijs en schuim. Het ene moment stond de kok er nog, met een beker koffie in zijn hand, het volgende moment was hij verdwenen.

Onder Bues voeten begon de vloer te golven, waardoor hij met het tafeltje in de richting van de deur werd geslingerd. Moeizaam krabbelde hij overeind, richtte zich op en staarde naar het grijze monster dat vlak voor hem vaste vorm begon aan te nemen. Het was een schip, drong het eindelijk tot hem door, dat zich een weg dwars door het midden van het kamp en het dunne ijs eronder boorde.

De in de wind wervelende sneeuwvlokken deden het vaartuig op een spookverschijning lijken, maar op de een of andere manier kon hij nog net het nummer 54 onderscheiden dat in grote witte cijfers op de boeg was geschilderd. Terwijl de voorsteven met een laag gerommel en veel gekraak vlak langs hem heen denderde, ving Bue een glimp op van een grote Amerikaanse vlag die aan de mast van het schip wapperde, maar het volgende moment was het vaartuig in een wolk van witte materie verdwenen. Instinctief wankelde hij ernaartoe, riep naar Benson, maar stapte daarbij bijna in de zwarte rivier die het schip achter zich aan getrokken had.

Versuft probeerde Bue de schrik van zich af te schudden, trok zijn parka aan die in een hoopje op de grond had gelegen en stapte langs de resten van de ingang naar buiten. Tegen de wind in worstelend probeerde hij vast te stellen hoe de toestand van het kampement was, maar merkte al snel dat de grond onder zijn voeten op een vreemde manier heen en weer schommelde. Hij liep een meter of wat naar rechts, maar bleef staan bij een richel waar het vaste ijs plaatsmaakte voor open water. Recht voor hem hadden de drie personeelsonderkomens gestaan. Die waren allemaal verdwenen, en hadden plaatsgemaakt voor brokken ijs die nu in het donkere water dreven.

Bues moed zonk hem in de schoenen, want hij wist dat een van zijn mannen na het draaien van zijn dienst naar bed was gegaan om wat te slapen. Dat betekende dat er nog twee man vermist waren: Case, de man die de radio bediende, en Quinlon, de onderhoudsman.

Bue richtte zijn aandacht nu op het laboratoriumgebouw en zag in de verte de blauwe wanden van het bouwsel nog overeind staan. Toen hij zich er moeizaam een weg naartoe worstelde viel hij bijna opnieuw in het water: hij stootte op een spleet in het ijs en besefte dat hij van het deel waarop het lab stond was gescheiden. Tegen beter weten in nam hij een aanloop, sprong over de kloof van ruim een meter breed en kwam hardhandig op het ijs aan de overkant neer. Hij krabbelde overeind, dwong zichzelf tegen de wind in te gaan en bereikte uiteindelijk de drempel. Hij bleef even staan om uit te rusten, en duwde toen de deur open – om als aan de grond genageld te blijven staan.

Het interieur van het laboratorium was, net als de eetzaal, door het passerende schip verbrijzeld. Achter de deur stond nauwelijks nog iets overeind, en slechts wat uiteengereten resten dreven een paar meter verderop in het water. Maar op de een of andere miraculeuze wijze had het radiohok het overleefd; het was weliswaar van het hoofdgebouw losgerukt maar stond nog overeind. Boven de huilende wind uit hoorde Bue de stem van Case om hulp roepen.

Bue deed een paar stappen naar voren en trof Case achter zijn bureautje aan, waar hij in de microfoon sprak van een radio die het niet meer deed. De stroomgeneratoren van het ijskamp, die in de opslagruimte stonden opgesteld, waren de eerste dingen geweest die nadat het schip dwars door hen heen was gevaren naar de zeebodem waren gezonken. Er was in het kamp al een paar minuten geen elektriciteit meer.

Bue legde zijn hand op Case' schouder en de radioman legde langzaam en met ogen die glazig stonden van angst de microfoon neer. Plotseling was er vlak onder hen gekraak hoorbaar en begon de grond te trillen.

'Het is het ijs!' schreeuwde Bue. 'We moeten hier weg, nú!'

Hij trok Case overeind. De twee mannen haastten zich het hok uit en snelden over het ijs terwijl ze door het gekraak achtervolgd leken te worden. Ze sprongen over een laag talud, bleven staan en draaiden zich om, nog net op tijd om het ijs onder het laboratorium en de radiohut als een gebroken spiegel te zien versplinteren. Het oppervlak brak in tientallen stukken los ijs uiteen, dat al snel uit elkaar viel, waardoor de resten van het bouwwerk in het water eronder leken op te lossen. In minder dan twee minuten was vlak voor Bues ogen het hele kamp verdwenen.

Terwijl de twee mannen uitdrukkingsloos naar de verwoestingen keken, meende Bue boven het geluid van de wind uit de kreet van een man te horen. Hij deed zijn uiterste best door de ziedende maalstroom heen te kijken en spitste zijn oren in een poging het geluid opnieuw op te vangen. Maar toen ving hij een glimp op van een gestalte die vlak in de buurt van het radiohok in het water lag en met zijn armen zwaaide.

'Dat is Quinlon,' riep Case, die de man ook had gezien. Hij slaagde erin zijn kalmte te hervinden en haastte zich in de richting van de in het water spartelende man.

Quinlon was duidelijk bezig de strijd tegen de shock, het gevolg van het kopje onder in het ijskoude water, te verliezen. Loodzwaar vanwege zijn parka en laarzen had hij eigenlijk allang onder water verdwenen moeten zijn, ware het niet dat het hem gelukt was zich vast te grijpen aan een stuk drijfijs. Hij had geen energie meer om zichzelf uit het water omhoog te trekken, maar slaagde er wel in om zichzelf met zijn laatste krachten in de richting van Bue en Case voort te stuwen.

De twee mannen holden naar de rand van het ijs en staken Quinlon hun hand toe en probeerden wanhopig een van zijn zwaaiende armen te pakken te krijgen. Dat lukte, waarna ze hem dichter naar zich toe trokken om te proberen hem uit het water te trekken, maar dat lukte slechts ten dele, waarna hij weer terugviel. Met zijn vol water zittende laarzen en doorweekte kleding woog Quinlon, die van gemiddelde lichaamsomvang was, nu bijna honderdvijftig kilo. Ze beseften dat ze het verkeerd aanpakten en grepen hun menselijke lading opnieuw beet, waarna ze er in slaagden om hem met veel duw- en trekwerk horizontaal te rollen, waarna ze hem met een uiterste krachtsinspanning eindelijk uit het water wisten te krijgen.

'We moeten hem uit de wind zien te krijgen,' zei Bue, die om zich heen keek of hij ergens beschutting zag. De kreten uit het kamp waren verdwenen, op een klein gedeelte van de ingestorte opslagruimte na, dat nu wegdreef op een ijsschots ter grootte van een auto.

De sneeuwbanken bij de landingsbaan,' reageerde Case, terwijl hij door de wervelende sneeuwvlokken wees.

Quinlons inspanningen om het vliegveldje sneeuwvrij te houden hadden geresulteerd in een aantal sneeuwbanken, die hij met zijn kleine dozer bij elkaar had geschoven. Hoewel het grootste deel van het vliegveldje was verdwenen, had Case gelijk. Nauwelijks vijftig meter verderop lag een hoge stapel sneeuw.

Beiden grepen ze een van Quinlons armen en begonnen hem als een zak aardappelen over het ijs te trekken. Ze wisten dat de onderhoudsman op sterven na dood was, en wilde Quinlon ook maar enige kans hebben het te overleven, dan moesten ze hem zo snel mogelijk hiervandaan halen, want hier heerste een gevoelstemperatuur van dertig graden onder nul. Hijgend en ondanks de bittere kou transpirerend sleepten ze hem mee naar de achterkant van de drie meter hoge sneeuwbank, zodat ze enige beschutting tegen de westerstorm hadden.

Snel ontdeden ze Quinlon van zijn natte kleding, die al stijf bevroren was, en wreven zijn lichaam korte tijd met sneeuw in om het resterende vocht te absorberen. Nadat ze de sneeuw opzij hadden geschoven wikkelden ze zijn hoofd en lichaam in hun eigen parka's. Quinlon was blauw van de kou en trilde onophoudelijk, maar was nog wel bij bewustzijn, wat inhield dat hij nog steeds een kans had om het te halen. Op aanwijzingen van Case groeven ze in de zijkant van de sneeuwbank een klein hol. Toen dat klaar was schoven ze eerst Quinlon naar binnen, waarna ze er naast kropen in de hoop wat lichaamswarmte te kunnen delen en zich zo klein mogelijk makend tegen de snijdende wind.

Toen hij vanuit hun simpele hol naar buiten keek zag Bue hoe de opening tussen hun schuilplaats en het nog intact zijnde deel van het ijsveld snel groter werd. Ze maakten nu deel uit van een afzonderlijke ijsschots en dreven langzaam maar zeker de Beaufortzee op. Om de paar minuten hoorde de wetenschapper een laag, donderend gekraak, en besefte dat hun schots zich in steeds kleinere stukken aan het opsplitsen was. Als ze nog verder in het door de storm opgestuwde open water zouden terechtkomen, was het slechts een kwestie van tijd voor hun eigen bevroren toevluchtsoord verpulverd zou worden en ze met z'n drieën in zee zouden worden geworpen.

Omdat niemand van hun hachelijke situatie op de hoogte was, bestond er geen enkele hoop op redding. Huiverend van de afschuwelijke kou dacht Bue aan het meedogenloze grijze schip dat het kamp zo onverwacht en zonder enige reden aan flarden had gereten. Hoe hij het ook probeerde, zijn bevroren hersenen konden aan deze onmenselijke daad geen enkele logica ontdekken. Hij schudde zijn hoofd om het spookachtige beeld van het vaartuig dat hen had overvaren uit zijn hoofd te bannen, en keek met een triest mededogen naar zijn kameraden, om vervolgens rustig op de dood te wachten die hen ongetwijfeld zou weten te vinden.

27

Het radiobericht was heel zwak te horen geweest en was verder niet meer herhaald. Op de herhaalde pogingen van de radio-officier aan boord van de *Narwhal* om de boodschap bevestigd te krijgen was slechts totale stilte gevolgd.

Kapitein Stenseth las de boodschap, die door zijn radioman was genoteerd, schudde zijn hoofd en liet er zijn blik toen nog een keer overheen gaan. 'Mayday, Mayday. Hier Ice Lab 7. Het kamp valt uit elkaar...' Herhaalde hij hardop. 'Is dat alles wat je hebt opgevangen?' vroeg hij met een vlammende blik in zijn ogen.

De radioman knikte zwijgend. Stenseth draaide zich om en liep naar de roerganger.

'Beide machines volle kracht vooruit,' blafte hij. 'Bijdraaien naar bakboord en koers nul-een-vijf volgen.' Hij richtte zich tot zijn eerste stuurman. 'Ik wil een plot van de laatstbekende positie van dat ijslab. En plaats drie extra uitkijken op de brug.'

Het volgende moment boog hij zich over de schouder van de radio-officier.

'Waarschuw zowel de Amerikaanse als de Canadese kustwacht, en zeg ze dat we dit noodsein hebben opgevangen, en vertel ze verder dat we erop afgaan. Waarschuw ook het scheepvaartverkeer in de buurt, als dat er tenminste is. En vraag dan aan Gunn en Giordino of ze naar de brug willen komen.'

'Kapitein, het dichtstbijzijnde kustwachtstation is Canadees, in Tuktoyaktuk. Dat ligt tweehonderd mijl verderop.'

Stenseth staarde naar de voortjagende sneeuw die tegen de brugvensters sloeg, terwijl hij zich in zijn hoofd een beeld probeerde te vormen van de bewoners van het ijskamp. Zijn gelaatstrekken verzachtten zich enigszins toen hij kalm antwoordde: 'Dat betekent dan dat hun reddende engel waarschijnlijk turkooisblauwe vleugels heeft.'

De *Narwhal* kon officieel drieëntwintig knopen halen, maar zelfs op vol vermogen mochten ze blij zijn als er in deze door de storm opgezweepte zee een vaart van twaalf mijl gehaald kon worden. De storm had nu zijn hoogtepunt bereikt, want de wind had uitschieters van zo'n honderdvijfentwintig kilometer per uur. De zee was één woeste massa van tien meter hoge golven die het schip deden slingeren en stampen alsof het van kurk was. De roerganger hield nerveus de automatische piloot van het schip in de gaten, half verwachtend dat het apparaat op tilt zou slaan vanwege de constante stroom koersveranderingen die nodig waren om het vaartuig een vaste noordoostelijke koers te laten volgen.

Even later voegden Gunn en Giordino zich bij Stenseth op de brug, en bestudeerden het van het ijskamp afkomstige noodsignaal.

'Het is er eigenlijk nog een beetje te vroeg voor dat ijs op zo'n cataclysmische manier in stukken breekt,' zei Gunn, en hij wreef even langs zijn kin. 'Hoewel een ijsvlakte die in beweging is best op korte termijn uiteen kan vallen. Maar over het algemeen krijg je dan wel wat waarschuwingen vooraf.'

'Misschien zijn ze verrast door een kleine breuk die een deel van het kamp heeft afgebroken, met daarop misschien wel hun radio-installatie of zelfs hun stroomgeneratoren,' opperde Stenseth.

'Laten we hopen dat het niet erger is dan dat,' beaamde Gunn, die naar de maalstroom buiten keek. 'Zolang ze maar enige mate van bescherming tegen de storm hebben, moeten ze het een tijdje kunnen uithouden.'

'Er is nog een andere mogelijkheid,' voegde Giordino eraan toe. 'Misschien is dat ijskamp te dicht bij het water gesitueerd. De storm kan een stuk van de rand van het ijsveld hebben afgebroken, zodat het kamp is opgedeeld.'

De twee andere mannen knikten somber, en beseften dat de kans op overleving in dat geval aanzienlijk kleiner was.

'Wat zijn de vooruitzichten met betrekking tot de storm?' wilde Gunn weten.

'Het duurt nog zes tot acht uur voor hij enigszins tot bedaren komt. Ik ben bang dat we nog even zullen moeten wachten voor we een zoekteam op het ijs kunnen zetten,' antwoordde Stenseth.

'Kapitein,' onderbrak de roerganger hen, 'we zien een groot stuk ijs in het water.'

Stenseth keek op en zag aan bakboord een ijsberg ter grootte van een huis voorbijglijden.

'Alle machines dertig procent. Hoe groot is onze afstand tot dat ijskamp?'

'Iets minder dan achttien mijl, kapitein.'

Stenseth liep naar een groot radarscherm en stelde het bereik in op twintig mijl. Een dunne, grillig gevormde groene lijn liep in een bovenhoek over het scherm, en bleef onbeweeglijk op zijn plaats. De kapitein wees naar een plaats vlak onder die lijn, waar een concentrische cirkel op het scherm een afstand van twintig mijl aangaf.

'Dit is de laatst gemelde positie van het kamp,' zei hij somber.

'Als dat kamp geen uitzicht op de oceaan had, dan heeft het dat nu wel,' merkte Giordino op.

Gunn keek met half dichtgeknepen ogen naar de radar en wees toen met een vinger naar een wazige stip aan de rand van het scherm.

'Er is daar een schip in de buurt,' zei hij.

Stenseth keek wat beter en zag dat het schip een zuidoostelijke koers volgde. Hij gaf de radioman opdracht het schip op te roepen, maar ze kregen geen antwoord.

'Misschien een illegale walvisvaarder,' opperde de kapitein. 'Af en toe glippen de Japanners wel eens de Beaufortzee binnen om op witte dolfijnen te jagen.'

'In dit soort woeste zeeën moeten ze zich waarschijnlijk ergens krampachtig aan vastklampen en hebben ze geen tijd om op de radio te reageren,' zei Giordino.

Toen ze de ijsbarrière en de laatst bekende positie van het ijskamp naderden, werd het onbekende vaartuig snel vergeten. Naarmate de *Narwhal* dichter naar de betreffende positie kroop, begonnen in de zee voor hen steeds grotere stukken afgebroken ijs samen te klonteren. Ondertussen wist de gehele bemanning dat er een reddingsactie aan de gang was, en zo'n vijftien man van de wetenschappelijke staf hadden het abominabele weer ook getrotseerd en zich bij de bemanningsleden aan dek gevoegd. In oliejassen gestoken stonden ze langs de reling van het onheilspellend slingerende schip en zochten ze de zee af, op zoek naar hun collega-poolwetenschappers.

De *Narwhal* bereikte de laatst gemelde positie van het ijskamp en Stenseth bracht het schip tot een meter of vijftig van de ijskap. Het onderzoeksvaartuig voer langzaam langs de grillig gevormde rand ervan, talloze ijsbergen ontwijkend die zich recentelijk van het ijsveld hadden losgemaakt. De kapitein gaf opdracht alle lichten aan boord te ontsteken en liet met Kahlenberg-misthoorns regelmatig oorverdovende stoten geven die als reddingsbaken zouden kunnen dienen. De woeste windstoten begonnen in kracht wat af te nemen, zodat er af en toe een glimp door de rondwervelende sneeuw mogelijk was. Iedereen zocht de dikke plak zeeijs af, en het ijskoude water eromheen, op zoek naar tekenen van het ijskamp of zijn bewoners. Langzaam over de laatst gemelde positie van het kampement patrouillerend werd er geen spoor van teruggevonden. Mocht er nog iets van over zijn, of iemand, dan rustten die nu op een diepte van zo'n zeshonderd meter onder deze donkergrijze wateren.

28

Kevin Bue had moeten toezien hoe hun plek op het ijs van een ijsschots ter grootte van een slagschip was afgebrokkeld tot die van een klein huis. De beukende golven zouden de ijsberg splijten, hem heen en weer slingeren en tot kleinere delen versplinteren, die vervolgens aan dezelfde vernietigende krachten zouden worden blootgesteld. Naarmate hun wijkplaats steeds kleiner werd en ze steeds verder de Beaufortzee op dreven, ging het er bij hun tocht steeds ruwer aan toe. De steeds kleiner wordende ijsberg slingerde heen en weer in de kolkende zee en verdween af en toe bijna totaal in een golfdal, terwijl het lagergelegen gedeelte regelmatig door het water overspoeld werd. Rillend van de kou merkte Bue dat hij naast alle andere ellende ook nog zeeziek werd.

Maar toen hij naar de twee mannen naast hem keek, besefte hij dat hij nauwelijks mocht klagen. Quinlon kon ten gevolge van zijn onderkoeling elk moment het bewustzijn verliezen, terwijl het met Case dezelfde kant uit leek te gaan. De radioman had zich opgerold tot een bal en hij tuurde met glazige ogen voor zich uit.

Bue overwoog de parka's waarin Quinlon gewikkeld was weg te halen, zodat hij en Case het iets minder koud zouden hebben, maar besloot dat toch maar niet te doen. Quinlon was zo goed als dood en hun eigen kans om het te overleven was niet veel groter. Bue staarde naar het turbulente grijze water dat hun stuk drijfijs omringde en dacht erover om zich in zee te laten glijden. Dan zou er tenminste snel een eind aan komen. Hij liet het idee varen toen hij tot het besef kwam dat het hem veel te veel energie zou kosten om de tien, twaalf passen naar de rand van het water te doen.

Een grote golf deed het ijsplatform heen en weer slingeren en hij hoorde onder zich een scherpe klap. Plotseling verscheen er een barst onder zijn in de sneeuw uitgegraven schuilplaats, die zich razendsnel dwars over de ijsschots uitbreidde. De volgende golf gaf zo'n harde stoot dat het hele stuk ijs abrupt onder hem wegviel en in het donkere water leek op te lossen. Instinctief greep Bue zich aan de scherpe rand van de sneeuwbank vast en slaagde erin met zijn voet enig houvast te krijgen op de richel waarop

Quinlon lag. Case, die aan de andere kant lag, vertrok geen spier terwijl Bue zich wanhopig aan een verticale spleet in het ijs vastklampte en nauwelijks een meter boven de meedogenloze golven bungelde.

Bue voelde zijn hart als een gek tekeergaan, en met een vertwijfelde uitval klauwde hij met zijn vingers naar de rand van het ijs en slaagde erin zich omhoog te trekken, naar de bovenkant van wat er nog van de sneeuwbank restte. Hun wijkplaats was nu geslonken tot het formaat van een bestelwagen en werd door de zware zeegang woest heen en weer geslingerd. Bue zat onzeker boven op de sneeuwberg en wachtte tot de schots zou kapseizen en de drie mannen hun ijskoude dood tegemoet zouden tuimelen. Het zou nog maar een kwestie van enkele minuten zijn, besefte hij, voor er aan hun barre tocht een definitief einde zou komen.

Maar toen zag hij door de sneeuwjacht heen een helder lichtschijnsel, krachtig als de zon na een regenbui. Het verblindde hem en hij kneep zijn ogen stijf dicht om aan de felle lichtbundel te ontkomen. Toen hij ze een paar seconden later weer opendeed, was het licht verdwenen. Het enige wat hij zag was het wit van het droge ijs dat door de harde wind zijn gezicht geselde. Hij deed zijn uiterste best het licht opnieuw op te vangen, maar het enige wat hij zag was de om hem heen razende storm. Langzaam sloot hij verslagen zijn ogen en zakte, terwijl de krachten uit zijn poriën wegsijpelden, in elkaar.

29

Jack Dahlgren had al een Zodiac met volle brandstoftanks buitenboord laten draaien, toen vanaf de brug het commando kwam dat die te water kon worden gelaten. Gestoken in een felgeel Mustang-overlevingspak klom hij aan boord en controleerde een draagbare gps en een krachtige walkietalkie die in een waterdicht tonnetje zaten. Hij startte de buitenboordmotor en wachtte vervolgens tot een gedrongen gestalte over het dek kwam aangehold.

Al Giordino had geen tijd gehad om een overlevingspak aan te trekken; hij had simpelweg op de brug een parka meegegrist en had zich richting Zodiac gehaast. Nadat Giordino aan boord was gesprongen stak Dahlgren zijn duim op naar een wachtend bemanningslid, dat de rubberboot snel in zee liet zakken. Dahlgren wachtte tot Giordino de lierhaak had losgekoppeld en gaf toen gas. De kleine rubberboot boorde zich in een aanrollende hoge golf, waardoor vlokken ijskoud schuim alle kanten op spoten. Giordino dook ervoor weg en gebaarde met zijn arm naar een plaats ergens voor de *Narwhal*.

'We moeten naar die kleine ijsschots op ongeveer tweehonderd meter over bakboord,' riep hij. 'Er ligt een stuk drijfijs recht voor ons uit, dus daar zullen we omheen moeten,' voegde hij eraan toe, en zwaaide naar links.

Dwars door de verblindende sneeuw kon Dahlgren nog net de wazige, witte massa van de ijsvlakte recht voor hen uit zien. Nadat hij een snelle blik op het kompas had geworpen liet hij de Zodiac een flauwe bocht naar bakboord maken totdat het drijfijs een paar meter voor hen uit de sneeuw opdoemde. Toen pas voerde hij een scherpe bocht uit en gaf, langs de rand varend, vol gas, om pas weer vaart te verminderen toen hij vermoedde dat hij de andere kant had bereikt.

De *Narwhal* was niet langer achter hen te zien, terwijl de ijsvlakte had plaatsgemaakt voor tientallen kleine ijsbergen die door de hoge golven heen en weer werden geslingerd. De stormwind joeg sneeuwdeeltjes van de ijskap een eindje verderop hun kant uit, zodat het zicht nauwelijks vijftien meter bedroeg. Giordino had zich in de boeg genesteld en zocht de zee af als een adelaar die op zoek was naar een prooi, naar Dahlgren gebarend dat hij nu eens de ene, dan weer de andere kant op moest. Ze zochten zich een weg tussen stukken ijs door ter grootte van een koffer, afgewisseld door wat grotere ijsbergen, die allemaal heen en weer zwiepten en tegen elkaar aan sloegen. Giordino had hen net langs een stuk of wat kleinere bergen geleid toen hij opgewonden naar een hoog, heen en weer slingerend taps toelopend stuk ijs wees.

'Dat is hem!' brulde hij.

Dahlgren schoof de gashendel iets naar voren en stoof naar het stuk drijfijs, dat er wat hem betrof net uitzag als alle andere. Alleen was hier bovenop een donkere vlek te zien. Terwijl de Zodiac dichterbij kwam, zag Dahlgren dat het een menselijke gestalte was die wijdbeens en met gespreide armen op de bovenkant ervan lag. Snel cirkelde hij om de ijsberg heen, op zoek naar een plekje waar hij de boot tegenaan zou kunnen leggen, maar de ijsmassa vertoonde aan alle zijden steile, hoge zijkanten. Toen hij de andere kant bereikte, ontdekte hij nog twee man, in ruw uitgegraven holen die zich ruim een meter boven het water bevonden.

'Zet hem onder die richel neer!' riep Giordino.

Dahlgren knikte, en antwoordde toen: 'Hou je vast!'

Hij liet de Zodiac een cirkel beschrijven om snelheid te kunnen maken, richtte het vaartuig recht op de ijsberg en schoof de gashendel helemaal naar voren. De voorsteven van de rubberboot schoof eerst nog even over een smalle ijsrand om zich vervolgens met volle vaart in de sneeuwbank vlak onder de twee door de kou bevangen mannen te boren. Zowel Dahlgren als Giordino moesten zich goed vasthouden om toen de Zodiac met een ruk tot stilstand kwam de boot niet uit te vliegen.

Giordino stond snel op, veegde wat sneeuw van zijn hoofd en schouders, en glimlachte toen naar Case, die met een matte blik terugstaarde.

'Jullie zijn slechts vijf minuten verwijderd van een heerlijke kop warme kippensoep, vrienden,' zei Giordino terwijl hij Quinlon als een lappenpop optilde en hem tussen twee banken op de bodem van de rubberboot neerlegde. Daarna pakte hij Case' arm beet en hielp de uitgeputte man in de Zodiac af te dalen. Dahlgren haalde een paar droge dekens uit een opslagkist en sloeg die snel om beide mannen heen.

'Kun je bij de ander?' vroeg Dahlgren.

Giordino tuurde naar de heen en weer zwiepende sneeuwberg die twee meter boven zijn hoofd uittorende.

'Ja, maar laat vooral je motor lopen. Volgens mij loopt dit ijsblokje op zijn laatste benen.'

Hij stapte op de rand van de rubberboot, trapte een opstapje in de harde sneeuw en begon te klimmen. Bij elke stap omhoog ramde hij zijn vuist in de sneeuw voor meer houvast, en wist zich langzaam omhoog te werken. De ijsberg zwiepte in de rollende golven wild heen en weer en af en toe had hij het gevoel dat hij op het punt stond in het water geslingerd te worden. Hij klom zo snel mogelijk verder omhoog en stak zijn hoofd boven de rand van de richel uit, en zag Bue liggen, op zijn buik, de armen en benen gespreid. Giordino pakte Bues slappe lichaam beet en trok het naar zich toe totdat hij het over zijn schouder kon laten glijden. Hij sloeg een arm om de benen van de ijskoud aanvoelende man en begon enigszins onvast de zijkant van de ijsberg af te dalen.

Afgezien van het feit dat Bue aanzienlijk zwaarder was, had Giordino voor hetzelfde geld een zak aardappelen op zijn schouder kunnen dragen. De sterke Italiaan verspilde geen tijd en daalde snel langs de opstapjes naar beneden af, zette zich toen tegen de sneeuwwand af en liet zich de laatste meter op de rubberromp van de Zodiac vallen. Nadat hij Bue naast de andere mannen had gelegd, sprong Giordino het ijs op en zette zijn lichaam tegen de boeg van de Zodiac. Hij plantte zijn korte, krachtige benen in de sneeuw, duwde de boot van de ijsberg en sprong terug aan boord terwijl Dahlgren de buitenboordmotor in zijn achteruit zette.

Dahlgren had de boot nog maar nauwelijks gekeerd en ze hadden nog maar enkele meters afgelegd, of er kwam een enorme golf op hen af gerold. Giordino boog zich snel voorover en drukte de liggende mannen tegen het dek toen de golf met een enorme klap tegen de boeg stuksloeg. IJskoud schuim spatte alle kanten uit toen de voorsteven van de Zodiac omhoogschoot en het kleine vaartuig bijna recht overeind kwam te staan. Toen rolde de grote golf door, bij hen vandaan, waardoor de rubberboot met een harde dreun in het daaropvolgende golfdal terechtkwam. Dahlgren stuurde recht op een volgende grote golf af, en slaagde erin ook die te bedwingen, maar nu gelukkig wat minder gewelddadig.

Terwijl de Zodiac de naweeën van de tweede golf van zich afschudde, keken Dahlgren en Giordino snel even om, en zagen hoe de twee golven op de ijsberg inbeukten. Met morbide fascinatie toekijkend, zagen ze hoe de eerste golf de hoog boven het water uitstekende brok ijs bijna deed kantelen. Voor de ijsberg zich goed en wel kon oprichten sloeg de tweede golf toe, waarbij het brok ijs volkomen onder water werd gedrukt. Nadat de golf was doorgerold, floepten er alleen nog maar een paar grote stukken ijs naar de oppervlakte.

Als ze ook maar even later waren gearriveerd, zouden Bue, Case en Quinlon door de twee golven het ijskoude water in zijn gespoeld, om daar binnen enkele minuten te bezwijken.

30

Het lukte de drie Canadezen, die allemaal in verschillende mate aan onderkoeling leden, om zich aan het leven vast te klampen totdat de door de golven heen en weer geslingerde Zodiac uit zee werd gehesen en op het dek van de *Narwhal* was neergezet. Dahlgren had het geluk het onderzoeksvaartuig binnen enkele minuten terug te vinden. De storm had alle satellietsignalen uitgewist, waardoor de gps totaal onbruikbaar was geworden. In plaats daarvan volgde hij de kompaskoers terug, in de hoofdrichting van het schip. De grote ijsschots waar ze op de heenweg omheen hadden moeten varen was nu verdwenen, zodat ze een rechtstreekse route over open zee konden volgen. Giordino hoorde het geloei van de scheepshoorn, die een krachtige stoot liet horen, terwijl even later de helverlichte *Narwhal* door de sneeuwjacht heen te zien was.

Zodra de Zodiac het dek raakte stond een dik ingepakte Rudi Gunn klaar om de drie onderkoelde mannen onmiddellijk naar de ziekenboeg te brengen. Bue en Case keerden weer snel tot het rijk der levenden terug, maar Quinlon bleef nog enkele uren lang buiten bewustzijn, terwijl de scheepsarts koortsachtig probeerde de lichaamstemperatuur van de man omhoog te brengen. Twee keer hield Quinlons hart ermee op, en twee keer moesten er verwoede pogingen worden ondernomen om hem te reanimeren, totdat zijn temperatuur geleidelijk aan opliep tot zesendertig, zevenendertig graden Celsius en zijn bloeddruk zich stabiliseerde.

Nadat ze het ijs van hun jassen hadden geschud trokken Giordino en Dahlgren droge kleren aan en voegden zich bij Gunn op de brug.

'Weten we of er nog meer overlevenden daar ronddobberen?' vroeg Gunn aan de twee afgematte mannen.

Dahlgren schudde zijn hoofd. 'Ik heb de knaap die bij bewustzijn was hetzelfde gevraagd. Hij vertelde me dat er nog twee anderen bij hen in het ijskamp zaten, maar hij weet zeker dat ze zijn omgekomen toen het schip dwars door het kamp voer.'

'Een schip?'

'Niet zomaar een schip,' zei Dahlgren en hij knikte somber. 'Een schip van de Amerikaanse marine. Dat voer met hoge snelheid dwars door het ijsveld en heeft het hele kampement vernietigd.'

'Dat is onmogelijk,' antwoordde Gunn.

'Ik vertel je alleen maar wat die man tegen me heeft gezegd.'

Gunn zweeg, maar in zijn ogen was slechts ongeloof te zien. 'Toch zoeken we nog even verder, voor het geval dát,' zei hij na een tijdje met zachte stem. Toen, terwijl hij beide mannen waarderend aankeek, voegde hij eraan toe: 'Dat was een heroïsche redding onder ongelooflijk moeilijke omstandigheden.'

'Ik had niet graag in de positie van de knapen verkeerd,' merkte Giordino op. 'Maar Dahlgren een held? Dat wil ik nog wel eens zien,' voegde hij er lachend aan toe.

'Ik denk dat ik die fles Jack Daniel's maar eens helemaal alleen ga leegdrinken. Die opmerking had je beter niet kunnen maken,' kaatste Dahlgren terug.

Giordino sloeg een arm rond de Texaan en leidde hem bij de brug vandaan.

'Eén glaasje maar, waarde vriend, en je zult zien dat de Yukon helemaal aan je voeten ligt.'

Nog twee uur lang voerde de *Narwhal* in het betreffende zeegebied een zoektocht uit, maar vond in het vol drijfijs liggende water alleen de kapotgebeukte resten van een blauwe luifel. Pas toen het overgrote deel van de afgebroken stukken ijs bij het pakijs vandaan gedreven waren maakte Gunn, zij het met tegenzin, een eind aan de speurtocht.

'Prudhoe Bay beschikt over betere faciliteiten, maar de haven van Tuktoyaktuk is ongeveer vijftig mijl dichterbij. En de stad heeft ook een vliegveld,' zei Stenseth, die naar een kaart van de Noord-Amerikaanse kustlijn keek.

'Het is beter als we naar laatstgenoemde plaats opstomen,' reageerde Gunn, die over de schouder van de kapitein meekeek. 'Het is het beste als we ze zo snel mogelijk ergens afzetten. Het wordt Tuktoyaktuk.'

De stad lag in een nauwelijks bewoonde strook langs de kust van Noord-Canada, iets ten oosten van de grens met Alaska. Het gebied bevond zich ruim boven de poolcirkel, en ook boven de noordelijke boomgrens, en het glooiende, rotsachtige terrein werd het grootste deel van het jaar door sneeuw bedekt.

De *Narwhal* ploegde al veertien uur lang door het onrustige water toen de voorjaarsstorm eindelijk was uitgeraasd. In de Beaufortzee waren nog steeds schuimkoppen te zien toen het NUMA-vaartuig de beschutte wateren van de Kugmallit Bay binnenvoer, waaraan de stad Tuktoyaktuk gelegen was. Een patrouilleboot van de Royal Canadian Mounted Police leidde het schip naar de commerciële pier van de stad, waar nog een ligplaats beschikbaar was. Binnen enkele minuten werden de drie wetenschappers naar een wachtend busje overgebracht en afgevoerd naar het plaatselijke gezondheidscentrum. Daar werden ze grondig onderzocht, waarna werd geconstateerd dat hun toestand zodanig was dat ze verder konden reizen. Korte tijd later werden ze naar het vliegveld gebracht, waar ze het toestel naar Yellowknife namen.

Pas de volgende dag, toen het drietal met een regeringstoestel in Calgary arriveerde, werd hun beproeving voorpaginanieuws. Er ontspon zich al snel een mediacircus toen elke grote krant en televisiezender boven op het verhaal sprong. Bues ooggetuigenverslag van een Amerikaans oorlogsschip dat zich dwars door het ijskamp had geboord en de bewoners ervan hulpeloos had achtergelaten, met een nagenoeg zekere dood voor ogen, wist bij heel wat Canadezen, die de hegemonie van hun zuiderburen toch al met enige argwaan bekeken, een gevoelige snaar te raken.

De heftige reacties binnen de Canadese regering bereikten het kookpunt. Toch al geïrriteerd door het gênante incident met het mysterieuze schip *Atlanta*, waren met name de kustwacht en de militaire top witheet. De nationalistische premier, wiens populariteit toch al aan het afkalven was, sprong boven op het incident om daar eens een stevige politieke winst uit te peuren. De wetenschappers die het hadden overleefd, Bue, Case en Quinlon, werden door de premier uitgebreid gefêteerd in zijn officiële residentie aan Sussex Drive in Ottawa, en moesten toen opnieuw voor de televisiecamera's verschijnen om nog eens te vertellen hoe hun ijskamp door de Amerikanen was vernietigd. Met bewust gespeelde woede ging de premier zelfs zo ver dat hij het incident een barbaarse oorlogsdaad noemde.

'De Canadese soevereiniteit zal niet langer door buitenlandse acties worden geschonden,' brieste hij voor de camera's. Met behulp van een boos parlement dat zijn retoriek ondersteunde, stuurde hij extra marineschepen naar het poolgebied, en dreigde hij de grens met de Verenigde Staten te sluiten en een eind te maken aan de olie- en gasexport naar dat land. 'Deze trotse natie, dit grootse Canada laat zich niet intimideren. Als voor het beschermen van onze soevereiniteit een oorlog nodig is, dan moet dat maar,' riep hij met een vuurrood hoofd.

Van het ene op het andere moment schoten de populariteitscijfers van de premier in de opiniepeilingen omhoog. Zijn medepolitici, die zagen hoe het grote publiek reageerde, riepen in de media op tot het aannemen van een anti-Amerikaanse houding. Het verhaal van de overlevenden van het ijskamp ging een eigen leven leiden, gestimuleerd door gemanipuleerde media en een regeringshoofd dat uitsluitend uit eigenbelang handelde. Het

148

werd het glorieuze verhaal van geslachtofferd worden en heroïsch overleven. Maar op de een of andere manier werd bij het steeds opnieuw vertellen van het verhaal over de rol van het NUMA-onderzoeksvaartuig en de
gewaagde reddingsoperatie waardoor de drie overlevenden in veiligheid
konden worden gebracht, in alle talen gezwegen.

31

'Jim, heb je een ogenblikje?'

Vicepresident James Sandecker, die door de gang van de westelijke vleugel van het Witte Huis beende, draaide zich om en zag toen dat degene die hem van achteren aansprak de Canadese ambassadeur was. Ambassadeur John Davis, een gedistingeerd uitziende man met borstelige, grijze wenkbrauwen, kwam met een ietwat norse blik op zijn gezicht naar hem toe.

'Goedemorgen, John,' groette Sandecker hem. 'Wat brengt jou zo vroeg hiernaartoe?'

'Goed je te zien, Jim,' antwoordde Davis, en zijn gezicht lichtte iets op. 'Ik ben bang dat ik jouw president net de les heb moeten lezen in verband met de irritatie in mijn land over dat ellendige gedoe in de Noordwestelijke Doorvaart.'

'Ik ben net op weg naar een bijeenkomst met de president over dat onderwerp. Een uiterst trieste aangelegenheid met dat ijskamp, maar ik heb me laten vertellen dat we daar in de buurt helemaal geen oorlogsschepen hadden.'

'Het blijft een onaangename situatie. De hardliners in onze regering blazen het geheel op tot buiten alle proporties.' Hij liet zijn stem dalen en fluisterde: 'Zelfs de premier dreigt met wapengekletter, hoewel ik weet dat hij dat alleen maar doet vanwege het politieke gewin. Ik ben alleen bang voor een belachelijke escalatie van het geheel, waardoor alleen maar nieuwe tragedies zullen ontstaan.' Een sombere blik in de grijze ogen van de ambassadeur vertelde Sandecker dat zijn angst diepgeworteld was.

'Maak je geen zorgen, John, het gezond verstand zal uiteindelijk zegevieren. Er staat te veel voor ons op het spel om dit soort gebeurtenissen te laten ontaarden in een crisis.'

Davis knikte zwakjes. 'Ik hoop met heel m'n hart dat je gelijk hebt. Zeg, Jim, ik wilde je onze dank aan jullie NUMA-schip en zijn bemanning nog overbrengen. De pers is er volledig aan voorbijgegaan, maar ze hebben een buitengewone redding uitgevoerd.'

'Ik zal het doorgeven. Doe mijn hartelijke groeten aan Maggie, en we moeten binnenkort weer eens een afspraak maken voor een zeiltochtje.'

'Lijkt me leuk. Pas goed op jezelf, Jim.'

Een Witte Huismedewerker bracht Sandecker vervolgens gehaast naar het Oval Office en ging hem door de noordwestelijke ingang voor naar binnen. Zittend rond een salontafel herkende Sandecker de chef-staf van de president, zijn nationale veiligheidsadviseur en de minister van Defensie. De president stond bij een klein dressoir langs de muur en schonk uit een antieke zilveren kan een kop koffie voor zichzelf in.

'Zal ik voor jou ook een kop inschenken, Jim?' vroeg Ward. De president had nog steeds donkere kringen onder zijn ogen maar hij zag er energieker uit dan tijdens Sandeckers laatste bezoek.

'Graag, Garner. Doe maar zwart.'

De andere overheidsdienaren keken verbijsterd naar Sandecker op toen ze hoorden dat hij de president met zijn voornaam aansprak, maar daar trok hij zich niets van aan. Ward trouwens ook niet. De president reikte Sandecker zijn koffie aan en ging toen in een goudkleurige oorfauteuil zitten.

'Je hebt het vuurwerk net gemist, Jim,' zei de president. 'De ambassadeur van Canada heeft me zojuist ernstig gekapitteld over die twee incidenten in het poolgebied.'

Sandecker knikte. 'Ik kwam hem net in de gang tegen. Ze lijken het allemaal nogal ernstig op te nemen.'

'De Canadezen zijn geschokt door het door ons voorgestelde plan om zoetwater uit de Grote Meren naar de waterhoudende lagen in het Middenwesten over te pompen,' zei chef-staf Meade. 'En het is geen geheim dat de populariteitscijfers van de premier nog lang niet voldoende zijn om dit najaar parlementsverkiezingen te kunnen houden.'

'We hebben redenen om aan te nemen dat er pogingen worden ondernomen onze oliemaatschappijen uit het Canadese poolgebied weg te houden,' voegde de nationale veiligheidsadviseur, een vrouw met kort blond haar die Moss heette, eraan toe. 'De Canadezen schermen hun arctische olie- en gasreserves heel nadrukkelijk af, reserves die steeds belangrijker worden.'

'Gezien onze huidige situatie is het voor hen nauwelijks een gunstig tijdstip om zich van ons af te wenden,' zei Meade.

'Je bedoelt dat het voor óns geen gunstig tijdstip is,' merkte Sandecker op.

'Daar heb je een punt, Jim,' reageerde de president. 'De Canadezen hebben momenteel een paar uiterst sterke troeven in handen.'

'Die ze al bezig zijn uit te spelen,' zei Moss. 'De ambassadeur heeft ons op de hoogte gebracht van het feit dat premier Barrett van plan is om alle onder Amerikaanse vlag varende schepen te verbieden om van de Canadese arctische wateren gebruik te maken. Schendingen van dat verbod zullen worden beschouwd als een inbreuk op de territoriale wateren waarop met militaire middelen zal worden gereageerd.'

'De premier heeft een broertje dood aan subtiliteiten,' merkte de president op.

'Hij gaat zelfs zo ver dat de ambassadeur liet doorschemeren dat men zich intern beraadt over het beperken van de export van olie, aardgas een hydro-elektriciteit naar de Verenigde Staten,' zei Meade, waarbij hij het woord met name tot Sandecker richtte.

'Hij speelt het blijkbaar keihard,' zei Sandecker. 'Momenteel is alleen al negentig procent van het aardgas dat we importeren uit Canada afkomstig. En ik weet dat jullie rekenen op de nieuwe inbreng vanuit de Melville Sound om op korte termijn onze energieproblemen op te lossen,' voegde hij eraan toe, zich naar de president omdraaiend.

'We kunnen het ons niet permitteren die gasinvoer op het spel te zetten,' zei de president. 'Die zijn bij het te boven komen van deze oliecrisis en het stabiliseren van de economie van doorslaggevend belang.'

'De Canadese retoriek over soevereiniteit wordt door de daden van deze premier alleen maar erger, een retoriek waar hij recentelijk te pas en te onpas gebruik van heeft gemaakt om zijn tanende populariteit weer een beetje op te krikken,' merkte Moss op. 'Enkele jaren geleden is hij begonnen over de commerciële mogelijkheden van een ijsvrije Noordwestelijke Doorvaart en heeft krachtig gepleit voor de Canadese claim dat die tot de eigen territoriale wateren behoort. Het past precies bij zijn oproep aan de traditionalisten in zijn land.'

'De natuurlijke hulpbronnen die in het poolgebied te vinden zijn kunnen voor een behoorlijke machtspositie zorgen,' merkte Meade op.

'De Russen beweren minstens zo luidruchtig precies hetzelfde,' zei Sandecker. 'Het zeerechtverdrag van de Verenigde Naties opende de deur voor deze vorm van landjepik, gebaseerd op de onderzeese uitbreiding van bestaande territoriale claims. We doen in feite met dezelfde *landrush* mee als de Canadezen, Russen, Denen en Noren, maar dan op de bodem van de zee.'

'Dat is zo,' reageerde Moss. 'Maar onze potentiële claims hebben nauwelijks of geen betrekking op de Canadese wateren. Al die hysterie wordt veroorzaakt door de doorvaart. Misschien komt dat omdat juist daarlangs al die arctische delfstoffen getransporteerd moeten worden.'

'Ik heb de indruk dat de Canadezen, als ze beweren dat die doorvaart onderdeel uitmaakt van hun binnenwateren, juridisch gezien behoorlijk sterk staan,' zei de president.

De minister van Defensie schoot recht overeind. Hij was een voormalig marineman, net als Sandecker, en had, voor hij weer in overheidsdienst was getreden, leiding gegeven aan een van de grootste oliemaatschappijen van het land.

'Meneer de president,' zei hij met een zware stem, 'de Verenigde Staten zijn altijd van mening geweest dat de Noordwestelijke Doorvaart als een internationale zeestraat beschouwd moet worden. In het zeerechtverdrag, zou ik eraan toe willen voegen, wordt ook gesproken over het recht op vrije doorgang door waterwegen die als internationale zeestraten beschouwd kunnen worden.'

'Ervan uitgaande dat we op vriendschappelijke voet met Canada staan, waarom zouden we ons dan druk maken als zij beweren dat het tot hun territoriale wateren behoort?' vroeg de president.

'Als we dat doen ondermijnen we de precedenten die al bestaan bij de Straat Malakka, Gibraltar en Bab al Mandab in de Rode Zee,' somde Moss op. 'Die zee-engtes zijn allemaal toegankelijk voor koopvaardijschepen van alle landen ter wereld, om nog maar te zwijgen over de vrije toegang die onze marineschepen er hebben.'

'En dan hebben we het nog niet eens over de Bosporus en de Dardanellen,' voegde Sandecker eraan toe.

'Inderdaad,' antwoordde Moss. 'Als we ten opzichte van de Noordwestelijke Doorvaart een afwijkend standpunt innemen, zou dat bijvoorbeeld de Maleisiërs wel eens op het idee kunnen brengen om de juridische zeggenschap over Straat Malakka te claimen. Nee, de kwestie is daarvoor veel te riskant.'

'En vergeet onze onderzeeërsvloot niet,' voegde Sandecker eraan toe. 'We kunnen niet zomaar afstand doen van het operatieterrein in het noordpoolgebied.'

'Jim heeft absoluut gelijk,' zei de minister van Defensie. 'We spelen daar nog steeds af en toe verstoppertje met een Russische Delta, en we moeten ons nu ook zorgen gaan maken over de Chinese vloot. Die heeft zojuist proeven uitgevoerd met een nieuwe klasse ballistische raket die vanaf onderzeeboten kan worden gelanceerd en een bereik heeft van achtduizend kilometer. Het ligt voor de hand dat de Chinezen de Russische tactiek zullen volgen om hun onderzeeboten onder het pakijs te positioneren, zodat ze over het vermogen blijven beschikken om als eerste tot lancering over te gaan. Meneer de president, het noordpoolgebied zal wat onze nationale verdediging betreft een uiterst belangrijk werkterrein blijven. We kunnen het ons niet permitteren buitengesloten te worden van zeeroutes die zich op een steenworp afstand van onze eigen grenzen bevinden.'

De president liep naar het venster aan de oostkant van het vertrek en tuurde uit over de Rose Garden. 'Ik neem aan dat we een gebaar zullen moeten maken. Maar het is niet nodig om het wantrouwen verder aan te wakkeren. Laten we ons voorlopig negentig dagen bij dat verbod neerleggen, uit vrije wil. Ik wil niet dat onder Amerikaanse vlag varende schepen, inclusief onderzeeboten, in die periode ook maar in de buurt komen van de Canadese arctische wateren. Dan heeft iedereen tijd om weer een beetje bij zinnen te komen. Dan zal ik daarna het ministerie van Buitenlandse Zaken opdracht geven een bijeenkomst met premier Barrett voor te bereiden. Misschien dat het ons lukt de boel weer enigszins in evenwicht te brengen.'

'Een uitstekend idee,' reageerde Meade. 'Ik zal onmiddellijk de minister van Buitenlandse Zaken bellen.'

'Meneer de president, er is nog één ding,' merkte de minister van Defensie op. 'Ik zou graag wat scenario's willen ontwikkelen voor een eventuele tegenaanval, mocht dat nodig zijn.'

'Goeie god,' donderde de president. 'We hebben het hier over Canada.'

Er viel een stilte in het vertrek en Garner keek de minister van Defensie boos aan. 'Doe wat je moet doen. Voor zover ik je ken heb je waarschijnlijk allang een compleet uitgewerkt invasieplan klaarliggen.'

De minister van Defensie keek onbewogen voor zich uit, niet in staat de aantijging van de president te ontkennen.

'Ik denk dat we onze middelen moeten concentreren op een onderzoek naar wie de Canadezen momenteel zo tegen de haren in strijkt, en waarom,' kwam Sandecker tussenbeide. 'Wat weten we precies over die twee incidenten?'

'Maar weinig, ben ik bang, aangezien ze zich beide in nogal afgelegen gebieden hebben afgespeeld,' antwoordde Moss. 'Het eerste incident betrof een koopvaardijschip dat onder Amerikaanse vlag voer en een patrouillevaartuig van de Canadese kustwacht heeft geramd. Het enige wat we van de Canadezen hebben gehoord is dat het om een klein containerschip ging dat de naam *Atlanta* droeg. De Canadezen dachten het schip verderop in de doorvaart, in de buurt van Sommerset Island, aan te kunnen houden, maar het schip heeft zich nooit meer laten zien. Ze denken dat het misschien gezonken is, maar onze analisten zijn van mening dat het best ongezien weer naar de Atlantische Oceaan kan zijn teruggekeerd. In de registers met koopvaardijschepen komen een stuk of tien, twaalf schepen voor die *Atlanta* heten, maar slechts één daarvan komt qua grootte en configuratie enigszins overeen. Alleen ligt die momenteel in Mobile, Alabama, in een droogdok, en daar ligt hij al een week of drie.'

'Misschien hadden de Canadezen gelijk, en is hij ten gevolge van de schade die hij bij dat ramincident heeft opgelopen alsnog gezonken,' zei de president. 'Anders zullen we ervan uit moeten gaan dat het om een schip met een andere naam gaat.'

'Vreemd, dat ze proberen van de doorvaart gebruik te maken, om vervolgens spoorloos te verdwijnen,' merkte Sandecker op. 'Hoe zit het met dat ijskamp in de Beaufortzee? Ik heb gehoord dat we daar geen enkel schip in de buurt hadden.'

'Dat klopt,' antwoordde Moss. 'De drie overlevenden hebben allemaal verklaard dat ze een groot grijs oorlogsschip hebben gezien dat de Amerikaanse vlag voerde, en dat dat schip dwars door het kampement is gevaren. Een van de mannen heeft het nummer 54 op de scheepsromp zien staan. En toevallig doet de FFG-54 momenteel in de Beaufortzee dienst.'

'Een van onze fregatten?'

'Ja, de *Ford*, met als thuishaven Everett, Washington. Ten tijde van het incident verleende hij steun bij een onderzeebootoefening ter hoogte van Point Barrow, en dat is ruim driehonderd mijl verderop. Afgezien daarvan is de *Ford* niet van ijsversteviging voorzien, dus kan ik me nauwelijks voorstellen dat ze zich een weg door het dikke zeeijs heeft weten te banen waarop dat kamp was gebouwd.'

'Nog een geval van het foutief identificeren van een schip?' vroeg de president.

'Niemand die daar iets zinnigs over kan zeggen. Er is daar in die uithoek nauwelijks scheepvaartverkeer, en er stond op dat moment een zware storm die veel zaken aan het oog kan onttrekken.'

'Hoe zit het met eventuele satellietbeelden?' vroeg Sandecker.

Moss bladerde in een dossiermap en haalde er een velletje papier uit.

'De satellietdekking in dat gebied is om voor de hand liggende redenen nogal karig. Helaas zijn in de twaalf uur na het incident geen satellietopnamen van dat gebied gemaakt.'

'Weten we zeker dat het de *Ford* niet was? Kunnen ze zich niet hebben vergist?' vroeg de president.

'Nee, meneer,' antwoordde de minister van Defensie. 'Ik heb Pacific Command hun navigatiegegevens laten natrekken. De *Ford* is geen moment ook maar in de buurt van de positie van dat ijskamp geweest.'

'En hebben we de Canadezen daarvan op de hoogte gebracht?'

'De chef van de defensiestaf heeft die gegevens gezien en heeft ons in vertrouwen meegedeeld dat het zeer onwaarschijnlijk is dat de *Ford* hiervoor verantwoordelijk is,' antwoordde de minister van Defensie. 'Maar eerlijk gezegd vertrouwen de politici de informatie die we hebben gegeven niet. En gezien de politieke winst die het voorval hun heeft opgeleverd, hebben ze geen enkele reden om terug te krabbelen.'

'Als het ons lukt die schepen op te sporen, kunnen we aan deze ellende een eind maken,' merkte de president op.

Zijn adviseurs zwegen, in het besef dat die gelegenheid eigenlijk al gepasseerd was. Zonder directe toegang tot het Canadese poolgebied konden ze nauwelijks iets doen.

'We doen wat we kunnen,' beloofde de minister van Defensie.

De chef-staf zag hoe laat het was en werkte ter voorbereiding van de volgende bijeenkomst van de president iedereen het Oval Office uit. Nadat de anderen het vertrek hadden verlaten liep Ward weer naar het raam en keek uit over de Rose Garden.

'Oorlog met Canada,' mompelde hij in zichzelf. 'Dát is pas iets om op terug te kijken.'

32

Mitchell Goyette tuurde door de glazen wand van zijn kantoor op het bovendek van zijn jacht en keek achteloos naar een zilverkleurig drijvervliegtuigje dat door de haven taxiede. Het toestelletje maakte zich snel van het water los en maakte een bocht naar het zuiden, waarbij het de hoge gebouwen langs de haven van Vancouver links liet liggen. De magnaat nipte van een glas martini, draaide zich om en keek naar het dikke contract op zijn bureau.

'Zijn de voorwaarden acceptabel?' vroeg hij.

Het kleine mannetje met zwart haar en dikke brillenglazen dat tegenover Goyette zat knikte.

'De afdeling juridische zaken heeft het goed bekeken en heeft geen problemen met de aanpassingen. De Chinezen waren zeer tevreden met de eerste proefzending en kijken reikhalzend naar een gestage aanvoer uit.'

'En geen wijzigingen in de prijs of beperkingen van de hoeveelheid?'

'Nee, meneer. Ze zijn akkoord gegaan met vijf miljoen ton niet-geraffineerde Athabasca-crude bitumen per jaar, en ook nog eens al het aardgas uit de omgeving van de Melville Sound dat we kunnen leveren, beide tegen een prijs die tien procent hoger ligt dan de spotmarkt. Vooropgesteld dat we akkoord gaan met hun langetermijnvoorwaarden.'

Goyette leunde achterover in zijn stoel en glimlachte. 'Onze zeewaardige lichters, waarmee beide producten kunnen worden vervoerd, hebben hun waarde zo langzamerhand wel bewezen. Volgende week wordt onze vijfde serie LNG-lichters afgeleverd. De potentiële inkomsten vanuit China beginnen vorm te krijgen.'

'Die gasvondst in de Melville Sound belooft een geweldige meevaller te worden. Uit onze ramingen blijkt dat het mogelijk is om op elk transport naar China een nettowinst van vijf miljoen dollar te maken. Vooropgesteld dat de overheid de verkoop van delfstoffen aan China geen beperkingen oplegt, verkeert u in een uitstekende positie om van hun steeds groter wordende behoefte aan energie te profiteren.'

'De betreurenswaardige dood van het parlementslid Finlay lijkt die zorgen enigszins getemperd te hebben,' antwoordde Goyette met een veelbetekenende grijns op zijn gezicht.

'Met de beperking van de raffinagewerkzaamheden in Athabasca als gevolg van het restrictieve koolstofdioxidemandaat, is die deal met de Chinezen ook nog eens uiterst lucratief voor uw belangen in Alberta. Al blijft u natuurlijk wel in gebreke met betrekking tot het contract dat u kortgeleden met de Amerikanen hebt getekend aangaande de levering van aardgas uit de Melville Sound.'

'De Chinezen betalen me tien procent meer.'

'De president ging ervan uit dat de extra invoer van aardgas een eind kon maken aan de energiecrisis,' zei de advocaat met een waarschuwende ondertoon in zijn stem.

'Ja, ze hebben een beroep op mij en mijn Melville Sound-reserves gedaan om ze te redden,' zei Goyette lachend. 'Alleen gaan wij hun het vuur wat nader aan de schenen leggen.' Plotseling leken zijn ogen te vlammen. 'Laat ze maar eens in hun eigen sop gaarkoken totdat ze gek van wanhoop worden. Dan spelen ze het spelletje op míjn voorwaarden, en gaan ze míjn prijzen betalen, willen ze overleven. Onze tankers kunnen het aardgas hun kant uit transporteren en nemen op de terugreis hun vloeibare koolstofafval mee – en voor beide laten we hen stevig betalen. Maar dat doen we pas nadat ze een grootschalige uitbreiding van onze lichtervloot hebben gefinancierd. Ze zullen geen andere keus hebben dan het te accepteren.' Zijn lippen vertrokken tot een brede grijns.

'Ik maak me alleen nog steeds zorgen over de politieke problemen. Er wordt gesproken over anti-Amerikaanse wetgeving die grote invloed op onze deal met China zou kunnen hebben. Sommige van de meer rabiate parlementsleden staan bij wijze van spreken klaar om Amerika de oorlog te verklaren.'

'Het idiote gedrag van politici heb ik niet in de hand. Belangrijk was dat we de Amerikanen uit het poolgebied zouden verdrijven, terwijl wij daar zoveel mogelijk concessies om aardgas, olie en mineralen te winnen zouden verwerven. Met die vondst bij Melville hadden we toevallig geluk, en tot nu toe werkt de strategie prima.'

'Het geofysisch team is bijna klaar met het onderzoeken van de gebieden die zich rond het Melville-gasveld bevinden, en met dat van een aantal andere veelbelovende locaties. Ik hoop alleen maar dat de minister van Natuurlijke Hulpbronnen aan al onze wensen en verzoeken tegemoet blijft komen.'

'Maak je over minister Jameson maar geen zorgen, die doet alles wat ik zeg. Tussen haakjes, is er nog nieuws van de *Alberta*?'

'Die is zonder verdere incidenten in New York aangekomen, heeft daar lading aan boord genomen en is momenteel op weg naar India. Er lijkt geen enkele achterdocht te bestaan.'

'Goed. Stuur hem, voor hij naar Vancouver terugkeert, naar Indonesië, en laat hem daar in een ander kleurenschema overschilderen.'

'Ik zal ervoor zorgen,' antwoordde de advocaat.

Goyette liet zich achterover in zijn stoel zakken en nam weer een slokje van zijn drankje. 'Heb je Marcy ergens gezien?'

Gewoonlijk liep Marcy, een van de handvol strippers die Goyette op de loonlijst had staan, in verregaande staat van ontkleding ergens op de boot rond. De medewerker schudde nadrukkelijk zijn hoofd en besefte dat dit een hint was om te vertrekken.

'Ik zal de Chinezen vertellen dat we een deal hebben,' zei hij, nam het getekende contract van Goyette aan en verliet haastig het kantoor.

Goyette sloeg het laatste restje martini achterover en stak zijn hand naar de intercom uit om de kapiteinskajuit te bellen, toen een bekende stem hem deed verstarren.

'Nog een glas, Mitchell?'

Goyette draaide zich naar de andere kant van het kantoor om, waar, met in één hand twee martini's, Clay Zak was verschenen. Hij had een donkere pantalon en een donkergrijze coltrui aan, waardoor hij bijna één geheel vormde met de achterwand van het vertrek, die in aardtinten was geschilderd. Hij kwam op zijn gemak dichterbij, zette een glas voor Goyette neer en ging vervolgens op een stoel tegenover hem zitten.

'Mitchell Goyette, koning van het poolgebied, hè? Nou, ik heb foto's van jouw zeewaardige lichters gezien en ik ben behoorlijk onder de indruk. Een opwindend staaltje scheepsarchitectuur.'

'Ze zijn speciaal voor deze opdracht ontwikkeld,' zei Goyette nadat hij zijn stem had hervonden. Een blik van ergernis bleef op zijn gezicht achter, en hij bedacht dat hij eens een hartig woordje met zijn hoofd beveiliging moest wisselen. 'Volledig geladen kan hij probleemloos een orkaan van de tweede categorie aan.'

'Indrukwekkend,' antwoordde Zak tussen twee slokjes van zijn martini door. 'Hoewel ik zo het idee heb dat jouw milieuvriendjes een tikkeltje teleurgesteld zullen zijn als ze zouden weten dat je het ongerepte landschap van het land van zijn natuurlijke hulpbronnen berooft, enkel en alleen om wat aan de Chinezen te verdienen.'

'Ik had niet verwacht dat je al zo snel terug zou zijn,' merkte Goyette op, de opmerking negerend. 'Je hebt je project in de States succesvol afgerond?'

'Inderdaad. Je had gelijk toen je belangstelling opvatte voor de werkzaamheden in dat gebouw. Ik had een opmerkelijk gesprek over kunstmatige fotosynthese met de onderzoeksmol die je daar hebt zitten.'

Zak gaf een gedetailleerde beschrijving van het werk van Lisa Lane en haar recente ontdekking. Goyette voelde hoe zijn woede jegens Zak begon weg te ebben naarmate het grote belang van Lanes wetenschappelijke doorbraak tot hem doordrong. Opnieuw dwaalde zijn blik af naar buiten.

'Dat klinkt alsof ze in staat zijn een industriële omzettingsinstallatie voor koolstofdioxide te bouwen, eentje die vrij gemakkelijk te fabriceren is,' zei hij. 'Maar dan hebben we het over iets dat pas over enkele jaren of over enkele decennia in gebruik kan worden genomen.'

Zak schudde zijn hoofd. 'Ik ben geen wetenschapper, maar volgens jouw mannetje in het lab ligt het toch iets anders. Hij beweert dat voor het eigenlijke productieproces nauwelijks investeringen nodig zijn. Hij kan zich voorstellen dat er binnen een jaar of vijf honderden van dat soort installaties rond grote steden en belangrijke industriegebieden staan, de plaatsen waar de grootste CO_2-uitstoot plaatsvindt.'

'Maar jij hebt aan de kans daarop toch een eind gemaakt?' vroeg Goyette, terwijl hij Zak doordringend aankeek.

De huurmoordenaar glimlachte. 'Geen lijken, weet je nog? Het laboratorium en het belangrijkste onderzoekmateriaal behoren tot het verleden, precies zoals je had gevraagd. Maar de projectleider leeft nog en ze kent de formule. En ik durf te beweren dat de kans groot is dat nu al heel wat anderen er ook van af weten.'

Goyette keek Zak aan zonder ook maar één keer met zijn ogen te knipperen, en vroeg zich af of het misschien een vergissing was geweest om bij de huurmoordenaar deze keer de teugels aan te halen.

'Die mol van jou is, terwijl we hier zo met elkaar zitten te praten, waarschijnlijk al druk bezig de resultaten van dat onderzoek aan de concurrentie te verkopen.'

'Als dat zo is, dan leeft hij niet lang meer,' reageerde Goyette. Met opengesperde neusgaten schudde hij zijn hoofd. 'Dat zou het einde betekenen van mijn plannen om overal afvanginstallaties neer te zetten. Erger nog, hierdoor kunnen de Athabasca-raffinaderijen weer geactiveerd worden, en misschien zelfs wel uitbreiden. Daardoor gaat de prijs van Athabasca-bitumen dalen en komt mijn contract met de Chinezen op losse schroeven te staan! Dat zal ik niet toestaan!'

Zak moest lachen om Goyettes woede – die slechts gevoed werd door inhaligheid – waardoor de zakenman nóg woedender werd. Hij stak zijn hand in zijn zak, haalde een kleine grijze kiezelsteen tevoorschijn en gooide die over het bureau. Goyette ving het steentje instinctief op.

'Mitchell, Mitchell, Mitchell... je mist het totaalbeeld. Waar is de grote milieubeschermer gebleven, de koning der groenen, de beste vriend die een milieuactivist zich kan wensen?'

'Waar heb je het over?' zei Goyette spottend.

'Je hebt het in je hand. Een mineraal dat ruthenium heet. Ook bekend als de katalysator bij kunstmatige fotosynthese. Het is de sleutel tot dit alles.'

Goyette keek strak naar de steen.

'Ga door,' reageerde hij kortaf.

'Het is zeldzamer dan goud. Er zijn maar een paar plaatsen op aarde waar dit spul ooit boven de grond is gehaald en al die mijnen produceren niet meer. Dit monster is afkomstig uit een geologisch magazijn in Ontario, en dat zou wel eens de laatste bron kunnen zijn waar het spul te krijgen is. Zonder ruthenium kan van kunstmatige fotosynthese geen sprake zijn, en is jouw probleem opgelost. Ik zeg niet dat het voor elkaar te krijgen is, maar wie de hele voorraad van dat mineraal bezit, heeft de oplossing voor de opwarming van de aarde in handen. Bedenk eens hoe jouw groene vriendjes je in dat geval zullen aanbidden?'

Het was het perfecte mengsel van hebzucht en macht waardoor Goyette gedreven werd. Zak zag, terwijl de man tegenover hem de mogelijkheden voor zichzelf op een rijtje zette, de dollartekens al in zijn ogen oplichten.

'Ja,' zei Goyette gretig knikkend. 'Ja, we zullen die markt moeten onderzoeken. Ik zal er onmiddellijk een paar man op zetten.'

Hij keek Zak aan en vroeg: 'Je hebt iets van een bloedhond in je. Hoe zou je het vinden om dat magazijn in Ontario met een bezoekje te vereren en uit te zoeken waar dat ruthenium vandaan komt en hoeveel voorraad er nog van bestaat?'

'Op voorwaarde dat Terra Green Air voor een geregelde vlucht zorgt,' antwoordde Zak glimlachend.

'Je kunt van de zakenjet gebruikmaken,' bromde Goyette. 'Maar er is nog een andere, iets minder belangrijke zaak waar je eerst nog even aandacht aan moet schenken. Het lijkt erop dat ik een klein probleempje in Kitimat heb.'

'Kitimat. Ligt dat niet in de buurt van Prince Rupert?'

Goyette knikte en reikte Zak de fax aan die hij van de minister van Natuurlijke Hulpbronnen had gekregen. Nadat hij het document had gelezen knikte Zak alleen maar en sloeg toen zijn martini achterover.

'Dat regel ik wel op weg naar Ontario,' zei hij, stopte de fax in zijn zak en kwam uit zijn stoel. Hij liep in de richting van de deur, maar draaide zich toen nog even naar Goyette om.

'Weet je, die researchmol van jou, die Bob Hamilton? Misschien zou je moeten overwegen hem eens een leuke bonus te geven voor de informatie die hij heeft geleverd. Misschien dat die investering je later behoorlijk wat rendement oplevert.'

'Dat zou best eens kunnen,' merkte Goyette nors op, sloot zijn ogen en trok een gezicht. 'Maar zou je de volgende keer zo vriendelijk willen zijn eerst te kloppen?' zei hij.

Toen hij zijn ogen weer opendeed, was Zak al verdwenen.

33

De fanatiekste leden van de Potomac Yacht Club hadden van het sprankelende zondagochtendweer al gebruikgemaakt en zaten op het moment dat Pitt om negen uur de grote steiger op stapte allang in hun zeilboot midden op de rivier. Een te dikke man met een leeg glas in de hand, hevig zwetend in de benauwde ochtendlucht, kwam Pitts kant uit gesjokt.

'Neem me niet kwalijk,' zei Pitt, 'maar kunt u me misschien vertellen waar de *Roberta Ann* ligt afgemeerd?'

Het gezicht van de dikke man fleurde bij het horen van die naam op. 'Dat is de boot van Dan Martin. Die ligt aan de laatste steiger, de derde of vierde ligplaats van voren. Zeg hem maar dat Tony zijn elektrische boor terug wil.'

Pitt bedankte de man en liep door naar de laatste steiger en zag toen hij de kade af stapte de *Roberta Ann* al snel liggen. Het was een glimmende, houten zeilboot van een meter of twaalf lang. Hij was in de jaren dertig in Hongkong gebouwd en was een en al gelakt teak- en mahoniehout, geaccentueerd door een veelheid aan koperen onderdelen die fonkelden in het zonlicht. Hij verkeerde in onberispelijke staat en was een boot die de romantiek uit vervlogen tijden uitstraalde. Terwijl Pitt de ranke lijnen van het vaartuig bewonderde, zag hij in gedachten al hoe Clark Gable en Carole Lombard, met een kistje champagne aan boord, er onder een sterrenhemel mee naar Catalina zeilden. Dat beeld werd ruw verstoord door een reeks krachttermen die plotseling van het achterdek opsteeg. Pitt liep er wat dichter naartoe, en zag een man op zijn knieën over een compartiment gebogen zitten waarin zich de kleine, ingebouwde motor van de zeilboot bevond.

'Heb ik toestemming om aan boord te komen?' riep Pitt.

De man kwam met een ruk overeind, maar de gefrustreerde trek op zijn gezicht verzachtte bij het zien van Pitt onmiddellijk.

'Dirk Pitt. Wat een leuke verrassing. Kom je je vrolijk maken over mijn manier van varen?'

'Integendeel. De *Roberta Ann* ziet er piekfijn uit,' zei Pitt, die aan boord stapte en Dan Martin de hand drukte. Martin – onverzettelijk en geboren en getogen in Boston – keek Pitt van onder zijn dikke bruine haardos aan met blauwe, ondeugende ogen die leken te dansen van opgewektheid.

'Ik probeer hem klaar te maken voor de President's Cup Regatta van volgend weekend, maar ik word gek van die motor. Ik heb een nieuwe carburateur, nieuwe bedrading en een nieuwe brandstofpomp gemonteerd, maar toch wil dit ding nog steeds niet starten.'

Pitt boog zich over het luik en keek onderzoekend naar de viercilindermotor.

'Dat ziet eruit als de motor uit een American Austin,' zei hij, terwijl hij aan het minuscule autootje dacht dat begin jaren dertig korte tijd in Amerika was gebouwd.

'Je zit in de buurt. In feite is hij afkomstig uit een American Bantam. De tweede eigenaar van de boot was American Bantam-dealer en heeft de oorspronkelijke motor er blijkbaar uitgehaald, en er toen de Bantam voor in de plaats gemonteerd. Hij liep uitstekend, totdat ik besloot hem eens goed onder handen te nemen.'

'Dat gebeurt bijna altijd.'

'Heb je zin in een biertje?' bood Martin aan, terwijl hij zijn onder de olie zittende handen aan een lap afveegde.

'Voor mij is het nog een beetje te vroeg,' antwoordde Pitt hoofdschuddend.

Martin klapte een ijskist open en rommelde er net zo lang in totdat hij een flesje Sam Adams te pakken had. Hij wipte de dop eraf, leunde tegen de reling en nam een stevige teug.

'Ik neem aan dat je niet helemaal hierheen bent gekomen om alleen over boten te praten,' zei hij.

'Nee, dat is slechts een extraatje,' zei Pitt grinnikend. 'In feite, Dan, vroeg ik me af wat je afweet van de explosie die vorige week in het onderzoekslaboratorium van de George Washington University heeft plaatsgevonden.'

'Gezien het feit dat de directeur van de NUMA mij niet op kantoor belt, mag ik aannemen dat dit een onofficieel onderzoek betreft?'

'Volkomen privé,' antwoordde Pitt met een knikje.

'Waarom is dat belangrijk voor je?' Martin richtte zijn blik op het bierflesje en bestudeerde het etiket.

'Lisa Lane, de wetenschapper in wier lab de ontploffing plaatsvond, is een goede vriendin van mijn vrouw. Ik was daar net naar binnen gewandeld om haar een rapport te geven dat ik haar had beloofd, toen de boel daar uit elkaar plofte.'

'Verbazingwekkend dat er geen doden zijn gevallen,' reageerde Martin. 'Maar het lijkt er dan ook op dat het een gecontroleerde, beperkte ontploffing is geweest.'

'Heb je mensen op die zaak gezet?'

Martin knikte. 'Toen de politie van Washington geen oorzaak kon vinden, zijn ze het als een potentiële terroristische actie gaan beschouwen en hebben ze ons erbij geroepen. Een paar dagen geleden hebben we er drie agenten op afgestuurd.'

Dan Martin was binnen de afdeling Contraterrorisme van de FBI directeur van de Domestic Terrorism Operation Unit, de eenheid die zich met terroristische activiteit op het grondgebied van de Verenigde Staten bezighield. Martin had, net als Pitt, een grote affiniteit met oude auto's en boten, en was een paar jaar geleden, nadat hij het tijdens een rally met oude auto's tegen Pitt had moeten opnemen, met de NUMA-directeur bevriend geraakt.

'Dus niemand denkt dat die explosie een ongelukje is geweest?' vroeg Pitt.

'We kunnen er voorlopig nog niets definitiefs over zeggen, maar daar ziet het er voorlopig wel naar uit. Het eerste waar de politie naar heeft gekeken was een gebarsten gasleiding, maar het epicentrum van de explosie was een heel eind bij de dichtstbijzijnde gasleiding verwijderd. De hoofdleiding is niet door de explosie aangetast, want dan was de schade aanzienlijk groter geweest.'

'Dat lijkt er dan op te wijzen dat de bron een speciaal geplaatste springlading geweest moet zijn, of iets in het lab zelf.'

Martin knikte. 'Ik heb gehoord dat er cilinders met zuurstof en koolstofdioxide in het vertrek aanwezig waren, dus dat is een mogelijkheid. Maar mijn agenten hebben monsters genomen van alle mogelijke reststoffen, dus dat zou ons moeten vertellen of er vreemd materiaal is aangetroffen dat niet in het laboratorium thuishoort. Ik denk dat ik het rapport morgen op mijn bureau heb liggen.'

'Juffrouw Lane denkt niet dat de explosie is veroorzaakt door iets wat ze mee naar het lab heeft genomen. Ben je bekend met het gebied waarop ze onderzoek doet?'

'Een vorm van biochemie die is toegespitst op broeikasgassen, althans, dat hebben ze me verteld.'

Pitt legde in korte bewoordingen Lisa's pogingen uit om tot kunstmatige fotosynthese te komen, en vertelde over haar baanbrekende ontdekking vlak voor de ontploffing.

'Denk je dat er verband bestaat met haar onderzoekswerkzaamheden?' vroeg Martin, terwijl hij het laatste restje bier opdronk en het lege flesje terug in de koelkist gooide.

'Ik heb daar geen bewijs van, alleen een vermoeden. Daar kom je vanzelf achter als je te horen krijgt of het al dan niet een springlading is geweest.'

'Heb je al een vermoeden wie de daders zouden kunnen zijn?'

Pitt schudde zijn hoofd. 'Toen ik haar er rechtstreeks naar vroeg, kon Lane absoluut niemand verzinnen.'

'Als we tot de conclusie komen dat het geen ongeluk is geweest, zullen we van iedereen daar de achtergrond moeten gaan natrekken en kijken of er toch geen persoonlijke motieven een rol hebben gespeeld. Maar ik zal eventuele industriële sabotage aan het lijstje toevoegen. Misschien dat er nog rechtszaken tegen de GWU lopen die nieuw licht op de zaak kunnen werpen.'

'Er is nog een andere insteek die je zou kunnen laten onderzoeken. De assistent van Lane, een knaap die Bob Hamilton heet. Ik heb geen bewijzen, maar er was iets vreemds aan het tijdstip dat hij niet in de buurt was toen de boel de lucht in vloog.'

Martin keek Pitt aan, en zag een verontrustende mededeling in zijn ogen. Hij kende Pitt goed genoeg om te beseffen dat die zich niet bezighield met ongegronde vermoedens of abjecte paranoia. Als Pitt iets vermoedde, kon je daar waarschijnlijk blind op varen.

'Ik zal hem na laten trekken,' beloofde Martin. 'Heb je nog meer op je hart?'

Pitt knikte, met een sluw glimlachje op zijn gezicht. 'Een geval van niet goed uitlijnen,' zei hij. Hij boog zich over de motor en maakte de kap van de stroomverdeler los. Die draaide hij honderdtachtig graden, drukte hem weer op zijn plaats en deed de klem er weer overheen.

'Probeer het nu nog eens,' zei Martin.

De FBI-man liep naar de kuip van de zeilboot en drukte op de startknop. De kleine motor sloeg twee keer over en kwam toen grommend tot leven, waarna hij even soepel als een pas geoliede naaimachine stationair bleef lopen. Martin liet de motor een paar minuten warmlopen en zette hem toen, duidelijk in verlegenheid gebracht, uit.

'Tussen haakjes, Tony is op zoek naar zijn boor,' zei Pitt, die overeind kwam en aanstalten maakte te vertrekken.

Martin glimlachte. 'Fijn dat je even langskwam, Dirk. 'Ik laat je weten wat we in het lab hebben ontdekt.'

'Graag. En succes bij de zeilwedstrijd.'

Terwijl Pitt de steiger op klauterde, herinnerde Martin zich iets en riep hem na.

'Ik hoorde dat je klaar was met de restauratie van de Auburn en dat je bent gesignaleerd terwijl je ermee door de stad scheurde. Ik zou die wagen dolgraag eens willen zien rijden.'

Pitt schudde met een pijnlijke blik in zijn ogen het hoofd. 'Ik ben bang dat dat gerucht op een vervelende vergissing is gebaseerd,' zei hij, draaide zich om en liep weg.

34

De forensische analyse van de stoffen die in het GWU-laboratorium waren aangetroffen lag de volgende morgen om tien uur op Martins bureau. Nadat hij overleg had gepleegd met de agent die de leiding had over het onderzoek, pakte Martin de telefoon en belde Pitt op.

'Dirk, ik heb een eerste blik geworpen op de analyse van de reststoffen in het lab. Alleen ben ik bang dat ik je geen exemplaar van het rapport kan geven.'

'Dat begrijp ik,' antwoordde Pitt. 'Maar je kunt me wel een globale indruk van de bevindingen geven?'

'Je hebt de spijker op zijn kop geslagen. Onze analisten zijn er nagenoeg zeker van dat het een achtergelaten springlading moet zijn geweest. Overal in het vertrek zijn sporen van nitroglycerine aangetroffen.'

'Is dat niet het explosieve element van dynamiet?'

'Ja, zo wordt het geleverd, in de vertrouwde vorm van staven dynamiet. Niet bepaald hightech, maar het is een krachtig explosief waarmee verschrikkelijke klappen kunnen worden uitgedeeld.'

'Ik wist niet dat het spul nog steeds gemaakt werd.'

'Het wordt al jaren gebruikt, en er is nog steeds veel industriële vraag naar, met name in de mijnbouw.'

'Is er een kans dat kan worden nagegaan waar het vandaan komt?'

'De leveranciers ervan zijn op de vingers van één hand te tellen, en elk daarvan gebruikt een net iets andere formule, dus moet er in het mengsel een specifiek identificerend signatuur te vinden zijn. Het lab heeft de monsters al in verband weten te brengen met een explosievenfabrikant uit Canada.'

'Dat beperkt het aantal mogelijkheden tenminste enigszins.'

'Dat klopt, maar tegelijkertijd is ook de kans groot dat het spoor daar eindigt. We sturen er een paar agenten naartoe om met het bedrijf te praten en hun verkoopgegevens na te lopen, maar ik zou daar niet al te veel hoop op vestigen. De kans bestaat dat de explosieven zijn gestolen bij een mijnbouwmaatschappij die niet eens weet dat het spul uit hun magazijn is verdwenen. Ik hoop alleen maar dat dit niet het begin is van een serie bomaanslagen.'

'Dat denk ik niet,' zei Pitt. 'Ik denk dat het specifiek op het onderzoekswerk van Lane was gericht.'

'Waarschijnlijk heb je gelijk. Daarnaast is er nog iets gevonden wat die theorie ondersteunt. Onze springstofanalisten hebben vastgesteld dat de explosieven waren verpakt in een kartonnen doos. In tegenstelling tot een pijpbom, waar de stukjes metaal van de pijp zijn bedoeld om te verminken of te doden, heeft de knaap die deze bom geplaatst heeft voor een verhoudingsgewijs goedaardige benadering gekozen. Het lijkt erop alsof het de bedoeling was dat bij deze bomaanslag geen doden zouden vallen.'

'Dat maakt alles weer goed,' reageerde Pitt, 'maar ik neem aan dat jouw werk nog maar net begonnen is.'

'Ja, door de testresultaten zal het onderzoek aanzienlijk breder worden. We gaan met iedereen praten die in het gebouw aanwezig was. Daar hebben we onze volgende hoop op gevestigd, dat iemand iets bijzonders heeft gezien of gehoord, iets waar we nieuwe aanwijzingen uit kunnen putten.' Martin wist dat ogenschijnlijk willekeurige bomaanslagen een van de lastigste misdaden waren om te onderzoeken, en vaak een van de moeilijkste om op te lossen.

'Bedankt voor de informatie, Dan, en veel succes. Als ik iets mocht horen laat ik het je onmiddellijk weten.'

Pitt maakte een eind aan het gesprek en liep de gang op, op weg naar een briefing met betrekking tot de NUMA-orkaanwaarschuwingsboeien in de Golf van Mexico. Daarna liet hij al zijn afspraken voor die middag annuleren en stapte het gebouw uit naar buiten. De explosie in het GWU-lab bleef hem door het hoofd spoken, en hij kon het gevoel niet van zich afzetten, hoezeer hij daar ook zijn best voor deed, dat een en ander wel eens zeer ernstige gevolgen zou kunnen hebben.

Hij reed naar het Georgetown University Hospital in de hoop dat Lisa nog niet ontslagen was. Ze bevond zich nog steeds in haar kamer op de eerste etage, in gezelschap van een gedrongen man in een driedelig pak die in een hoekje op een stoel zat. Toen Pitt binnenstapte kwam de man overeind en keek hem dreigend aan.

'Het is goed, agent Bishop,' zei Lisa vanuit haar bed. 'Dit is Dirk Pitt, een vriend van me.'

De FBI-agent knikte emotieloos, verliet de kamer en ging op de gang staan.

'Niet te geloven, hè?' zei Lisa nadat ze Pitt had begroet. 'Ik word al de hele dag door de FBI ondervraagd.'

'Waarschijnlijk hebben ze daar een zwak voor biochemici die er leuk uitzien,' antwoordde Pitt met een brede grijns. Persoonlijk was hij alleen maar blij met de bewaking, want dat betekende dat Martin de zaak serieus nam.

Lane moest blozen bij die opmerking. 'Daarnet belde Loren, maar ze heeft niet verteld dat je langs zou komen.'

'Toen ik hoorde van het FBI-onderzoek begon ik me zorgen te maken,' zei hij.

Hij merkte dat Lisa er stukken beter uitzag dan tijdens zijn laatste bezoekje. Ze had weer kleur op haar gezicht, haar ogen stonden helder en ze had weer een krachtige stem. Maar een gipsverband om haar been en een arm in een mitella lieten duidelijk zien dat ze nog lang niet in staat was om mee te doen aan een spelletje Twister.

'Wat gebeurt er allemaal? Ze vertellen me niets,' zei ze, en ze keek hem smekend aan.

'Ze denken dat er een naar binnen gebrachte bom is ontploft.'

'Ik had al zo'n vermoeden dat ze daarop zinspeelden,' zei ze fluisterend. 'Ik kon alleen niet geloven dat dat inderdaad het geval zou zijn.'

'Blijkbaar hebben ze in jouw laboratorium resten van explosief materiaal gevonden. Ik weet dat zoiets nauwelijks voorstelbaar is. Heb jij misschien vijanden, zowel op persoonlijk als op zakelijk terrein, die een dusdanig grote wrok jegens jou koesteren dat ze tot zoiets in staat zijn?'

'Daar heb ik het vanochtend al met de FBI-agenten over gehad,' zei ze hoofdschuddend. 'Er is absoluut niemand die ik ken die tot zoiets in staat is. En ik weet dat hetzelfde voor Bob geldt.'

'Het is natuurlijk ook mogelijk dat de explosieven toevallig in jouw lab zijn geplaatst door een of andere gek die problemen met de universiteit heeft.'

'Dat is het enige wat ik zou kunnen verzinnen. Hoewel Bob en ik het lab altijd op slot doen als we er niet zijn.'

'Er is nog een andere mogelijkheid,' opperde Pitt. 'Zou het kunnen zijn dat een concurrent zich door jouw onderzoek bedreigd voelt?'

Lisa moest over die vraag een tijdje nadenken. 'Ja, dat zou best kunnen. Ik heb wel eens artikelen over mijn algemeen onderzoek gepubliceerd, en een en ander kan natuurlijk verstrekkende gevolgen hebben. Maar feit is dat alleen jij, Loren en Bob op de hoogte waren van mijn doorbraak met de katalysator. Niemand anders wist ervan. Ik kan me nauwelijks voorstellen dat iemand daar zó snel op reageert, áls ze al van de ontdekking op de hoogte waren.'

Pitt zweeg terwijl Lisa een ogenblik lang door het raam naar buiten keek.

'Ik denk dat een daadwerkelijk functionerende manier om tot kunstmatige fotosynthese te komen alleen maar positieve kanten heeft. Ik bedoel, wie kan er benadeeld worden door een reductie van broeikasgassen?'

'Als we die vraag weten te beantwoorden, hebben we een potentiële verdachte,' zei Pitt. Hij keek naar de rolstoel die aan de andere kant van het bed stond geparkeerd. 'Wanneer laten ze je hier gaan?'

'De dokter zei dat dat waarschijnlijk morgenmiddag zal gaan gebeuren. Wat mij betreft mag het eerder. Ik zou het liefst onmiddellijk weer aan het werk gaan en mijn bevindingen noteren.'

'Denk je dat je de resultaten weer kunt oprakelen?' vroeg Pitt.

'Ik heb het grotendeels nog hier zitten,' zei ze, en tikte met een vinger tegen het hoofd. 'Maar ik zal om bepaalde zaken opnieuw te documenteren wel wat laboratoriumapparatuur moeten lenen. En dan moet de Ontario Miners Co-op wel met een nieuw monster ruthenium over de brug komen.'

'Komt het mineraal daar vandaan?'

'Ja. En het is erg prijzig. Straks wordt het spul mijn ondergang nog.'

'Maar je zult nu toch wel over een ruimer budget kunnen beschikken, denk ik zo?'

'Het gaat niet zozeer om de prijs van het ruthenium, het gaat om de beschikbaarheid ervan. Volgens Bob is het bijna niet te vinden.'

Pitt dacht een ogenblik na en keek Lisa toen glimlachend aan.

'Maak je geen zorgen, alles komt op z'n pootjes terecht. Ik zal je bij het herstel niet meer storen. Maar mocht je iemand nodig hebben om je rolstoel te duwen, aarzel dan niet en bel.'

'Bedankt, Dirk. Jij en Loren zijn veel te aardig voor me geweest. Zodra ik weer mobiel ben nodig ik jullie tweeën uit voor een etentje.'

'Ik kan haast niet wachten.'

Pitt liep terug naar zijn auto en zag dat het bijna halfzes was. Er schoot hem iets te binnen en hij belde Loren om te vertellen dat het wat later zou worden, en reed terug naar het hoofdkwartier van de NUMA. Hij nam de lift naar de negende etage en stond even later in het hart van de computerafdeling van de instelling. Een indrukwekkende hoeveelheid uiterst moderne informatieverwerkings- en dataopslagapparatuur bevatte een ongeëvenaarde hoeveelheid gegevens met betrekking tot de wereldzeeën. De allerlaatste bijzonderheden met betrekking tot stroming, getijden en weersomstandigheden, verzameld door via satellieten aangestuurde boeien, gaven realtime-informatie over elk groot wateroppervlak ter wereld. Het computersysteem bevatte ook een ongelooflijke hoeveelheid oceanografisch onderzoeksmateriaal, waardoor de mensen die hier werken onmiddellijk toegang hadden tot de allerlaatste bevindingen op het gebied van zeeonderzoek.

Achter een enorme console zat een man met een paardenstaart die in een verhit gesprek was gewikkeld met een aantrekkelijke vrouw die op een metertje afstand voor hem stond. Hiram Yeager was de man die het NUMA-computercentrum had ontwikkeld, terwijl hij tevens gold als dé expert in databasemanagement. Hoewel hij een geknoopverfd T-shirt en cowboylaarzen droeg, was Yeager een toegewijd huisvader die dol was op zijn twee tienerdochters. Pitt wist dat Yeager altijd het ontbijt klaarmaakte voor zijn vrouw en dochters, en er 's middags vaak tussenuit kneep naar een voetbalwedstrijd of een concert, maar die tijd dan 's avonds weer inhaalde.

Terwijl Pitt naar hem toe liep, verbaasde hij zich opnieuw, zoals dat altijd het geval was, over het feit dat de vrouw met wie Yeager in debat was geen echte vrouw was maar een hologram die er ongelooflijk driedimensionaal uitzag. De holografische vrouw, die door Yeager zelf was ontworpen als een computerinterface met een uitgestrekt netwerksysteem, was gemodelleerd naar zijn vrouw en werd bijna teder 'Max' genoemd.

'Meneer Pitt, kunt u Hiram alstublieft weer op het rechte spoor zetten,' vroeg Max terwijl ze zich naar Pitt omdraaide. 'Hij wenst me niet te geloven als ik hem vertel dat de handtas en de schoenen van een vrouw bij elkaar horen te passen.'

'Ik ga ervan uit dat alles wat je zegt klopt,' antwoordde Pitt met een knikje.

'Dank u.' Ze draaide zich naar Yeager om en sprak hem streng toe: 'Nou hoor je het eens van een ander.'

'Goed, goed,' reageerde Yeager, en stak zijn handen omhoog. 'Je hebt me enorm geholpen bij het uitzoeken van een verjaardagscadeautje voor mijn vrouw.'

Yeager draaide zich naar Pitt om. 'Ik had haar toch anders moeten programmeren, want nu kibbelt ze ook nog net als mijn vrouw,' zei hij hoofdschuddend.

Pitt ging op een stoel naast hem zitten. 'Je wilde dat ze zo levensecht mogelijk zou zijn,' reageerde Pitt lachend.

'Ik hoop dat je naar me toe bent gekomen om over andere zaken te praten dan damesmode,' klonk het bijna smekend.

'Om je de waarheid te zeggen, zou ik graag de hulp van Max willen inroepen bij het beantwoorden van een paar vragen over mineralogie.'

'Een welkome verandering van onderwerp,' antwoordde Max, die langs haar neus op Yeager neerkeek. 'Ik zal u met alle plezier helpen, directeur. Wat wilt u weten?'

'Om te beginnen, wat kun je me vertellen over het mineraal ruthenium?'

Max sloot haar ogen een ogenblik en begon toen snel te spreken: 'Ruthenium is een overgangsmetaal uit de platinagroep en staat bekend vanwege zijn hardheid. Het is zilverachtig wit van kleur, heeft atoomnummer 44 en wordt ook aangegeven met het symbool Ru. De naam is afgeleid van *Ruthenia*, het Latijnse woord voor Rusland. Het was namelijk een Russische geoloog, Karl Claus, die het metaal in 1844 ontdekte.'

'Bestaan er unieke toepassingen waarvoor uitsluitend dít mineraal gebruikt kan worden?' vroeg Pitt.

'Het is onder andere een hardingsmiddel, vooral in combinatie met andere elementen, zoals bijvoorbeeld titanium, en werd als zodanig industrieel toegepast. Een onregelmatige aanvoer heeft ervoor gezorgd dat de prijs ervan scherp is gestegen, waardoor leveranciers gedwongen werden van andere samenstellingen gebruik te maken.'

'Hoe duur is het ongeveer?' vroeg Yeager.

'Het is een van de zeldzaamste mineralen die op aarde gevonden worden. Recente spotmarktprijzen liggen boven de vierhonderd dollar per gram.'

'Wauw,' reageerde Yeager. 'Dat is ruim tien keer zoveel als de prijs van goud. Ik wou dat ik een rutheniummijn had.'

'Hiram stelt daar een goede vraag,' zei Pitt. 'Waar wordt dat spul gedolven?'

Max fronste een ogenblik lang haar voorhoofd terwijl haar computerprocessors de databases navorsten.

'De voorraden zijn momenteel nogal onstabiel. Historisch gezien zijn het vooral Zuid-Afrika en de Oeral in Rusland waar ruthenium in de afgelopen eeuw werd gevonden. In Zuid-Afrika werd in één enkele mijn in het Bushveld-complex circa zesduizend kilo per jaar gewonnen, met een piek in de jaren zeventig, maar in het jaar 2000 was de opbrengst teruggelopen tot bijna nul. En ondanks de scherpe stijging van de prijs is er van een nieuwe productie geen sprake.'

'Met andere woorden, die mijnen zijn helemaal leeggehaald,' opperde Pitt.

'Ja, dat klopt. De afgelopen veertig jaar zijn er in het betreffende gebied in Zuid-Afrika geen voorraden van enige betekenis aangetroffen.'

'Dan blijft alleen Rusland nog over,' zei Yeager.

Max schudde haar hoofd. 'Het Russische ruthenium was afkomstig uit twee kleine, naast elkaar gelegen mijnen in het Vissimdal. Hier piekte de opbrengst in de jaren vijftig. Enkele jaren geleden werden beide mijnen bij een zware aardverschuiving bedolven. De Russen zijn er weggetrokken met de mededeling dat het jaren zou duren voor beide mijnen weer in gebruik zouden kunnen worden genomen.'

'Geen wonder dat de prijs zo hoog is,' zei Yeager. 'Vanwaar jouw belangstelling voor dat mineraal, Dirk?'

Pitt beschreef in het kort Lisa Lane's ontdekking op het gebied van kunstmatige fotosynthese en de rol van het ruthenium als katalysator daarin, en vertelde ook over de ontploffing in het laboratorium. Nadat Yeager de implicaties tot zich door had laten dringen liet hij een zacht gefluit horen.

'Hierdoor gaat een nietsvermoedend mijneigenaar ongelooflijk rijk worden,' merkte hij op.

'Alleen als dat spul gevonden wordt,' reageerde Pitt. 'En dat brengt me bij de vraag, Max, waar ik naartoe moet om een behoorlijke hoeveelheid ruthenium op de kop te tikken?'

Max keek omhoog naar het plafond. 'Laat eens kijken... er zijn op Wallstreet een stuk of twee makelaars in kostbare grondstoffen die het je voor investeringsdoeleinden zouden kunnen verkopen, maar de beschikbare hoeveelheden blijven uitermate klein. Ik vind alleen nog maar een kleine platinamijn in Zuid-Afrika die afvalmateriaal aanbiedt waarin nog sporen van het mineraal te vinden zijn, maar dat moet dan nog verder verwerkt worden. Voor zover we weten is de huidige voorraad van het mineraal uiterst beperkt. De enige andere bekende bron is de Ontario Miners Co-op, die zegt over een kleine voorraad van hoogwaardig ruthenium te beschikken dat per troy ounce – 31,1 gram – te koop is.'

'Lisa's monster komt ook bij de Co-op vandaan,' merkte Pitt op. 'Wat kun je me nog meer over dat bedrijf vertellen?'

'De Miners Co-op vertegenwoordigt onafhankelijke mijnbouwbedrijven in heel Canada, en fungeert als groothandel voor ertsen die door middel van mijnbouw worden gewonnen. Het hoofdkwartier van de organisatie bevindt zich in de stad Blind River, Ontario.'

'Dank je, Max. Je hebt me zoals altijd enorm geholpen,' zei Pitt. Al jaren geleden was hij over zijn onbehagen om tegen een gecomputeriseerd beeld te praten heen gestapt en had hij het gevoel, net als Yeager, dat Max een werkelijk bestaande persoon was.

'Het was me een genoegen,' antwoordde Max met een knikje. Ze draaide zich vervolgens naar Yeager om en zei vermanend: 'Goed, en vergeet mijn adviezen met betrekking tot uw vrouw niet.'

'Tot ziens, Max,' antwoordde Yeager, en tikte op het toetsenbord een commando in. In een fractie van een seconde was het beeld van Max verdwenen. Yeager draaide zich naar Pitt om.

'Doodzonde dat jullie vriendin, als er inderdaad geen ruthenium beschikbaar is om het proces in gang te zetten, die ontdekking helemaal voor niets heeft gedaan.'

'Er staat bijzonder veel op het spel, dus zal er ongetwijfeld een nieuwe bron worden gevonden,' zei Pitt vol overtuiging.

'Als jouw vermoeden over de explosie in het laboratorium klopt, dan weet iemand anders blijkbaar ook al dat het mineraal schaars is.'

Pitt knikte. 'Daar ben ik ook bang voor. Als ze bereid zijn te doden om het onderzoek te frustreren, dan zijn ze waarschijnlijk ook bereid om de resterende voorraden te monopoliseren.'

'Wat ga je nu doen?'

'Er is maar één plek om naartoe te gaan,' zei hij. 'En wel naar de Ontario Miners Co-op, om te kijken hoeveel ruthenium er écht nog op onze planeet te vinden is.'

DEEL II

Zwarte Kobluna

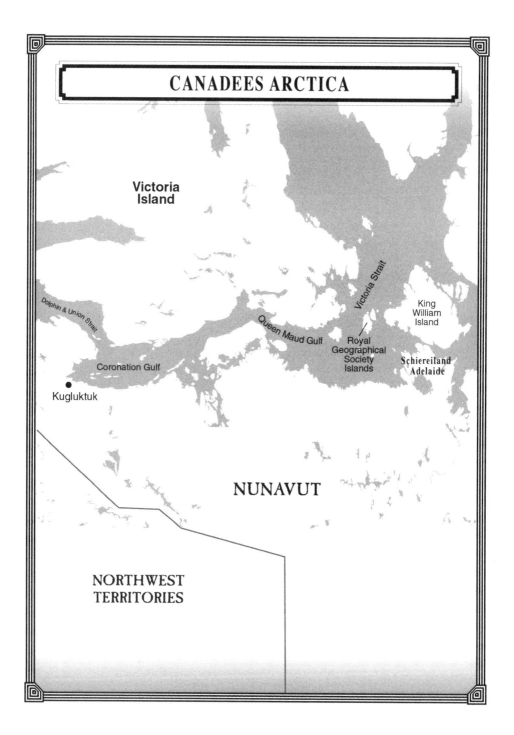

CANADEES ARCTICA

Victoria
Island

Dolphin & Union Strait

Victoria Strait

Queen Maud Gulf

King
William
Island

Royal
Geographical
Society
Islands

Schiereiland
Adelaide

Coronation Gulf

● Kugluktuk

NUNAVUT

NORTHWEST
TERRITORIES

35

Summer stond op de kade te wachten toen ze de boot van Trevor door de haven zag varen. Ze droeg een nauwsluitende saffraankleurige trui die haar schitterende rode haar accentueerde, dat tot iets over haar schouders viel. Haar grijze ogen verzachtten enigszins toen de boot de kade naderde en Trevor zich vanuit het stuurhuis naar buiten boog en zwaaide.

'Ga je misschien ook mijn kant uit, matroos?' vroeg ze grinnikend.

'Als dat niet het geval was, is dat nu wél het geval,' antwoordde hij met een goedkeurende blik. Hij stak zijn hand uit en pakte die van Summer beet, die snel aan boord stapte.

'Waar is Dirk?' vroeg hij.

'Die had vanmorgen nog een stevige hoofdpijn, dus heeft hij een paar aspirines genomen en is weer terug naar bed gegaan.'

Trevor duwde de boot van de pier af en voer langs de gemeentelijke kade, om vervolgens de haven in te draaien. Als hij naar de kleine, onverharde parkeerplaats bij de kade had gekeken, had hij misschien de vlot geklede man gezien die vanuit een bruine Jeep hun vertrek gadesloeg.

'Heb je vanochtend je inspectietocht al gemaakt?' vroeg Summer, toen ze langs een zwaarbeladen houtschip voeren.

'Ja. Bij de aluminiumsmelter gaat het slechts om een kleine uitbreiding van het terrein waar het materiaal wordt binnengereden. De verplichte milieueffectrapportage, dat soort zaken.' Hij keek Summer met een scheve glimlach aan. 'Het was een hele opluchting toen ik zag dat ik vanochtend bij de boot niet door de politie werd opgewacht.'

'Ik betwijfel of iemand je bij die Terra Green-installatie heeft gezien. Het is veel waarschijnlijker dat Dirk en ik op een GEZOCHT-poster in het postkantoor van Kitimat komen te hangen,' antwoordde ze met een ongemakkelijk glimlachje.

'Ik ben ervan overtuigd dat de bewakingsdienst van die installatie geen aangifte bij de politie gaat doen. Per slot van rekening zijn zij, voor zover ze weten, voor Dirks dood verantwoordelijk.'

'Tenzij op een beveiligingscamera te zien is hoe jij hem levend uit het water hebt gevist.'

'In dat geval zitten we allemaal in de problemen.' Hij draaide zich om en keek Summer zorgelijk aan. 'Misschien is het een goed idee als jij en Dirk je voorlopig zo min mogelijk laten zien in het stadje. Een lange, prachtige vrouw met rood haar heeft de neiging om nogal op te vallen in Kitimat.'

In plaats van te blozen ging Summer wat dichter bij Trevor staan en keek hem diep in zijn ogen. Hij liet het stuurwiel los, sloeg zijn arm om haar middel en trok haar naar zich toe. Hij beantwoordde haar blik en gaf haar toen een lange, gepassioneerde kus.

'Ik wil niet dat jou iets overkomt,' fluisterde hij.

De roerganger van een kleine vrachtboot die hen passeerde was toevallig getuige van hun omhelzing en gaf twee stoten op de scheepshoorn. Trevor maakte onwillekeurig een hand vrij, zwaaide naar het vrachtschip en pakte toen het stuurwiel weer vast. Met een stevig vaartje door het Douglas Channel varend hield hij zijn andere arm stevig om Summers smalle taille geslagen.

De turkooisblauwe NUMA-boot lag nog afgemeerd zoals ze hem hadden achtergelaten en binnen de kortste keren was Summer met het vaartuig onderweg. De twee scheepjes stoven speels naar Kitimat terug, naast elkaar varend, en voeren in een wijde bocht zonder verdere incidenten om de Terra Green-installatie heen. Ze hadden net langs de gemeentelijke pier afgemeerd toen Dirk over de kade aan kwam gewandeld. Hij liep voor zijn doen vrij langzaam en hij droeg een honkbalpet om het verband op zijn hoofd aan het oog te onttrekken.

'Hoe gaat het met je hoofd?' informeerde Trevor.

'Een stuk beter,' antwoordde Dirk. 'Het kloppen is van springladingkracht tot die van een voorhamer afgenomen. Maar de klokken van St. Mary's beieren nog steeds luid en duidelijk.'

Summer was klaar met het vastleggen van de NUMA-boot en liep met een stevig koffertje in de hand op de twee mannen af.

'Klaar om aan het werk te gaan?' vroeg ze.

'De watermonsters,' zei Trevor.

'Ja, de watermonsters,' antwoordde ze, en ze hield de analyseset voor zwemwater omhoog, eigendom van de gemeente Kitimat.

Ze ging aan boord van Trevors boot en hielp bij het verzamelen van de watermonsters die de vorige avond genomen waren. Dirk en Trevor gingen op het dolboord zitten terwijl Summer het koffertje openmaakte en begon met het controleren van de zuurgraad van de watermonsters.

'Ik heb hier een pH-waarde van 8,1,' zei ze nadat ze het eerste monster had getest. 'Het zuurgehalte ligt iets boven het niveau van de omringende wateren, maar niet dramatisch.'

Vervolgens testte ze de andere watermonsters en daarna de flesjes die door Trevor waren verzameld. De resultaten daarvan waren bijna identiek. Nadat ze de resultaten van het laatste monster nog eens had gecontroleerd verscheen er een verslagen blik in haar ogen.

'Ook hier ligt de pH-waarde zo rond de 8,1. Opmerkelijk, het water rond de Terra Green-installatie laat geen abnormale zuurwaarden zien.'

'Dat lijkt onze theorie dat de installatie hier koolstofdioxide dumpt volledig onderuit te halen,' zei Trevor.

'Een gouden ster voor Mitchell Goyette,' merkte Dirk sarcastisch op.

'Ik kan desondanks die tanker niet uit mijn hoofd zetten,' zei Summer.

Trevor keek haar vragend aan.

'We zijn bij ons onderzoek ruw gestoord en we kunnen het niet bewijzen, maar Dirk en ik hebben nog steeds het idee dat die tanker CO_2 aan het láden was, in plaats van het te lossen.'

'Dat lijkt me niet bepaald zinvol, tenzij ze het spul naar een andere afvanginstallatie vervoeren. Of het ergens op zee dumpen.'

'Voordat we een tanker helemaal naar de andere kant van de wereld gaan volgen, denk ik dat het verstandig is om eerst nog eens een kijkje te nemen op de plaats waar we extreem hoge zuurwaarden in het water hebben aangetroffen,' zei Summer, 'en dat was Straat Hecate. We hebben de uitrusting aan boord om onderzoek te doen,' voegde ze eraan toe, naar de NUMA-boot gebarend.

'Goed,' was Dirk het met haar eens. 'We moeten de zeebodem voor de kust van Gil Island eens wat beter bekijken. Daar ergens moet het antwoord te vinden zijn.'

'Kun je blijven en een onderzoek uitvoeren?' vroeg Trevor hoopvol.

Dirk keek Summer aan. 'Ik ben gebeld door het kantoor in Seattle. Ze willen de boot eind deze week terughebben voor een of andere klus in de Puget Sound. Dus kunnen we nog twee dagen blijven, maar daarna moeten we echt terug naar Seattle.'

'Dan kunnen we bij Gil Island een behoorlijk stuk zeebodem bekijken,' zei Summer. 'Laten we vast voorbereidingen treffen, dan kunnen we morgenochtend vroeg beginnen. Denk je dat je met ons mee kunt, Trevor?' Nu was het haar beurt om hém hoopvol aan te kijken.

'Ik zou dit niet graag willen missen,' antwoordde hij blij.

Toen ze met z'n drieën bij de kade vertrokken reed de bruine Jeep, die een sticker van een autoverhuurbedrijf op de bumper had zitten, langzaam langs de ernaast gelegen weg. De chauffeur stopte even bij een open plek, waardoor hij een vrij uitzicht had op de gemeentelijke pier en de haven.

Van achter het stuur nam Clay Zak de twee aan het einde van de pier achter elkaar afgemeerd liggende vaartuigen aandachtig op. Hij knikte nauwelijks waarneembaar, en reed toen met een kalm vaartje verder.

36

Toen Trevor de volgende ochtend rond zevenen bij de kade aankwam, waren Dirk en Summer al druk bezig hun sonarapparatuur op het achterdek klaar te leggen. Terwijl Dirk een sleepkabel oprolde gaf Trevor Summer vlug een kus en stapte vervolgens nog even aan de wal om een kleine koelbox op te halen.

'Ik hoop dat iedereen zin heeft in verse gerookte zalm als lunch,' zei hij.

'Dat is, vergeleken met Dirks voorraad pindakaas en zure bommen, een hele vooruitgang,' antwoordde Summer.

'Je hoeft nooit bang te zijn dat het bederft,' voerde Dirk als verdediging aan. Hij liep het stuurhuis in, startte de motor van de boot en kwam vervolgens weer naar het achterdek terug.

'Voor we vertrekken moet ik eerst nog even tanken,' kondigde hij aan.

'Een eindje verderop, vlak om de bocht, ligt een brandstofponton,' reageerde Trevor. 'Daar is de diesel iets goedkoper dan bij de gemeentelijke jachthaven.' Hij dacht enkele ogenblikken na. 'Ik heb zelf ook niet meer zo gek veel in mijn tanks zitten. Waarom varen jullie niet achter me aan, dan kunnen we op weg naar het open water mijn boot wegbrengen.'

Dirk knikte instemmend, en Trevor stapte de pier op en liep naar zijn eigen boot, die vlak achter het NUMA-vaartuig lag afgemeerd. Hij opende de deur van het stuurhuis, stapte naar binnen en drukte op de startknop van de inboard-diesel, die het volgende moment zacht ronkend aansloeg. Hij keek richting brandstofmeter, maar zag toen een zonnebril op het dashboard liggen die daar blijkbaar door Summer was neergelegd. Hij keek op en zag dat ze de meertouwen van de NUMA-boot aan het losmaken was. Hij pakte de bril, sprong de boot af en liep op een sukkeldrafje naar haar toe.

'Hoef je je mooie grijze ogen niet meer te beschermen?' vroeg hij.

Summer gooide de voortros aan dek, keek toen op en zag Trevor voor haar staan, met haar zonnebril in zijn uitgestrekte hand. Ze tuurde een ogenblik lang naar de lucht en zag in de verte een dik pak regenwolken aankomen, maar richtte vervolgens haar blik weer op hem.

'Ik denk dat ik hem vandaag nauwelijks nodig zal hebben, maar bedankt voor dit bewijs dat je een eerlijke vinder bent.'

Ze stak haar hand uit en wilde net de zonnebril van hem aannemen toen achter hen een harde knal klonk. De klap werd gevolgd door een woeste schokgolf die hen beiden tegen de pier sloeg, terwijl er een regen van splinters vlak over hun hoofden joeg. Trevor viel voorover, bovenop Summer, en beschermde haar zo tegen de rondvliegende brokstukken, terwijl zijn rug de volle laag kreeg en tientallen splinters en glasvezel zich in zijn kleding boorden.

Een simpele ontsteking met een vertraging van vijf minuten, bevestigd aan vier patronen met nitroglycerinedynamiet en gekoppeld aan de startknop van de motor van Trevors boot, was voor dit inferno verantwoordelijk. Bijna de hele achtersteven van het Canadese vaartuig werd door de explosie afgerukt, terwijl tegelijkertijd het grootste deel van het stuurhuis werd weggevaagd. Het achterschip verdween snel onder water, terwijl het zwaar beschadigde voorschip krampachtige pogingen ondernam aan de oppervlakte te blijven en onder een groteske hoek met een enkele lijn aan de kade hing.

Dirk stond in de kajuit van zijn eigen scheepje toen de schokgolf toesloeg, en werd dan ook niet door rondvliegende brokstukken getroffen. Hij stormde onmiddellijk de pier op en zag Summer, die net door Trevor overeind werd geholpen. Ze was, net als Dirk, bij de explosie ongeschonden gebleven. Trevor had minder geluk gehad. Zijn rug zat onder het bloed, veroorzaakt door een grote splinter die zich in zijn schouder had genesteld, en hij hinkte vanwege een balk die met grote kracht op zijn been was terechtgekomen. Hij negeerde zijn verwondingen en liep met zijn been trekkend terug naar de smeulende resten van zijn boot. Summer en Dirk controleerden elkaar om te zien of ze inderdaad geen verwondingen hadden opgelopen, waarna Dirk terug aan boord sprong, een brandblusapparaat pakte en snel enkele grotere brokstukken bluste die tot een omvangrijker brand dreigden uit te groeien.

Summer vond een handdoek en haastte zich naar Trevor, die de wond op zijn schouder dichtdrukte en uitdrukkingsloos naar de trieste resten van zijn boot keek. Terwijl in de verte een politiesirene klonk, draaide Trevor zich om en keek Summer aan met een blik die een combinatie was van gekrenktheid en woede.

'Dit moet het werk van Terra Green zijn,' zei hij zacht. 'Ik ga me steeds meer afvragen of ze ook niet verantwoordelijk zijn voor de dood van mijn broer.'

In een café aan de haven, zo'n drie kilometer verderop, tuurde Clay Zak door het raam naar buiten en bewonderde de rookpluim en de vlammen die in de verte boven het water uitstegen. Nadat hij zijn espresso op had en een broodje naar binnen had gewerkt liet hij een stevige fooi op het tafeltje achter en liep toen terug naar zijn bruine Jeep die hij een eindje verderop in de straat had geparkeerd.

'*Smoke on the water*,' mompelde hij hardop, en voor hij het besefte was hij, terwijl hij in de auto stapte, deze rocksong van Deep Purple aan het neuriën. Zonder zich ook maar ergens zorgen over te maken reed hij naar het even buiten de stad gelegen vliegveld, waar op het platform de privéjet van Mitchell Goyette op hem stond te wachten.

37

Het straaltoestel cirkelde een keer rond het vliegveld, wachtend tot een klein vliegtuigje was opgestegen en de directe omgeving had verlaten, en kreeg toen pas toestemming van de verkeerstoren om te landen. De Hawker 750 van de NUMA, geschilderd in dezelfde turkooisblauwe kleur als de vaartuigen van de organisatie, werd uiterst soepel aan de grond gezet. De kleine businessjet taxiede naar een gebouw van rode baksteen en kwam tot stilstand naast een aanzienlijk grotere Gulfstream 750. De cabinedeur ging open en Pitt daalde snel het vliegtuigtrapje af, ondertussen een jack aantrekkend om de kille wind buiten te sluiten. Hij liep de terminal binnen, waar hij werd begroet door een enigszins mollige man die achter de balie stond.

'Welkom in Elliot Lake. Het gebeurt niet vaak dat we hier twee straaltoestellen op één dag binnen krijgen,' zei hij met een vriendelijke plattelandsstem.

'Een tikkeltje te kort voor de luchtvaartmaatschappijen?' vroeg Pitt.

'Onze startbaan is slechts veertienhonderd meter lang, maar we hopen volgend jaar toestemming te krijgen hem te verlengen. Moet ik een huurauto voor u regelen?'

Pitt knikte, en even later verliet hij het gebouw met de sleuteltjes voor een blauwe Ford SUV in de hand. Hij spreidde een kaart op de motorkap uit en bestudeerde de nieuwe omgeving. Elliot Lake was een stadje in de buurt van de noordoostelijke oever van Lake Huron. Het stadje, dat zo'n vierhonderdveertig kilometer pal noordelijk van Detroit lag, maakte deel uit van het district Algoma, in de provincie Ontario. Het werd omringd door de Canadese wildernis en het landschap bestond uit een overdadige mix van woeste bergen, kronkelende rivieren en diepe meren. Pitt vond het vliegveld op zijn kaart, enkele kilometers ten zuiden van de stad uitgehakt in de dichte bossen. Met zijn vinger volgde hij de enige hoofdweg die door de bergen naar het zuiden leidde, om uit te komen bij de oever van Lake Huron en de Trans-Canada Highway. Pitts bestemming bevond zich zo'n vijfentwintig kilometer verder naar het westen, een oud mijn- en houthakkersstadje dat Blind River heette.

De rit erheen was prachtig en de weg kronkelde zich langs verschillende bergmeren en een kolkende rivier die zich over een steile waterval naar beneden stortte. Uiteindelijk werd, naarmate hij Lake Huron naderde, het terrein wat vlakker en korte tijd later bereikte hij het stadje Blind River. Langzaam reed hij door het kleine plaatsje en bewonderde de schilderachtige houten huizen, die grotendeels stamden uit de jaren dertig van de vorige eeuw. Pitt reed verder, het stadje weer uit, totdat hij een grote stalen loods zag met vlak ernaast een terrein waar rotsaarde en ertsgrond waren opgeslagen. Een grote Canadese vlag wapperde boven een verweerd bord met daarop ONTARIO MINERS CO-OP. Pitt draaide de weg af en parkeerde in de buurt van de entree, terwijl op dat moment een breedgeschouderde man in een bruin kostuum het bordes afdaalde en in een nieuw model witte sedan stapte. Pitt zag, terwijl hij uit zijn huurauto stapte en het gebouw binnenging, dat de man hem door een gespiegelde zonnebril wat langer aankeek dan noodzakelijk was.

Het stoffige interieur leek nog het meest op een mijnbouwmuseum. Roestige ertskarretjes en pikhouwelen stonden in een hoek opgesteld, met daarnaast een grote kast vol tijdschriften op mijnbouwgebied en oude foto's. Achter een lange houten balie stond een indrukwekkende bankkluis, waarvan Pitt vermoedde dat daarin de meer waardevolle mineraalmonsters werden bewaard.

Achter de balie zat een al wat oudere man die er bijna even stoffig uitzag als de rest van het interieur. Hij had een nogal bol hoofd, en zijn grijze haar, ogen en snor pasten perfect bij het flanellen shirt dat hij onder zijn gestreepte bretels droeg. Hij keek Pitt aan door een soort Harry Potter-brilletje dat op het puntje van zijn neus stond.

'Goedemorgen,' zei Pitt, en stelde zich voor. Hij zag een glimmend gepoetste tinnen houder staan die wel iets weg had van een heupfles, en merkte op: 'Hé, wat een prachtige oliehouder hebt u daar staan.'

De ogen van de oude man lichtten op toen hij besefte dat Pitt geen verdwaalde toerist was die wilde weten welke kant hij op moest.

'Ja, die werd vroeger gebruikt om de olielampen van mijnwerkers bij te vullen. Deze is afkomstig uit de Bruce-mijnen. Mijn grootvader heeft daar in de kopermijnen gewerkt totdat die in 1921 gesloten werden,' bracht hij kortademig uit.

'Zijn er hier in de buurt veel kopermijnen?' vroeg Pitt.

'Niet genoeg om het lang uit te houden. De meeste koper- en goudmijnen zijn al tientallen jaren geleden gesloten. Er zijn toen nog een hoop mensen hierheen gekomen om het mijnafval door te spitten, maar daar zijn maar weinig lieden rijk van geworden,' antwoordde hij hoofdschuddend. Vervolgens keek hij Pitt aan en vroeg: 'Wat kan ik voor u doen?'

'Ik zou graag willen weten of u ruthenium in voorraad hebt.'

'Ruthenium?' vroeg hij, en keek Pitt verbaasd aan. 'Hoort u bij die brede kerel die hier net was?'

'Nee,' antwoordde Pitt. Hij herinnerde zich het enigszins aparte gedrag van de man in het bruine pak en probeerde het zeurende gevoel van zich af te zetten dat hij hem wel eens eerder had gezien.

'Eigenaardig,' zei de man terwijl hij Pitt achterdochtig aankeek. 'Die andere man was van het ministerie van Natuurlijke Hulpbronnen in Ottawa. Hij kwam hier onze voorraad ruthenium controleren. Vreemd, want dat was het enige materiaal waarin hij was geïnteresseerd, en het volgende moment komt u binnengelopen en stelt precies dezelfde vraag.'

'Heeft hij gezegd hoe hij heette?'

'John Booth, geloof ik dat hij zei. Een beetje een vreemde vogel, vond ik. Maar goed, vanwaar uw interesse, meneer Pitt?'

Pitt legde in korte bewoordingen uit waarmee Lisa Lane zich op de George Washington University had beziggehouden en welke rol ruthenium in haar wetenschappelijke werk had gespeeld. Hij vertelde niet hoe belangrijk haar recente ontdekking was geweest en ook niet dat er zich een ontploffing in haar laboratorium had voorgedaan.

'Ja, ik kan me herinneren dat ik een week of twee geleden een monster van dat mineraal naar haar toe heb gestuurd. We krijgen hier nauwelijks verzoeken om ruthenium binnen, en als dat wel het geval is zijn ze afkomstig van onderzoekslaboratoria van universiteiten, en af en toe vragen enkele hightechbedrijven nog wat op. Omdat de prijs van het spul gigantisch gestegen is, zijn er nog maar weinig instanties die het zich kunnen veroorloven ermee te liefhebberen. Maar dankzij diezelfde hoge prijs maken we natuurlijk wel een leuke winst als er toch nog eens een bestellinkje binnenkomt,' zei hij glimlachend en met een knipoog. 'Ik wou alleen dat we over een bron beschikten van waaruit we onze voorraad konden aanvullen.'

'U heeft geen vaste leverancier?'

'O, nee, al jaren niet. Ik denk dat het niet lang meer zal duren of we zijn helemaal door onze voorraad heen. Tot voor kort kregen we nog een kleine hoeveelheid van een platinamijn in het oosten van Ontario, maar in de erts die ze nu naar boven halen is nog nauwelijks een spoortje van het spul te vinden. Nee, zoals ik al tegen meneer Booth zei, het overgrote deel van onze voorraad was afkomstig van de Inuit.'

'Die halen het mineraal in het hoge noorden uit de grond?' vroeg Pitt.

'Blijkbaar. Ik heb voor meneer Booth de aankoopgegevens erbij gehaald,' zei hij, en wees naar een oud in leer gebonden logboek dat een eind verderop op de balie lag. 'Het spul is ruim honderd jaar geleden aangekocht. In dat logboek zijn alle details genoteerd. De Inuit noemden het "Zwarte Kobluna" of iets dergelijks. Wij noemden het altijd het Adelaide-monster, omdat de Inuit afkomstig waren uit een kamp op het schiereiland Adelaide, dat zich in het poolgebied bevindt.'

'Dus dat is zo'n beetje het enige ruthenium dat in Canada aanwezig is?'

'Voor zover ik weet wel. Maar niemand weet of die Inuit-bron echt uit-geput is. Het is allemaal lang geleden aan de oppervlakte gekomen. Het verhaal was dat de Inuit bang waren om terug te keren naar het eiland waar ze het vandaan haalden vanwege de een of andere duistere vloek. Iets met kwade geesten en dat de bron door dood en krankzinnigheid bezoe-deld zou zijn, of gebrabbel van soortgelijke aard. Weer zo'n sterk verhaal uit het hoge noorden, neem ik aan.'

'Ik heb gemerkt dat plaatselijke legenden vaak een kern van waarheid bevatten,' reageerde Pitt. 'Vindt u het erg als ik eens in dat logboek kijk?'

'In het geheel niet.' De oude geoloog liep naar het einde van de balie en keerde terug met het boek, terwijl hij er onderweg al in begon te bladeren. Plotseling verscheen er een frons op zijn gezicht en werd hij vuurrood.

'Santa María!' siste hij. 'Hij heeft de gegevens eruit gescheurd, pal onder mijn neus. Er zat een met de hand getekende kaart bij waarop de plaats van de mijn was aangegeven. En nu is die verdwenen.'

De oude man gooide het boek op de balie en wierp een woedende blik in de richting van de deur. Pitt zag de plek waar de twee pagina's keurig uit het logboek waren gescheurd.

'Ik durf te zeggen dat die meneer Booth van u niet bepaald de man was voor wie hij zich uitgaf,' merkte Pitt op.

'Ik had al onraad moeten ruiken toen hij niet wist wat een spoelbox was,' mopperde de man. 'Ik heb geen flauw idee waarom hij zo nodig onze boe-ken moest verminken. Hij had gewoon om een kopie kunnen vragen.'

Pitt wist precies waarom de man het had gedaan. Meneer Booth wilde niet dat iemand anders de bron van het door de Inuit geleverde ruthenium te weten zou komen. Hij draaide het logboek naar zich toe en las het eerste gedeelte van een tekst die aansloot op de pagina's die waren verdwenen.

22 oktober 1917. Horace Tucker van de Churchill Trading Company heeft de volgende ongeraffineerde hoeveelheden erts overgedragen:
5 ton kopererts
12 ton looderts
2 ton zink
¼ ton ruthenium (Adelaide 'Zwarte Kobluna')
Bron en opmerkingen van keurmeester volgen nog.

189

'Was dat de enige zending die u ooit van de Inuit heeft binnengekregen?' vroeg Pitt.

De oude man knikte. 'Dat was het. Uit de ontbrekende pagina's blijkt dat het mineraal al decennia eerder was aangeleverd. Die handelspost in Churchill kon geen afnemers voor het spul vinden, totdat Tucker, samen met een lading mineralen van een mijn uit Manitoba, met een monster binnen kwam lopen.'

'Is er een kans dat het archief van de Churchill Trading Post nog bestaat?'

'Ik betwijfel het. Dat bedrijf heeft rond 1960 zijn activiteiten gestaakt. Ik ben Tucker een paar jaar later, kort voor zijn dood, nog eens tegen het lijf gelopen. Ik herinner me nog dat hij me vertelde dat het kantoor van de onderneming in Churchill tot aan de grond toe was afgebrand. Ik neem aan dat bij de brand de hele boekhouding verloren is gegaan.'

'Dan neem ik aan dat we langs deze lijn niet verder komen. Het spijt me dat hij u van uw gegevens heeft beroofd, maar bedankt voor het feit dat u uw kennis met me hebt willen delen.'

'Een momentje nog,' reageerde de man. Hij liep naar de antieke kluis en opende de zware deur. Hij rommelde wat in een houten doosje dat op een van de planken stond, haalde er iets uit tevoorschijn, draaide zich om en gooide het naar Pitt. Het was een kleine, zilverwitte steen.

'Zwarte Kobluna?' vroeg Pitt.

'Een monster van het huis, zogezegd, zodat u weet waarover we het hebben gehad.'

Pitt boog zich over de balie, schudde de geoloog de hand en bedankte hem voor zijn tijd.

'Nog één ding,' zei de oude man terwijl Pitt in de richting van de deur liep. 'Als je die Booth nog eens tegen het lijf loopt, mag je hem zeggen dat als ik hem nog eens tegenkom hij met mijn pikhouweel te maken krijgt.'

In de loop van de middag was het onder het wolkendek van een naderend front een stuk kouder geworden en Pitt wachtte, terwijl hij het parkeerterrein van de Co-op af reed, tot de verwarming van de auto zich zou laten voelen. Nadat hij in een café in Blind River snel wat had gegeten reed hij over de bochtige weg door de bergen terug naar het vliegveld, in gedachten bij het verhaal over het van de Inuit afkomstige ruthenium. Het erts moest uit het poolgebied afkomstig zijn, waarschijnlijk uit de buurt van het Inuit-kamp op Adelaide. Hoe was het de Inuit, met hun primitieve technologie, gelukt om het ruthenium te winnen? Zouden daar ergens nog substantiële voorraden te vinden zijn? En wie was John Booth en waarom was hij zo in het erts van de Inuit geïnteresseerd?

Hij had geen antwoord op die vragen terwijl hij daar door het prachtige landschap reed, en moest heel even remmen voor een camper die een stuk langzamer voor hem uit reed. Toen ze een recht stuk bereikten, week de chauffeur van de camper wat verder naar de berm uit en gebaarde dat Pitt kon inhalen. Pitt trapte het gaspedaal in en stoof de camper voorbij, waarbij hij nog wel zag dat de auto nummerplaten uit Colorado had.

Verderop zat er een scherpe bocht in de weg, en de twee rijbanen waren uitgehakt in de rotsachtige bergwand die helemaal doorliep naar een aanzienlijk lager gelegen rivier. Nadat hij de scherpe bocht had genomen kon hij anderhalve kilometer ver vooruit kijken, waar de weg een haarspeldbocht vormde en weer verder omhoog liep. Hij ving een glimp op van een witte sedan die op een uitwijkplaats stond geparkeerd. Het was dezelfde auto waarin John Booth was gestapt nadat hij uit de Co-op was gekomen. Pitt verloor de auto uit het oog toen de weg opnieuw een slinger maakte.

Nadat hij een scherpe S-bocht had genomen, strekte zich opnieuw een kort stuk rechte weg voor hem uit. Links van Pitt lag een diep ravijn, dat honderd meter doorliep tot aan de rivier. Terwijl zijn huurauto op het rechte stuk vaart won, hoorde Pitt een zwakke knal, alsof er op de Vierde Juli vuurwerk explodeerde. Hij keek naar voren maar zag niets, terwijl het eerste geluid werd gevolgd door een zwaar gerommel. Vanuit zijn ooghoek ving hij een beweging op en keek omhoog, om te zien hoe een rotsblok ter grootte van een huis langs de berghelling boven hem naar beneden gleed. Het enorme stuk rots volgde een dusdanige baan dat hij zestig meter verderop wel boven op Pitts auto terecht moest komen.

Pitt ging op de rem staan en drukte het pedaal helemaal in. De banden protesteerden luidruchtig en de wagen dreigde scheef te trekken, maar het ABS-systeem van de Ford zorgde ervoor dat het voertuig niet onbestuurbaar raakte. In de paar seconden dat Pitt wachtte tot de wagen tot stilstand kwam, zag hij dat er een totale aardverschuiving aan kwam. Behalve het enorme rotsblok, denderde er nu ook een hele muur van rots en steenslag langs de berghelling naar beneden. Nu zo te zien met donderend geraas de halve berg zijn kant uit kwam, besefte hij dat hij maar op één manier kon ontsnappen.

Zijn snelle reactie had de wagen net voldoende afgeremd om te voorkomen dat hij door het gigantische rotsblok zou worden verpletterd. Dat sloeg een meter of acht voor hem tegen het asfalt, om daar in tientallen kleinere stukken uiteen te spatten. Het overgrote deel van het rotsblok bleef langs de helling naar beneden stuiteren, barstte door de vangrail en tuimelde langs de steile rotswand in de richting van de rivier. Een paar grote brokken bleven op het wegdek liggen, om even later door de ophanden zijnde aardverschuiving bedolven te worden.

Pitts auto schoot tegen een van de brokken, een plat stuk graniet dat de auto van het ene op het andere moment afstopte. Hoewel de bumper en de grill zwaar werden toegetakeld, was de auto mechanisch gezien nog helemaal intact. Binnen voelde Pitt alleen een hevige ruk, maar dat was voldoende om de airbag op te blazen, die voor zijn borst opzwol terwijl de auto achteruit stuiterde. Maar Pitts razendsnelle reactie won het van de airbag. Hij had de automatische versnelling al in zijn achteruit geramd en trapte op het moment van de botsing uit alle macht op het gaspedaal.

De rook sloeg van de achterbanden op het moment dat die heel even wild in het rond draaiden voor ze greep op het plaveisel kregen en de Ford naar achteren schoot. Pitt greep het stuurwiel vast en hield dat stevig beet terwijl de auto vanwege de plotselinge achterwaartse torsie wilde gaan slingeren, maar volgde het volgende moment toch een rechte lijn. De transmissie onder Pitts voeten krijste het uit toen de overbrenging naar de achteruit zijn uiterste best deed om toeren te blijven maken bij een motor die helemaal van slag was. Pitt wierp een blik langs de helling omhoog en zag hoe de naar beneden glijdende massa steen en puin hem al bijna had bereikt. De aardverschuiving had zich nu over een breed pad verspreid en reikte al tot een heel stuk achter hem. Hij besefte dat hij geen enkele kans had zich alsnog in veiligheid te brengen.

Als een leigrijze vloedgolf schoof de glijdende muur van rotsblokken op het wegdek, in eerste instantie een paar meter voor hem. Een ogenblik lang leek het net of de razendsnel achteruit rijdende auto nog net aan de massa steen en puin zou kunnen ontkomen, maar toen maakte een aantal rotsblokken zich van de hoofdmassa los en kwam met een oorverdovende klap op de weg achter hem terecht. Pitt kon niets anders doen dan zich stevig vasthouden terwijl de wagen zich met een knarsend gegalm van verwrongen metaal in de bewegende laag steen boorde.

De auto scheerde over een groot stuk rots, waarbij de achteras werd afgerukt terwijl een van de aandrijfwielen het volgende moment langs de helling naar beneden stuiterde. Pitt werd terug in zijn stoel geworpen toen een tweede muur van vallend steen aan de passagierskant tegen de Ford knalde, waardoor de auto werd opgetild om het volgende moment op zijn kop te liggen. Pitt werd naar links gezwiept, waarbij zijn hoofd in aanraking kwam met de zich opblazende airbag. Enkele ogenblikken later werd hij weer tegen de zijkant geslingerd, waarbij zijn hoofd dwars door de weer leeglopende airbag sloeg en keihard in aanraking kwam met het raampje aan de chauffeurskant. Een enorm beukend gebulder vulde zijn oren toen de auto over de weg werd meegevoerd, om het volgende moment met een harde klap plotseling tot stilstand te komen. Binnen balanceerde Pitt op het randje van bewustzijn, terwijl hij gelijktijdig door het lawaai van langskletterende kiezel werd omringd. Hij ging steeds onscherper zien en werd woest door elkaar geschud, terwijl hij iets warms en nats over zijn gezicht voelde lopen, maar toen verdween alle gevoel en tuimelde hij in een geluidloze zwarte leegte.

38

Het drilboorachtige gebeuk dat zijn schedel teisterde vertelde Pitt dat hij nog leefde. Vervolgens begon zijn gehoor weer te functioneren, en ving hij een ritmisch geschraap op dat van dichtbij kwam. Hij bewoog zijn vingers, die een behoorlijke weerstand ondervonden, maar waaruit hij wel kon opmaken dat ze nog steeds rond het stuur van de huurauto zaten. Hoewel hij zijn benen vrijelijk kon bewegen, kon hij met zijn hoofd, borst en armen geen kant uit. Het besef dat hij geen adem kon halen drong plotseling tot zijn benevelde brein door en hij probeerde zich te bevrijden, maar hij had het gevoel dat hij als een mummie omwikkeld was. Langzaam probeerde hij zijn ogen open te krijgen, die het gevoel gaven dat ze dichtgeplakt zaten, maar het enige dat hij zag was zwart.

De druk op zijn longen werd steeds heviger en hij begon zich woest te bewegen, met als resultaat dat hij er even later in slaagde een hand en een onderarm uit de mysterieuze greep te bevrijden. Hij hoorde een stem en een verwoed geschuif, gevolgd door een schrapende gewaarwording langs zijn gezicht, terwijl hij tegelijkertijd verblind werd door een fel lichtschijnsel. Hij zoog een lading vol stof zittende lucht naar binnen en kneep zijn ogen halfdicht, omringd door een dikke nevel. Hij werd aangekeken door twee vriendelijke bruine ogen, gevat in de spitse, zwartbruine kop van een teckel. Maar het meest verwarrende vond Pitt nog dat de hond op zijn kop leek te staan. De hond kwam iets dichterbij, snuffelde aan Pitts blootgelegde gezicht en likte vervolgens over zijn neus.

'Aan de kant, Mauser, hij leeft nog,' klonk een mannenstem van dichtbij.

Twee grote handen kwamen in beeld die nog wat meer aarde en steenslag wegschoven die Pitts hoofd en bovenlichaam hadden bedekt. Eindelijk werden Pitts armen bevrijd, en kon hij meehelpen bij het wegduwen van de kleine berg aarde op zijn lichaam. Hij bracht een arm omhoog en veegde met zijn mouw het geronnen bloed en het vuil uit zijn ogen, waarna hij eindelijk de kans kreeg om om zich heen te kijken. Toen hij zijn gordel onaangenaam in zijn bovenlichaam voelde snijden, besefte hij eindelijk dat híj degene was die ondersteboven hing, en niet de teckel. Het helpende paar handen reikte naar beneden en vond de gesp van de veiligheidsgordel, en drukte erop, waardoor Pitt op het plafond van zijn auto viel. Hij schoof in de richting van het raampje aan de chauffeurskant, maar de handen trokken hem naar de geopende passagiersdeur. 'Die kant wil je niet uit, meneer. Na die eerste stap zet je nooit meer een volgende.'

Pitt volgde de raad op en kroop in de richting van de deur aan de passagierskant, waar hij naar buiten en overeind werd geholpen. Nu hij weer op zijn benen stond nam het gebonk in zijn hoofd wat af, maar er liep nog steeds een dun straaltje bloed over zijn wang. Hij keek naar de zwaarbeschadigde auto en schudde zijn hoofd om het geluk dat hij had gehad.

De glijdende massa rots en steenslag die tegen zijn auto was gebeukt en hem op zijn kop had geduwd, had hem ook naar de overkant van de weg geschoven, tot de rand van de steile diepte die afliep naar de rivier. De auto had gemakkelijk over de rand kunnen kieperen, iets wat Pitt nooit had overleefd, ware het niet dat een stevig in de grond verankerde kilometerpaal de Ford had tegengehouden. De dunne metalen paal was vlak achter de voorbumper blijven haken, zodat de auto tegen de kant van de weg werd gedrukt, terwijl aan beide kanten van de auto tonnen aan rotsblokken de bergwand af denderden. De weg zelf was over een lengte van vijftig meter onder een dikke laag aarde en stenen bedolven.

'Je hebt waarschijnlijk een keurig net leven geleid, dat je niet over de rand bent geduikeld,' hoorde Pitt de reddingswerker zeggen.

Hij draaide zich om en stond tegenover een stevige, al wat oudere man met wit haar en een baard die Pitt aankeek met joviale grijze ogen.

'Ik kan je verzekeren dat ik niet ben gered door een keurig net leven,' antwoordde Pitt. 'Bedankt dat je me eruit hebt gehaald. Als jullie me niet op tijd hadden uitgegraven, was ik gestikt.'

'Geen dank. Waarom loop je niet even mee, dan zal ik iets op die wond doen,' zei de man terwijl hij naar een camper wees die een aantal meters verderop op het niet door de aardverschuiving aangetaste asfalt stond. Het was dezelfde camper die Pitt op het rechte stuk had ingehaald.

Pitt knikte en stapte achter de man en zijn kleine zwartbruine teckel de kampeerauto binnen. Tot zijn verrassing zag Pitt dat het interieur geheel in teak en glimmend gepoetst koper afgewerkt was, waardoor het eruitzag als een luxecabine aan boord van een zeiljacht. Aan een van de wanden was een boekenplank bevestigd die vol stond met naslagwerken en gidsen op het gebied van mijnbouw en geologie.

'Terwijl ik op zoek ga naar mijn eerstehulpdoos kun je je misschien een beetje opknappen,' zei de man.

Pitt waste zijn handen en zijn gezicht aan een porseleinen wasbak, terwijl op datzelfde moment een patrouillewagen van de Royal Canadian Mounted Police met de zwaailichten aan bij de camper tot stilstand kwam. De oude man stapte uit en sprak met de politie, maar keerde een paar minuten later terug om Pitt te helpen bij het verbinden van de ietwat grillig gevormde jaap op de linkerkant van zijn schedel.

'Volgens de Mounties hier is er een paar kilometer verderop een wegenbouwbedrijf aan het werk. Dat stuurt hier op korte termijn een grondverzetmachine naartoe, en dan moet het mogelijk zijn om binnen een uur of twee een rijstrook door die rotsblokken vrij te maken. Zodra je daartoe in staat bent willen ze een verklaring van je opnemen.'

'Bedankt dat je ze even op een afstandje hebt weten te houden. Ik begin net weer een beetje bij te komen.'

'Sorry dat ik het je niet eerder heb gevraagd, maar je zult ongetwijfeld behoefte aan een borrel hebben. Wat kan ik voor je inschenken?'

'Ik heb ongelooflijk veel trek in een tequila, als je dat toevallig aan boord hebt,' antwoordde Pitt terwijl hij zich in een kleine leren fauteuil liet zakken. De teckel sprong onmiddellijk op zijn schoot en wist Pitt over te halen hem achter zijn oren te aaien.

'Je hebt geluk,' zei de man, en haalde een buikfles Don Julio-tequila uit de kast. Hij liet de fles even ronddraaien en zei: 'Er zitten nog een paar glaasjes in.'

'Ik heb vandaag twee keer geluk, zo te zien. Dat is een uitstekende tequila,' merkte Pitt op toen hij het dure etiket van het sap van de blauwe agave herkende.

'Mauser en ik vinden het prettig om onderweg van alle gemakken voorzien te zijn,' zei de man met een grijns terwijl hij twee behoorlijke glazen inschonk.

Pitt liet de warme vloeistof door zijn keel glijden en bewonderde de complexe smaak. Zijn hoofd voelde vrijwel onmiddellijk minder zwaar aan.

'Dat was een indrukwekkende aardverschuiving,' zei de man. 'Een geluk dat je niet een paar meter verderop op die weg reed.'

'Ik zag het aankomen en probeerde er achteruitrijdend bij vandaan te komen, maar ik kwam net iets te kort.'

'Welke idioot brengt nou vlak boven een in gebruik zijnde weg een springlading tot ontploffing?' zei hij. 'Maar ik mag hopen dat ze de klootzak te pakken krijgen.'

'Springlading?' vroeg Pitt, die zich plotseling de witte sedan herinnerde die hij langs de weg geparkeerd had zien staan.

'Ik hoorde de knal en zag vlak voor die rotsblokken begonnen te rollen witte rookwolkjes op de helling. Ik heb dat ook tegen de Mounties gezegd, maar die zeiden dat er momenteel helemaal geen springploegen in de buurt aan het werk zijn.'

'Denk je dat het één groot rotsblok was dat van zijn plaats is gekomen en de rest in zijn val heeft meegenomen?'

De man bukte zich en trok een brede lade open die zich onder de boekenplank bevond. Hij stak zijn hand onder een dikke opgevouwen deken en haalde een houten kistje tevoorschijn met daarop de tekst DYNO NOBEL. Pitt herkende de naam van de fabrikant, een nazaat van Alfred Nobel, de uitvinder van het dynamiet. De man deed het deksel open een liet Pitt een aantal twintig centimeter lange gele patronen zien die in het kistje zaten.

'Als ik bezig ben met onderzoek naar een potentiële mineraalader maak ik zelf ook af en toe van springstoffen gebruik.'

'Ben je een prospector?' vroeg Pitt, terwijl hij naar de rij geologieboeken gebaarde.

'Meer als hobby dan beroepsmatig,' antwoordde de man. 'Ik vind het alleen maar leuk om waardevolle zaken op te sporen. Ik zal nooit springstoffen in de buurt van de bewoonde wereld gebruiken, maar dat is hier naar alle waarschijnlijkheid wel gebeurd. Een of andere dwaas zag iets op die helling glinsteren en besloot toen blijkbaar maar eens nader op onderzoek uit te gaan. Ik ben benieuwd of ze hem te pakken krijgen – ik zou niet graag voor de schoonmaakkosten willen opdraaien.'

Pitt knikte zwijgend, maar vermoedde dat de explosie niet door een onschuldige mineralenverzamelaar teweeg was gebracht.

'Wat brengt jou deze kant uit?' vroeg Pitt.

'Zilver,' antwoordde de prospector, die de tequilafles omhooghield en vervolgens Pitt nog eens bijschonk. 'Er was vroeger een nog werkende zilvermijn in de buurt van Algoma Mills, voor iedereen hier als een bezetene naar uranium ging zoeken. Ik ga ervan uit dat als hier in de buurt ooit een grote vondst is gedaan, er nog wat restjes voor een kleine jongen als ik te vinden moeten zijn.' Hij schudde zijn hoofd en zei toen grinnikend: 'Maar tot nu toe heeft mijn theorie nog niets opgeleverd.'

Pitt glimlachte, sloeg het glas tequila achterover en vroeg toen: 'Wat weet je van het mineraal ruthenium?'

De prospector wreef even over zijn kin. 'Tja, het is verwant aan platina, hoewel het niet in verband wordt gebracht met hier in de buurt aangetroffen afzettingen. Ik weet dat de prijs gigantisch is gestegen, dus waarschijnlijk zijn er heel wat mensen op zoek naar het spul. Maar ik ben het nog nooit tegengekomen. Ik kan ook niet zeggen dat ik mensen ken die er wél tegenaan zijn gelopen. Voor zover ik weet zijn er maar een paar plaatsen op de wereld waar het gewonnen wordt. Het enige andere wat ik me van

ruthenium herinner is dat het door sommige mensen in verband wordt gebracht met de oude Pretoria Lunatic Mill.'

'Dat verhaal ken ik niet,' reageerde Pitt.

'Dat is een oud mijnwerkersverhaal uit Zuid-Afrika. Ik heb het eens gelezen toen ik onderzoek deed naar diamanten. Eind negentiende, begin
twintigste eeuw heeft iemand in de buurt van de Zuid-Afrikaanse hoofdstad Pretoria een kleine weverij neergezet. Na ongeveer een jaar bleek dat
de fabrieksarbeiders zo gek als een deur werden. Het werd zo erg dat ze de
weverij op een gegeven moment hebben moeten sluiten. Die gekte had
waarschijnlijk te maken met de chemicaliën die in de weverij werden gebruikt, maar daar is nooit echt onderzoek naar gedaan. Later kwam men
erachter dat de weverij vlak bij een platinamijn stond waarin ook veel
rutheniumerts werd gevonden, dat toentertijd nauwelijks iets waard was en
in grote hoeveelheden op het terrein naast de weverij werd gedumpt. Er is
minstens één historicus geweest die van mening was dat dat onbekende
mineraal iets met het vreemde gedrag te maken moest hebben.'

'Dat is een interessant verhaal,' antwoordde Pitt, en hij moest weer aan het
gesprek bij de Co-op denken. 'Heb je toevallig wel eens gehoord van Inuit die
in het verleden in het hoge noorden aan mijnbouw zouden hebben gedaan?'

'Nee, daar heb ik nog nooit iets over gehoord. Maar ik weet uiteraard
wel dat het poolgebied tegenwoordig, als het om mijnbouw gaat, als een
soort Luilekkerland wordt beschouwd. Diamanten in de Northwest Territories, steenkool op Ellesmere Island, en verder natuurlijk nog op diverse
plekken olie en aardgas.'

Ze werden onderbroken door een Mountie met een uit graniet gehouwen
gezicht die zijn hoofd om de hoek van de deur stak en vroeg of Pitt zo
vriendelijk wilde zijn voor de politie een schadeformulier voor zijn huurauto in te vullen. Kort daarna arriveerde de grondverzetmachine en ging
men aan het werk om een doorgang te maken. De losse rotsblokken, steenslag en aarde werden snel opzijgeschoven en het duurde dan ook niet lang
voor het verkeer van een enkele rijbaan gebruik kon maken.

'Zou ik met je mee kunnen rijden naar het vliegveld van Elliot Lake?'
vroeg Pitt aan de oude prospector.

'Ik ben op weg naar het gebied rond Sudbury, dus dat ligt nagenoeg op
mijn route. Kom maar voorin zitten,' reageerde hij, en nam zelf achter het
stuur plaats.

De brede camper kon maar net door het vrijgemaakte pad, maar bereikte even later aan de andere kant van de aardverschuiving de vrije weg.
De twee mannen praatten wat over geschiedenis en mijnbouw, en voor ze
het wisten draaide de camper de parkeerplaats voor de kleine terminal van
het vliegveld op.

'We zijn er, meneer, eh…'

'Pitt. Dirk Pitt.'

'Ik ben Clive Cussler. Veel succes, meneer Pitt.'

Pitt schudde de oude prospector de hand en aaide de teckel even over de kop, en stapte de camper uit.

'Ik ben je zeer erkentelijk voor alle hulp,' zei Pitt terwijl hij de prospector aankeek en het gevoel had op de een of andere manier met deze man verwant te zijn. 'Alle geluk bij het vinden van die lonkende rijke ader.'

Pitt liep het gebouw binnen en stapte op de terminalmanager af, wiens mond openviel toen hij zich naar hem omdraaide. Pitt zag eruit alsof hij zojuist door een Greyhound-bus was overreden. Zijn haar en kleren zaten onder het vuil, terwijl er om zijn hoofd een bloederig verband zat. Toen Pitt hem vertelde dat de huurwagen op zijn kop op het randje van de weg lag, nagenoeg geheel gevuld met stenen, moest de man toch even slikken.

Terwijl hij een eindeloze stapel verzekeringspapieren invulde, wierp Pitt een snelle blik naar buiten en zag dat de Gulfstream niet langer op het platform was geparkeerd.

'Hoelang geleden is dat andere straaltoestel vertrokken?' vroeg hij de manager.

'O, een uur of twee geleden. Hij is hier niet veel langer geweest dan u.'

'Ik geloof dat ik hem in de stad ben tegengekomen. Een stevig gebouwde knaap in een bruin kostuum?'

'Ja, dat is 'm.'

'Mag ik vragen naar zijn bestemming?'

'Jullie zijn alle twee behoorlijk nieuwsgierig. Hij vroeg namelijk wie u was,' zei hij, pakte een klembord en liet zijn vingers langs de korte lijst met arriverende en vertrekkende vliegtuigen glijden. Pitt boog zich nonchalant over de schouder van de manager, zag de registratie van de Gulfstream – C-FTGI – en prentte de lettercombinatie in zijn hoofd.

'Hoewel ik u niet kan vertellen wie er aan boord zijn, kan ik u wel verklappen dat het toestel op weg is naar Vancouver, met een geplande tussenlanding in Regina, Saskatchewan, om bij te tanken.'

'Bezoeken die lui Elliot Lake wel vaker?'

'Nee, ik heb het toestel nog nooit eerder gezien hier.' De man gebaarde met zijn hoofd naar een klein vertrek in een hoekje van de terminal. 'Waarom neemt u niet even een kop koffie in de lounge, dan waarschuw ik uw bemanning dat u terug bent.'

Pitt vond dat een goed idee en liep naar de wachtruimte, waar hij uit een vlekkerige glazen pot een kop koffie voor zichzelf inschonk. In de hoek hing een televisie waarop de beelden van een rodeo in Calgary te zien waren. Pitt had geen oog voor de berijders en hun paarden, maar probeerde de door elkaar liggende puzzelstukjes van de afgelopen dagen op hun plaats te krijgen. Zijn uitstapje naar de Miners Co-op was het gevolg van een ingeving geweest, maar op de een of andere manier was zijn voorgevoel juist. Het opsporen van een voorraad ruthenium was van wereldwijd belang, en er was nog iemand anders op jacht. Hij moest weer denken aan de keurig geklede man in de witte sedan, John Booth. Die man had iets bekends, maar Pitt kende niemand in Vancouver die in staat was om in een zakenjet rond te vliegen.

De terminalmanager kwam de lounge binnen, schonk een grote beker koffie voor zichzelf in en begon tegen Pitt te praten.

'Uw bemanning is naar het vliegtuig op weg. Ik heb gezegd dat u er straks aan komt.'

Terwijl hij dat zei trok hij een suikerzakje open om dat in zijn koffie te doen. Maar hij trok het zakje per ongeluk helemaal doormidden, waardoor het tapijt op de vloer vol witte korreltjes kwam te liggen.

'Jeetje,' kreunde hij, terwijl hij het zakje weggooide. 'Nou, dan heeft de schoonmaker in elk geval wat te doen,' mompelde hij terwijl hij naar de rommel keek.

Pitt keek ook naar de rommel, maar zijn reactie was volkomen anders. Zijn ogen lichtten plotseling op en er verscheen een sluwe glimlach rond zijn lippen.

'Een gelukkige calamiteit,' zei hij tegen de manager, die hem uitdrukkingsloos aankeek. 'Bedankt voor al uw hulp. Ik moet nu even een paar telefoontjes plegen en ga dan onmiddellijk aan boord.'

Toen hij een paar minuten later over het platform liep, had Pitt ondanks zijn oude botten een kwieke tred en deed de jaap op zijn hoofd geen pijn meer. En de sluwe grijns was nog steeds niet van zijn gezicht verdwenen.

39

'Minister Jameson, ik heb Mitchell Goyette voor u aan de lijn,' zei de secretaresse met het grijze haar terwijl ze als een schildpad haar hoofd naar binnen stak.

Jameson knikte vanachter zijn bureau, wachtte even tot zijn secretaresse de deur achter zich had dichtgedaan en nam toen aarzelend de hoorn van het toestel.

'Arthur, hoe gaat het in die prachtige hoofdstad van ons?' begroette Goyette hem geveinsd vriendelijk.

'Ottawa geniet van een warm voorjaar, en dat past heel goed bij het patriottische klimaat dat momenteel in het parlement heerst.'

'Het wordt hoog tijd dat de Canadese natuurlijke hulpbronnen voor de Canadezen behouden blijven,' snoof Goyette verachtelijk.

'Ja, zodat we ze aan de Chinezen kunnen verkopen,' antwoordde de minister droogjes.

Goyette werd onmiddellijk ernstig. 'In het poolgebied liggen zuidoostelijk van Victoria Island wat rotsachtige eilandjes die de Royal Geographical Society Islands worden genoemd. Ik heb de mijnbouwconcessies voor het hele gebied daar nodig,' zei hij alsof hij om een kopje koffie vroeg.

'Laat me eens kijken,' antwoordde Jameson, en haalde uit een bureaula een stapel kaarten tevoorschijn. Nadat hij de kaart met STRAAT VICTORIA erop gevonden had, die net als alle andere in genummerde vakken was opgedeeld, liep hij naar een computer. Hij tikte de nummers van de betreffende vakken in en kwam uiteindelijk in de bestanden van het ministerie terecht waarin werd bijgehouden welke exploratie- en exploitatievergunningen door de overheid waren verleend. Hij kon Goyette binnen enkele minuten antwoord geven.

'Ik ben bang dat er al een productievergunning is verleend die circa dertig procent van de eilanden beslaat, voornamelijk het zuidelijke deel van West Island. Het is een vergunning voor tien jaar en ze zijn nog maar twee jaar bezig. De vergunninghouder is Kingfisher Holdings, een onderdeel van de Mid-America Mining Company, die opereert vanuit Butte, Montana. Ze hebben daar een kleine mijn aangelegd en halen er kleine hoeveelheden zink vandaan, en zo te zien alleen in de zomermaanden.'

'Die vergunning is verleend aan een Amerikaans bedrijf?'

'Ja, maar via een Canadese holding. Juridisch gezien valt daar niets tegen in te brengen, vooropgesteld dat ze de vereiste borgsom hebben betaald en zich aan de andere bepalingen van de licentieovereenkomst houden.'

'Ik wil dat die vergunning wordt ingetrokken en aan een van mijn bedrijven wordt verleend,' meldde Goyette zakelijk.

Jameson kon bij zoveel arrogantie van Goyette alleen zijn hoofd maar schudden. 'Dan moeten ze eerst een van de voorwaarden van de overeenkomst schenden, zoals de omgeving vervuilen of het te laat betalen van royalty's. Zo'n overeenkomst kan niet eenzijdig worden opgezegd, Mitchell, want dan krijgt de overheid zonder meer een proces aan haar broek.'

'Hoe moet ik dan aan die rechten komen?'

'Volgens het laatste inspectierapport leeft Mid-America momenteel alle voorwaarden nauwgezet na. Het enige wat erop zit is proberen de rechten rechtstreeks van hen over te nemen, maar dan zullen ze je ongetwijfeld proberen een poot uit te draaien.' Hij dacht een ogenblik na. 'Maar misschien is er nog een andere manier.'

'Vertel op,' drong Goyette ongeduldig aan.

'In de overeenkomst is sprake van een clausule met betrekking tot de nationale veiligheid. Als die toestanden met de Verenigde Staten blijven escaleren, bestaat er een mogelijkheid om dat als reden aan te voeren om de overeenkomst op te zeggen. Die clausule maakt het mogelijk om vergunningen aan buitenlandse bedrijven in te trekken op grond van oorlog, andere conflicten of het opzeggen van de wederzijdse betrekkingen. De kans daarop is vrij klein, maar je kan niet weten. Waarom heb je eigenlijk belangstelling voor die eilanden?'

'Iets wat minstens net zo kostbaar is als goud,' antwoordde Goyette kalm. Nadat hij zijn gebruikelijke vrijpostigheid had hervonden, blafte hij: 'Zet vast alle benodigde details voor me op een rijtje, zodat ik een bod op die vergunning kan uitbrengen. Ik vind wel een manier om Mid-America zover te krijgen dat ze de boel aan me overdoen.'

'Uitstekend,' antwoordde Jameson tandenknarsend. 'Ik wacht jouw resultaten af.'

'Maar dat is nog niet alles. Zoals je weet blijkt het gebied rond de Melville Sound buitengewoon rijk aan aardgas te zijn, alleen bezit ik maar een klein gedeelte van de velden. Het is beslist noodzakelijk dat ik de exploratierechten voor het hele gebied in handen krijg.'

Het was enkele seconden lang doodstil voor Jameson eindelijk in staat was om te mompelen: 'Ik weet niet zeker of dat wel mogelijk is.'

'Niets is onmogelijk, zolang de juiste prijs maar wordt betaald,' merkte Goyette lachend op. 'Je zult ontdekken dat het overgrote deel van dat gebied uit terrein bestaat dat tot voor kort door sneeuw en ijs was bedekt, en waarvoor niemand belangstelling had. Tot nu toe dan.'

'Dat is nou juist het probleem. Het is nu algemeen bekend dat Melville behoorlijk wat oplevert en we krijgen dan ook tientallen verzoeken binnen om daar te mogen boren.'

'Nou, reageer niet op die verzoeken. De Melville-gasvelden zijn straks miljarden waard, en ik ben niet van plan die tussen mijn vingers door te laten glippen,' snauwde hij. 'Ik stuur op korte termijn een stuk of wat kaarten naar je toe. Daarop staan de gebieden ingetekend die ik in exploratie wil nemen, en die omvatten grote delen van de Melville Sound plus nog enkele andere locaties in het arctische gebied. Ik ben van plan om mijn belangen in het poolgebied aanzienlijk uit te breiden en wil voor het geheel een allesomvattende exploratievergunning hebben. Er zijn daar ongelooflijke winsten te behalen en je zult daarvoor rijkelijk worden beloond, dus zorg ervoor dat het in orde komt. Tot ziens, Arthur.'

Jameson hoorde een klik en besefte dat de verbinding was verbroken. De minister van Natuurlijke Hulpbronnen bleef een ogenblik onbeweeglijk zitten, maar toen zwol er van binnenuit een enorme woede in hem op, en het volgende moment ramde hij met een harde klap de hoorn op het toestel.

Ruim drieduizend kilometer westelijker zette Goyette de speakerphone uit en leunde achterover in zijn stoel. Toen hij over zijn bureau keek blikte hij recht in de koele ogen van Clay Zak.

'Nooit gaat eens iets van een leien dakje,' mopperde hij. 'Goed, vertel me nou nog eens waarom dat ruthenium zo verdomde belangrijk is.'

'Het is heel eenvoudig,' antwoordde Zak. 'Als je als enige over ruthenium beschikt, bepaal je ook of er ooit sprake zal zijn van een oplossong voor het probleem van de opwarming van de aarde. Wat je besluit met het mineraal te gaan doen is een kwestie van geld... en ego, neem ik aan.'

'Ik luister,' gromde Goyette.

'Als jij de hoofdvoorraad van het spul in bezit hebt, kun je een keuze maken. Mitchell Goyette, de belangrijke milieubeschermer, kan de redder van de planeet worden en er en passant ook nog wat aan verdienen door over de hele wereld een serie installaties voor kunstmatige fotosynthese te bouwen.'

'Maar aan de vraagkant zit een groot risico,' wierp Goyette tegen. 'We weten niet hoeveel ruthenium er uiteindelijk nodig zal zijn, met als gevolg dat de winst enorm kan zijn, maar voor hetzelfde geld wordt er helemaal niets verdiend. Ik heb het grootste deel van mijn rijkdom gestoken in pogingen om de controle over de ontwikkeling van de Noordwestelijke Doorvaart te krijgen. Ik heb enorm geïnvesteerd in aardgas- en teerzand-infrastructuur, om op die manier in staat te zijn het gas en de olie via die route te transporteren, ondersteund door mijn vloot vaartuigen met ijsversterking. Ik heb langlopende exportovereenkomsten met de Chinezen en binnenkort gaan de Amerikanen voor mij door de knieën. En ik heb een veelbelovende onderneming op het gebied van het afvangen en opslaan van koolstofdioxide. Als de opwarming van de aarde wordt gekeerd, of zelfs maar op het huidige niveau blijft, zou ik wel eens geconfronteerd kunnen worden met ijsproblemen die haaks op mijn zakelijke belangen staan.'

'In dat geval, denk ik zo, wenden we ons tot Mitchell Goyette de hardnekkige kapitalist, die elke gelegenheid tot winst geblinddoekt weet te vinden en die zich in zijn pogingen om zijn financieel imperium uit te breiden door niets laat tegenhouden.'

'Je vleit me,' reageerde Goyette sarcastisch. 'Maar je hebt de beslissing gemakkelijk voor me gemaakt. Ik kan niet toestaan dat de Noordwestelijke Doorvaart weer in een dichte ijsmassa verandert. Door het recente smelten heb ik de controle over de gasvelden van de Melville Sound naar me toe weten te trekken en heb ik het monopolie over het transport in dat gebied in handen. Misschien over een jaar of tien, vijftien, als de teerzand- en aardgasreserves bijna uitgeput zijn, dat ik dan de planeet ga redden. Maar tegen die tijd is het ruthenium waarschijnlijk nog vele malen duurder dan nu.'

'Nu spreek je als een ware kapitalist.'

Goyette boog zich naar voren en pakte twee dunne velletjes papier die op zijn bureau lagen. Het waren de pagina's die Zak uit het logboek van de Miners Co-op had verwijderd.

'De basis voor deze rutheniumclaim maakt nog steeds een weinig solide indruk,' zei hij terwijl hij de pagina's nog eens bekeek. 'Een handelaar heeft het erts in 1917 gekocht van een Inuit wiens grootvader het spul zeventig jaar eerder in handen had gekregen. De grootvader was van Adelaide afkomstig, maar beweerde dat het ruthenium op de Royal Geographical Society Islands was gevonden. Daarbovenop noemde hij het spul Zwarte Kobluna en vertelde hij dat de vindplaats door duistere geesten was vervloekt. Niet bepaald de basis voor een wetenschappelijk onderbouwde mijnbouwconcessie.' Hij keek Zak aan, niet helemaal zeker of dit al dan niet een list van deze huurmoordenaar was.

Zak keek zonder ook maar één keer met zijn ogen te knipperen terug. 'Misschien zitten we er helemaal naast. Maar het ruthenium van die Inuit moet ergens vandaan komen, en we hebben het over ruim honderdzestig jaar geleden, ergens midden in het poolgebied. In het logboek stond een kaart van het eiland, met daarop exact de plaats waar het spul is gewonnen. De Inuit beschikten toen nog niet over graafmachines en kiepwagens, dus moet het voornamelijk materiaal zijn geweest dat aan de oppervlakte lag. Maar er moet meer zijn. Hoewel de Mid-America Company in het gebied is neergestreken, zijn die jongens naar zink op zoek, en ze zitten ook nog eens aan de andere kant van het eiland. Ja, Mitchell, misschien zitten we er helemaal naast. Maar als het spul daar inderdaad te vinden is, zou het wel eens ongelooflijk veel geld kunnen opleveren, en gaat het je ongelooflijk veel geld kosten als iemand je vóór is.'

'Zijn wij dan niet de enigen die van die Inuit-vondst afweten?'

Zak kneep zijn ogen heel even halfdicht en rond zijn lippen verscheen een grimas.

'Er bestaat een mogelijkheid dat Dirk Pitt het spul ook op het spoor is,' zei hij.

'Pitt?' vroeg Goyette, terwijl hij zijn hoofd schudde. Hij kende die naam niet.

'Hij is de directeur van de National Underwater and Marine Agency, een organisatie in de Verenigde Staten. Ik ben hem tegengekomen in het laboratorium in Washington en heb gezien hoe hij na de explosie eerste hulp aan de manager van het lab verleende. Ik heb hem opnieuw gezien in Ontario, bij de Miners Co-op, vlak nadat ik me die pagina's uit het logboek heb toegeëigend. Ik heb geprobeerd op de weg van de stad naar het vliegveld nog een ongeluk in scène te zetten, maar een oude man heeft hem weten te redden. Volgens mij is hij zich bewust van het grote belang dat ruthenium heeft voor het opstarten van het proces van kunstmatige fotosynthese.'

'Misschien is hij jou ook wel op het spoor,' zei Goyette, en er verscheen een diepe rimpel in zijn toch al zorgelijke voorhoofd.

'Daar kan ik zonder veel moeite wat aan doen,' reageerde Zak.

'Het is geen goed idee om belangrijke overheidsfunctionarissen op te blazen. Vanuit de States kan hij toch niets doen. Ik zal hem laten schaduwen, zodat we zeker weten dat hij daar blijft. Bovendien wil ik dat je nu naar het poolgebied afreist en daar de Royal Geographical Society Islands aan een nader onderzoek onderwerpt. Neem een beveiligingsteam met je mee, dan stuur ik er een paar van mijn beste geologen heen. Bedenk dan een manier om Mid-America daar weg te krijgen. Ik wil dat je daar dat ruthenium opspoort. Zorg ervoor dat je het in handen krijgt. Alles.'

'Nou zie ik de Mitchell Goyette weer zoals ik hem ken en bewonder,' zei Zak met een scheve glimlach. 'We hebben het nog niet over mijn deel gehad.'

'Momenteel is het weinig meer dan een luchtkasteel. Tien procent van de royalty's is dan ook eigenlijk veel te genereus.'

'Ik zat aan vijftig procent te denken.'

'Dat is absurd. Ik ben degene die voor alle investeringen opdraait. Vijftien procent.'

'Het zal toch echt twintig moeten worden.'

Goyette moest even tandenknarsen. 'Mijn boot af. En geniet van de kou.'

40

Ondanks Lorens dringende verzoek om in bed te blijven en nog wat uit te rusten, stond Pitt de volgende morgen al vroeg op en kleedde hij zich aan met de bedoeling naar zijn werk te gaan. Zijn lichaam voelde pijnlijker aan dan de dag ervoor het geval was geweest, en hij bewoog zich traag door het huis voort totdat zijn gewrichten weer een beetje soepel waren. Hij overwoog heel even om tequila met sinaasappelsap te drinken, om de pijn wat te temperen, maar besloot dat toch maar niet te doen. Het duurde tegenwoordig steeds langer voor pijn ten gevolge van een verwonding bij hem verdwenen was, en hij verwenste het ouder worden en de aftakeling van zijn lichaam.

Loren ontbood hem naar de badkamer, waar ze de wond op zijn schedel schoonmaakte en er een nieuw verband op aanbracht.

'Die is door je haar straks in elk geval niet meer te zien,' zei ze terwijl ze haar vinger over de vele littekens op Pitts borst en rug liet glijden. Talrijke confrontaties met de dood hadden hun stempel op zijn lichaam achtergelaten, en ook nog een stuk of wat op zijn ziel.

'Een fortuinlijke klap op het hoofd,' probeerde hij leuk te doen.

'Misschien dat je dan eindelijk eens gaat nadenken,' antwoordde ze, en sloeg haar armen om hem heen. Hoewel Pitt Loren had verteld van de gebeurtenissen in Ontario, had hij nagelaten te vermelden dat de aardverschuiving geen ongeluk was geweest. Ze keek op en drukte een zachte kus op zijn schedel, en herinnerde hem eraan dat hij had beloofd om later op de dag met haar te gaan lunchen.

'Ik kom je rond twaalven ophalen,' beloofde hij.

Om acht uur was hij op kantoor, nam aan enkele onderzoeksbriefings deel en belde later op de ochtend Dan Martin op. De FBI-directeur maakte een enigszins opgewonden indruk toen hij hoorde dat hij Pitt aan de lijn had.

'Dirk, jouw tip van gisteren was een schot in de roos. Je had gelijk, de schoonmakers in het laboratorium van de George Washington University werken 's avonds. We hebben de beelden van de beveiligingscamera's bekeken en inderdaad een duidelijk shot gevonden van die eigenzinnige schoonmaker van jou. Hij voldoet exact aan jouw beschrijving.'

Zittend in de wachtkamer van de kleine terminal op de luchthaven van Elliot Lake had Pitt eindelijk verband kunnen leggen tussen de man bij de Miners Co-op en de schoonmaker waar hij vlak voor de explosie in het laboratorium tegenaan was gelopen.

'Heb je hem al kunnen identificeren?' vroeg Pitt.

'Nadat we ons ervan hadden overtuigd dat hij niet tot de afdeling onderhoud behoorde en ook niet tot het schoonmaakpersoneel, hebben we zijn foto door de identificatiedatabase van Homeland Security gehaald. Niet het meest precies afgestemde systeem, ik weet het, maar het leverde een lijst van potentiële kandidaten op, en één daarvan is uitermate veelbelovend. Aan deze kant van de grens gaat hij door het leven als Robert Ford, woonachtig te Buffalo, New York. We zijn er al achter dat het adres in het systeem niet bestaat, terwijl het ook nog eens een valse naam is.'

Pitt herhaalde de naam Robert Ford, en dacht toen aan de naam die hij in Blind River had gebruikt, John Booth. Het was allemaal veel te toevallig, vond Pitt. John Wilkes Booth was de man die president Lincoln had doodgeschoten, terwijl Robert Ford Jesse James had gedood.

'Hij bewondert blijkbaar historische moordenaars,' merkte Pitt op.

'Misschien dat het zijn vak is. We hebben onze gegevens met die van de Canadese autoriteiten vergeleken, en ze zijn er vrijwel zeker van dat het om een zekere Clay Zak moet gaan.'

'Gaan ze hem oppakken?'

'Dat zouden ze ongetwijfeld doen als ze wisten waar hij zat. Hij wordt nog steeds verdacht van een twintig jaar oude moord op het terrein van een Canadese nikkelmijn. Maar daarna is er geen spoor meer van hem te bekennen.'

'Een nikkelmijn? Dat zou wel verband kunnen houden met zijn klaarblijkelijke voorliefde voor dynamiet.'

'Dat zijn we nu aan het onderzoeken. De Canadezen kunnen hem dan misschien niet vinden, maar zodra hij ook maar één voet in dit land zet is de kans groot dat we hem op kunnen pakken.'

'Knap werk, Dan. Je hebt in korte tijd heel wat voor elkaar gekregen.'

'Mazzel dat je je die ontmoeting nog herinnerde. En er is nog iets wat je misschien wel wilt weten. De laboratoriumassistent van Lisa Lane, Bob Hamilton. Het is ons gelukt om toegang te krijgen tot de financiële gegevens van die knaap. Het lijkt erop dat er vanuit een of ander onbekend buitenland recentelijk telegrafisch vijftigduizend dollar naar zijn rekening is overgemaakt.'

'Ik vermoedde al dat er iets niet klopte aan die kerel.'

'We gaan nog wat verder bij hem graven, en dan pakken we hem voor het einde van de week op om hem eens nader aan de tand te voelen. Dan kunnen we eens kijken of er verbanden te leggen zijn, maar ik moet zeggen, de zaken zien er momenteel veelbelovend uit.'

'Ik ben blij dat er vaart in het onderzoek zit. Bedankt voor alle moeite.'

'Jíj bedankt, Dirk. Je hebt ons bij dit geval een enorme duw in de goede richting gegeven.'

Pitt vroeg zich af hoe het met zijn eigen onderzoek was gesteld en daalde via de trap naar de negende etage af, waar zich het computercentrum bevond. Opnieuw trof hij Yeager achter zijn console aan, waar hij wederom in gesprek gewikkeld was met Max, die voor een groot projectiescherm stond. Daarop was een platte kaart van de wereld te zien, met tientallen knipperende lampjes erop. Al die lampjes bevonden zich ergens op zee en elk lampje vertegenwoordigde een boei die via een satellietverbinding onafgebroken informatie over het water en het weer aan het hoofdkwartier doorgaf.

'Problemen met het sensorsysteem?' vroeg Pitt, en ging op een stoel naast Yeager zitten.

'We hadden met enkele segmenten een datatransmissieprobleem,' antwoordde Yeager. 'Ik laat Max enkele softwaretests uitvoeren om te proberen de problemen te isoleren.'

'Als de laatste softwarerelease fatsoenlijk was getest vóór die daadwerkelijk in gebruik was genomen, hadden we nu deze problemen niet gehad,' onderbrak Max hem. Ze draaide zich naar Pitt om, wenste hem goedemorgen en zag toen Pitts verband. 'Wat is er met uw hoofd gebeurd?'

'Ik heb op een nogal rotsachtige weg een kleine aanrijding gehad,' antwoordde hij.

'We hebben de registratie nagetrokken van dat vliegtuig waarover je belde,' zei Yeager.

'Dat kan wel even wachten. De verbinding met die boeien is belangrijker.'

'Ik kan eventueel multitasken met de beste ervan,' bood Max een tikkeltje verontwaardigd aan.

'Ze is bezig met een test die een minuut of twintig duurt,' legde Yeager uit. 'Ze kan daar ondertussen gewoon mee doorgaan.'

Hij draaide zich weer naar het holografische beeld om en zei: 'Max, kom eens met informatie over die Canadese Gulfstream.'

'Het vliegtuig is een splinternieuwe Gulfstream G650, een straaltoestel voor achttien passagiers, gebouwd in 2009. Volgens het Canadese luchtvaartregister staat dit toestel, met de registratie c-FTGI, op naam van Terra Green Industries, gevestigd in Vancouver, British Columbia. Terra Green is een besloten vennootschap, met aan het hoofd ene Mitchell Goyette.'

'Vandaar de letters TGI in de registratie,' zei Yeager. 'In elk geval pronkt hij niet met zijn eigen initialen, zoals de meeste rijke eigenaars van zakenjets.'

'Goyette,' mijmerde Pitt hardop. 'Is die niet grootschalig bezig met groene energie?'

'Tot zijn bezittingen behoren windmolenparken, geothermische en hydro-elektrische energiecentrales, alsmede een klein aantal terreinen met zonnepanelen,' somde Max op.

'Gebruikmaken van een besloten vennootschap wil nog wel eens zeggen dat je iets te verbergen hebt,' zei Yeager, 'dus zijn we eens gaan graven. We hebben nog zo'n vijfentwintig zaken gevonden die uiteindelijk ook onderdeel uit maken van Terra Green. En toen bleek dat een aantal van die bedrijfsonderdelen zich bezighoudt met het winnen van aardgas en olie, en ook nog met mijnbouw, voornamelijk in het Athabasca-gebied in de provincie Alberta.'

'Dus Terra Green is ook weer niet zo héél erg groen,' reageerde Pitt ironisch.

'Het is nog veel erger dan dat. Een andere dochteronderneming van Terra Green heeft een meerderheidsbelang in een nog niet zo lang geleden ontdekt aardgasveld in de Melville Sound. De waarde daarvan zou wel eens hoger kunnen liggen dan dat van al zijn andere bedrijven bij elkaar. We hebben ook nog een interessante nautische link met de NUMA gevonden. Terra Green heeft de afgelopen jaren bij een werf aan de Golf van Mexico, in Mississippi om precies te zijn, enkele grote ijsbrekers laten bouwen, plus een aantal zeer grote lichters voor LNG en bulkgoederen. En dat blijkt dezelfde scheepswerf te zijn die ons laatste onderzoeksvaartuig heeft gebouwd, waarvan de tewaterlating naar achteren moest worden geschoven omdat ze het te druk hadden met het werk voor Terra Green.'

'Ja, de Lowden Shipyard in New Orleans,' herinnerde Pitt zich. 'Ik heb toen een van die lichters in het droogdok zien liggen. Het was een reusachtig ding. Ik vraag me af wat ze ermee vervoeren?'

'Ik heb geen pogingen ondernomen die vaartuigen te lokaliseren, maar als u wilt kan ik het proberen,' zei Max.

Pitt schudde zijn hoofd. 'Dat is waarschijnlijk niet zo van belang. Max, kun jij erachter komen of Terra Green zich momenteel bezighoudt met onderzoek naar kunstmatige fotosynthese of andere methoden om de uitstoot van broeikasgassen te beperken?'

Max bleef bewegingloos staan terwijl ze in haar databases op zoek ging naar onderzoeksrapporten en perscommuniqués die naar buiten waren gebracht.

'Ik vind nergens verwijzingen naar Terra Green en kunstmatige fotosynthese. Ze hebben een klein laboratorium waar onderzoek wordt verricht naar zonne-energie en ze hebben publicaties het licht doen zien over CO_2-afvang en -opslag. Het bedrijf heeft kortgeleden zo'n afvang- en opslaginstallatie geopend in Kitimat, British Columbia. Het bedrijf is momenteel in gesprek met de Canadese overheid over het bouwen van een onbekend aantal van dit soort installaties, die dan over het hele land verspreid zouden komen te liggen.'

'Kitimat? Ik heb van daaruit net een e-mail van Summer binnengekregen,' merkte Yeager op.

'Ja, de kinderen zijn daar blijkbaar een paar dagen gebleven, op weg naar de Inner Passage om daar de alkaliteit van het plaatselijke zeewater te testen.'

'Denk je dat die afvang- en opslaginstallatie daar een motief zou kunnen zijn om het onderzoek van Lisa Lane te saboteren?' vroeg Yeager.

'Dat weet ik niet, maar het zou natuurlijk kunnen. Het lijkt me duidelijk dat Goyette achter het ruthenium aan zit.' Hij vertelde over zijn bezoek aan de Miners Co-op en over de toevallige ontmoeting met de man die hij in het lab van de George Washington University had gezien, vlak voor de explosie daar. Hij las het stukje tekst op uit het logboek dat hij had mogen inzien en haalde zijn aantekeningen voor Yeager tevoorschijn.

'Max, de laatste keer dat we elkaar spraken gaf je aan dat er nauwelijks, en misschien wel helemaal niet, naar ruthenium werd gezocht,' zei hij.

'Dat klopt, er wordt momenteel slechts een kleine hoeveelheid erts van een geringe kwaliteit gewonnen in een mijn in Bolivia.'

'De Miners Co-op heeft nog een beperkte voorraad. Heb je gegevens over potentiële vindplaatsen in het poolgebied?'

Max bleef heel even bewegingloos staan en schudde toen haar hoofd. 'Nee, meneer. Ik kan in de gearchiveerde onderzoeken en mijnbouwconcessies waarin ik inzage heb, en die teruggaan tot de jaren zestig, er nergens informatie over vinden.'

Pitt bekeek zijn logboekaantekeningen en zei toen: 'Ik heb hier een notitie uit 1917, waarin staat dat een hoeveelheid ruthenium, dat hier Zwarte Kobluna wordt genoemd, zo'n achtenzestig jaar daarvoor in handen is gekomen van een groepje Inuit van het schiereiland Adelaide. Zegt je dat iets, Max?'

'Het spijt me, meneer, ik kan nog steeds geen relevante verwijzingen naar mijnbouwoperaties vinden,' antwoordde ze met een gekwetste blik in haar transparante ogen.

'Míj spreekt ze nooit aan met "meneer",' mopperde Yeager binnensmonds.

Max deed net of ze Yeager niet had gehoord en probeerde nog wat extra informatie voor Pitt te genereren.

'Het schiereiland Adelaide bevindt zich aan de noordkust van Nunavut, iets ten zuiden van het King William Island. Het schiereiland wordt in feite als een onbewoonde landstreek beschouwd, hoewel in het verleden tijdens bepaalde delen van het jaar het gebied wel eens door kleine groepjes rondtrekkende Inuit werd bezocht.'

'Max, wat wordt bedoeld met de term "Zwarte Kobluna"?' vroeg Yeager.

Max aarzelde terwijl ze toegang zocht tot de linguïstische database van de Stanford University. Toen draaide ze zich met een verwarde blik in haar ogen naar Yeager en Pitt om.

'Het is een tegenstrijdige woordgroep,' zei ze.

'Leg uit,' vroeg Yeager haar.

'*Kobluna* is een Inuit-term voor "blanke man". Vandaar dat het een gemengde vertaling is van "zwarte blanke man".'

'Inderdaad nogal tegenstrijdig,' zei Yeager. 'Misschien betekent het een blanke man die zich in het zwart heeft gehuld, of andersom.'

'Mogelijk,' zei Pitt. 'Maar we hebben het over een afgelegen deel van het poolgebied. Het staat niet eens vast of in die periode daar toen al een blanke of zwarte man ooit had rondgelopen. Is het niet zo, Max?'

'U zit in de buurt. De eerste pogingen om het Canadese poolgebied te verkennen en in kaart te brengen werden gedaan in het kader van een door de Britten geïnspireerde zoektocht naar een noordwestelijke doorvaart naar de Grote Oceaan. Halverwege de negentiende eeuw was een groot deel van het westelijke en oostelijke Canadese poolgebied redelijk goed in kaart gebracht. Het middengebied, met daarin een aantal doorvaarten rond het schiereiland Adelaide, was zo'n beetje het laatste stukje Canada dat in kaart werd gebracht.'

Pitt keek op van de aantekeningen die hij bij de Miners Co-op had gemaakt. 'Volgens mijn gegevens hier moeten de Inuit dat ruthenium in of rond 1849 gevonden hebben.'

'Volgens beschikbare historische gegevens heeft een expeditie onder auspiciën van de Hudson's Bay Company een deel van de Noord-Amerikaanse kustlijn daar tussen 1837 en 1839 verkend.'

'Dat is een tikkeltje te vroeg,' merkte Yeager op.

'De volgende tocht waarvan we weten is die van John Rae in 1851, tijdens zijn zoekactie naar overlevenden van de Franklin-expeditie. Van hem weten we dat hij langs de zuidoostkust van Victoria Island is getrokken, maar dat is nog altijd zo'n honderdzestig kilometer van Adelaide verwijderd. Pas in 1859 werd het gebied opnieuw bereikt, deze keer door Francis McClintock, die het nabijgelegen King William Island heeft bezocht, iets ten noorden van Adelaide, tijdens een andere zoektocht naar Franklin.

'En dat is weer een beetje aan de late kant,' zei Yeager.

'Maar we hebben Franklin nog,' zei Pitt, die diep in zijn geheugen groef. 'Wanneer is hij met zijn schepen die kant uit vertrokken en wanneer werd er niets meer van gehoord?'

'De Franklin-expeditie is in 1845 vanuit Engeland vertrokken. Ze hebben het eerste jaar op Beechey Island overwinterd en zijn daarna in zuidelijke richting gegaan om op een gegeven moment ter hoogte van het King William Island in het ijs vast te komen zitten. De schepen die aan de expeditie deelnamen werden in het voorjaar van 1848 achtergelaten, terwijl alle bemanningsleden later aan de wal zijn overleden.'

Pitt prentte de gegevens in zijn hoofd en bedankte Max vervolgens voor de informatie. De holografische vrouw knikte en wendde zich af om zich weer aan haar softwareberekeningen te wijden.

'Als Franklins mannen in 1848 hun schepen nog een behoorlijk stuk ten noorden van het schiereiland hebben achtergelaten, is het weinig waarschijnlijk dat ze daar met mineralen zijn gaan rondzeulen,' merkte Yeager op.

'Het is mogelijk dat de Inuit zich in de datum hebben vergist,' reageerde Pitt. 'Het andere punt waar we aan moeten denken is Max' opmerking dat het schiereiland Adelaide een halteplaats op de trekroute van de Inuit is geweest. Alleen omdat bekend is dat de Inuit af en toe op het schiereiland verbleven, hoeft dat nog niet te betekenen dat ze daar aan het mineraal zijn gekomen.'

'Daar zeg je iets. Denk je dat er een verband met de Franklin-expeditie bestaat?'

Pitt knikte langzaam. 'Het zou wel eens onze enige echte schakel kunnen zijn,' zei hij.

'Maar je hebt gehoord wat Max zei. De hele bemanning is omgekomen. Dan lijkt het me dat we er niet op hoeven hopen om langs die weg aan een antwoord te komen.'

'Hoop is er altijd,' zei Pitt met een glinstering in zijn ogen. Hij keek op zijn horloge en kwam uit zijn stoel overeind om weg te gaan. 'En eerlijk gezegd, Hiram, verwacht ik aan het eind van de middag zeker te weten of we op het juiste spoor zitten.'

41

Pitt leende een Jeep van de agency, haalde op Capitol Hill Loren op en reed vervolgens dwars door het centrum van Washington.

'Heb je tijd voor een uitgebreide lunch?' vroeg hij toen ze voor een verkeerslicht moesten stoppen.

'Je hebt geluk, er staan voor vanmiddag geen hoorzittingen op het programma. Ik was bezig wat conceptwetgeving door te nemen. Waar zat je aan te denken?'

'Een uitstapje naar Georgetown.'

'Naar mijn appartement, voor wat genotvolle middagbezigheden?' vroeg ze quasi-preuts.

'Dat is een aanlokkelijk voorstel,' reageerde hij, terwijl hij zachtjes in haar hand kneep, 'maar ik ben bang dat we een lunchreservering hebben die niet afgezegd kan worden.'

Het verkeer zat nagenoeg muurvast, maar op een gegeven moment wist Pitt M Street te bereiken, die rechtstreeks naar het hart van Georgetown leidde.

'Hoe gaat het eigenlijk met Lisa?' vroeg hij.

'Die mag vandaag naar huis en staat in feite te springen om weer aan het werk te gaan. Ik ben met het bureau voor wetenschap en technologie van het Witte Huis bezig een briefing voor te voorbereiden, die moet gaan plaatsvinden zodra ze gelegenheid heeft gehad om haar bevindingen te documenteren en samen te vatten. Maar dat kan nog wel een paar weken duren. Lisa belde me vanochtend een tikkeltje ontdaan op – haar laboratoriumassistent heeft blijkbaar buiten de staat een andere baan aangenomen en laat haar zonder fatsoenlijk op te zeggen zitten.'

'Bob Hamilton?'

'Ja, dat is hem. De man die je toch al niet vertrouwde.'

'Het is de bedoeling dat hij later deze week met de FBI praat. Ik heb het gevoel dat het nog wel eventjes kan duren voor die knaap aan een nieuwe baan begint.'

'Het begon allemaal als een veelbelovend project, maar ik ben bang dat het op een puinhoop is uitgedraaid. Ik heb een vertrouwelijk rapport van het ministerie van Energie gezien waarin voorspeld wordt dat de opwarming van de aarde aanzienlijk ernstiger gevolgen voor het milieu en de economie heeft dan tot nu toe naar buiten is gekomen. Uit de laatste studies kan worden opgemaakt dat de broeikasgassen in een onrustbarend tempo toenemen. Denk je dat er op korte termijn genoeg ruthenium zal worden gevonden om dat systeem van kunstmatige fotosynthese tot een realiteit te maken?'

'Het enige waarover we beschikken is een uiterst karig verslag over een al lang vergeten vindplaats. Misschien levert het niets op, maar we kunnen op z'n minst proberen die op te sporen.'

Pitt sloeg een ouderwetse zijstraat in en kwam in een woonwijk terecht. Het was een brede laan met aan beide kanten historische buitenhuizen die uit de jaren veertig van de negentiende eeuw dateerden. Onder een hoge eik vond hij een plaatsje om te parkeren en samen liepen ze naar een wat kleinere woning, het verbouwde koetshuis van het buiten dat een eindje verderop stond. Pitt liet een zware koperen klopper neerkomen. Enkele ogenblikken later ging de deur open en stonden ze oog in oog met een kolossale man met een roodfluwelen smokingjasje aan.

'Dirk! Loren! Daar zijn jullie,' bulderde St. Julien Perlmutter joviaal. De bebaarde kolos, die bijna honderdvijftig kilo woog, plette hen bijna toen hij hen ter verwelkoming stevig omhelsde.

'Julien, je ziet er goed uit. Ben je afgevallen?' vroeg Loren terwijl ze op zijn omvangrijke buik klopte.

'Lieve hemel, nee,' bracht hij schaterend uit. 'De dag waarop ik ophoud met eten is ook de dag dat ik de pijp uit ga. Jij daarentegen ziet er verrukkelijker uit dan ooit.'

'Wat mij betreft mag je je wat eetlust betreft op voedsel blijven concentreren,' dreigde Pitt grijnzend.

Perlmutter boog zich naar Loren toe en zei in haar oor: 'Als je het samenleven met deze vreemde oude snijboon ooit zat mocht worden, laat het me dan even weten,' net hard genoeg zodat Pitt het zou horen. Daarna richtte hij zich als beer weer op en beende door de kamer.

'Kom mee naar de eetkamer,' zei hij wild gebarend.

Loren en Pitt liepen achter hem aan door de woonkamer, en vervolgens door een gang. Beide stonden van onder tot boven vol met boekenkasten. De rest van het huis zag er net zo uit, waardoor het meer weg had van een statige bibliotheek dan van een particulier huis. Binnen de muren van deze woning bevond zich de grootste verzameling historische boeken en tijdschriften op nautisch gebied ter wereld. Perlmutter zelf, een onverzadigbare verzamelaar van scheepvaartarchieven, stond bekend als de ultieme expert op het gebied van maritieme geschiedenis.

Hij ging hen voor naar een kleine maar sierlijke eetkamer, waar slechts een paar stapeltjes boeken op haast discrete wijze tegen de muur stonden. Ze gingen aan de stevige mahoniehouten tafel zitten waarvan de poten de vorm van leeuwenklauwen hadden. Die tafel was afkomstig uit de kapiteinskajuit van een oud zeilschip, een van de vele nautische antiquiteiten die tussen de duizenden boeken bijna verloren gingen.

Perlmutter opende een fles Poilly-Fumé en schonk voor ieder een glas droge witte wijn in.

'Ik ben bang dat die fles koemis die je me vanuit Mongolië heb toegestuurd al leeg is,' zei hij tegen Pitt. 'Heerlijk goedje.'

'Toen ik daar was heb ik genoeg van dat spul gedronken. De plaatselijke bevolking drinkt het alsof het water is,' antwoordde hij, en moest onwillekeurig weer aan de enigszins bittere smaak denken van de alcoholische drank die van de melk van merries werd gemaakt.

Perlmutter proefde van de wijn, zette zijn glas toen neer en sloeg zijn handen ineen.

'Marie,' riep hij luid. 'Je kunt de soep opdienen.'

Een vrouw met een schort voor en een dienblad in haar handen kwam uit de keuken tevoorschijn. Qua lichaamsbouw viel ze volkomen bij Perlmutter in het niet: elegant, tenger, met kort donker haar en koffiekleurige ogen. Glimlachend zette ze voor iedereen een kom soep op tafel en verdween weer naar de keuken. Pitt proefde even en knikte goedkeurend.

'Crème vichyssoise. Smaakt heerlijk.'

Perlmutter boog zich naar voren en fluisterde: 'Marie is de assistente van de chef-kok van Citronelle, hier in Georgetown. Ze is afgestudeerd aan een van de beste culinaire opleidingen in Parijs. En haar vader is ooit chef-kok bij Maxim's geweest,' voegde hij eraan toe terwijl hij opgetogen zijn vingertoppen kuste. 'Ik heb met haar afgesproken dat ze drie keer per week voor me komt koken. Wat is het leven toch mooi!' riep hij uit met zijn lage stem, en toen hij vervolgens luidruchtig moest lachen trilden de vetplooien rond zijn kin.

Als hoofdgerecht werd het drietal gefêteerd op gesauteerde zwezeriken met risotto en prei, gevolgd door chocolademousse. Pitt schoof het lege dessertbord met een zucht van voldoening van zich af, maar Loren kon het niet allemaal op en zag zich genoodzaakt de handdoek in de ring te gooien.

'Uitstekend, Julien, van begin tot eind. Als je ooit genoeg van maritieme geschiedenis mocht krijgen, ligt er altijd nog een fantastische toekomst als restaurateur op je te wachten,' merkte Loren op.

'Misschien, maar ik denk dat daar erg veel bij komt kijken,' zei Perlmutter lachend. 'Maar zoals je ongetwijfeld van je echtgenoot zult hebben geleerd, als je eenmaal liefde voor de zee hebt opgevat, blijft die altijd bestaan.'

'Dat is zo. Ik weet niet wat er van jullie beiden had moeten worden als de mens nooit geleerd had de zeeën te bevaren.'

'Dat is een godslasterlijke gedachte,' brulde Perlmutter. 'Dat herinnert me eraan, Dirk, dat je zei dat jouw bezoekje nog iets meer behelsde dan alleen maar eens lekker eten met een goede vriend...'

'Dat klopt, Julien. Ik ben op jacht naar een schaars mineraal dat rond 1849 in het poolgebied is opgedoken.'

'Dat klinkt intrigerend. Vanwaar je belangstelling?'

Pitt vertelde in korte bewoordingen over het belang van ruthenium en kwam met een samenvatting over zijn bezoek aan de Miners Co-op.

'Had je het over het schiereiland Adelaide? Als mijn geheugen me niet bedriegt ligt dat pal onder King William Island, precies in het midden van de Noordwestelijke Doorvaart,' zei Perlmutter terwijl hij langs zijn dikke grijze baard streek. 'En in 1849 kunnen de enige onderzoekers daar het groepje rond Franklin zijn geweest.'

'Wie was Franklin?' vroeg Loren.

'Sir John Franklin. Een Britse marineofficier en een vermaard poolreiziger. Heeft als jongeman nog aan de slag bij Trafalgar meegedaan en deed toen, als ik me niet vergis, dienst aan boord van de *Bellerophon*. Hoewel hij op zijn negenenvijftigste zijn bloeitijd al enkele jaren achter zich had liggen, trok hij er toch met twee uiterst stevige schepen opuit in een poging de befaamde Noordwestelijke Doorvaart te vinden en die ook daadwerkelijk helemaal te volgen. En dat is hem nog bijna gelukt ook, alleen kwamen zijn schepen in het ijs vast te zitten. De bemanningsleden die dat overleefden verlieten het schip en probeerden een pelsjagerkamp te bereiken dat een paar honderd kilometer zuidelijker lag. Maar uiteindelijk stierven alle honderdvierendertig man die aan zijn expeditie hadden deelgenomen, waardoor het de ergste ramp uit de geschiedenis van het poolonderzoek is geworden.'

Perlmutter verontschuldigde zich, verdween naar een van zijn met boeken gevulde vertrekken en kwam even later terug met een stuk of wat oude banden en een nogal grof bijeengebonden manuscript. Hij sloeg een van de boeken open, bladerde erdoorheen, vond de pagina die hij zocht en las hardop voor.

'Hier hebben we het. Franklin vertrok in mei 1845 vanaf de Theems met twee schepen, de *Erebus* en de *Terror*. Ze werden voor het laatst gezien toen ze de Baffinbaai binnen voeren, het stuk zee tussen Groenland en Baffin Island, aan het einde van die zomer. Ze hadden voor drie jaar voorraden bij zich en men ging ervan uit dat ze minstens een jaar in het ijs zouden moeten overwinteren voor ze een poging konden ondernemen om zich een weg naar de Grote Oceaan te banen, of anders naar Engeland zouden terugkeren met het bewijs dat die doorgang helemaal niet bestond. Maar in plaats daarvan stierven Franklin en zijn bemanning in het poolgebied en is er van zijn schepen nooit meer iets teruggevonden.'

'Is niemand naar hen op zoek gegaan, toen ze na drie jaar niet terugkeerden?' vroeg Loren.

'O, meisje, en óf ze dat deden! Toen er eind 1847 nog steeds niets van hen was vernomen begon men zich ernstig zorgen te maken, en het jaar daarop werden er hulpacties op touw gezet. Er werden letterlijk tientallen expedities op uitgestuurd, allemaal op zoek naar Franklin, en waarbij men zowel vanuit oostelijke richting als vanuit het westen te werk ging. De echtgenote van Franklin, lady Jane Franklin, financierde uit eigen middelen talloze expedities die haar man moesten zien te vinden. Opmerkelijk genoeg zou het nog tot 1854 duren, negen jaar nadat ze uit Engeland waren vertrokken, voordat op King William Island de stoffelijke overschotten van enkele bemanningsleden werden gevonden, waardoor datgene waarvoor men eigenlijk al vreesde bevestigd werd.'

'Hebben ze nog logboeken of andere tekenen van leven achtergelaten?' vroeg Pitt.

'Eén maar. Een beangstigende notitie die op het eiland onder een *cairn* is gelegd en in 1859 werd ontdekt.' Perlmutter vond in een van zijn boeken een fotokopie van het briefje en schoof dat over tafel naar Loren en Pitt, zodat ze het konden lezen.

'Er staat hier dat Franklin in 1847 is overleden, maar niet waaraan,' zei Loren.

'Dit briefje levert meer vragen op dan antwoorden. Ze waren bijna bij het einde van het moeilijkste stuk van de doorvaart, maar zijn waarschijnlijk overvallen door de buitengewoon korte zomer, en de kans is groot dat hun schepen door het ijs verpletterd zijn.'

Pitt vond een kaart in het boek, waarop de plaats stond aangegeven waar Franklin ongeveer was overleden. Het punt waar naar alle waarschijnlijkheid de twee schepen waren achtergelaten bevond zich op nauwelijks honderdvijftig kilometer van het schiereiland Adelaide.

'Het ruthenium dat in het gebied werd gevonden werd Zwarte Kobluna genoemd,' zei Pitt, die op de kaart naar een mogelijke geografische aanwijzing zocht.

'Kobluna, dat is een Inuit-woord,' zei Perlmutter terwijl hij het slordig gebonden manuscript pakte. Hij sloeg het oude perkament open en Loren zag dat het een handgeschreven document was.

'Ja,' antwoordde Pitt. 'Het is het Inuit-woord voor "blanke man".'

Perlmutter klopte met zijn knokkels op het opengeslagen document. 'In 1860 heeft een New Yorkse journalist die Stuart Leuthner heette geprobeerd de geheimen rond de Franklin-expeditie te ontrafelen. Hij is naar het poolgebied getrokken en heeft zeven jaar lang in een Inuit-nederzetting gewoond, waar hij hun taal en gewoonten heeft geleerd. Hij heeft het gebied rond King William Island doorkruist en heeft elke bewoner geïnterviewd die mogelijk ook maar iets met Franklin en zijn expeditieleden te maken kon hebben gehad. Maar er waren nauwelijks aanwijzingen en hij is dan ook gedesillusioneerd naar New York teruggekeerd, zonder de definitieve antwoorden te vinden waarnaar hij op zoek was. Om de een of andere reden besloot hij zijn bevindingen niet uit te geven; hij liet zijn manuscript achter en is naar het poolgebied teruggekeerd. Hij trouwde met een jonge Inuit-vrouw, trok de woestenij in om te leven van wat het land opbracht en er is nooit meer iets van hem gehoord.'

'Is dat zijn dagboek over de periode dat hij bij de Inuit heeft doorgebracht?' vroeg Pitt.

Perlmutter knikte. 'Het is me gelukt om het een paar jaar geleden voor niet al te veel geld tijdens een veiling op de kop te tikken.'

'Het verbaast me eigenlijk dat het nooit uitgegeven is,' zei Loren.

'Als je het hebt gelezen begrijp je waarom. Negentig procent bestaat uit een verhandeling over het vangen en slachten van robben, het bouwen van iglo's en het verdrijven van de verveling tijdens de donkere wintermaanden.'

'En de andere tien procent?' vroeg Pitt.

'Laat eens kijken,' zei Perlmutter glimlachend.

Het volgende uur bladerde Permutter in hoog tempo door het dagboek, las af en toe een passage voor waarin een Inuit beschreef dat hij op de afgelegen oever van King William Island een stel sleeën had gezien, of had waargenomen dat er twee schepen in het ijs vastzaten. Aan het eind van het dagboek had Leuthner een jonge man geïnterviewd door wiens verhaal Loren en Pitt op het puntje van hun stoel waren gaan zitten.

Het relaas was afkomstig van Koo-nik, een jongen van dertien, die in 1849 samen met zijn oom ten westen van King William Island op robbenjacht was geweest. Hij en zijn oom hadden een hoge heuvel beklommen en hadden toen een grote boot gevonden die in een enorm stuk drijfijs vastzat.

'Kobluna,' had de oom gezegd terwijl ze op het vaartuig af waren gestapt.

Toen ze dichterbij kwamen hoorden ze vanuit het binnenste van het schip geschreeuw en gekrijs komen. Een man met een verwilderde blik en lang haar gebaarde dat ze dichterbij moesten komen. Met een pas gevangen rob als ruilmiddel werden ze snel aan dek uitgenodigd. Er kwamen nog wat mannen opdagen, uitgemergeld en onder het vuil zittend, terwijl hun kleren onder het geronnen bloed zaten. Een van de mannen staarde Koonik aan en stootte onsamenhangende klanken uit, terwijl twee mannen over het dek dansten. De mannen zongen een vreemd lied en noemden zichzelf de 'mannen van het duister'. Ze leken allemaal bezeten door boze geesten, vond Koo-nik. Doodsbang voor deze schimmen hield Koo-nik zich uit alle macht aan zijn oom vast, terwijl deze al wat oudere man in ruil voor zijn rob twee messen en enkele glimmende, zilverachtige stenen kreeg die volgens de Kobluna's het vermogen hadden om warmte af te geven. De Kobluna's beloofden nog meer snijgereedschap en zilverkleurige stenen als de Inuit terug zouden komen met meer robbenvlees. Koo-nik is daarna samen met zijn oom vertrokken, maar hij heeft de boot daarna nooit meer teruggezien. Hij meldde nog wel dat zijn oom en nog wat mannen een paar weken later met een groot aantal robben naar de boot waren teruggegaan en met veel messen en een kajak vol Zwarte Kobluna waren teruggekeerd.'

'Dan moet dat het ruthenium zijn geweest,' zei Loren opgwonden.

'Ja, de Zwarte Kobluna,' was Pitt het met haar eens. 'Maar hoe is Franklins bemanning aan dat spul gekomen?'

'Misschien dat het tijdens een slede-expeditie op een van de naburige eilanden is ontdekt, toen de schepen in het ijs vastzaten,' opperde Perlmutter. 'Maar er kan natuurlijk veel eerder al een mijn zijn ontdekt, overal tussen Groenland en Victoria Island, en dat is een afstand van duizenden kilometers. Ik ben bang dat dat weinig houvast biedt.'

'Wat ik vreemd vind is het gedrag van de bemanning,' merkte Loren op.

'Ik heb een soortgelijk verhaal gehoord over een stuk of wat arbeiders in Zuid-Afrika die geschift raakten, en dat werd toegeschreven aan een mogelijke blootstelling aan ruthenium,' antwoordde Pitt. 'Maar daar zit geen enkele logica in, want dat mineraal heeft geen enkele gevaarlijke component.'

'Misschien kwam het alleen maar door de afschuwelijke omstandigheden waaronder ze moesten zien te overleven. Al die winters nauwelijks iets te eten, de kou, geen kant op kunnen aan boord van een donker, benauwd schip,' zei Loren. 'Ik zou daar ook knettergek van worden.'

'Voeg daar nog scheurbuik en bevriezingsverschijnselen aan toe, om nog maar te zwijgen over botulisme ten gevolge van het inferieure ingeblikte voedsel, waarvan de blikken ook nog eens met lood zijn afgedicht, en je hebt ruim voldoende elementen om het verstand van iemand op de proef te stellen,' was Perlmutter het met haar eens.

'Een van de vele onbeantwoorde vragen waarmee de expeditie omringd is,' zei Pitt.

'Dit relaas lijkt het verhaal van de handelaar van de Miners Co-op te bevestigen,' merkte Perlmutter op.

'Misschien is het antwoord waar dat mineraal vandaan komt nog steeds aan boord van het schip te vinden,' opperde Loren.

Pitt had daar ook al aan moeten denken. Hij wist dat in de ijskoude wateren van het poolgebied heel wat opvallende zaken lange tijd bewaard waren gebleven. De *Breadalbane*, een houten schip uit 1843 dat erop uit was gestuurd om naar Franklin en zijn mannen op zoek te gaan en in de buurt van Beechey Island door het ijs kapot was gedrukt, was recentelijk min of meer intact teruggevonden, terwijl de masten nog steeds hoog boven het dek uitstaken. Dat er aan boord van het schip misschien nog steeds aanwijzingen te vinden waren naar de bron van het ruthenium was heel wel mogelijk. Maar welk schip was het precies, en waar bevond zich dat ergens?'

'Werd er nog gesproken over een tweede schip?' vroeg hij.

'Nee,' antwoordde Perlmutter. 'En de globale locatie waarmee ze komen ligt een heel stuk zuidelijker dan waar volgens onze gegevens de schepen van Franklin door de bemanningen in de steek zijn gelaten.'

'Misschien is het ijs gaan schuiven en zijn ze uit elkaar gedreven,' opperde Loren.

'Dat is zonder meer mogelijk,' reageerde Perlmutter. 'Leuthner heeft een interessant stukje informatie, wat verderop in zijn dagboek,' zei hij, en bladerde een paar pagina's door. 'Tegenover derden heeft een andere Inuit beweerd dat hij een van de twee schepen heeft zien zinken, terwijl de andere gewoon verdwenen is. Ik denk niet dat Leuthner in staat is geweest om uit de woorden van deze Inuit op te maken welk van de twee schepen dat geweest is.'

'Als we ervan uitgaan dat het een van de schepen van Franklin is, zou het wel eens van het grootste belang kunnen zijn om te kijken om welk vaartuig het gaat, voor het geval het mineraal niet aan boord van zowel de *Erebus* als de *Terror* is gebracht,' merkte Pitt op.

'Ik ben bang dat Koo-nik nooit heeft kunnen vaststellen om welk schip het ging. En beide vaartuigen zagen er nagenoeg identiek uit,' zei Perlmutter.

'Maar hij zei dat de bemanning voor zichzelf een naam had,' zei Loren. 'Hoe noemde hij hen ook al weer, de "zwarte mannen"?'

'Hij beschreef ze als de "mannen van het duister",' antwoordde Perlmutter. 'Een tikkeltje vreemd. Ik neem aan dat ze die naam hebben aangenomen omdat ze zo veel donkere winters hadden overleefd.'

'Maar er kan natuurlijk ook nog een andere reden zijn,' zei Pitt terwijl zich een brede grijns over zijn gezicht verspreidde. 'Als ze inderdaad de mannen van het duister waren, dan hebben ze ons zojuist verteld aan boord van welk schip ze dienden.'

Loren keek hem vragend aan, maar Perlmutter begreep onmiddellijk wat hij bedoelde.

'Maar natuurlijk!' bulderde de enorme man. 'Het moet de *Erebus* zijn. Uitstekend gedaan, ouwe jongen.'

Loren keek haar echtgenoot aan. 'Wat heb ik gemist?'

'Erebus,' antwoordde Pitt. 'In de Griekse mythologie is dat een onderaardse halteplaats op weg naar Hades. Het is een oord van eeuwige duisternis.'

'Je kunt inderdaad in alle eerlijkheid zeggen dat het schip en de bemanning daar zijn geëindigd,' zei Perlmutter. Hij keek Pitt bedachtzaam aan. 'Denk je dat je haar op kunt sporen?'

'Het is een behoorlijk groot zoekgebied, maar het is de gok waard. Het enige wat succes in de weg kan staan is hetzelfde gevaar waar Franklin ook aan ten onder is gegaan: het ijs.'

'We lopen tegen het zomerseizoen aan, en het smeltende ijs maakt varen in het gebied redelijk goed mogelijk. Denk je dat je daar op tijd een vaartuig kunt krijgen om een zoektocht uit te voeren?'

'En vergeet de Canadezen niet,' waarschuwde Loren. 'Misschien mag je niet eens naar binnen.'

Pitts ogen fonkelden optimistisch. 'Ik heb toevallig een schip daar in de buurt zitten, mét de juiste man die daar de weg weet,' zei hij met een zelfverzekerde grijns

Perlmutter vond een stoffige fles met oude port en schonk voor iedereen een glaasje in.

'Succes, jongen,' toostte hij. 'Dat je enig licht moge doen schijnen over de duistere *Erebus*.'

Nadat ze Perlmutter voor de maaltijd hadden bedankt en de maritiem historicus hen had beloofd dat hij kopieën zou maken van al het materiaal dat hij had over de waarschijnlijke positie van het schip, verlieten Loren en Pitt het koetshuis en liepen ze naar de auto terug. Toen ze instapten was Loren ongebruikelijk stil. Haar zesde zintuig was in werking getreden, dat haar waarschuwde voor onzichtbare gevaren. Ze wist dat ze Pitt nooit af kon houden van een onderzoek naar een verloren mysterie, maar ze vond het altijd vreselijk moeilijk om hem los te laten.

'Het poolgebied is een gevaarlijk oord,' zei ze uiteindelijk. 'Ik zal me voortdurend zorgen maken als je daar zit.'

'Ik neem in elk geval een lange onderbroek mee en blijf uit de buurt van ijsbergen,' reageerde hij opgewekt.

'Ik weet dat dit belangrijk voor je is, maar toch, ik zou het een stuk prettiger vinden als je niet weg hoefde.'

Pitt glimlachte haar geruststellend toe, maar in zijn ogen was een starende blik te zien, een vastbesloten blik ook. Loren keek haar man heel even aan en besefte dat hij al ter plekke was.

42

Mitchell Goyette zat op het achterdek van zijn jacht en nam net een financieel overzicht door, toen een secretaresse aan kwam lopen met een beveiligde draagbare telefoon.

'De minister van Natuurlijke Hulpbronnen Jameson is voor u aan de lijn,' zei de aantrekkelijke brunette terwijl ze hem de telefoon overhandigde.

Goyette wierp haar een zelfingenomen grijns toe en nam toen de hoorn op.

'Arthur, wat fijn dat je even belt. Vertel me eens, hoe gaat het met de behandeling van mijn exploratievergunningen voor het poolgebied?'

'Daarover bel ik juist. Ik heb de kaarten ontvangen van de door jou verlangde arctische exploratiezones, de gebieden waar je naar delfstoffen wilt gaan zoeken. Jouw aanvragen beslaan een gebied van ruim vijf miljoen hectare, zag ik tot mijn ontsteltenis. Dat vind ik nogal ongehoord, eerlijk gezegd.'

'Tja, nou, er valt daar een hoop geld te verdienen. Maar laten we met het belangrijkste beginnen. Waar staan we als het gaat om die mijnbouwconcessies op de Royal Geographical Society Islands?'

'Zoals je weet is een deel van de exploratie- en productierechten in handen van de Mid-America Mining Company. Mijn departement heeft een herroeping van hun vergunning opgesteld op basis van overtuigende redenen. Als zij de komende drie maanden hun productiequota niet halen, kunnen we hun vergunning intrekken. En als die crisis met de Verenigde Staten verhevigt kunnen we zelfs nog eerder in actie komen.'

'Ik denk dat we er vergif op kunnen innemen dat ze hun zomerquotum niet zullen halen,' merkte Goyette sluw op.

'De herroeping kan worden versneld als hij door de premier wordt ondertekend. Wil je het soms langs die weg proberen?'

'Premier Barrett vormt geen enkel beletsel,' zei Goyette lachend. 'Je zou kunnen zeggen dat hij in deze onderneming een soort stille vennoot is.'

'Publiekelijk maakt hij zich sterk voor een beleid waarbij de arctische wildernis beschermd gebied moet worden,' bracht Jameson hem in herinnering.

'Hij tekent alles wat ik wil dat hij tekent. Goed, hoe zit het met mijn andere vergunningaanvraag?'

'Mijn staf heeft ontdekt dat er nog maar voor een klein stuk van de Melville Sound vergunningen zijn afgegeven. Blijkbaar ben je nagenoeg iedereen voor.'

'Ja, omdat een groot deel van dat gebied ontoegankelijk is. Met de steeds hoger wordende temperatuur en mijn vloot ijsbrekers en lichters, ben ik in staat om die gebieden te ontginnen voor iemand anders daar een voet tussen de deur kan krijgen. Met jouw hulp, uiteraard,' voegde hij er ijzig aan toe.

'Ik kan je met je exploratievergunningen helpen zolang het gaat om operaties op zee, maar wat betreft het deel van de gebieden op het vasteland moet ook toestemming door de Indian and Native Affairs Division worden gegeven.'

'Wordt het hoofd van dat bureau ook door de premier benoemd?'

'Ja, ik geloof van wel.'

Opnieuw moest Goyette hard lachen. 'Dan is dat geen enkel probleem. Hoe lang duurt het voor ik die zeegebieden kan afgrendelen?'

'Het is een nogal uitgebreid territorium dat bekeken en goedgekeurd moet worden,' zei Jameson aarzelend.

'Maak je geen zorgen, meneer de minister. Op korte termijn kun je een omvangrijke overschrijving tegemoet zien, en nog een zodra de vergunningen zijn afgegeven. Mensen die me helpen bij het uitbouwen van mijn zakelijke belangen vergeet ik nooit te betalen.'

'Uitstekend. Ik zal proberen de documenten binnen een paar weken rond te hebben.'

'Grote jongen. Je weet waar je me kunt vinden,' zei Goyette, en maakte een einde aan het gesprek.

In zijn kantoor in Ottawa legde Jameson de hoorn op het toestel terug en keek naar de man aan de andere kant van zijn bureau. De commissaris van de Royal Canadian Mounted Police schakelde het opnameapparaatje uit en legde vervolgens de extra hoorn neer waarmee hij had meegeluisterd.

'Mijn god, hij heeft de premier blijkbaar ook al voor zijn karretje gespannen,' mompelde de commissaris hoofdschuddend.

'Diepe zakken zijn snel ontvankelijk voor corruptie,' zei Jameson. 'Morgen is die overeenkomst met betrekking tot mijn onschendbaarheid klaar?'

'Ja,' antwoordde de commissaris, die zichtbaar geschokt was. 'U stemt toe te getuigen, en er zal in dat geval geen aanklacht tegen u worden ingediend. Wel wordt van u verwacht dat u onmiddellijk aftreedt. Ik ben bang dat uw carrière als overheidsdienaar zijn langste tijd gehad heeft.'

'Daar zal ik dan maar mee moeten zien te leven,' antwoordde Jameson, wiens gezicht plotseling somber stond. 'En dat is waarschijnlijk verre te prefereren boven de loopjongen zijn van die inhalige schoft.'

'Kunt u leven met de mogelijkheid dat u de premier in uw val meesleept?'

'Als de premier ook al aan de leiband van Goyette loopt, dan verdient hij niet anders.'

De commissaris kwam uit zijn stoel en stopte het opnameapparaat en een schrijfblok in een attachékoffertje.

'Kijk niet zo bezorgd, commissaris,' zei Jameson, die de getroebleerde uitdrukking op diens gezicht zag. 'Zodra de waarheid over Goyette naar buiten is gekomen, wordt u een nationale held, ú hebt hem achter de tralies weten te krijgen. U zou daardoor zelfs wel eens een prima kandidaat kunnen worden voor de opvolging van de premier – de man van rust en orde.'

'Mijn ambities reiken niet zo hoog. Ik ben alleen doodsbang voor de puinhoop die een miljardair van ons justitieel systeem kan maken.'

Toen hij in de richting van de deur liep, riep Jameson hem na.

'Uiteindelijk zal het recht zegevieren!'

De commissaris hield zijn pas niet in, en wist maar al te goed dat dat niet altijd het geval was.

43

Het deel van Trevors boot dat boven water lag smeulde nog na toen een van de aluminiumsmelterij geleende ponton die met een kraan was uitgerust langszij afmeerde en het wrak van het vaartuig aan boord hees. Vervolgens voer de ponton naar een scheepswerf in de buurt, waar het nog vol water zittende scheepje op een betonnen platform werd gedeponeerd, waar het later door de politie en een inspecteur van de verzekeringsmaatschappij onderzocht zou worden. Nadat zijn verwondingen waren behandeld en hij tegenover de politie een verklaring had afgelegd, liet Trevor zijn blik nog even over de zwartgeblakerde romp glijden, om zich vervolgens om te draaien en naar het NUMA-onderzoeksvaartuig terug te keren. Dirk gebaarde dat hij aan boord moest komen en vroeg toen hoe de politie had gereageerd.

'De chef hier is pas bereid toe te geven dat het om een aan boord geplaatst explosief gaat zodra zijn expert op het gebied van brandstichting ernaar gekeken heeft,' zei Trevor.

'Boten vliegen niet zomaar uit zichzelf de lucht in, en al helemaal niet op deze manier,' reageerde Dirk.

'Hij vroeg me wel of ik misschien vermoedens had, maar ik heb hem verteld dat dat niet het geval was.'

'Je denkt niet dat hij kan helpen?' vroeg Summer.

'Nog niet. Er is nog steeds te weinig belastend materiaal om met een beschuldigende vinger te gaan wijzen.'

'We weten allemaal dat iemand van de afvanginstallatie erachter zit.'

'Dan moeten we erachter zien te komen waar al die geheimzinnigheid voor dient,' antwoordde Trevor. Hij keek Dirk en Summer vastberaden aan. 'Ik weet dat jullie weinig tijd hebben, maar kunnen jullie, voor je weggaat hier, misschien nog een zoektocht bij Gil Island voor me uitvoeren?'

'Onze boot is afgetankt en we zijn er zonder meer klaar voor,' antwoordde Dirk. 'Gooi maar los, dan vertrekken we.'

De tocht door het Douglas Channel werd in relatieve stilte gemaakt, terwijl iedereen voor zichzelf afvroeg tegen wat voor een soort gevaar ze aan waren gelopen. Toen ze de afvang- en opslaginstallatie passeerden zag Dirk dat de LNG-tanker uit zijn overdekte ligplaats was verdwenen. Hij schoof de gashendel helemaal naar voren, want hij wilde zo snel mogelijk ter plaatse zijn om te zien wat er onder de wateren rond Gil Island te vinden was.

Ze hadden de doorvaart bijna bereikt, toen Summer opstond en naar buiten wees. Rond de volgende bocht doemde de zwarte LNG-tanker op, die langzaam de reguliere vaarroute volgde.

'Moet je eens kijken hoe diep ze ligt,' zei Dirk, die zag dat de tanker bijna tot het Plimsollmerk in het water lag.

'Je had gelijk, Summer,' zei Trevor. 'Ze heeft bij de installatie inderdaad CO_2 aan boord genomen. Er klopt helemaal niets van.'

Het NUMA-vaartuig stoof langs de tanker en bereikte al snel de open zeestraat. Dirk stuurde naar het zuidelijke uiteinde van het stuk water en stopte de boot toen ze ter hoogte van de noordpunt van Gil Island waren gekomen. Hij liep naar het achterdek en liet de sonarvis overboord zakken, terwijl Summer het zoekpatroon in het navigatiesysteem invoerde. Enkele minuten later waren ze weer op weg, heen en weer varend door de straat met de sonarvis op sleeptouw.

De sonarbeelden lieten een steile, rotsachtige bodem zien, die van vijftien meter diep vlak bij de oever afliep naar ruim zestig meter midden in de zeestraat. Dirk moest met de sonarkabel jojoën, en paste de lengte van de sleepkabel voortdurend aan de wisselende dieptes aan.

Hun eerste uurtje zoeken leverde maar weinig interessants op, alleen een gelijkvormige zeebodem die vol lag met rotsen en hier en daar een boomstronk. Trevor had al snel genoeg van het kijken naar steeds weer hetzelfde sonarbeeld en richtte zijn aandacht op de LNG-tanker. Het grote schip had uiteindelijk de zeestraat bereikt en voer nu met een slakkengangetje ten noorden van hen. Even later passeerde de tanker het noordelijke uiteinde van Gil Island en verdween uit het zicht.

'Ik zou wel eens willen weten waar die op weg naartoe is,' zei Trevor.

'Zodra we in Seattle terug zijn zal ik eens kijken of iemand van onze organisatie daar achter kan komen,' zei Summer.

'Ik moet er niet aan denken dat hij die CO_2 ergens op zee dumpt.'

'Ik kan me haast niet voorstellen dat ze dat zullen doen,' antwoordde ze. 'Als de wind plotseling gaat draaien brengt dat voor de bemanning enorme gevaren met zich mee.'

'Misschien heb je gelijk. Maar toch heb ik het gevoel dat er iets helemaal mis zit.'

Ze werden onderbroken door de stem van Dirk, die vanuit de stuurhut klonk.

'Ik heb iets.'

Summer en Trevor staken hun hoofd om de hoek van de deur en tuurden naar de sonarmonitor. Op het scherm was op de zeebodem een dunne streep te zien die naar opzij liep.

'Het zou een buis kunnen zijn,' zei Dirk. 'In elk geval iets dat door mensenhanden is gemaakt. Als we de volgende strook doen zullen we waarschijnlijk meer te zien krijgen.

Ze moesten daar tien minuten op wachten, nadat ze vlak voor het eiland gedraaid waren en de zeestraat weer op voeren voor het afzoeken van de volgende strook – toen pas zagen ze het weer. De dunne streep kronkelde zich over de monitor, en leek in noordwestelijke richting te lopen.

'Hij lijkt me te dik om een telefoonkabel of iets dergelijks te kunnen zijn,' zei Summer, die het beeld op de monitor aandachtig bekeek.

'Je kunt je nauwelijks voorstellen dat daar nog iets is,' merkte Trevor op. 'Afgezien van een paar primitieve jacht- en vishutten is Gil Island verder onbewoond.'

'Hij moet toch érgens naartoe leiden,' zei Dirk. 'En zolang die leiding niet begraven is moeten we erachter kunnen komen waar precies.'

Ze bleven het gebied volgens schema afzoeken, maar in plaats het onderwatermysterie op te lossen, werd dat alleen maar groter. Even later werd er een tweede leiding ontdekt, en toen een derde, die allemaal naar één punt in het noorden leken te lopen. Nadat ze nog een aantal stroken hadden afgewerkt, bereikten ze het punt waar de leidingen samenkwamen. Als een reusachtige zevenvingerige hand op de zeebodem liet de sonar nog vier leidingen zien, die hier allemaal bij elkaar kwamen. Nadat de beelden samen waren gevoegd, zagen ze dat de leidingen ongeveer vijftig meter uitwaaierden, om vervolgens abrupt te eindigen. Vanaf het punt waarop ze samenkwamen liep er één enkele, aanzienlijk dikkere leiding naar het noorden, min of meer evenwijdig aan de kust. De sonar kon hem korte tijd volgen, maar op een gegeven moment verdween hij vlak bij de oever plotseling in de zeebodem. Toen ze het eind van het zoekpatroon hadden bereikt, schakelde Dirk de motor uit en haalde samen met Trevor de sonarvis uit het water.

'Het is bij zevenen,' zei Summer. 'We moeten over een uurtje wel weg hier, als we niet in het donker door het Douglas Channel willen terugvaren.'

'Tijd genoeg voor een snelle duik,' reageerde Dirk. 'Misschien is dit de enige kans die we krijgen.'

De anderen konden hier niets tegenin brengen. Dirk trok een droogpak aan terwijl Summer de boot boven de van tevoren gemarkeerde plaats waar de leidingen samenkwamen manoeuvreerde.

'De diepte is hier achtentwintig meter,' zei ze. 'Vergeet niet dat er op de radar een groot vaartuig te zien is dat onze kant op komt, zo'n vijftien mijl noordelijk van ons.' Ze draaide zich naar Trevor om en vroeg: 'Ik dacht dat je had gezegd dat er hier doordeweeks geen cruiseschepen doorheen varen?'

Trevor keek haar beduusd aan. 'Ik heb nooit anders meegemaakt. Ze hebben een vrij strak vaarschema. Het moet een loslopend vrachtschip zijn.'

Dirk stak zijn hoofd naar binnen en wierp een blik op het radarscherm. 'Ik denk dat ik ruim de tijd heb om eens goed rond te kijken voor die boot hier is.'

Summer draaide de boot met de voorsteven de stroming in, terwijl Trevor het anker uitwierp en maatregelen trof om ervoor te zorgen dat ze op hun huidige positie zouden blijven liggen. Dirk verschoof zijn tank enigszins en trok zijn loodgordel wat strakker aan, en stapte toen overboord. Het was bijna afnemend tij en tot zijn grote opluchting ontdekte hij dat er nauwelijks stroming stond. Hij zwom naar de boeg van het scheepje, sloeg zijn vingers rond de ankerlijn en daalde met enkele krachtige slagen van zijn vinnen in de richting van de bodem af.

Het koude groene water slokte geleidelijk aan het oppervlaktelicht op, waardoor hij gedwongen was een kleine hoofdlamp aan te doen die aan zijn kap bevestigd was. Uit het halfduister doemde een bruine, steenachtige bodem op die met zee-egels en zeesterren bezaaid was, en terwijl hij zijn drijfvermogen regelde zag hij dat de dieptemeter inderdaad achtentwintig meter aangaf. Hij liet de ankerlijn los en legde zwemmend een wijde cirkel af totdat hij het voorwerp vond dat door de sonar was gesignaleerd.

Het was een donkere metalen buis die over de zeebodem liep en uit zijn gezichtsveld verdween. De buis had een doorsnede van zo'n vijftien centimeter en Dirk zag dat hij recentelijk op de zeebodem was aangebracht, want op het gladde oppervlak was nog nergens een spoor van aangroeiing te bekennen. Hij zwom naar het anker terug, trok dat naar de buis en zette het daar klem achter enkele stukken rots. Toen volgde hij de leiding langs een geleidelijk aan steeds verder aflopende helling naar het diepere water, om twintig meter verderop bij het open uiteinde te komen. In de zeebodem was rond de opening een kleine krater geslagen en Dirk zag dat er in de directe omgeving helemaal niets meer groeide en dat er van enig onderwaterleven geen sprake meer was.

Hij volgde de leiding nu de andere kant uit, zwom het ondiepere water tegemoet totdat hij uitkwam bij het punt waar de leidingen bij elkaar kwamen. In feite waren het drie verbindingsstukken die achter elkaar aan waren gelast, waardoor aan beide kanten zes leidingen uitwaaierden, plus nog eentje aan het uiteinde in het midden. Een dikkere buis, met een doorsnede van zo'n vijfentwintig centimeter, sloot op het verdeelstuk aan en liep in de richting van Gil Island. Dirk volgde de hoofdleiding een meter of zestig, zeventig, totdat een verbindingsstuk in de vorm van een haakse bocht de buis op een diepte van tien meter noordwaarts stuurde. Hij bleef hem volgen en zag dat hij op een gegeven moment in een sleuf verdween, waardoor hij op de sonar niet te zien was geweest. Hij volgde de buis nog enkele minuten, maar besloot toen de jacht op te geven en naar het schip terug te keren, aangezien ook zijn zuurstofvoorraad begon te slinken. Hij was net omgekeerd toen hij plotseling een gerommel onder het oppervlak opmerkte. Het was een laag, diep geluid, maar hier in het water kon hij onmogelijk zeggen uit welke richting het kwam. Hij volgde de buis en zag dat aan beide kanten het zand begon weg te glijden. Hij legde een in een handschoen gestoken hand op de buis en voelde er krachtige trillingen doorheen lopen. Plotseling begreep hij wat er gebeurde en begon haastig in de richting van het verdeelstuk te zwemmen.

Aan het dek van de boot keek Summer op haar horloge en zag dat Dirk al bijna een half uur onder water verbleef. Ze draaide zich naar Trevor om, die haar vanaf de reling met bewonderende blikken bekeek.

'Ik wou dat we hier nog wat langer konden blijven,' zei ze, zijn gedachten lezend.

'Ik ook. Ik heb eens nagedacht. Ik zal naar Vancouver moeten om mijn rapport over het gebeuren met de boot in te leveren en te kijken of ik een vervangend vaartuig kan krijgen. Ik denk dat ik daar wel een paar dagen mee zoet ben, misschien nog wel wat langer, als ik ga rekken,' voegde hij eraan toe. 'Denk je dat het mogelijk is om in Seattle met elkaar af te spreken?'

'Ik zou kwaad worden als je dat niet deed,' antwoordde ze glimlachend. 'Met de trein is het maar drie uur reizen.'

Trevor wilde net antwoord geven toen hij vlak boven Summers schouder iets in het water zag. Op een meter of twintig bij de boot vandaan kwam een krachtige stroom luchtbellen aan de oppervlakte. Hij kwam overeind om het beter te kunnen zien, toen Summer naar een andere massa luchtbellen wees, deze keer vlak in de buurt van de voorsteven. Onmiddellijk zochten ze het omringende water af, en ontdekten op verschillende plaatsen rond de boot in totaal een stuk of zes erupties.

De aan de oppervlakte vrijkomende luchtbellen ontwikkelden zich tot een kolkende massa waaraan witte rookwolkjes ontsnapten. De damp nam snel in omvang toe, terwijl uitdijende witte mistwolken uit de diepte oprezen en zich over het wateroppervlak verspreidden. Binnen enkele seconden hadden de steeds groter wordende wolken een cirkelvormige muur rond de boot gevormd, en waren Summer en Trevor ingesloten. Toen de damp dichterbij kwam, zei Trevor hevig geschrokken:

'Het is de Duivelsadem!'

44

Terwijl hij krachtig met zijn benen sloeg, scheerde Dirk laag boven de hoofdleiding. Hoewel het zicht te gering was om het te kunnen zien, voelde hij vlakbij een turbulentie in het water en besefte hij dat er uit deze buizen wel eens een uiterst gevaarlijk goedje zou kunnen komen. Plotseling schoot de *Ventura* en haar dode bemanning door zijn hoofd. Daarna moest hij aan Summer en Trevor denken, die zich aan de oppervlakte bevonden, en hij trapte nog harder met zijn vinnen, zijn steeds harder protesterende longen negerend.

Hij bereikte het verdeelstuk, draaide onmiddellijk naar links en volgde de dunnere leiding naar de plaats waar hij was neergedaald. Hij hoorde nu een turbulente straal luchtbellen die onder grote druk naar buiten werd geperst. Hij bleef de buis volgen en zag uiteindelijk de ankerlijn recht voor zich uit. Hij schoot onmiddellijk naar de oppervlakte, draaide zich naar de ankerlijn om, om zich vlak onder de boeg van het onderzoeksvaartuig eraan vast te grijpen.

Toen hij zijn hoofd boven het water uit stak, had hij heel even het idee dat hij in een dikke Londense mist was terechtgekomen. Een dikke witte nevel kolkte laag over het water. Zijn hoofd zo laag mogelijk houdend zwom hij langs de romp naar de achtersteven en ging op de duikladder staan die Summer aan de reling had bevestigd. Vanaf de onderste tree richtte hij zich net ver genoeg op om over de spiegel te kunnen kijken. Er zweefden dikke witte wolken over het dek, waardoor het stuurhuis, een paar meter verderop, nauwelijks meer te zien was.

Dirk haalde de ademautomaat net lang genoeg uit zijn mond om naar Summer te kunnen roepen. Zijn mond werd onmiddellijk gevuld door een scherpe smaak. Hij stopte de automaat snel weer tussen zijn tanden en haalde vanuit zijn zuurstoftank diep adem. Hij bleef daar enkele seconden staan en luisterde aandachtig, om vervolgens het laddertje af te stappen en weer in het water te verdwijnen, waarbij zijn hart een paar slagen leek over te slaan.

Hij had geen antwoord gekregen, realiseerde hij zich, omdat er niemand meer aan boord was.

Tweehonderd meter verder naar het westen en drie meter onder water dacht Trevor dat hij elk moment dood kon gaan. Hij was verbijsterd hoe snel het ijskoude water zijn krachten en energie had uitgeput, en bijna zijn wil om te overleven. Als de stralend parelgrijze ogen van Summer hem niet zo overduidelijk smekend hadden aangekeken, had hij misschien de handdoek al in de ring gegooid.

Het waren adembenemende ogen, moest hij toegeven, terwijl ze de ademautomaat opnieuw in zijn mond drukte zodat hij weer een hap zuurstof kon nemen. Die ogen alleen al leken warmte uit te stralen. Hij zoog zijn longen vol en gaf de ademautomaat terug, terwijl hij besefte dat hij minder helder ging denken. Hij probeerde zich te concentreren op zijn vermoeide benen en trapte nog wat harder, terwijl hij zichzelf voorhield dat ze moesten proberen de oever te bereiken.

Het was een beslissing van het ene op het andere moment geweest, en de enige die hen het leven zou kunnen redden. Toen de steeds groter wordende wolk koolstofdioxide hen helemaal had omringd, konden ze alleen nog maar het water in. Summer had nog even overwogen om het anker te kappen en te proberen dwars door de nevel heen te sturen, maar als het starten van de motor niet onmiddellijk lukte zou het met hen gedaan zijn. Bovendien moesten ze aan Dirks leven denken. Als hij zich op het moment dat ze vertrokken ergens in de buurt van de achtersteven zou bevinden, was de kans groot dat hij door de schroef aan flarden werd gescheurd. Hij mocht dan misschien nauwelijks kans hebben dit te overleven, maar er bestond altijd nog een mogelijkheid dat hij met zijn resterende zuurstof aan de gaswolk kon ontkomen.

'We moeten het water in!' schreeuwde ze terwijl overal om hen heen het gas oprukte. Trevor zag hoe ze resoluut naar een al gereedgemaakte duiktank stapte die tegen de reling stond.

'Trek je droogpak snel aan, dan pak ik de tank,' beval hij.

Waarschijnlijk hadden ze minder dan een minuut de tijd voor de boot volledig door de damp zou zijn verzwolgen. Summer sprong in haar droogpak en griste een masker mee, terwijl Trevor gehaast de tank op zijn rug vastmaakte. Ze had nauwelijks tijd om haar armen in het trimvest te steken, toen het koolstofdioxide over de boot golfde. Ze viel meer dan dat ze sprong, kwam met een luide plons in het water terecht en verdween onder de dodelijke wolk onder water.

Niet beschermd tegen de kou ervoer Trevor de onderdompeling als een elektrische schok. Maar zijn adrenaline werd zo hard rondgepompt dat hij niet verkrampte. Ze omklemden elkaar, het gezicht naar elkaar toe, en bewogen zich enigszins moeizaam door het water voort, om de beurt de ademautomaat in de mond nemend om even een teug lucht te nemen. Na een tijdje ontwikkelden ze een soort ritme en gingen ze in een redelijk tempo op het eiland af.

Maar al snel werd Trevor door de kou bevangen. De effecten waren aanvankelijk nauwelijks waarneembaar, maar toen merkte Summer dat zijn slagen minder krachtig werden. Zijn lippen en oren begonnen enigszins blauw te worden, en ze wist dat hij steeds dichter in de buurt van onderkoeling kwam. Ze probeerde extra krachtige slagen te maken, want ze wilde geen snelheid verliezen. Zo worstelde ze nog dertig, veertig meter verder, maar besefte dat hij steeds zwaarder werd. Ze keek naar beneden in de hoop dat ze de zeebodem omhoog zou zien komen, maar het enige wat ze zag was een meter troebel water. Ze had geen flauw idee hoe ver ze van het eiland verwijderd was of dat ze misschien wel rondjes had gezwommen. Het was tijd om het risico te nemen aan de oppervlakte te komen.

Ze nam een lange teug door haar regulateur en drukte hem toen weer in de mond van Trevor, waarna ze zich een weg omhoog naar de oppervlakte trapte, hem als een zak aardappelen met zich mee nemend. Ze brak door het kalme wateroppervlak en keek snel om zich heen in een poging zich te oriënteren. Haar ergste vrees bleek ongegrond. Ze waren ontsnapt, althans tijdelijk, aan de dikke wolken koolstofdioxide, die nog steeds op korte afstand de lucht in kolkte. De andere kant uit lonkten op nog geen vierhonderd meter de groene heuvels van Gil Island. Hoewel ze niet in een rechte lijn hadden gezwommen, was hun route wel zodanig geweest dat ze een stuk dichter bij de oever waren uitgekomen.

Summer haalde een paar keer oppervlakkig adem, reikte onder Trevors arm en drukte op de opblaas-knop van zijn trimvest. Dat vulde zich razendsnel, waardoor Trevors torso naar de oppervlakte werd gebracht. Ze keek naar zijn gezicht en hij gaf haar een knipoog, maar zijn ogen stonden mat en lusteloos. Ze pakte de achterkant van zijn trimvest beet en zwom in de richting van de oever, hem achter zich aan trekkend terwijl hij zwakjes zijn voeten bewoog.

Hoe meer de vermoeidheid toesloeg, hoe meer Summer de indruk kreeg dat het eiland geen meter dichterbij kwam, en slechts met de grootst mogelijke moeite kon ze een gevoel van wanhoop onderdrukken. Zou het haar ooit lukken Trevor aan wal te krijgen? Ze probeerde niet naar de oever te kijken en zich helemaal op het zwemmen te concentreren, maar dat zorgde er alleen maar voor dat ze ging beseffen hoe zwaar haar eigen benen waren. Ze deed haar uiterste best niet nog meer tempo te verliezen, toen Trevors trimvest uit haar handen werd gerukt en zijn lichaam voor haar uit schoot. Verrast door zijn beweging liet ze los, maar zag wel dat zijn ledematen er nog steeds slap bij hingen. Toen kwam er vlak naast Trevors borst een hoofd boven water.

Dirk draaide zich om en keek naar Summer, om vervolgens zijn adem-automaat uit te spuwen.

'Hij moet half bevroren zijn. Heeft hij het gas ingeademd?' vroeg hij.

'Nee, het komt enkel door de kou. Hij moet naar de oever. Hoe heb je ons gevonden?'

'Ik zag dat de duiktank van boord was verdwenen en ben er toen van uit-gegaan dat jullie op weg naar de wal waren. Ik ben iets zuidelijker aan de oppervlakte gekomen en heb je toen gezien.'

Zonder verder nog iets te zeggen zwommen ze zo snel ze konden naar het eiland. Dirks verschijning was voor Summer een enorme morele opkikker en plotseling ging ze met hernieuwde energie door het water. Samen bewo-gen ze zich met krachtige slagen voort, met Trevor op sleeptouw, en even later trokken ze hem langs een smalle rotsachtige richel die langs de oever liep omhoog. Trevor, die over zijn hele lichaam rilde, kon op eigen kracht overeind blijven zitten, maar staarde alleen maar in de verte.

'We moeten eerst die natte kleren uittrekken. Dan doe ik hem vervolgens mijn droogpak aan,' zei Dirk.

Summer knikte instemmend en wees toen naar een strandje. Honderd meter verderop langs de oever stond aan de rand van het water een houten bouwsel.

'Dat ziet eruit als een vissershut. Waarom kijk je er niet even rond, dan trek ik zijn kleren uit?'

'Oké,' zei Dirk, liet de tank van zijn rug glijden en deed de gewichten-gordel af. 'Geniet er niet te veel van,' plaagde hij, draaide zich om en liep in de richting van het strand.

Maar hij besefte dat Trevor serieus gevaar liep en liet geen tijd verloren gaan. Hollend in zijn droogpak had hij de afstand binnen de kortste keren overbrugd. Summer had gelijk, het was inderdaad een kleine vissershut, die waarschijnlijk door leden van de plaatselijke visclub werd gebruikt om af en toe de nacht in door te brengen. Het was een eenvoudig houten op-trekje, iets kleiner dan een garage. Dirk zag een tweehonderd-litervat staan, terwijl langs een van de muren een ruime hoeveelheid brandhout stond op-gestapeld. Hij liep op de voordeur af en trapte die met een snelle beweging open. Binnen stonden een eenpersoons bed, een houtkachel en een vis-roker. Hij zag een doosje lucifers liggen, plus wat droog hout, en hij legde vlug een klein vuur in de kachel aan, om zich vervolgens weer over het strand naar de anderen te haasten.

Trevor zat met ontbloot bovenlichaam op een boomstronk, terwijl Sum-mer druk bezig was zijn doorweekte broek uit te trekken. Dirk hielp hem overeind en terwijl Summer hem aan de andere kant ondersteunde sleep-ten ze hem zo goed en zo kwaad als het ging naar het huisje. Onder het lopen keek zowel Dirk als Summer naar de zeestraat. De witte wolken CO_2 stegen nog steeds van het wateroppervlak op en het geheel had wel iets weg van een vulkaaneruptie. De nevel had zich uitgedijd tot een massa die tot zo'n vijftien meter hoog reikte en die zich steeds verder over het water uitstrekte. Over dat water hing nu een roodachtige zweem en ze zagen tientallen dode vissen aan de oppervlakte komen.

'Het moet de LNG-tanker zijn,' zei Dirk. 'Waarschijnlijk wordt het vanuit een terminal aan de andere kant van het eiland deze kant uitgepompt.'

'Maar waarom doen ze dat bij klaarlichte dag?'

'Omdat ze weten dat we hier zijn,' zei hij kalm, maar met een ondertoon van woede in zijn stem.

Ze bereikten de vissershut en legden Trevor op het bed neer. Summer legde een oude wollen deken over hem heen en Dirk ging buiten nog wat brandhout halen. De kachel begon het interieur van het huisje al aangenaam te verwarmen, en Dirk deed er nog wat meer hout op, zodat het vuur binnen de kortste keren hoog oplaaide. Hij was net van plan om buiten nog een lading houtblokken te halen toen er in de verte een krachtig geloei te horen was dat tegen de heuvelhellingen op het eiland weerkaatste.

Dirk en Summer haastten zich naar buiten en keken ontsteld naar de zee-engte. Twee mijl ten noorden van hen kwam uit het Inside Channel een groot cruiseschip tevoorschijn dat recht op de dodelijke wolk kooldioxide af voer.

45

Het Franse passagiersschip *Dauphine* zou, voor ze naar haar thuis-haven Vancouver zou terugkeren, een trip van een week langs de kust van Alaska maken. Maar door een nogal grootschalige uitbraak van buikgriep aan boord waren driehonderd passagiers ziek geworden, waardoor de kapitein gedwongen was geweest de reis in te korten omdat hij bang was dat een aantal patiënten in het ziekenhuis moest worden opgenomen.

Met een lengte van bijna driehonderd meter was de *Dauphine* een van de grootste en nieuwste cruiseschepen die van de Inside Passage gebruikmaakten. Met drie verwarmde zwembaden, acht restaurants en een enorm met glas afgeschermd observatieplatform boven de brug, bood het schip uiterst comfortabel en zeer luxueus onderdak aan eenentwintighonderd passagiers.

Vanaf de oever van Gil Island staarden Dirk en Summer naar het glimmend witte passagiersschip dat aan kwam varen, maar zagen onwillekeurig alleen maar een schip des doods. Het giftige koolstofdioxide stroomde nog steeds uit de zeven buizen, waardoor de dampwolk zich zo'n achthonderd meter alle kanten op had verspreid. Een licht briesje uit het westen hield het gas uit de buurt van Gil Island, maar duwde het wel steeds verder de zeestraat op. De *Dauphine* had waarschijnlijk een minuut of vijf nodig om door de wolk te varen, en dat was voor het zware koolstofdioxide ruim voldoende om zich via luchtkokers en het airconditioningsysteem door het vaartuig te verspreiden. Het gas, dat de zuurstof in de lucht zou verdringen, zou binnen de kortste keren de dood naar alle delen van het schip weten te voeren.

'Er moeten duizenden mensen aan boord zijn,' merkte Summer ernstig op. 'We moeten ze waarschuwen.'

'Misschien staat er een radio in de hut,' zei Dirk.

Ze renden de vissershut weer in en letten niet op Trevors gemompel toen ze het hele interieur binnenstebuiten keerden. Maar er was nergens een radio te vinden. Dirk stapte weer naar buiten en tuurde naar de uitdijende gaswolk in een poging het onderzoeksvaartuig te ontdekken. Maar die werd door de mist nog volkomen aan het oog onttrokken.

'Hoeveel zuurstof zit er nog in je tank?' vroeg hij gehaast aan Summer. 'Ik kan proberen terug aan boord van onze boot te komen en ze dan via de marifoon oproepen, maar mijn tank is nagenoeg leeg.'

'Nee, dat lukt nooit,' zei Summer hoofdschuddend. 'Die van mij is ook bijna leeg, want we hebben de zuurstof samen moeten delen. Je komt nooit meer levend van die boot. Ik laat je niet gaan.'

Dirk accepteerde de smeekbede van zijn zus in de wetenschap dat het naar alle waarschijnlijkheid op een zelfmoordactie zou uitdraaien. Hij keek wanhopig om zich heen, op zoek naar een manier om het schip te waarschuwen. Toen zag hij het grote vat naast de hut staan. Hij rende naar het onder het vuil zittende vat, zette zijn handen tegen de bovenrand van het vat en duwde ertegenaan. Het vat gaf in eerste instantie niet mee, maar de onderkant kwam uiteindelijk toch met een licht zuigend geluid los, waardoor hij wist dat het bijna vol zat. Hij schroefde de dop open, stak er een vinger in en rook aan de vloeistof.

'Benzine,' zei hij tegen Summer die achter hem was komen staan. 'Een extra voorraadje voor de vissers om hun boten uit bij te tanken.'

'We kunnen een vuur maken,' stelde Summer opgewonden voor.

'Ja,' zei Dirk langzaam knikkend. 'Maar we kunnen ook iets doen wat veel meer zal opvallen.'

De gezagvoerder van de *Dauphine* bevond zich toevallig op de brug, waar hij net de weersvoorspellingen bekeek, toen de eerste stuurman hem riep.

'Kapitein, er lijkt recht voor ons uit een obstakel in het water te liggen.'

De gezagvoerder legde het weerbericht aan de kant en liep op zijn gemak naar de stuurman, die door een krachtige verrekijker keek. In deze doorvaart, met zijn walvissen, dolfijnen en van houtboten afgevallen boomstammen, dreef altijd wel iets in het water. Maar dat was voor de grote schepen nooit een reden tot zorg geweest, want die voeren gewoon dwars door dat drijvende spul heen alsof het om tandenstokers ging.

'Een halve mijl voor ons uit, kapitein,' zei de stuurman, en reikte hem de kijker aan.

De kapitein bracht hem omhoog en zag de nog steeds uitdijende witte mistwolk die zich recht op hun route bevond. Vlak voor die nevel bevond zich een laag voorwerp in het water waaruit een zwarte bult stak, met er vlak naast een kleinere blauwe. De kapitein bestudeerde het voorwerp bijna een minuut lang en stelde de kijker nog wat scherper af.

'Er ligt een man in het water,' zei hij plotseling. 'Zo te zien een duiker. Roerganger, vaart terugnemen tot vijf knopen en bereid je voor op een koerswijziging.'

Hij gaf de kijker aan de eerste stuurman terug en liep naar een kleurenmonitor, waarop op een zeekaart van de Inner Passage hun exacte positie te zien was. Hij keek hoe diep het water om hen heen was en zag tot zijn opluchting dat er aan de oostkant van de zeestraat ruim voldoende diep water beschikbaar was waarvan ze gebruik konden maken. Hij stond op het punt de roerganger opdracht te geven voor de duiker uit te wijken, toen de eerste stuurman hem opnieuw riep.

'Kapitein, komt u nog eens kijken. Op de oever daar staat iemand die ons blijkbaar iets duidelijk probeert te maken.'

De kapitein bracht de kijker opnieuw naar zijn ogen en keek vooruit. Het schip was nu voldoende dichtbij gekomen om duidelijk te kunnen zien hoe Dirk in zijn blauwe droogpak naast een Y-vormige boomstam zwom. Tussen de vertakking van het dikke stuk hout zat een tweehonderd-litervat geklemd. Hij zag hoe Dirk naar de oever zwaaide, zich vervolgens tegen de boomstam afzette en onder water verdween. De kapitein richtte zijn kijker met een abrupte beweging op de oever, waar hij Summer tot haar middel het water in zag lopen. Ze hield een stuk hout boven haar hoofd dat zo te zien in brand stond. Vol ongeloof keek hij toe hoe ze het brandende stuk hout naar het open water slingerde, in de richting van de drijvende boomstam. Toen het brandende stuk hout het water raakte, vloog het oppervlak onmiddellijk in brand en ontstond er een dun vlies van transparante vlammetjes. Een smalle baan van vuur kroop naar de in het water drijvende boomstam, en het volgende moment werd het geheel door vlammen omgeven. Er waren maar een paar seconden voor nodig om de benzinedampen in het vat tot ontbranding te brengen, en er ontstond een explosie waarbij het uit elkaar geklapte vat over het water stuiterde. De kapitein keek verwilderd naar de hoog oplaaiende vlammen en kwam het volgende moment gelukkig weer bij zinnen.

'Volle kracht achteruit! Volle kracht achteruit!' schreeuwde hij terwijl hij opgewonden met zijn armen zwaaide. 'En laat dan iemand de kustwacht oproepen.'

46

Een meter of twintig bij de brandende benzine vandaan kwam Dirk aan de oppervlakte en zwom loom in de richting van het cruiseschip. Om de zoveel tijd stak hij een arm omhoog om daarmee het volgende moment op het water te slaan, het signaal waarmee een duiker aangeeft dat hij in moeilijkheden verkeert. Hij hield de wolk koolstofdioxide, die enkele tientallen meters achter de brandende boomstam nog steeds aan het uitdijen was, zorgvuldig in de gaten. Vanaf de oever hoorde hij geroep en keek even achterom, om te zien hoe Summer naar het schip stond te schreeuwen en te zwaaien dat het moest stoppen.

Hij keek naar het noorden en zag het schip nog steeds op hem af komen. Hij begon zich af te vragen of er wel iemand wakker was op de brug en of zijn vuurwerk sowieso was gezien. Hij besefte dat hij niet bepaald veilig was, hier recht op de route van het schip, draaide zich om en zwom een paar slagen in de richting van de oever. Toen hoorde hij in de verte het gerinkel van alarmbellen aan boord. Hij ving een blik op van het water bij de achtersteven, dat plotseling enorm begon te kolken. Dirk besefte dat zijn vurige signaal toch was gezien en dat de kapitein achteruit liet slaan. Maar hij begon zich af te vragen of het niet te laat was.

De *Dauphine* bleef in de richting van de gifwolk glijden zonder dat ook maar uit iets bleek dat het schip vaart minderde. Dirk begon harder te zwemmen om te ontkomen aan de op hem af komende boeg. De voorsteven torende hoog boven hem op en sneed op slechts enkele meters bij hem vandaan door het water. Hij stond op het punt de hoop op te geven dat het schip op tijd zou stoppen, toen hij plotseling merkte dat het begon te schudden en vaart leek te minderen. Het schip gleed nog een stukje door tot aan de langzaam dovende vlammen en kwam toen met een uiterste krachtsinspanning tot stilstand. Pijnlijk traag begon de *Dauphine* achteruit te varen en trok zich een meter of honderd naar het noorden terug, om vervolgens stil in het water te blijven liggen.

Er was al een kleine oranje motorsloep gestreken, die met hoge snelheid in de richting van Dirk voer. Toen die langszij kwam bogen twee beman-

241

ningsleden zich voorover en trokken hem aan boord. Achter in de sloep zat een nors kijkende man die hem woedend aankeek.

'Wat is dat voor idioot gedoe? Ben je soms van Greenpeace?' vroeg hij met een Frans accent.

Dirk wees naar de nog steeds uitdijende witte nevel ten zuiden van hen.

'Vaar die wolk binnen en het is met je gebeurd. Als je mijn waarschuwing negeert, ben jíj de idioot.'

Hij zweeg even en keek het bemanningslid strak aan. De Fransman werd duidelijk zenuwachtig, onzeker, en deed er verder het zwijgen toe.

'We hebben daar een gewonde man liggen die onmiddellijk medische hulp nodig heeft,' vervolgde Dirk, terwijl hij naar de vissershut wees.

Zonder verder iets te zeggen zette de motorsloep koers naar de oever. Dirk sprong van boord en holde naar de hut, waarin het vanwege de loeiende kachel nu gloeiend heet was. Summer zat op de rand van het bed en had haar arm om Trevor heen geslagen, terwijl ze zacht tegen hem praatte. Zijn ogen stonden al wat helderder, maar hij mompelde alleen nog maar wat en maakte nog steeds een versufte indruk. De bemanningsleden van de sloep hielpen mee hem naar de boot te dragen, en met z'n allen keerden ze naar de *Dauphine* terug.

Nadat Trevor met sloep en al weer aan boord was gehesen, ging Summer met hem mee naar de ziekenboeg van het schip, terwijl Dirk naar de brug werd gebracht. De kapitein van het schip, een vrij kleine man met al wat dunner wordend haar, bekeek Dirk hooghartig van top tot teen.

'Wie ben je en waarom heb je pal op onze route de boel in vuur en vlam gezet?' vroeg hij bits.

'Mijn naam is Pitt, van de National Underwater and Marine Agency. Als u de Inner Passage blijft volgen gaat iedereen aan boord dood. Die witte mist recht vooruit is een dodelijke wolk kooldioxidegas dat door een tanker wordt geloosd. We moesten halsoverkop van onze boot af en zijn naar de kust gezwommen, en mijn zus en een andere man zijn ternauwernood aan de dood ontsnapt.'

De eerste stuurman stond een eindje verderop mee te luisteren. Hij schudde zijn hoofd en gniffelde.

'Wat een absurd verhaal,' zei hij zodanig hard tegen een ander bemanningslid dat Dirk het kon horen.

Dirk negeerde hem en ging vlak voor de kapitein staan.

'Wat ik u zojuist verteld heb is de waarheid. Als u het leven van de duizenden passagiers die u aan boord heeft op het spel wilt zetten, dan moet u vooral doorvaren. Maar voor u dat doet wil ik dan wel graag even aan wal worden afgezet.'

De kapitein keek Dirk aandachtig aan, op zoek naar tekenen van krankzinnigheid, maar hij zag uitsluitend een kille kalmte. Een bemanningslid aan de radar verbrak de spanning.

'Kapitein, op het scherm is middenin die mistbank een stilliggend vaartuig te zien, afstand ongeveer een halve mijl over stuurboord.'

De kapitein nam de informatie zonder verder commentaar tot zich, en keek Dirk weer aan.

'Goed, we veranderen van koers en varen niet verder door de zee-engte. Tussen haakjes, de kustwacht is al onderweg. Als je je vergist, meneer Pitt, dan zul je je tegenover hen moeten verantwoorden.'

Enkele minuten later was er een kloppend, dreunend geluid te horen en was te zien hoe er aan bakboord een oranjewitte helikopter van de kustwacht naderde.

'Kapitein, zou u de piloot willen waarschuwen dat hij niet in en boven die witte wolk moet vliegen. En het zou ook wel eens verstandig kunnen zijn als hij een keer langs de noordwestkust van Gil Island vliegt,' merkte Dirk op.

De kapitein voldeed aan zijn verzoek en bracht de kustwachtpiloot van de situatie op de hoogte. De heli verdween en kwam twintig minuten later bij het cruiseschip terug en meldde zich via de radio.

'*Dauphine*, we hebben vestgesteld dat er bij een drijvende losinstallatie aan de noordkust van Gil Island een LNG-tanker ligt afgemeerd. Het zou best eens kunnen zijn dat u gelijk hebt en dat er inderdaad sprake is van een illegale gaslozing. We zullen via de Canadese kustwacht en de Royal Canadian Mounted Police waarschuwingen naar de scheepvaart doen uitgaan. We raden u aan koers te veranderen en de doorgang ten westen van Gil Island te nemen.'

De kapitein bedankte de kustwachtpiloot en liet vervolgens een alternatieve route rond Gil Island uitzetten. Een paar minuten later kwam hij naar Dirk toe.

'Het lijkt erop dat je mijn schip voor een onmetelijke tragedie hebt behoed, meneer Pitt. Mijn verontschuldigingen voor onze aanvankelijke scepsis en enorm bedankt dat je ons op tijd hebt weten te waarschuwen. Als er iets is wat ik voor je kan doen, laat me dat dan weten.'

Dirk dacht heel even na en zei toen: 'Nou, kapitein, ik zou op enig moment mijn boot wel weer terug willen hebben.'

Voor Dirk en Summer zat er weinig anders op dan aan boord van de *Dauphine* te blijven, die de volgende avond in Vancouver afmeerde. Tegen de tijd dat ze de haven binnenliepen was Trevor er al een heel stuk beter aan toe, maar desondanks werd hij ter observatie in een ziekenhuis opgenomen. Voor ze de trein naar Seattle zouden nemen gingen ze nog even bij hem langs.

'Ben je ondertussen een beetje ontdooid?' vroeg Summer, nadat ze hem onder een dikke laag dekens in zijn ziekenhuisbed hadden aangetroffen.

'Ja, en nou proberen ze me levend te stoven,' antwoordde hij, blij dat hij haar al zo snel terugzag. 'De volgende keer neem ík het droogpak.'

'Afgesproken,' zei ze lachend.

'Hebben ze die LNG-tanker te pakken kunnen krijgen?' vroeg hij, weer ernstig.

'Toen wij rond Gil Island voeren konden we haar vanaf de *Dauphine* richting zee zien varen, dus ik denk dat ze direct nadat ze de helikopter zagen hebben losgegooid en ervandoor zijn gegaan. Gelukkig had de kustwachtheli haar videocamera ingeschakeld, dus er bestaan opnamen van dat schip terwijl ze aan dat drijvende losplatform ligt afgemeerd.'

'Ze zullen ongetwijfeld in staat zijn om dat schip naar een van Goyettes dochterondernemingen te traceren,' voegde Dirk eraan toe. 'Hoewel hij wel weer een manier zal vinden om de schuld van zich af te schuiven.'

'Zo is mijn broer aan zijn eind gekomen,' zei Trevor ernstig. 'En ons hebben ze ook bijna te pakken gekregen.'

'Heeft Summer je verteld dat ze de boodschap die jouw broer aan boord van de *Ventura* heeft achtergelaten heeft ontcijferd?' vroeg Dirk.

'Nee,' zei hij, terwijl hij plotseling overeind kwam en Summer aankeek.

'Al sinds we de *Ventura* hebben gevonden loop ik er constant aan te denken,' zei ze. 'Gisteravond schoot me aan boord iets te binnen. Zijn boodschap luidde niet dat ze stikten, maar dat ze last hadden van stikdamp.'

'Die term ken ik niet,' zei Trevor.

'Het is een oude mijnbouwterm, toen mijnwerkers die ondergronds werkten kanaries bij zich hadden om ze te waarschuwen voor de verstikkingsdood. Ik ben eens tegen die term aan gelopen toen ik onderzoek deed in een oude, ondergelopen steengroeve in Ohio waar volgens de geruchten precolumbiaanse voorwerpen te vinden zouden zijn. Ik denk dat hij met die boodschap anderen heeft willen waarschuwen.'

'Heb je dat al aan de politie verteld?' vroeg Trevor.

'Nee,' antwoordde Summer. 'Ik dacht dat je, als je weer in Kitimat bent teruggekeerd, wel weer even met die inspecteur rond de tafel wilt zitten.'

Trevor knikte, maar wendde zich met een afwezige blik in zijn ogen van Summer af.

'We moeten een trein halen,' zei Dirk, terwijl hij naar de klok keek. 'We moeten over niet al te lange tijd eens met z'n allen gaan duiken op een plekje waar het lekker warm is,' zei hij tegen Trevor, en drukte hem de hand.

Summer kwam dichterbij en gaf hem een hartstochtelijke kus. 'Nou, niet vergeten, Seattle ligt hier maar honderdzestig kilometer vandaan.'

'Ja,' zei Trevor glimlachend. 'En het zou best wel eens een aardige tijd kunnen duren voor ik hier in Vancouver een nieuwe boot heb geregeld.'

'Die staat misschien wel aanzienlijk eerder achter het stuur dan dat wij onze boot terughebben,' zei Dirk quasi klagend terwijl ze naar buiten liepen.

Maar hij bleek ongelijk te hebben. Twee dagen nadat ze in het plaatselijke kantoor van de NUMA in Seattle waren neergestreken, reed er een dieplader voor met daarop het onderzoeksvaartuig dat ze bij Gil Island hadden moeten achterlaten. Het scheepje was afgetankt en op de bestuurdersstoel stond een dure fles Franse bourgogne.

47

Rechtstreeks in opdracht van de president van de Verenigde Staten passeerde de Amerikaanse kustwachtkotter *Polar Dawn* iets ten noorden van Yukon Territory nadrukkelijk de maritieme grens met Canada. Terwijl het door de grijze wateren van de Beaufortzee oostwaarts kliefde, tuurde kapitein-ter-zee Edwin Murdock heimelijk opgelucht door de brugvensters naar buiten. Ze werden niet opgewacht door een gewapend Canadees flottielje, waarvoor sommigen aan boord bang waren geweest.

Hun missie was enkele maanden geleden onschuldig begonnen met een voorstel om het perifere zee-ijs langs de Noordwestelijke Doorgang seismisch in kaart te brengen. Dat was al een hele tijd voor de incidenten met de *Atlanta* en het Ice Research Lab 7 geweest. De president, die bang was dat de Canadese verontwaardiging groter zou worden, had de trip in eerste instantie geschrapt, maar de minister van Defensie had hem er uiteindelijk van weten te overtuigen dat de missie door moest gaan, waarbij hij met succes had aangevoerd dat de Canadese autoriteiten in het verleden expliciet toestemming voor dit soort ondernemingen hadden gegeven. Het zou nog jaren duren, verzekerde hij, voor er, als Amerikaanse schepen de Canadese binnenwateren binnenvoeren, sprake zou zijn van een openlijke provocatie.

'Luchtruim schoon, radarscherm leeg, en golven van een tot anderhalve meter,' meldde de eerste officier van de *Polar Dawn*, een uiterst slanke Afro-Amerikaan die Wilkes heette. 'Perfecte omstandigheden om die zee-engte door te varen.'

'Laten we hopen dat het de komende zes dagen zo blijft,' antwoordde Murdock. Door het brugvenster aan stuurboord zag hij iets glinsteren in de lucht. 'Ons gevleugelde escorte kan ons nog wel bijhouden?' vroeg hij.

'Ik denk dat ze ons de eerste tachtig kilometer in Canadese wateren in het oog houden,' antwoordde Wilkes, doelend op een Lockheed P-3 Orion van de Amerikaanse marine die op zijn gemak hoog boven hen rondjes draaide. 'Daarna zijn we op onszelf aangewezen.'

Niemand verwachtte echt dat de Canadezen zich tegen hen zouden keren, maar de scheepsofficieren en bemanningsleden waren zich maar al te bewust van de verhitte retoriek die de afgelopen twee weken in Ottawa ten beste was gegeven. De meesten herkenden het voor wat het was, aanmatigend geklets van politici om stemmen te winnen. Althans, dat hoopten ze.

De *Polar Dawn* voer in oostelijke richting door de Beaufort Zee, langs de grillig gevormde rand van het zee-ijs dat af en toe kapot brak waardoor er honderden onregelmatige schotsen ontstonden. Het kustwachtvaartuig sleepte vanaf de achtersteven een op een slee lijkende seismische sensor voort, die onder het varen de dikte en de dichtheid van het ijs registreerde.

Er vond geen scheepvaartverkeer in deze wateren plaats, op een enkele vissersboot na of een vaartuig dat naar olie op zoek was. Zonder incidenten door de eerste poolnacht varend, begon Murdock zich enigszins te ontspannen. De bemanning raakte gewend aan de verschillende ploegendiensten, iets waar ze de komende drie weken aan vast zouden zitten.

Naarmate ze verder naar het oosten voeren was het zee-ijs dichter naar het vasteland opgedrongen, waardoor, terwijl ze de Amundsengolf naderden, ten zuiden van Banks Island, de open waterweg geleidelijk aan werd versmald tot minder dan dertig mijl. Op het moment dat ze het punt passeerden waarop ze Alaska vijfhonderd mijl achter zich hadden liggen, was Murdock verbaasd dat ze nog steeds geen Canadese patrouilleboten waren tegengekomen. Hij had te horen gekregen dat er in de Amundsengolf regelmatig door twee vaartuigen van de Canadese kustwacht werd gepatrouilleerd, die in oostelijke richting varende vrachtschepen aanhielden die het doorvaarttarief nog niet hadden betaald.

'Victoria Island komt in zicht,' kondigde Wilkes aan.

Alle ogen op de brug probeerden door een vochtige grijze nevel heen een glimp op te vangen van het door toendra's bedekte eiland. Het was groter dan de Amerikaanse staat Kansas en had een ruim zeshonderd kilometer lange kustlijn die zich recht tegenover het Noord-Amerikaanse vasteland bevond. De vaarweg voor de *Polar Dawn* werd opnieuw een stuk smaller toen ze de Dolphin and Union-straat binnenvoeren, een zee-engte die was vernoemd naar twee kleine scheepjes die aan een eerdere poolexpeditie van Franklin hadden meegedaan. Het shelfijs rukte vanaf beide oevers naar het midden op, waardoor de doorvaart een breedte van tien mijl had gekregen. De *Polar Dawn* kon zich zonodig moeiteloos een weg door het omringende een meter dikke ijs banen, maar het schip hield de ijsvrije route aan die door het warme voorjaarswater was gecreëerd.

Terwijl de tweede poolnacht in Canadese wateren naderde legde de *Polar Dawn* nog eens honderd mijl door de steeds smaller wordende zeestraat af. Na een laat avondmaal was Murdock net naar de brug teruggekeerd toen de radarman eerst één en vervolgens twee oppervlakte-echo's meldde.

'Beide liggen momenteel stil in het water,' zei de operator. 'Eentje ten noorden van ons, en de andere bijna pal zuidelijk. Als we onze huidige koers aanhouden varen we er precies tussendoor.'

'Onze bewakers zijn eindelijk tevoorschijn gekomen,' merkte Murdock kalm op.

Terwijl ze de twee schepen naderden, verscheen er tien mijl voor hen uit een groter vaartuig op hun radarscherm. De patrouillevaartuigen, een op elke flank, hielden zich afzijdig toen de *Polar Dawn* voorbij voer. Terwijl het kustwachtschip zonder gepraaid te worden zijn weg vervolgde, liep Murdock naar de radarconsole en keek over de schouder van de operator mee. Enigszins geïrriteerd keek hij toe hoe de twee vaartuigen langzaam hun positie verlieten en geleidelijk aan achter zijn eigen schip aan begonnen te varen.

'Het ziet ernaar uit dat we problemen hebben om langs Start te komen en zullen geen tweehonderd dollar ontvangen,' zei hij tegen Wilkes.

'De radio zwijgt nog in alle talen,' merkte de eerste officier op. 'Misschien vervelen ze zich alleen maar.'

Er daalde een nevelige schemering over de zee-engte neer, waardoor de kust van Victoria Island een paarsrode kleur kreeg. Murdock probeerde het schip recht voor hen uit met behulp van een kijker te bestuderen, maar het enige wat hij zag was een donkergrijze massa die waarschijnlijk de boeg moest voorstellen. De commandant paste de koers enigszins aan, zodat ze het schip met ruim voldoende tussenruimte aan bakboord zouden passeren. Maar zover zou het niet komen.

In het vervagende daglicht waren ze het grotere schip tot op een mijl of twee genaderd toen zich uit de grijze schaduw plotseling een oranje lichtflits losmaakte. De mannen op de brug van de *Polar Dawn* hoorden een zwak fluiten en zagen toen zo'n vierhonderd meter voor zich aan stuurboord iets in het water exploderen. De geschrokken bemanning keek toe hoe een waterzuil zo'n vijftien meter de lucht in spoot.

'Ze hebben een granaat op ons afgevuurd,' bracht Wilkes geschokt uit.

Enkele seconden later kwam de radio, die al zo'n tijd gezwegen had, eindelijk krakend tot leven.

'*Polar Dawn*, *Polar Dawn*, hier het Canadese oorlogsschip *Manitoba*. U bevindt zich wederrechtelijk op een scheepvaartroute die binnen de Canadese territoriale wateren valt. Draait u alstublieft bij en bereidt u voor op het aan boord komen van een onderzoeksteam.'

Murdock pakte de microfoon en drukte op de spreekknop. '*Manitoba*, hier de commandant van de *Polar Dawn*. Onze route is al tijden geleden bij het ministerie van Buitenlandse Zaken in Ottawa aangemeld. Wij verzoeken u ons doorgang te verlenen.'

Murdock wachtte knarsetandend op antwoord. Hij had de strikte opdracht ten koste van alles een confrontatie te voorkomen. Maar men had hem ook verzekerd dat de doorvaart van de *Polar Dawn* geen enkel beletsel zou ondervinden. En nu werd er door de *Manitoba* op hem geschoten, een splinternieuwe Canadese kruiser die speciaal voor de dienst in de arctische wateren was gebouwd. Hoewel de *Polar Dawn* technisch gesproken een militair vaartuig was, beschikte het niet over bewapening. En het was ook niet bepaald een snel schip; het was in elk geval niet in staat om aan een moderne kruiser te ontkomen. Trouwens, nu de twee kleinere Canadese vaartuigen hem van achteren hadden ingesloten, kon hij geen kant meer op.

Er werd niet onmiddellijk op Murdocks radioboodschap gereageerd. Er heerste even een doodse stilte, plotseling verbroken door een tweede oranje lichtflits die vanaf het voorschip van de *Manitoba* hun kant uit leek te springen. Deze keer belandde de vijf-inchgranaat nauwelijks vijftig meter bij het kustwachtvaartuig vandaan, en de onderwaterexplosie veroorzaakte een schokgolf die door het hele schip voelbaar was. Op de brug begon de radio weer te kraken.

'*Polar Dawn*, hier de *Manitoba*,' sprak een vriendelijke stem die volkomen in tegenspraak was met de situatie waarin ze zich bevonden. 'Ik sta erop dat u bijdraait en een onderzoeksploeg toegang verleent. Ik ben bang dat ik opdracht heb u tot zinken te brengen als u niet gehoorzaamt. Over.'

Murdock wachtte niet tot de *Manitoba* opnieuw het vuur zou openen.

'Alle machines stop,' beval hij de roerganger.

Met een zware stem gaf hij aan de *Manitoba* door dat hij zich bij de situatie neerlegde. Hij liet de radioman snel een gecodeerde boodschap naar het sectorhoofdkwartier van de kustwacht in Juneau versturen, waarin hij hen van hun netelige positie op de hoogte bracht. Toen wachtte hij kalm op de Canadese enterploeg, terwijl hij zich onwillekeurig afvroeg of zijn carrière afgelopen was.

Enkele minuten later kwam een boot met zwaar bewapende Canadese commando's langszij, die razendsnel aan boord klommen. Eerste officier Wilkes wachtte de enterploeg op en escorteerde hen naar de brug. De leider van de commando's, een gedrongen man met een ingevallen kaak, salueerde voor Murdock.

'Luitenant Carpenter, Joint Task Force 2, Special Forces,' zei hij. 'Ik heb opdracht om het commando over uw schip op me te nemen en het op te brengen naar de haven van Kugluktuk.'

'Wat gaat er met de bemanning gebeuren?' vroeg Murdock.

'Dat wordt van hogerhand bepaald.'

Murdock kwam een stap dichterbij en keek op de kleinere luitenant neer.' Een landmachtmilitair die weet hoe hij met een honderd meter lang schip moet omgaan?' vroeg hij sceptisch.

'Ik heb vroeger bij de koopvaardij gezeten,' reageerde Carpenter glimlachend. 'Al sinds mijn twaalfde heb ik met de sleepboot van mijn vader kolenlichters op de Saint Lawrence opgeduwd.'

Murdock kon alleen maar een grimas trekken. 'Het roer is helemaal voor jou,' zei hij tenslotte en deed een stap opzij.

Conform zijn belofte stuurde Carpenter de *Polar Dawn* vakkundig door de zee-engte naar het westelijk deel van de Coronationgolf en voer acht uur later de kleine haven van Kugluktuk bi .nen. Toen het schip aan een grote betonnen pier werd afgemeerd stond er een klein contingent van de Royal Canadian Mounted Police op de kade. De *Manitoba*, die de *Polar Dawn* tijdens de hele reis naar de haven had geschaduwd, gaf vanuit de baai een paar stoten op haar scheepshoorn, keerde toen en ging weer op weg naar de golf.

De bemanning van de *Polar Dawn* werd bijeen gedreven en van de kotter naar een wit gebouw afgemarcheerd dat een eindje verderop langs de kade stond en vroeger als visopslagplaats had gefungeerd. Aan de buitenkant bladderde de verf eraf, terwijl er binnen haastig enkele rijen veldbedden waren geplaatst die voor de geïnterneerde bemanningsleden waren bedoeld. Maar de ingesloten mannen genoten een zeker comfort, waarbij de Canadezen zorgden voor warm eten, koud bier en boeken en video's om de tijd een beetje door te komen. Murdock liep naar de Mountie die blijkbaar de leiding had, een boom van een kerel met ijsblauwe ogen.

'Hoe lang worden we hier gevangen gehouden?' vroeg de kapitein-ter-zee.

'Ik zou het niet weten. Ik kan u alleen maar vertellen dat onze regering een excuus eist en een schadevergoeding voor het kapot varen van het ijskamp in de Beaufortzee, en de erkenning dat de Noordwestelijke Doorvaart een integraal onderdeel vormt van de Canadese binnenwateren. Het is aan uw regering om daarop te reageren. Uw mannen zullen met alle mogelijke egards worden behandeld, maar ik moet u wel waarschuwen geen ontsnappingspogingen te ondernemen. We hebben toestemming in dat geval zonodig geweld te gebruiken.'

Murdock knikte, en kon nog net een glimlach onderdrukken. Het verzoek, wist hij, zou in Washington geen enkel effect sorteren.

48

Pitt was in Calgary net uit het vliegtuig gestapt – een lijntoestel deze keer – toen het opbrengen van de *Polar Dawn* bekend werd gemaakt. Grote groepen passagiers dromden in de aankomst- en vertrekruimtes rond de televisies samen en probeerden de impact van de gebeurtenis tot zich door te laten dringen. Pitt bleef even staan en zag een Canadese politieke commentator eisen dat er onmiddellijk een eind moest komen aan alle olie-, aardgas- en elektriciteitsleveranties aan de Verenigde Staten, tenzij werd erkend dat de Noordwestelijke Doorvaart tot het territorium van Canada behoorde. Pitt liep naar een rustig hoekje bij een lege gate en belde het directe nummer van het kantoor van de vicepresident. Hij werd onmiddellijk door een secretaresse doorverbonden en even later spatte de zakelijke maar nu duidelijk geïrriteerde stem van James Sandecker uit de hoorn.

'Snel graag, Dirk. Ik heb momenteel mijn handen vol aan dat gedoe met Canada,' blafte hij zonder nadere inleiding.

'Ik hoor het nieuws hier net in Calgary,' reageerde Pitt.

'Dat ligt een heel eind uit de buurt van Washington. Wat doe je daar in Calgary?'

'Wachten op een vlucht naar Yellowknife, en daarna met een klein toestelletje naar Tuktoyaktuk. Daar ligt sinds ze de overlevenden van dat Canadese ijslaboratorium heeft opgepikt de *Narwhal* afgemeerd.'

'Zo is deze hele ellende begonnen. Wat zou ik de knaap die dwars door dat kamp is gevaren graag eens onder handen willen nemen. Ondertussen kun je dat vaartuig maar beter zo snel mogelijk uit de Canadese wateren weghalen, en keer dan onmiddellijk naar Washington terug.'

'Rudi is al op weg naar D.C. met de opdracht om alle NUMA-research-projecten rond Canada op te schorten en onze vaartuigen zo snel mogelijk naar neutrale wateren over te brengen. Ik heb hier alleen nog een speciale klus die ik persoonlijk wil afronden.'

'Heeft het misschien iets te maken met dat favoriete project van jou, waarmee die mooie echtgenote van jou me voortdurend lastigvalt?'

Wat was die Loren toch een schat, dacht Pitt. Ze had hem er blijkbaar al over aangesproken.

'Ja, dat klopt. We moeten de bron van dat erts zien te vinden, admiraal.'

Het bleef stil aan de andere kant van de lijn, maar Pitt hoorde wel het geritsel van papieren die werden geraadpleegd.

'Loren heeft een prima beleidsstuk geschreven,' knorde Sandecker uiteindelijk. 'Mocht ze ooit genoeg krijgen van haar werkzaamheden in het Congres, dan zou ik haar best bij m'n staf willen hebben.'

'Ik ben bang dat haar kiezers dat niet zullen toestaan.'

'Dat ruthenium... daar gaat het echt om?'

'Ja, dat is honderd procent bewezen. En er is nog iemand anders naar op jacht, wat bewijst hoe waardevol het is.'

'Als het die kunstmatige fotosynthese mogelijk maakt, dan is dat spul onbetaalbaar. Je moest eens weten hoe slecht de zaken er economisch voor staan als gevolg van die energieproblematiek. En die opdracht van de president om de uitstoot van koolstofdioxide nog verder terug te dringen maakt het voor ons alleen maar nog moeilijker. Als we geen oplossing vinden zijn we hard op weg naar een totale ineenstorting van het systeem.'

'Het boven water krijgen van dat mineraal zou wel eens onze laatste kans kunnen zijn,' antwoordde Pitt.

'In Lorens begeleidende brief staat dat er een bron bestaat die wellicht in verband kan worden gebracht met die mislukte Franklin-expeditie?'

'Er bestaan enkele fascinerende aanwijzingen die die kant uit wijzen. Het lijkt het enige reële spoor naar een voorraad van dat mineraal te zijn die op korte termijn bereikbaar is.'

'En jij wilt ernaar op zoek?'

'Ja.'

'Daarvoor is dít wel een heel slecht tijdstip, Dirk.'

'Niets aan te doen. Het is veel te belangrijk om het niet te proberen. En het is te belangrijk om achter het net te vissen. Ik zou dan ook graag willen weten hoe het er met de *Polar Dawn* voorstaat.'

'Bel je via een beveiligde lijn?'

'Nee.'

Sandecker aarzelde. 'De kippen willen wat eieren leggen, maar de haan ijsbeert nog steeds door het kippenhok heen en weer.'

'Hoe gauw voor het ontbijt?'

'Gauw. Heel gauw.'

Pitt wist dat Sandecker met 'kippen' vaak aan de generaals in het Pentagon refereerde, vanwege de adelaar op hun petembleem. De boodschap was duidelijk. De minister van Defensie drong aan op militair ingrijpen, terwijl de president nog geen beslissing had genomen. Het zou niet lang meer duren voor die tot een besluit zou komen.

'De Canadese eis wordt buitengewoon ernstig genomen,' vervolgde Sandecker. 'Je moet je vaartuig ophalen en naar Alaska overbrengen, voor-opgesteld dat de Canadezen je toestaan de haven te verlaten. Blijf daar nou niet rondhangen, Dirk. Ik kan je in Canadese wateren op geen enkele ma-nier steun verlenen. Dit hele gedoe waait binnen een paar weken waar-schijnlijk wel weer over, dan kun je je zoektocht daarna hervatten.'

Een paar weken zouden gemakkelijk wel eens een paar maanden kunnen worden, en dan kan het zomerseizoen in het poolgebied als verloren wor-den beschouwd. Voeg daar nog eens een vroeg invallen van de vorst aan toe en ze konden pas het volgend voorjaar, na het invallen van de dooi, rond King William Island op zoek.

'U hebt gelijk, admiraal. Ik ga de *Narwhal* ophalen en zoek dan met die boot wat rustiger vaarwater op.'

'Doe dat nou maar, Dirk. En laat er geen gras over groeien.'

Pitt legde de hoorn neer en was absoluut niet van plan met de *Narwhal* naar Alaska te varen. Als dit telefoongesprek werd afgeluisterd, had hij trouwens niets anders kunnen zeggen. En hij had niet tegen Sandecker ge-logen. Als hij de *Narwhal* verder de zee-engte binnen zou voeren, was het water daar aanzienlijk rustiger dan in de Beaufortzee.

Aan de andere kant van de lijn legde Sandecker de hoorn ook neer en schudde zijn hoofd. Hij kende Pitt alsof het een zoon van hem was. En hij besefte heel goed dat hij geenszins van plan was om met de *Narwhal* naar Alaska te varen.

49

De witte vlekjes dreven lui in de donkere hemel, om steeds groter te worden naarmate ze dichter bij de aarde kwamen. Pas toen ze op een hoogte van een meter of vijftig zaten werd duidelijk hoe snel ze neerdaalden. Een paar seconden later bereikten ze de met ijs bedekte grond en kwamen met een dof gekraak neer. Als eerste bereikten drie grote houten kratten de grond, die om zo min mogelijk op te vallen helemaal wit waren geschilderd. Direct daarop volgden menselijke gestalten, tien in totaal, die zich zodra hun voeten de grond raakten oprolden tot een bal. Onmiddellijk daarna ontdeden de mannen zich van hun webbing harnas, rolden hun parachutes op en begroeven die onder dertig centimeter ijs.

Een lichte bries had de mannen over een strook van zo'n achthonderd meter lengte verspreid, maar binnen enkele minuten hadden ze zich bij een van de kratten verzameld. Hoewel er geen maan stond hadden ze dankzij de heldere sterrenhemel ruim honderd meter zicht. De mannen stelden zich snel op voor hun commandant, een zongebruinde man die Rick Roman heette. Net als de mannen onder hem had Roman een wit camouflagepak aan en droeg hij een bijpassende helm, waarop een opklapbare nachtkijker was gemonteerd. Op zijn heup droeg hij een holster met daarin een Colt .45 automatisch pistool.

'Mooie sprong, mannen. We hebben nog maar een uurtje duisternis voor ons, dus aan het werk. Sectie Groen neemt de startbaan voor zijn rekening, en Sectie Blauw zorgt voor de Zodiac en het basiskamp. Aan de slag.'

De mannen, leden van de Delta Force, de elite-eenheid van het Amerikaanse leger, liepen snel op de kratten af en maakten ze open. Twee kratten bevatten elk een Zodiac-rubberboot en nog wat bivakuitrusting voor gebruik in poolgebieden. In de derde krat zaten twee kleine Bobcat-rupsdozers, die met elektromotoren waren uitgerust. Een kleinere kist bevatte extra wapens, munitie, rantsoenen en een eerstehulpdoos.

'Sergeant Bojorquez, zou je hierheen willen komen, alsjeblieft?' riep Roman.

Een boom van een vent met zwarte ogen en prematuur grijs haar liet de zijkant van een krat op de grond vallen en kwam snel naar Roman toe. De legerkapitein beende met grote passen naar een verhoogd in het landschap liggende richel die evenwijdig met de landingszone liep.

'Mooie heldere nacht, kapitein,' zei Bojorquez.

'Helder en koud als de kont van een pinguïn,' reageerde Roman terwijl hij bij tien graden onder nul een grimas maakte. Hij was opgegroeid in Hawaii en was ondanks zijn jarenlange pooltraining nog steeds niet helemaal aan de kou gewend.

'Het had nog veel erger gekund,' zei Bojorquez, en liet een stel glanzend witte tanden zien. 'Het sneeuwt tenminste niet.'

Ze liepen tegen de richel op, die uit ruwe stukken ijs bestond dat kraakte en knisperde onder hun laarzen. Toen ze de top bereikten keken ze uit over een zacht glooiende helling van ongelijkmatig ijs die zich een heel stuk voor hen uit strekte. Het inktzwarte water van de Coronationgolf kabbelde zo'n anderhalve kilometer verderop, terwijl drie kilometer daarachter de fonkelende lichtjes van Kugluktuk zichtbaar waren. Roman en zijn mannen, die op geringe hoogte uit een C-130 Hercules waren gesprongen die vanaf luchtmachtbasis Eielson bij Fairbanks was opgestegen, waren erop uitgestuurd om de bemanning van de *Polar Dawn* te bevrijden, een missie die door de president zelf was goedgekeurd.

'Wat denk jij ervan?' vroeg Roman, terwijl hij naar de lichtjes van het stadje keek.

De sergeant zat al zo'n twintig jaar in het leger en had in Somalië en Irak gediend, om op een gegeven moment voor de Delta Force te worden gerekruteerd. Net als de meeste andere leden van de arctische eenheid, had hij ettelijke keren langere perioden in de ontoegankelijke berggebieden van Afghanistan dienstgedaan.

'De satellietverkenning lijkt redelijk goed te kloppen. Dat plateau ziet er niet al te onherbergzaam uit,' zei hij, naar de dropzone achter hem gebarend. 'Daar moeten we toch een fatsoenlijke landingsbaan van kunnen maken, geen probleem.'

Hij tuurde naar het rimpelende water van de golf en bracht een arm omhoog. 'Maar dat stuk tot aan het open water is iets langer dan ik had gehoopt.'

'Daar maak ik me ook zorgen over,' antwoordde Roman. 'We hebben maar zo weinig duisternis tot onze beschikking, dat we sowieso al een hoop tijd kwijt zijn met alleen het te water laten van de boten.'

'Maar dat is geen reden om niet vannacht al te beginnen, kapitein.'

Roman keek op zijn horloge en knikte. 'Probeer voor het aanbreken van de dag de Zodiacs zo ver mogelijk te krijgen en bedek ze dan. Het kan geen kwaad als we ons vannacht een beetje inspannen, want morgen kunnen we de hele dag uitrusten.'

Onder dekking van de nog resterende duisternis was het kleine commandoteam als een stelletje konijnen vol adrenaline druk op het ijs in de weer. De mannen van Sectie Groen begonnen direct aan het uithakken van een start- en landingsbaan waarop de twee CV-22 Osprey's konden neerstrijken die hen hier uiteindelijk zouden weghalen. Uitsluitend daarom was deze dropzone geselecteerd – een vlak plateau uit het zicht van Kugluktuk, maar tegelijkertijd voldoende dicht bij het stadje om toe te kunnen slaan. Hoewel de Osprey's van twee stel rotorbladen waren voorzien die tijdens de vlucht negentig graden konden worden gekanteld, waardoor het toestel als een helikopter kon opstijgen en landen, hadden zorgen over het wispelturige poolweer ertoe geleid dat ze als conventioneel vliegtuig zouden worden ingezet. De soldaten zetten een smalle, honderdvijftig meter lange baan op het ijs uit, waarna de minidozers aan de slag gingen. Die maakten dankzij hun elektromotoren nauwelijks geluid en vielen verwoed op het ijs aan, dat ze net zo lang egaliseerden tot er zich een ruwe landingsstrip begon af te tekenen.

Aan de rand van de baan hakte Sectie Blauw een kleine ruimte in het ijs uit, die vervolgens met witte bivaktenten werd afgedekt en als schuilplaats kon fungeren. Nadat het kampement was voltooid, begonnen de soldaten de twee Zodiac-rubberboten op te blazen, die elk groot genoeg waren om twintig man te kunnen vervoeren. Toen ze daarmee klaar waren werden ze op een aluminium sleeonderstel geplaatst, zodat ze gemakkelijk over het ijs meegevoerd konden worden.

Roman en Bojorquez hielpen de vier mannen van de Blauwe Sectie de twee boten over het ijs te duwen. Toen ze de top van de richel bereikten werd in het zuiden de hemel al wat lichter. Roman bleef staan en zag in de verte de lichten van een schip dat de golf overstak en in de richting van Kugluktuk voer. Het volgende moment spoorde hij de mannen aan door te gaan, in beweging te blijven, en ze begonnen de helling af te dalen. Ondanks het feit dat ze heuvelafwaarts gingen merkten ze dat het ijs hier puntiger en scherper was, waardoor de tocht een stuk lastiger werd. De voorste glijders kwamen vaak in spleten vast te zitten en het kostte heel wat inspanning om ze er weer uit te trekken.

De rubber opblaasboten waren zo'n achthonderd meter voortgeduwd toen zich boven de zuidoostelijke horizon de eerste goudkleurige stralen van de zon manifesteerden. De mannen deden hun uiterste best om de boten sneller te verplaatsen, in de wetenschap dat een vroegtijdige ontdekking het einde van hun missie zou betekenen. Toch besloot Roman zijn aanvankelijke plan om bij het eerste licht halt te houden te laten varen en dreef hij het team vooruit.

Het duurde nog een vol uur voor de uitgeputte mannen de oever van de

Coronationgolf bereikten. Roman liet de boten ondersteboven keren en met een laag sneeuw en ijs afdekken. Nadat ze haastig naar het kamp waren teruggekeerd, zagen ze dat de landingsstrip door hun collega's was voltooid. Roman voerde een snel inspectierondje uit en keerde toen met een tevreden gevoel naar zijn tent terug. De voorbereidingen voor de missie waren probleemloos verlopen. Zodra de lange pooldag verstreken was, konden ze in actie komen.

50

De De Havilland Otter kwam met een nogal harde klap op de voornamelijk uit ijs bestaande landingsbaan neer en taxiede vervolgens naar
een klein gebouwtje waarop met bijna vervaagde letters TUKTOYAKTUK
stond geschilderd. Terwijl de twee propellers van het toestel hortend tot
stilstand kwamen, kwam er een man in een dikke oranje overall op een
drafje aangelopen en trok de cabinedeur open, waardoor het interieur onmiddellijk gevuld werd met een vlaag ijskoude lucht. Pitt wachtte achter
in het vliegtuigje terwijl de andere passagiers, voornamelijk werknemers
van een oliemaatschappij, dikke jacks aantrokken voor ze het trapje afdaalden.

Nadat hij uiteindelijk ook was uitgestapt, werd hij verwelkomd door een
windstoot die zoveel kou met zich meevoerde dat de gevoelstemperatuur
onmiddellijk tien graden daalde.

Hij haastte zich naar de kleine terminal, maar werd daarbij bijna van de
sokken gereden door een roestige pick-up die de landingsbaan was overgestoken en nu bij de voordeur tot stilstand kwam. Een gedrongen man
stapte uit, van top tot teen in dikke lagen winterkleding gestoken. Door de
omvangrijke uitmonstering leek hij nog het meest op een reusachtig wan-
delend speldenkussen.

'Is dat de mummie van koning Toetankamon, of zit hieronder mijn directeur Onderwatertechnologie verborgen?' vroeg Pitt aan de man die zijn
weg blokkeerde.

De man rukte de sjaal weg die de onderkant van zijn gezicht had bedekt, waardoor de betrouwbare gelaatstrekken van Al Giordino zichtbaar
werden.

'Ik ben het, jouw directeur Technologie, de man die momenteel enorm
naar de tropen verlangt,' reageerde hij. 'Stap in mijn verwarmde strijd-
wagen, voor we hier in ijslolly's veranderen.'

Pitt griste zijn bagage van een wagentje dat op weg naar het terminal was
en gooide dat in de laadbak van de pick-up. Binnen in het terminal stond
een onopvallende vrouw met kort haar bij het raam naar de twee mannen

258

te kijken. Zodra ze in de pick-up stapten liep ze naar een munttelefoon in een hoek van de terminal en belde een nummer in Vancouver.

Giordino zette de versnelling van de pick-up in z'n een, hield zijn gehandschoende handen even voor het verwarmingsrooster en gaf toen gas.

'De bemanning van het schip heeft gestemd,' zei hij. 'Je bent ons een koudweerbonus verschuldigd, én een weekje vakantie op Bora Bora als dit alles achter de rug is.'

'Ik begrijp er niets van,' zei Pitt glimlachend. 'De lange zomerdagen in het poolgebied staan bekend om hun zachte klimaat.'

'Het is nog geen zomer. Gisteren was de maximumtemperatuur hier elf graden onder nul en er komt een nieuw koudefront onze kant op. Dat is waar ook, is Rudi erin geslaagd uit ons winterwonderland te ontsnappen?'

'Ja. We zijn elkaar onderweg misgelopen, maar hij belde om te zeggen dat hij weer warm en behaaglijk op het NUMA-hoofdkwartier was teruggekeerd.'

'Waarschijnlijk nipt hij op dit moment aan de oever van de Potomac aan een mai tai, enkel en alleen om me te treiteren.'

Het vliegveld lag vlak bij het stadje en Giordino hoefde maar een paar minuten te rijden om de kade te bereiken. Tuktoyaktuk, dat aan de kale, verlaten kust van de Northwest Territories lag, was in feite een kleine Inuvialuit-nederzetting die was uitgegroeid tot een kleinschalig regionaal centrum voor olie- en gasexploratie.

De turkooisblauwe romp van de *Narwhal* kwam in zicht, maar Giordino passeerde het schip en parkeerde de pick-up bij een gebouwtje met een bord waarop HAVENMEESTER stond. Hij bracht de sleutels van de geleende auto naar binnen en hielp Pitt vervolgens met zijn bagage. Toen hij aan boord van het NUMA-vaartuig stapte kwamen gezagvoerder Stenseth en Jack Dahlgren Pitt onmiddellijk begroeten.

'Is Loren die knikker van jou eindelijk met een deegrol te lijf gegaan?' vroeg Dahlgren toen hij het verband om Pitts hoofd zag.

'Nog niet. Dit is het gevolg van even niet opletten bij het rijden,' antwoordde hij luchtig.

De mannen zaten in een kleine lounge vlak bij de kombuis terwijl een van de bemanningsleden dampende mokken koffie serveerde. Dahlgren bracht Pitt op de hoogte van de voortijdig afgebroken ontdekkingstocht waarbij de fumarole – de hydrothermale bron – was ontdekt, terwijl Stenseth de redding van de overlevenden van het Canadese ijslaboratorium beschreef.

'Hoe wordt er plaatselijk gedacht over wie hier verantwoordelijk voor zou kunnen zijn?' vroeg Pitt.

'Omdat een van de overlevenden een beschrijving van het schip heeft gegeven die precies aansluit op het signalement van het Amerikaanse fregat *Ford*, denkt iedereen dat onze marine het heeft gedaan. Terwijl wij te horen hebben gekregen dat ze op dat moment zo'n driehonderd mijl uit de buurt was,' zei Giordino.

'Wat niemand in overweging lijkt te nemen, is het feit dat hier maar bitter weinig ijsbrekers actief zijn,' zei Stanseth. 'Tenzij het een of andere verdwaald vrachtschip is geweest dat enorme risico's heeft genomen door van zijn koers af te wijken, kan er slechts sprake zijn van een beperkt aantal potentiële boosdoeners.'

'De enige Amerikaanse ijsbreker waarvan we weten dat hij in deze wateren opereert is de *Polar Dawn*,' zei Giordino.

'Die bevindt zich nu in Canadese handen,' zei Dahlgren hoofdschuddend.

'En die komt niet overeen met de beschrijving,' zei Stenseth. 'Zodat er een handjevol Canadese vaartuigen, de schepen die voor het Athabasca-escorte zorgen, en misschien nog een paar buitenlandse ijsbrekers – Deense of Russische – overblijven.'

'Denk je dat een Canadees oorlogsschip per ongeluk dwars door dat kampement is gevaren en dat ze dat nu proberen te verdoezelen?' vroeg Pitt.

'Een van de wetenschappers, Bue heet hij, zweert dat hij een Amerikaanse vlag heeft gezien, én een nummer op de romp dat overeenkomt met dat van de *Ford*,' antwoordde Dahlgren.

'Het klopt van geen kant,' zei Giordino. 'De Canadese militaire autoriteiten zullen echt geen conflict uitlokken door zich voor een Amerikaans oorlogsschip uit te geven.'

'Hoe zit het met de Athabasca-escortes?' vroeg Pitt.

'Volgens de Canadese wet zijn alle koopvaardijschepen die van díe delen van de Noordwestelijke Doorvaart gebruikmaken waar nog veel ijs ligt, verplicht om zich te laten vergezellen door een ijsbreker,' zei Stenseth. 'Een particuliere onderneming, Athabasca Shipping, behandelt al die escorte-aanvragen. Ze hebben een stuk of wat grote sleepboten in dienst die ook als ijsbrekers kunnen worden ingezet, en tevens worden gebruikt om hun zeegaande lichters te slepen. Een paar weken geleden zijn we een hele sleep van die enorme LNG-lichters in de Beringstraat tegengekomen.'

Pitts ogen lichtten op. Hij opende een attachékoffertje en haalde een foto tevoorschijn van een in aanbouw zijnde lichter op een werf in New Orleans. Hij gaf de foto aan Stenseth.

'Leken die dingen misschien hier op?' vroeg Pitt.

Stenseth bekeek de afbeelding en knikte. 'Ja, het is duidelijk hetzelfde type. Lichters van dit soort afmetingen zie je niet vaak. Welke rol spelen die dingen?'

Pitt vertelde de mannen over zijn jacht naar het ruthenium, het spoor dat naar de poolgebieden leidde, de mogelijke betrokkenheid van Mitchell Goyette. Hij raadpleegde nog wat aanvullende documenten die Yeager voor hem had opgedoken, waaruit bleek dat de Athabasca Shipping Company deel uitmaakte van een van Goyettes houdstermaatschappijen.

'Als Goyette aardgas en olie vanuit het poolgebied transporteert, slaat zijn bewering als zou hij zich om het milieu bekommeren helemaal nergens op,' zei Giordino.

'Een dokwerker die ik in een café tegen het lijf liep vertelde me dat iemand vanuit Kugluktuk gigantische hoeveelheden teerzand – of bitumen – aan de Chinezen levert,' zei Dahlgren. 'Hij vertelde me ook dat ze op die manier niets te maken hebben met het van overheidswege sluiten van de raffinaderijen in Alberta omdat die te veel broeikasgassen zouden uitstoten.'

'Ik durf te wedden dat dat via de lichters van Goyettes gebeurt,' zei Pitt. 'En misschien is het ook nog zijn eigen teerzand.'

'Je krijgt de indruk dat er voor die Goyette heel wat op het spel staat, als hij zo achter die ruthenium aan zit,' zei Stenseth. 'Hoe had je gedacht hem voor te zijn?'

'Door een honderdvijftig jaar oud schip op te sporen,' antwoordde Pitt. Hij vertelde de anderen over de ontdekkingen van Perlmutter en de aanwijzingen die het mineraal in verband brachten met de *Erebus*, een van Franklins expeditieschepen.

'We weten dat de schepen in eerste instantie ten noordwesten van het King William Island door de bemanning in de steek zijn gelaten. Volgens het relaas van de Inuit zou de *Erebus* zich wat verder naar het zuiden bevinden, maar het is mogelijk dat het schuivende ijs het schip die kant uit heeft geduwd, en dat het daarna pas is gezonken.'

Stenseth verontschuldigde zich en holde naar de brug, terwijl Dahlgren aan Pitt vroeg wat hij hoopte te vinden.

'Vooropgesteld dat het ijs de schepen niet helemaal kapot heeft gedrukt, is er een kans dat die vaartuigen nog min of meer intact zijn en vanwege het ijskoude water goed bewaard zijn gebleven.'

Stenseth keerde naar de lounge terug met zijn armen vol kaarten en foto's. Hij sloeg een kaart open van het gebied rond King William Island en legde toen een van grote hoogte genomen foto van hetzelfde gebied neer.

'Dit is een satellietfoto van Straat Victoria. We hebben updates van de hele doorvaart. Sommige gebieden ten noorden hiervan zitten nog steeds in het pakijs, maar de wateren rond King William zijn vanwege een vroeg invallende dooi dit jaar al open.' Hij legde de foto's op tafel, zodat iedereen ze goed kon zien. 'In het gebied waar Franklin honderdvijfenzestig jaar geleden in het ijs vast kwam te zitten, ligt de zee nu grotendeels open. Er is nog wat drijfijs te zien, maar echte belemmeringen voor een zoekactie zijn er niet.'

Terwijl Pitt instemmend knikte, schudde Dahlgren het hoofd.

'Zien we niet iets heel belangrijks over het hoofd?' vroeg hij. 'De Canadezen hebben ons verboden zich in hun wateren op te houden. De enige reden waarom het ons gelukt is zo lang in Tuktoyaktuk te blijven liggen is omdat we net doen alsof we problemen met ons roer hebben.'

'Maar met jouw komst zijn die problemen nu opgelost,' zei Stenseth met een sluwe glimlach op zijn gezicht tegen Pitt.

Pitt draaide zich naar Giordino om. 'Al, als ik me niet vergis had jij opdracht om een strategie te ontwikkelen waarmee we iets aan Jacks zorgen kunnen doen.'

'Nou, zoals Jack kan getuigen, hebben we van de gelegenheid gebruikgemaakt om vriendschap te sluiten met een klein contingent van de Canadese kustwacht dat hier in Tuk is gestationeerd,' zei Giordino, terwijl hij de plaatselijke afkorting voor de Inuit-naam van het stadje gebruikte. 'Maar hoewel me dat persoonlijk op een nogal hoge drankrekening is komen te staan, terwijl Jack hier er twee enorme katers aan heeft overgehouden, denk ik dat ik behoorlijk wat vooruitgang heb geboekt.'

Hij sloeg een van de door de kapitein meegebrachte kaarten open waarop het westelijke deel van de doorvaart te zien was, en liet vervolgens zijn vinger langs de kustlijn glijden. 'Kaap Bathurst, hier, ligt ongeveer tweehonderd mijl oostelijk van ons. De Canadezen hebben daar een radarstation, waarmee ze al het in oostelijke richting varend verkeer door de zee-engte kunnen volgen. Ze kunnen via de radio Kugluktuk waarschuwen, waar twee vaartuigen zijn gestationeerd, of hier contact opnemen met Tuk, waar een kleine kotter ligt afgemeerd. We hebben het geluk dat de Canadezen hun meeste onderscheppingsvaartuigen aan de andere kant van de doorvaart hebben gestationeerd, waarmee ze het overgrote deel van het scheepvaartverkeer opvangen, dat via de Baffinbaai binnenkomt.'

'De laatste keer dat ik heb gekeken waren de stealth-eigenschappen van onze onderzoeksschepen te verwaarlozen,' zei Pitt.

'Maar die hebben we ook niet nodig,' vervolgde Giordino. 'Het geluk wil dat er hier in de haven een Koreaans vrachtschip ligt dat met machineproblemen te kampen had. Ik heb van de havenmeester gehoord dat de reparaties zijn voltooid en dat ze later vandaag weer vertrekken. Het schip gaat maar tot Kugluktuk, waar het een lading onderdelen voor boorinstallaties moet afleveren, dus vaart het zonder ijsbrekerescorte.'

'Jij stelt voor haar te schaduwen?' vroeg Pitt.

'Precies. Als we tijdens het passeren van Bathurst aan bakboord vlak naast haar gaan varen, bestaat de kans dat dat radarstation ons niet ontdekt.'

'En die Canadese patrouilleboten dan?' vroeg Dahlgren.

'Die kotter uit Tuk is vanmorgen pas de haven binnengelopen, dus die vertrekt waarschijnlijk niet op korte termijn,' zei Giordino. 'Blijven over die twee schepen in Kugluktuk. Ik durf te wedden dat een daarvan momenteel in de buurt van de *Polar Dawn* rondhangt, die daar in de buurt is opgebracht. Dus dat betekent dat er nog maar één schip over is waar we langs moeten zien te glippen.'

'Dat lijkt me een risico dat het waard is om genomen te worden,' merkte Pitt op.

'Hoe zit het met patrouilles vanuit de lucht? Moeten we er geen rekening mee houden dat de Canadese luchtmacht af en toe komt overvliegen?' vroeg Dahlgren.

Stenseth haalde een volgende kaart uit zijn stapeltje tevoorschijn. 'Hier reikt moeder Natuur ons een helpend handje toe. De weersvooruitzichten voor de komende week zien er behoorlijk somber uit. Als we vandaag vertrekken, varen we mogelijk gelijk op met een langzaam bewegend lagedrukgebied dat volgens de voorspellingen over de archipel moet trekken.'

'Stormachtig weer,' zei Giordino. 'Dan weten we zeker dat er geen toestel in de lucht zit.'

Pitt liet zijn blik rond de tafel glijden en keek de anderen vol vertrouwen aan. Het waren stuk voor stuk mannen die volkomen loyaal aan hem waren en waarop hij in moeilijke tijden onvoorwaardelijk kon vertrouwen.

'Dat is dan afgesproken, mannen. We geven dat vrachtschip een paar uur voorsprong, en dan vertrekken we zelf. We doen net of we naar Alaska terugkeren. Als we eenmaal een heel eind uit de kust zijn draaien we in een wijde cirkel naar het westen en halen ruim voor Bathurst dat vrachtschip in.'

'Dat moet geen probleem zijn,' zei Stenseth. 'We lopen minstens een knoop of acht tot tien harder dan die boot.'

'Nog één ding,' zei Pitt. 'Totdat de politici de problemen rond de *Polar Dawn* hebben opgelost zijn we op onszelf aangewezen. En er bestaat een redelijke kans dat we hetzelfde lot zullen ondergaan. Ik wil uitsluitend een kleine, uit vrijwilligers bestaande kernbemanning aan boord hebben. Elke wetenschapper en elk bemanningslid dat gemist kan worden gaat zo onopvallend mogelijk van boord. Probeer voor hen hier kamers te huren of zorg ervoor dat er vliegtickets voor hen geregeld worden. Als iemand vragen stelt zeg je maar dat het werknemers van een oliemaatschappij zijn die net zijn overgeplaatst.'

'Zorgen we voor,' beloofde Stenseth.

Pitt zette zijn mok koffie neer en keek met een onbehaaglijk gevoel naar de andere kant van de lounge. Daar hing een schilderij aan de muur, waarop een negentiende-eeuws zeilschip te zien was dat in een afschuwelijke storm terecht was gekomen en waarvan de zeilen aan flarden waren gescheurd en de masten op het punt stonden af te breken. Een grillige klip doemde vlak voor het schip uit de golven op, klaar om het vaartuig kapot te beuken.

Het zou inderdaad stormachtig weer worden, bedacht hij.

51

Terwijl de trossen werden losgegooid en het schip met de blauwe romp zich langzaam losmaakte van de kade steeg er uit de schoorsteen van het vrachtschip een dikke zwarte rookwolk op. Bill Stenseth, die op de brug van de *Narwhal* stond, keek toe hoe het Koreaanse schip de kleine haven van Tuktoyaktuk verliet en de Beaufortzee op voer. Hij pakte de intercom en toetste het nummer van de kajuit benedendeks in.

'Pitt hier,' klonk het al na één keer overgaan.

'Dat Koreaanse vrachtschip is vertrokken.'

'Hoe is het met onze bemanning gesteld?'

'Alle bemanningsleden die gemist konden worden zijn van boord. Ik denk dat we beslag hebben gelegd op alle hotelkamers die hier in de stad beschikbaar zijn. Hoewel ik daar direct bij moet zeggen dat er hier maar twee hotels zijn. Voor iedereen is een vlucht naar Whitehorse geregeld. Van daaruit moet het niet al te moeilijk zijn om Alaska te bereiken, of zelfs Vancouver. Er zijn momenteel nog maar veertien man aan boord.'

'Dat is maar een klein groepje. Wanneer kunnen we weg?'

'Ik was bezig voorbereidingen te treffen om over een uur of twee te vertrekken. Op die manier wekken we geen achterdocht.'

'Dan hoeven we onze gastheren alleen nog maar te vertellen dat we op huis af gaan,' zei Pitt.

'Dat stond als volgende op mijn lijstje,' meldde Stenseth.

De gezagvoerder hing op, haalde om het rond te maken Giordino op en samen liepen ze naar het kantoor van de Canadese kustwacht. De Canadese kapitein-luitenant-ter-zee leek minder geïnteresseerd in Stenseths aanstaande vertrek dan in het moeten missen van Giordino's rondjes in het plaatselijke zeemanscafé. Omdat er van het onderzoeksvaartuig maar weinig te vrezen viel, nam de kustwachtman simpelweg afscheid van het tweetal en liet hij na voor een escorte te zorgen dat het schip tot buiten de Canadese territoriale wateren zou begeleiden.

'Met dat soort internationale goodwill ligt er misschien wel een prachtige toekomst bij de diplomatieke dienst voor jou in het verschiet,' grapte Stenseth tegen Giordino.

'Ik ben bang dat mijn lever daar protest tegen aantekent,' antwoordde Giordino.

De mannen stapten het kantoor van de havenmeester binnen, waar Stenseth de havengelden betaalde. Toen ze het kantoor verlieten liepen ze Pitt tegen het lijf, die met een driehoekig pakje onder zijn arm net uit een kleine ijzerwinkel stapte.

'Was er iets dat we niet aan boord hadden?' vroeg Stenseth.

'Nee hoor,' antwoordde Pitt met een scheve grijns. 'Ik heb alleen een aanvullende verzekering afgesloten voor wanneer we op zee zitten.'

Toen twee uur later de trossen van de *Narwhal* werden losgegooid en het schip langzaam de haven uit gleed, was de lucht donker en dreigend geworden. Een kleine vissersboot passeerde in tegengestelde richting, op zoek naar een schuilplaats voor het aanstaande slechte weer. Pitt zwaaide vanaf de brug naar het schip en bewonderde het zwartgeschilderde vaartuig en de koene vissers die om de kost te verdienen steeds weer de Beaufortzee trotseerden.

Zodra de kust van de Northwest Territories achter hen begon weg te vallen, kwamen golven van bijna anderhalve meter hoog hun kant uit gerold. Sneeuwvlagen vulden de lucht, waardoor ze nog maar zo'n anderhalve kilometer zicht hadden. Het slechte weer hielp de *Narwhal* op haar heimelijke tocht en korte tijd later verlegde het schip haar koers snel naar het oosten. Het Koreaanse vrachtschip had een voorsprong van vijfentwintig mijl opgebouwd, maar het snellere onderzoeksvaartuig begon die achterstand snel in te lopen. Binnen enkele uren verscheen aan de rand van het radarscherm aan boord van de *Narwhal* de langwerpige vorm van het vrachtschip. Kapitein Stenseth bracht het NUMA-vaartuig tot op drie mijl van de vrachtboot, en minderde toen vermogen totdat het dezelfde vaart had als het grotere schip. Het onderzoeksvaartuig voer achter het vrachtschip aan zoals een kolentender achter een locomotief aan rijdt, en volgde elke koersverandering van het schip terwijl dat zich een weg langs de grillige kustlijn zocht.

Vijfenzestig mijl verderop stak Kaap Bathurst als een gebogen duim in de Beaufortzee. Het was een ideale locatie om het scheepvaartverkeer te controleren dat de westelijke toegang tot de Amundsengolf binnenvoer. Hoewel het dichtstbijzijnde grote eiland, Banks Island, nog steeds zo'n honderd mijl verder naar het noordoosten lag, was het zee-ijs opgerukt tot zo'n dertig mijl van de kaap. Omdat het radarbereik waarschijnlijk ruim vijftig mijl bedroeg, kon het kleine kustwachtstation al het scheepvaartverkeer op het open water moeiteloos volgen.

Terwijl Pitt en Stenseth de zeekaart van het gebied rond de kaap bestudeerden, verscheen Dahlgren op de brug met in zijn ene hand een laptop, en in de andere een stuk of wat kabels. Hij struikelde half over een canvas zak die vlak bij de deur op de grond lag, waardoor hij de kabels moest laten vallen maar nog net kans zag met de computer overeind te blijven.

'Wie heeft daar zijn wasgoed laten slingeren?' wilde hij boos weten.

Toen pas zag hij dat er in die zak stukken rots zaten, monsters, en raapte een kleine steen op die eruit was gerold.

'Dat is toevallig wel jóúw was,' zei Stenseth. 'Dat zijn de stukken steen die jij en Al beneden bij de fumarole hebben opgepikt. Rudi zou ze mee naar Washington nemen om ze daar te laten analyseren, maar hij heeft ze op de brug laten liggen.'

'Die goeie ouwe Rudi,' sprak Dahlgren glimlachend. 'Als het moet kan hij van een blik hondenvoer nog een atoombom maken, maar hij vergeet 's ochtends zijn veters vast te maken.'

Dahlgren stopte, terwijl hij de kabels opraapte, het stuk steen in zijn zak en liep toen naar het stuurwiel. Zonder verder iets te zeggen opende hij een paneel onder de bedieningsconsole en begon de kabels aan te sluiten.

'Niet bepaald een geschikt moment om ons navigatiesysteem opnieuw te formatteren, Jack,' waarschuwde Stenseth.

'Ik leen alleen maar wat gegevens voor een computerspelletje,' reageerde hij, kwam overeind en zette zijn computer aan.

'Ik geloof niet dat we op de brug om spelletjes verlegen zitten,' zei Stenseth, die steeds geïrriteerder raakte.

'O, ik denk dat je deze heel erg leuk zult vinden,' antwoordde hij terwijl hij snel een stuk of wat commando's intoetste. 'Ik heb het "Shadow Driver" genoemd.'

Het scherm van de laptop lichtte plotseling op met het beeld van twee achter elkaar aan varende schepen, in dit geval van beneden naar boven. Vanuit de rechterbovenhoek van de monitor verspreidde zich een hoekige grijze bundel die al snel het overgrote deel van het scherm bedekte, op een bewegende schaduw achter de bovenste boot na.

'Een softwareprogrammaatje dat ik net met behulp van de GPS en de radarsystemen aan boord in elkaar heb getimmerd. Deze grijze lichtbundel staat vanuit Bathurst gericht en moet het radarbereik van dat station simuleren.'

'Waardoor wij in staat zijn om uit het zicht van dat grondradarstation te blijven?' vroeg Pitt.

'Je slaat de spijker op de kop. Vanwege onze steeds veranderende hoek ten opzichte van het radarstation zullen we, willen we aan het signaal ontkomen, achter dat schip aan varend voortdurend van positie moeten veranderen. We kunnen er niet zomaar pal naast gaan varen, want dan worden we op een gegeven moment aan de periferie gedetecteerd. Als de roerganger ervoor zorgt dat hij in de aangegeven schaduw blijft varen, hebben we grote kans dat we als een soort Onzichtbare Man Bathurst passeren.'

Stenseth keek een ogenblik lang aandachtig naar de computer en richtte zich toen tot de roerganger. 'Laten we het eerst even uitproberen voor we onze positie innemen. Machinevermogen een derde vooruit. Ga aan bakboord naast haar varen, afstand vijfhonderd meter, daarna vaart aanpassen.'

'En dan een potje Shadow Driver spelen?' vroeg de roerganger grijnzend.

'Als dit werkt krijg je van mij een sixpack, Jack,' zei de gezagvoerder.

'Maak daar een sixpack Lone Star van en je zit eraan vast,' antwoordde hij met een knipoog.

De *Narwhal* schoot dankzij het extra vermogen naar voren totdat recht voor hen uit de navigatielichten van het vrachtschip te zien waren. De roerganger stuurde het schip steeds verder naar links, terwijl de afstand tussen de vrachtboot en het onderzoeksvaartuig steeds kleiner werd.

'Eén ding baart mij zorgen,' zei Stenseth, terwijl hij naar de onder het roest zittende romp van het vrachtschip keek. 'Als we er langere tijd naast blijven varen, zou dat wel eens kunnen resulteren in een radio-oproep van de kapitein. En onze Canadese vrienden in Bathurst hebben niet alleen ogen, maar ook oren.'

'O ja, mijn aanvullende verzekering,' mompelde Pitt. 'Die was ik bijna vergeten.'

Hij daalde snel naar zijn kajuit af en kwam een paar minuten later met het driehoekige pakje terug dat hij in Tuktoyaktuk had gekocht.

'Probeer dit eens,' zei hij, en gaf het pakje aan Stenseth. De kapitein haalde snel het papier eraf en ontvouwde de Canadese vlag die erin verpakt had gezeten.

'Jij durft echt ver te gaan,' zei Stenseth, terwijl hij de vlag onzeker omhooghield.

'Ik doe het alleen omwille van dat vrachtschip daar. Laat ze maar denken dat we onderdeel vormen van de Canadese poolijspatrouille. Dan stellen ze waarschijnlijk geen lastige vragen waarom we urenlang vlak bij haar in de buurt blijven varen.'

Stenseth keek van Pitt naar Dahlgren, en schudde toen zijn hoofd. 'Ik besef opnieuw dat als het op vechten uitdraait, ik er toch echt voor moet zorgen dat ik aan dezelfde kant sta als jullie.'

En gaf prompt opdracht om de vlag in de mast te hijsen.

Met een maple leaf-vlag klapperend in de stevige westenwind kroop de *Narwhal* steeds dichter naar het Koreaanse vrachtschip toe en trotseerde de aanzwellende golven. Samen voeren ze door de korte nacht een sombere, grijze dageraad tegemoet. Op de brug hield Pitt, samen met Stenseth, gespannen de wacht, scherp op de roerganger lettend, terwijl Giordino elk uur voor bekers sterke koffie zorgde. Het onderzoeksvaartuig in dit turbulente water precies in de schaduw van het vrachtschip houden bleek een zware, moeilijke klus. Hoewel het vrachtschip dertig meter langer was dan de *Narwhal*, maakte de afstand tussen de twee schepen een smallere schaduwroute mogelijk. Dahlgrens computerprogramma was een geschenk uit de hemel, en Stenseth was maar al te bereid om voor elk uur dat ze onopgemerkt door konden blijven varen de hoeveelheid bier die hij ter beschikking had gesteld te verhogen.

Toen de schepen zich pal noordelijk van Bathurst bevonden verstijfden de mannen op de brug toen er via de radio plotseling een oproep binnenkwam.

'Alle stations, hier kustwachtpost Bathurt, met een oproep voor het vaartuig op 70,8590 noorderbreedte, 128,4082 westerlengte. Wilt u zo vriendelijk zijn uw identiteit bekend te maken, alsmede uw plaats van bestemming?'

Iedereen hield zijn adem in, om pas weer uit te ademen toen het Koreaanse schip met zijn naam en bestemming over de brug kwam. Nadat de kustwacht de melding van het vrachtschip had bevestigd, deden de mannen er onwillekeurig weer het zwijgen toe, biddend dat er geen tweede oproep zou volgen. Vijf minuten gingen tergend langzaam voorbij, toen tien, en nog steeds hield de radio zich stil. Toen er twintig minuten waren verstreken zonder dat er een tweede oproep was gedaan, begon de bemanning zich enigszins te ontspannen. Ze voeren nog drie uur door, vlak naast het vrachtschip, totdat ze zeker wisten dat ze buiten het bereik van de radarinstallatie in Bathurst waren en niet waren opgemerkt. Toen de *Narwhal* een bocht in de Amundsengolf bereikte waardoor Bathurst buiten de gezichtslijn kwam te liggen, voerde de gezagvoerder de vaart op tot twintig knopen en schoot langs het traag door het water ploegende vrachtschip.

De kapitein van het Koreaanse schip keek naar het turkooisblauwe schip met de Canadese vlag in top waardoor ze zojuist waren ingehaald. Hij richtte zijn kijker op de brug van de *Narwhal* en zag tot zijn verrassing dat de bemanning lachend hun kant uit stond te zwaaien. De kapitein haalde verbaasd zijn schouders op. 'Te lang in het poolgebied,' mompelde hij in zichzelf, en ging verder met het uitzetten van de koers naar Kugluktuk.

'Uitstekend gedaan, kapitein,' zei Pitt.

'Ik neem aan dat er nu geen weg terug meer is,' reageerde Stenseth.

'Hoelang is het nog varen tot King William Island?' vroeg Giordino.

'We hebben nog iets meer dan vierhonderd mijl te gaan, en dat betekent, met deze golfslag, nog ongeveer tweeëntwintig uur varen, ervan uitgaande dat dat waardeloze weer ons gezelschap blijft houden. En zolang we maar geen patrouilleboten tegenkomen.'

'Ik ben bang dat dat ons minst grote probleem is, kapitein,' zei Pitt. Stenseth keek hem onderzoekend aan. 'Is dat zo?' vroeg hij.

'Jazeker,' antwoordde Pitt met een grijns, 'want ik zou niet weten waar in het poolgebied je twee kratjes Lone Star-bier vandaan zou moeten halen.'

52

Kugluktuk, dat vroeger Coppermine heette, naar de rivier waaraan het lag, is een handelsstadje aan de oever van de Coronation Golf. Gesitueerd aan de noordkust van de Canadese provincie Nunavut, is het in feite een van de weinige steden die binnen de poolcirkel liggen.

Het was met name de aanwezigheid van een haven die geschikt was voor grote schepen waardoor Mitchell Goyette aanvankelijk door Kugluktuk was aangetrokken. Kugluktuk was de dichtstbijzijnde haven bij de teerzandvelden van Athabasca, en Goyette had grootschalig in een terminal geïnvesteerd, zodat hij zijn ongeraffineerde bitumen kon exporteren. Nadat hij de nauwelijks gebruikte spoorlijn van Athabasca naar Yellowknife had gekocht, financierde hij de uitbreiding van die verbinding in noordelijke richting naar Kugluktuk. Getrokken door speciale, van sneeuwploegen voorziene locomotieven, transporteerde een lange sliert ketelwagens tijdens één enkele trip zo'n vijfentwintigduizend vaten bitumen. De kostbare zware olie werd vervolgens overgeladen in Goyettes reusachtige lichters, die daarna via de Grote Oceaan naar China vertrokken, waar hem een leuke winst wachtte.

Omdat de volgende treinlading pas over enkele dagen werd verwacht, lag het spoorwegemplacement van Goyettes Athabasca Shipping Company er verlaten en doods bij. Aan de kade lag de ijsbreker *Otok* afgemeerd, met een sleeptros verbonden aan een lege lichter. Een eind verderop lagen in de baai nog twee van deze grote lichters voor anker, hoog op het water liggend. Alleen uit het ritmisch pompen van een pijpleiding waarmee de tanks aan boord van de ijsbreker met brandstof werden gevuld, kon worden opgemaakt dat het havengebied niet helemaal verlaten was.

Binnen in het schip, waar de bemanning druk in de weer was met de voorbereidingen voor het vertrek, was de stilte daarentegen ver te zoeken. In de officierskajuit van de ijsbreker zat Clay Zak aan een tafel, draaide zijn glas whisky met ijs in het rond en bestudeerde een uitgebreide kaart van de Royal Geographical Society Islands. Tegenover Zak zat de kapitein van de *Otok*, een man met een opgeblazen gezicht en grijs stekeltjeshaar.

'We zijn straks klaar met brandstof innemen,' zei de kapitein met een zware stem.

'Ik heb absoluut geen behoefte om langer dan strikt nodig in Kugluktuk te blijven liggen,' antwoordde Zak. 'We vertrekken bij het aanbreken van de dag. Zo te zien is het naar de Royal Geographical Society Islands een kilometer of zeshonderd,' zei hij, van de kaart opkijkend.

De schipper knikte. 'Volgens de ijsrapporten is de hele route tot aan het King William Island goed bevaarbaar, en aangezien dit een snel schip is moeten we het moeiteloos in een dagje kunnen doen.'

Zak nam een slokje van zijn whisky. Hij was aan zijn haastig geregelde trip naar het poolgebied begonnen zonder gedetailleerd plan, en dat gaf hem een' onplezierig gevoel. Maar er was maar weinig dat fout kon gaan. Hij zou een ploegje geologen dat in dienst was van Goyette op de noordkant van het hoofdeiland afzetten. Dat ploegje zou vervolgens naar de rutheniummijn op zoek gaan, terwijl hij de mijnbouwwerkzaamheden van Mid-America aan een nader onderzoek zou onderwerpen. Zo nodig zou hij, ondersteund door een gewapend team beveiligingsspecialisten dat ook aan boord was, samen met voldoende explosieven om het halve eiland op te blazen, Mid-America met onmiddellijke ingang het verder werken onmogelijk maken.

De deur van de officierskajuit vloog open en een in een zwart uniform en dito parka gestoken man liep gehaast op Zak af. Er hing een automatisch geweer aan zijn schouder en hij had een forse nachtkijker in zijn hand.

'Meneer, er zijn vanuit de baai twee rubberboten deze kant uit gekomen, die vlak achter de lichter hebben vastgemaakt. Ik heb alles bij elkaar zeven man geteld,' zei hij, enigszins buiten adem.

Zak keek van de kijker in de hand van de man naar een wandklok, die aangaf dat het half een was.

'Zijn ze gewapend?' vroeg hij.

'Ja, meneer. Zij zijn langs de laad- en losinstallatie naar het aangrenzende openbare havengebied gelopen, waar ik ze uit het oog heb verloren.'

'Die zijn op weg naar de *Polar Dawn*,' zei de kapitein opgewonden. 'Dat moeten Amerikanen zijn.'

De *Polar Dawn* lag maar een paar honderd meter verderop afgemeerd. Nadat Zak hier in Kugluktuk was gearriveerd had hij gezien hoe heel wat leden van de plaatselijke bevolking zich om de Amerikaanse kustwachtkotter hadden verdrongen. Hij was er naartoe gelopen en had het opgebrachte vaartuig eens goed bekeken. Er waren tientallen Mounties en Canadese marinemensen aan boord. Het was volkomen uitgesloten dat zeven man dat schip konden overmeesteren.

'Nee, ze komen alleen de bemanning halen,' zei Zak, zonder te weten dat de bemanningsleden van het schip op een steenworp afstand in de oude visopslag werden vastgehouden. Langzaam gleed er een sluwe glimlach over zijn gezicht. 'Wat aardig van die lui om langs te komen. Ik denk dat ze ons bij het laten verdwijnen van de Mid-America Mining Company uiterst behulpzaam kunnen zijn.'

'Ik begrijp niet wat je bedoelt,' zei de kapitein.

'Begrijp dít,' zei Zak terwijl hij overeind kwam. 'De plannen zijn veranderd. We vertrekken over een uur.'

Op de voet gevolgd door de huurling beende hij het vertrek uit.

53

Rick Roman dook weg achter een paar lege benzinevaten en keek op zijn horloge. De lichtgevende wijzerplaat gaf 12:45 aan. Ze liepen twintig minuten voor op hun schema. Het naar de rand van het water slepen van de Zodiacs, een nacht eerder, ging nu rendement opleveren, wist hij. Ze waren zonder meer in staat om een complete evacuatie uit te voeren zonder bang te hoeven zijn dat ze niet meer door de duisternis gedekt zouden worden.

Tot nu toe verliep de missie vlekkeloos. Even voor middernacht, direct nadat de zon zich voor korte tijd achter de horizon had teruggetrokken, was hij met een zes man sterk team met de Zodiacs vertrokken. De rubberboten, voortgestuwd door elektromotoren, waren de golf nagenoeg geluidloos overgestoken en uitgekomen bij de monding van de Coppermine River, waar ze stilletjes hadden afgemeerd aan de kade van de Athabasca Shipping Company. Op de satellietfoto's die Roman bij zich had was te zien dat de kade tweeënzeventig uur eerder nog leeg was geweest. Nu lag er een grote sleepboot afgemeerd die door middel van een kabel met een nog grotere lichter was verbonden, maar beide vaartuigen maakten een verlaten indruk, terwijl ook op de kade zelf geen enkel teken van leven te zien was. Een eind verderop zag hij de *Polar Dawn* liggen, die door een aantal booglampen langs de kade in een fel schijnsel werd gezet. Zelfs op dit late tijdstip waren er nog bewakers aan dek te zien, die in een poging warm te blijven voortdurend heen en weer liepen.

Roman richtte zijn aandacht op een gebouw dat ooit wit was geweest en dat nauwelijks dertig meter verderop lag. Volgens een rapport van de inlichtingendienst zou hier de bemanning van het kustwachtvaartuig worden vastgehouden. Afgaande op de eenzame Mountie die in de deuropening stond waren de vooruitzichten nog steeds goed. Roman was ervan uitgegaan dat de mannen slechts lichtjes bewaakt zouden worden, en hij had gelijk gehad. De ongenaakbare omgeving was al voldoende afschrikwekkend om geen ontsnappingspogingen te ondernemen, terwijl de mannen maar al te goed wisten dat ze ruim duizend kilometer van de grens met Alaska verwijderd waren.

'De guppy's zitten in het aquarium. Ik herhaal, de guppy's zitten in het aquarium.'

Het was Bojorquez, die bevestigde dat hij de gevangenen door een klein raampje aan de zijkant van het vervallen gebouw had gezien.

'Teams in positie?' fluisterde Roman in zijn microfoontje.

'Mutt is in positie,' antwoordde Bojorquez.

'Jeff is in positie,' was een tweede stem te horen.

Roman keek weer op zijn horloge. Over anderhalf uur zouden de reddingsvliegtuigen op de landingsbaan van ijs neerstrijken. Er was nog ruim voldoende tijd om de bemanning van de *Polar Dawn* naar de overkant van de baai te varen en vervolgens naar het vliegveldje te brengen. Misschien zelfs wel te veel.

Hij liet zijn blik nog een laatste keer over de kade glijden, maar kon zowel links als rechts geen enkel teken van leven ontdekken. Hij haalde diep adem, en gaf toen via de radio zijn orders door.

'Over negentig seconden gaan we erop af.'

Toen leunde hij enigszins achterover en bad dat het geluk hen niet in de steek zou laten.

Kapitein-ter-zee Murdock zat op een betonnen blok een sigaret te roken, toen hij achter in het gebouw een harde klap hoorde. De meeste bemanningsleden lagen op hun veldbed te slapen, gebruikmakend van de weinige uurtjes duisternis. In een hoekje stond een kleine televisie en een handvol mannen die ook niet konden slapen, keken naar een film. Een van de mannen, een Canadese Mountie die toezicht op de in het gebouw gedetineerde Amerikanen moest houden, maar slechts bewapend was met een radio, stond op en liep naar de commandant.

'Hoorde je ook iets?' vroeg hij.

Murdock knikte. 'Het leek wel een stuk ijs dat van het dak viel.'

De Mountie draaide zich net om naar een opslagruimte aan de achterkant van het gebouw te lopen, toen twee mannen uit de schaduw tevoorschijn stapten. De twee Delta Force-commando's hadden hun witte poolkleding verwisseld voor een zwart jack, zwarte broek en een zwart kogelwerend vest. Ze droegen beiden een Kevlar-helm met een neerklapbaar datadisplay voor een van de ogen, terwijl de helm ook met een ingebouwd communicatiesysteem was uitgerust. Een van hen had een M4-karabijn bij zich, die hij op Murdock en de Mountie gericht hield, terwijl de tweede man met een hoekig pistool bewapend was.

De Mountie greep onmiddellijk naar zijn radio, maar voor hij het toestelletje naar zijn lippen kon brengen vuurde de man met het pistool zijn wapen af. Murdock merkte dat het pistool niet met een knal afging, maar dat er slechts een gedempte plof te horen was. In plaats van een kogel af te vuren, schoten er met hoge snelheid twee pinnen uit de loop, die beide met een uiterst dun draadje met het pistool verbonden bleven. Op het moment dat de Mountie door de twee pinnen werd geraakt, diende het wapen de man een stroomstoot van vijftigduizend volt toe, waardoor de Canadees onmiddellijk geen enkele controle meer over zijn spieren had.

De Mountie verstijfde en zakte toen op de grond in elkaar, waarbij zijn radio op de grond kletterde en zijn lichaam nog naschokte van de enorme elektrische opdonder die hem was toegediend. Hij lag nog maar nauwelijks of de soldaat die gevuurd had boog zich over hem heen en bond zijn polsen en enkels bijeen met plastic strips, om vervolgens een stuk tape over zijn mond te plakken.

'Mooi schot, Mike,' zei de andere commando, die een paar stappen naar voren deed en de ruimte rondkeek. 'Ben jij Murdock?' vroeg hij, terwijl hij zich weer naar de commandant omdraaide.

'Ja,' stamelde Murdock, nog enigszins overdonderd door de plotselinge verschijning.

'Ik ben sergeant Bojorquez. Jij en je bemanning gaan een klein boottochtje met ons maken. Maak de bemanning wakker en laat ze zich zo snel en stil mogelijk aankleden.'

'Ja, doe ik. Bedankt, sergeant.'

Murdock vond zijn eerste officier en samen maakte ze de anderen wakker. Op dat moment vloog de voordeur van het gebouw open en stormden nog twee Delta Force-soldaten naar binnen, die het slappe lichaam van een Mountie-bewaker achter zich aan sleepten. De pinnen van de Taser-gun zaten nog vast aan zijn benen, waarop de soldaten hadden moeten richten omdat de man in een dikke parka gekleed ging. Net als zijn collega werd de Mountie snel geboeid en werd ook bij hem de mond afgeplakt.

Binnen vijf minuten had Murdock zijn verbaasde bemanningsleden gewekt en verzameld. Een paar mannen maakten grapjes over het uitwisselen van Moosehead-bier tegen Budweiser, en van de *Red Green Show* tegen *American Idol*, maar de meesten waren stil, beseften maar al te goed de gevaren die aan deze ontsnapping verbonden waren.

Roman bevond zich nog buiten het gebouw op zijn observatiepost en hield de kade in de gaten, wachtend op een eventuele reactie van Canadese kant. Maar de nagenoeg geluidloos uitgevoerde overval had blijkbaar geen alarmbellen doen rinkelen, en de Canadese militairen aan boord van de *Polar Dawn* waren zich duidelijk niet bewust dat er een ontsnappingspoging aan de gang was.

Direct nadat hij van Bojorquez een seintje had gekregen dat ze binnen klaar waren, liet Roman de mannen onmiddellijk in beweging komen. Ze glipten in groepjes van drie en vier via de achterkant van het gebouw naar buiten en werden, zo veel mogelijk in de schaduw blijvend, naar de kade en de wachtende Zodiacs geleid. De twee boten vulden zich snel, maar Roman bleef gehurkt aan de kant zitten, terwijl Bojorquez via de radio doorgaf dat hij met het laatste groepje mee zou komen.

Roman wachtte tot hij Bojorquez over het terrein van de Athabasca Shipping Company aan zag komen en liet toen een laatste keer zijn blik over het havengebied glijden. In deze bitterkoude nacht lag de kade en de directe omgeving er nog steeds verlaten bij, en het enige wat hij in de verte hoorde was het geluid van pompen en generatoren. Roman kwam overeind en liep in de richting van de boten, terwijl hij het gevoel had dat er bijna niets meer fout kon gaan. Het weghalen van de bemanning van de *Polar Dawn* zonder de Canadese autoriteiten te alarmeren was het lastigste onderdeel van de operatie geweest, en blijkbaar was het hun gelukt. Nu was het alleen nog maar een kwestie van het water oversteken en het vliegveld zien te bereiken, en te wachten tot de reddingsvliegtuigen zouden landen.

Hij liep langs de donkere lichter en zag hoe Bojorquez, samen met de laatste bemanningsleden van het kustwachtvaartuig, in een van de rubberboten afdaalde. Er waren zesendertig man aan boord van de *Polar Dawn* geweest, en iedereen was er. Toen de Zodiacs werden losgemaakt, liep Roman op een holletje naar de waterkant en liet zich snel in een van de rubberboten zakken.

'Haal ons hier zo snel mogelijk vandaan,' fluisterde hij tegen de soldaat die de elektromotor bediende.

'Ik stel voor dat jullie blijven waar je bent,' bulderde een stem vanuit de hoogte.

Terwijl de woorden over het water echoden sprong ergens boven hen plotseling een hele rij felle lampen aan. Roman werd door het felle schijnsel enkele ogenblikken verblind, en hij besefte dat de lichtbundels vanaf de achtersteven van de lichter naar beneden waren gericht. Instinctief bracht hij zijn wapen omhoog en wilde vuren, maar zag daar van af toen hij Bojorquez plotseling hoorde roepen: 'Niet vuren! Niet vuren!'

Nadat zijn ogen enigszins aan het felle licht waren gewend keek Roman omhoog en zag niet minder dan zes man over de reling van de lichter hangen, die allemaal hun automatische wapens op de twee rubberboten hadden gericht. Roman liet weifelend zijn geweer zakken, terwijl zijn mannen hetzelfde deden. Hij keek omhoog en zag een grote man staan die hem vanaf de lichter vriendelijk toelachte.

'Dat is het verstandigste wat je kunt doen,' zei Clay Zak. 'Goed, ik stel voor dat jouw mannen weer terug aan wal komen, dan kunnen we eens nader kennismaken met elkaar, akkoord?'

Roman keek van Zak naar de automatische wapens die op zijn mannen waren gericht en knikte. Deze hinderlaag, terwijl ze op het punt stonden te ontsnappen, maakte Roman razend. Hij kwam overeind om uit de boot te klimmen, wierp de overvallers een woedende blik toe en spuugde toen moedeloos in het water.

54

Sergeant Mike Tipton, een artillerist, tuurde ingespannen door zijn nachtkijker en bekeek het grillig gevormde ijsveld dat afdaalde in de richting van de Coronationgolf. Hoewel de ijskoude rand van het oculair zijn wenkbrauwen bijna gevoelloos maakte, bleef hij kijken in de hoop dat hij iets zou zien bewegen. Uiteindelijk liet hij de kijker zakken toen er naast hem een andere man tegen de richel op kroop.

'Al een teken van de kapitein opgevangen?' vroeg de soldaat, een jonge korporaal wiens gezicht grotendeels schuilging achter een koud-weermasker.

Tipton schudde zijn hoofd en keek toen op zijn horloge. 'Ze zijn aan de late kant, en over twintig minuten arriveren de vliegtuigen hier.'

'Wil je dat ik de radiostilte verbreek en ze oproep?'

'Doe maar. Probeer erachter te komen wat er aan de hand is en wanneer ze hier kunnen zijn. We kunnen die toestellen niet te lang aan de grond houden.'

Hij kwam overeind en draaide zich naar het geïmproviseerde vliegveldje om. 'Ik ga de bakens activeren.'

Tipton liep in gedachten verzonken weg. Hij had geen zin om die radio-oproep te horen. Intuïtief wist hij dat er iets fout was gegaan. Roman was ruim op tijd vertrokken. Hij had al bijna een uur geleden met de bemanning van de *Polar Dawn* terug kunnen zijn. En in elk geval hadden ze nu te zien moeten zijn. Roman was een prima commandant en het team was uitstekend getraind – ze moesten met een totaal onverwacht probleem zijn geconfronteerd.

Tipton bereikte het ene uiteinde van het vliegveldje en ontstak een tweetal op batterijen werkende blauwe lampen. Vervolgens beende hij naar het andere uiteinde van de zo goed mogelijk geëgaliseerde baan en activeerde een tweede paar lampen. Hij keerde naar het kampement terug en trof daar de korporaal die vergeefs probeerde via een draagbare radio het aanvalsteam op te roepen, terwijl een andere soldaat een eindje verderop op de uitkijk stond.

'Ik krijg geen antwoord,' meldde de korporaal.

'Blijf het proberen tot de vliegtuigen zijn geland.' Tipton keek beide mannen aan. 'We hebben onze orders. We gaan hier weg, of de rest van het team nou terug is of niet.'

Tipton liep in de richting van de soldaat die op de uitkijk stond en die in zijn dikke witte parka nauwelijks van de korporaal te onderscheiden was.

'Johnson, zeg tegen de piloten dat ze vijf minuten moeten blijven rond-cirkelen. Ik ben bij die richel om naar de kapitein uit te kijken. En heb het lef niet om zonder mij te vertrekken,' zei hij dreigend.

'Jawel, sergeant.'

Twee minuten later was er in de ijskoude lucht in de verte een zacht ge-brom te horen. Het geluid zwol aan en ontwikkelde zich tot het herkenbare hoge gehuil van schroefturbinemotoren. De twee Osprey's vlogen zonder navigatieverlichting en waren tegen de donkere hemel niet te zien. De twee vliegtuigen, die van extra tanks waren voorzien voor een groter vliegbereik, waren opgestegen van een kleine airstrip bij Eagle, net over de grens met Yukon, en hadden een vlucht van ruim elfhonderd kilometer achter de rug. Laag over de toendra vliegend, een van de meest afgelegen gebieden die er in Canada te vinden zijn, had het hen nauwelijks moeite gekost onopge-merkt te blijven.

Tipton bereikte de top van de richel, draaide zich naar de landingsbaan om en zag dat het eerste toestel aan de landing was begonnen. Pas toen de Osprey zo'n vijftien meter van de grond was verwijderd ontstak het zijn landingslichten, voerde een soepele landing uit en kwam ruim voor de blauwe baanverlichting tot stilstand. De piloot keerde het toestel snel en taxiede naar het andere eind van de baan terug en liet het daar opnieuw een scherpe draai maken. Een ogenblik later landde het tweede toestel, veerde even op het ijs op en neer, taxiede terug en nam positie achter de eerste Osprey in, klaar om weer zo snel mogelijk op te stijgen.

Tipton richtte zijn aandacht weer op de golf en zocht met zijn kijker de kustlijn af.

'Roman, waar hang je ergens uit?' siste hij hardop, boos omdat het team niet op kwam dagen.

Maar er was nog steeds geen spoor te bekennen van de boten, noch van de mannen die ermee vertrokken waren. Zijn lenzen boden uitsluitend uit-zicht op een uitgestrekt leeg gebied met uitsluitend zee en ijs. Hij wachtte nog vijf minuten, probeerde geduldig te zijn, en wachtte toen nog eens vijf minuten, maar dat bleek een zinloos gebaar. Het aanvalsteam kwam dui-delijk niet terug.

Hij hoorde hoe een van de vliegtuigen, waarvan de motoren bleven draaien, heel even iets meer gas gaf, en hij rukte zich los van zijn ijskoude wake. Moeizaam hollend in de onhandige poolkleding haastte hij zich naar de open zijdeur van het eerste vliegtuig. Toen hij naar binnen stapte ving hij een boze blik op van de vlieger, die onmiddellijk de gashendels helemaal naar voren schoof. Tipton wankelde naar een stoel en ging naast de korporaal zitten, terwijl de Osprey over de startbaan denderde om na een korte aanloop los te komen.

'Nog steeds niets te zien?' schreeuwde de korporaal om boven het motorgeronk uit te komen.

Tipton schudde zijn hoofd, terwijl daar onafgebroken de mantra 'er wordt niemand achtergelaten' in rondspookte. Hij draaide de korporaal de rug toe, keek door het kleine raampje naar buiten en probeerde daar troost uit te putten.

De Osprey, met het tweede toestel er schuin achteraan, won boven de Coronationgolf snel aan hoogte en draaide toen in een wijde bocht naar het westen, in de richting van Alaska. Tipton staarde afwezig naar de lichtjes van een schip dat in oostelijke richting voer. Bij het licht van de eerste zonnestralen kon hij zien dat het een ijsbreker was die een reusachtige lichter op sleeptouw had.

'Waar zitten ze verdorie ergens?' vloekte Tipton binnensmonds, sloot zijn ogen en probeerde wat te gaan slapen.

55

Tipton zou nooit beseffen dat hij op dat moment op zijn Delta Force-kameraden had neergekeken. Wat hij ook niet wist was dat de mannen over alle materiële genoegens beschikten die er maar in een middeleeuwse kerker te vinden waren.

Zaks mensen hadden de commando's zorgvuldig ontwapend en van hun verbindingsapparatuur ontdaan, waarna ze het dek van de lichter op werden gedreven, samen met de bemanning van de *Polar Dawn*. De Amerikanen werden zonder verdere plichtplegingen en onder bedreiging van automatische wapens in een kleine opslagruimte op het voorschip van de lichter samengedreven. Toen de laatste gevangene het stalen trapje naar de opslagruimte afdaalde keek Roman nog even omhoog en zag hij hoe twee mannen de Zodiac-boten aan boord trokken en die aan de reling vastsjorden.

Als enig blijk van mededogen werden twee pakken met flesjes water naar binnen gegooid – water dat bevroren was – waarna de deur werd dichtgegooid. De deur werd door middel van een knevel afgesloten, waarna die, aan het rammelen te horen, aan de buitenkant met een ketting werd vastgezet. De mannen stonden zwijgend in de ijskoude, pikdonkere opslagruimte opeen en hadden onwillekeurig het gevoel dat ze hun ondergang tegemoet gingen.

Toen floepte er een klein zaklantaarntje aan, korte tijd later gevolgd door een tweede. Roman vond het zijne in zijn borstzak en was blij dat iets waar ze in elk geval nog wat aan hadden, niet in beslag was genomen.

De lichtbundeltjes speelden door de ruimte, en onthulden de angstige gezichten van de vijfenveertig andere mannen. Roman zag dat de ruimte vrij klein was. Naast de op slot zittende deur waardoor ze naar binnen waren gevoerd, bevond zich ook nog een open luik in de achterwand. In een hoek lagen twee rollen met dikke trossen, terwijl langs een andere wand een groot aantal oude autobanden waren opgestapeld. De onder het vuil zittende, versleten banden werden gebruikt als extra stootwillen en werden overboord gehangen als een lichter aan een kade lag afgemeerd. Terwijl hij keek wat er verder nog te vinden was, hoorde Roman de krachtige motoren van de verderop liggende ijsbreker aanslaan, dat even later overging in een laag, stationair geronk.

Roman richtte zijn lichtbundel op de bemanning van de *Polar Dawn*. 'Is de commandant er ook bij?' vroeg hij.

Een gedistingeerd uitziende man met een grijs puntbaardje stapte naar voren.

'Ik ben Murdock, de vroegere commandant van de *Polar Dawn*.'

Roman stelde zich voor en vertelde welke opdracht hij had meegekregen, maar werd door Murdock onderbroken.

'Kapitein, het was zonder meer een bewonderenswaardige reddingspoging, maar vindt u het erg als ik zeg dat ik het niet écht leuk vind om uit de handen van de Canadese Mounties te worden bevrijd?' zei hij droogjes, terwijl hij om zich heen gebaarde.

'We hebben er geen moment rekening mee gehouden dat we bij deze operatie van buitenaf gestoord zouden worden,' antwoordde Roman. 'Weet u wie deze mensen zijn?'

'Ik zou u exact dezelfde vraag kunnen stellen,' reageerde Murdock. 'Ik weet alleen dat een particulier bedrijf deze ijsbrekers inzet als commerciële escortevaartuigen, maar dan wel met goedvinden van de Canadese overheid. En blijkbaar hebben ze ook lichters. Maar ik zou niet weten waarom ze over bewapende bewakers beschikken en er niet tegenop zien mensen in gijzeling te nemen.'

Roman stond evenzeer voor een raadsel. Uit de gegevens die hij voor aanvang van de missie van de inlichtingendienst had gekregen, was gebleken dat hij alleen maar met de Canadese marine en de Mounted Police rekening hoefde te houden. Hier was geen touw aan vast te knopen.

De mannen hoorden hoe het motorgeronk van de ijsbreker aanzwol en ondergingen vervolgens een lichte schok toen het voorste schip bij de kade wegvoer, met de lichter op sleeptouw. Nadat ze uiteindelijk de haven hadden verlaten, werd het toerental van de motoren nog verder verhoogd en de opgesloten mannen voelden hoe de grote lichter door de korte golfslag van de Coronationgolf heen en weer werd geslingerd.

'Heeft u enig idee waar ze ons naartoe kunnen brengen?' vroeg Roman.

Murdock haalde zijn schouders op. 'We zijn een enorm eind van de beschaafde wereld verwijderd. Ik denk niet dat ze de Canadese wateren zullen verlaten, maar dan nog hebben we kans op een ongelooflijk lange en koude trip.'

Roman hoorde gegrom en gebonk aan de andere kant van de opslagruimte en richtte zijn lichtbundel op het trapje dat naar de toegangsdeur leidde. Op dat trapje had sergeant Bojorquez de strijd met de deur aangebonden: met alle kracht waarover hij beschikte probeerde hij de knevel aan de binnenkant omhoog te krijgen, maar zonder succes, en het volgende moment klonk er een serie indrukwekkende verwensingen. Toen hij merkte dat er een lichtbundel op hem was gericht, kwam hij overeind en draaide zich naar Roman om.

'Deze deur kunnen we vergeten, kapitein. Ze hebben die buitenste knevel vastgezet. Als we dit ding open willen krijgen hebben we een snijbrander nodig.'

'Bedankt, sergeant.' Roman draaide zich naar Murdock om. 'Heeft deze ruimte nog een andere uitgang?'

Murdock wees naar het open luik in de achterwand.

'Ik neem aan dat je via dat luik en een ladder in ruim één terechtkomt. Dit vaartuig heeft vier ruimen, die elk groot genoeg zijn om er een flatgebouw in te vervoeren. Ik denk dat er ook nog een intern looppad moet zijn dat van het ene ruim naar het andere leidt, en waar je kunt komen door aan de ene kant een ladder af te dalen, en aan de andere kant weer omhoog te klimmen.'

'Hoe zit het met de luiken van de ruimen. Denk je dat we die los zouden kunnen krijgen?'

'Nee, dat lukt nooit. Daar heb je een kraan voor nodig. Die luiken wegen per stuk misschien wel drie ton. Ik denk dat onze enige kans bestaat uit proberen het achterschip te bereiken. Misschien is daar een identieke opslagruimte te vinden, of anders wel een afzonderlijke toegang tot het hoofddek.' Hij keek Roman vastbesloten aan. 'Het kan alleen wel even duren voor we die met alleen een zaklantaarntje hebben gevonden.'

'Bojorquez!' riep Roman. Binnen enkele seconden stond de sergeant voor hem.

'Ga met de commandant mee naar het achterschip,' beval Roman. 'Ga op zoek naar een manier om uit dit stinkhol weg te komen.'

'Jawel, kapitein,' antwoordde Bojorquez en sprong in de houding. En met een knipoog naar zijn meerdere voegde hij eraan toe: 'Denkt u dat het een streep waard is?'

Roman grijnsde even. 'Minstens één. En nou wegwezen.'

De mannen in de ruimte, inclusief Roman, leken hier weer enige hoop uit te putten. Maar toen herinnerde hij zich Murdocks opmerking over hoe lang de reis nog kon gaan duren, en besefte dat ze in deze poolomgeving zouden moeten vechten om in leven blijven. Hij beende door het vertrek heen en weer, en probeerde te bedenken hoe hij kon voorkomen dat de mensen dood zouden vriezen.

56

Op de warme brug van de *Otok* zat Clay Zak in een comfortabele hoge stoel en zag de vol ijs liggende wateren aan zich voorbijglijden. Hij besefte dat het gevangennemen van de Amerikanen een impulsieve en risicovolle daad was geweest, en het was even impulsief geweest om ze in die lichter op te sluiten en ze op sleeptouw te nemen. Hij wist nog niet precies wat hij met de gevangenen zou gaan doen, maar hij was nog steeds blij met het geluk dat hem overkomen was. De bemanning van de *Polar Dawn* was hem zomaar in de schoot geworpen, en daarmee ook de mogelijkheid om het conflict tussen Canada en de Verenigde Staten verder op de spits te drijven. De Canadese overheid zou razend zijn wanneer die te horen kreeg dat de bemanning van de *Polar Dawn* was ontsnapt dankzij een Amerikaanse militaire operatie waarvoor de yanks op Canadees grondgebied hadden moeten infiltreren. Zak moest bij het vooruitzicht alleen al lachen, want nu wist hij zeker dat die opgeblazen Canadese premier de Amerikanen nooit meer tot het Canadese poolgebied zou toelaten.

Dit was aanzienlijk meer dan waarop Goyette had durven hopen. De grootindustrieel had hem verteld over de rijkdommen die er in het poolgebied voor het oprapen zouden liggen, vooral nu de wereldwijde opwarming van de aarde de barrières die de exploitatie van dit gebied in de weg stonden in een hoog tempo deed wegsmelten.

Goyette had al een reusachtige slag geslagen met het aardgasveld in de Melville Sound, maar er moest hier ook olie te vinden zijn. Volgens sommige deskundigen zou misschien wel vijfentwintig procent van de totale oliereserves op de wereld zich onder het noordpoolgebied bevinden. En het snelle smelten van het poolijs zorgde ervoor dat die olie voor lieden met visie nu een stuk makkelijker toegankelijk werd.

De eerste die kans zag de exploratierechten in de wacht te slepen en die natuurlijke hulpbronnen voor anderen onbereikbaar te maken, zou degene zijn die met het grote geld aan de haal ging, had Goyette gezegd. De grote Amerikaanse oliemaatschappijen en mijnbouwconglomeraten hadden hun invloed hier in de buurt geleidelijk aan steeds verder weten uit te bouwen.

Rechtstreeks met hen concurreren was voor Goyette onmogelijk. Maar als ze van het speelveld werden verwijderd, ontstond er een heel ander beeld. Dan kon Goyette grote delen van zijn arctische delfstoffen monopoliseren en zou hem dat miljarden dollars winst opleveren.

Dat bracht nog meer op dan het ruthenium, bedacht Zak. Maar misschien lukte het hem op beide fronten te scoren. Het stond nu hoegenaamd vast dat hij bij zijn zoektocht naar het mineraal niet gestoord zou worden. Het elimineren van de Amerikaanse concurrentie bij de toekomstige exploratie lag binnen handbereik. Goyette zou bij hem in het krijt staan, en niet voor zo'n beetje ook.

Met een tevreden blik op zijn gezicht tuurde Zak naar het voorbijglijdende ijs en wachtte op zijn gemak tot de Royal Geographical Society Islands dichterbij zouden komen.

DEEL III

Achtervolging in het noorden

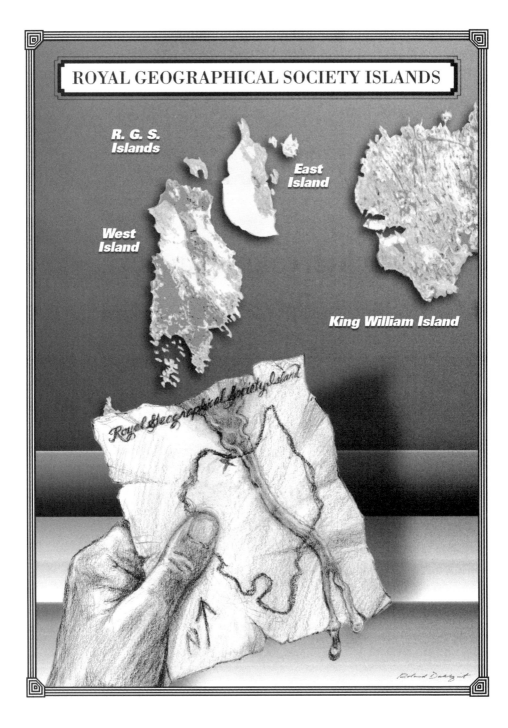

ROYAL GEOGRAPHICAL SOCIETY ISLANDS

R. G. S.
Islands

East
Island

West
Island

King William Island

Royal Geographical Society Island

57

Enkele weken lang, aan het eind van de zomer, heeft Canada's arctische archipel wel iets weg van een kleurrijke woestijn. Het zich terugtrekkende ijs en de smeltende sneeuw leggen een desolate schoonheid bloot die onder het bevroren landschap schuilgaat. Het rotsachtige terrein, waar geen boom te vinden is, licht regelmatig op in verbijsterende tinten goud, rood en paars. Korstmossen, varens en een verrassende diversiteit aan bloemen, die hun uiterste best moeten doen om de geringe hoeveelheid zomers zonlicht te absorberen, komen er tot bloei en voegen nog vele boeketten kleur aan het geheel toe. Hazen, muskusossen en vogels worden er in grote aantallen aangetroffen, waardoor het kille aura van morbiditeit enigszins wordt verzacht. Tijdens deze intense zomermaanden is er sprake van een uiterst divers planten- en dierenleven, om tijdens de lange, donkere winterdagen weer te verdwijnen.

De rest van het jaar vormen de eilanden een afschrikwekkende verzameling door ijs bedekte heuvels, omzoomd door oevers vol rotsblokken – een leeg, kaal landschap dat al eeuwenlang een magnetische aantrekkingskracht heeft uitgeoefend op allerlei mannen, sommigen op zoek naar hun lotsbestemming, anderen op zoek naar zichzelf. Vanaf de brug naar de strook zee-ijs kijkend die zich nog aan de rommelige kustlijn van Victoria Island hechtte, kwam Pitt onwillekeurig tot de conclusie dat dit een van de eenzaamste plekken moest zijn die er op aarde te vinden was.

Pitt liep naar de kaartentafel, waar Giordino een grote kaart van de Straat Victoria aan het bestuderen was. De gedrongen Italiaan wees naar een leeg stuk water ten oosten van Victoria Island.

'We zijn momenteel nog een mijl of vijftig van Victoria Island verwijderd,' zei hij. 'Heb jij nog bepaalde ideeën over het te hanteren zoekpatroon?'

Pitt trok een kruk naar zich toe, ging zitten en bekeek de kaart aandachtig. Het peervormige oppervlak van King William Island bevond zich pal oostelijk van hen. Pitt pakte een potlood en zette op een punt vijftien mijl noordwestelijk van het noordelijkste puntje van het eiland een 'X'.

'Dit is de plaats waar de *Erebus* en de *Terror* officieel zijn achtergelaten,' zei hij.

Giordino meende in de stem van Pitt een ondertoon van desinteresse te bespeuren.

'Maar dat is niet de plaats waar jij denkt dat ze gezonken zijn?' vroeg hij.

'Nee,' antwoordde Pitt. 'Dat Inuit-verslag, hoewel het vrij vaag is, lijkt aan te geven dat de *Erebus* zich verder naar het zuiden bevond. Voor ik uit Washington vertrok heb ik een aantal mensen van de afdeling klimatologie een model laten maken. Ze hebben geprobeerd de weersomstandigheden van april 1848 voor me na te bootsen, toen de schepen door de bemanningen zijn achtergelaten, en het mogelijke gedrag van het zee-ijs in die periode te voorspellen.'

'Dus het ijs is niet zomaar gesmolten zodat de schepen op de plaats waar jij die X hebt neergezet naar de bodem van de zee zijn gezakt?'

'Het kan wel maar is niet waarschijnlijk.' Pitt wees naar een uitgestrekt stuk zee ten noorden van King William Island dat Straat Larsen werd genoemd.

'De winterse vorstperiode stuwt het pakijs gestaag vanuit het noordoosten door Straat Larsen. Als in de zomer van 1848 het zee-ijs bij King William niet gesmolten is, en dat suggereren de klimatologen, dan is de kans groot dat de schepen tijdens de winterse vorstperiode van 1849 in zuidelijke richting zijn meegevoerd. Misschien is een groepje overlevenden later weer aan boord gegaan, dat zullen we nooit weten. Maar het komt wel overeen met het relaas van de Inuit.'

'Grandioos, een bewegend doel,' zei Giordino. 'Dat betekent in elk geval geen mooi compact doelgebied.'

Pitt liet zijn vinger langs de westkust van King William Island glijden en stopte bij een groepje eilanden dat ongeveer twintig mijl verder naar het zuidwesten lag.

'Volgens mijn theorie hebben deze eilanden hier, de Royal Geographical Society Islands, als een soort buffer tegen het naar het zuiden schuivende pakijs gefungeerd. Dat stelletje rotsen heeft mogelijk een deel van die ijsmassa van richting doen veranderen, terwijl een ander – omvangrijk – deel erdoor werd opgebroken dat zich op de noordkust ervan ophoopte.'

'Het is vanaf die X van jou een vrij rechte route,' merkte Giordino op.

'Dat is het vermoeden. Hoe ver die schepen door het ijs zijn meegevoerd voor ze door het ijs zakten is niet te zeggen. Maar ik zou willen beginnen met een zoekgebied van tien bij tien mijl ten noorden van deze eilanden, om daarna, mochten we niets vinden, verder naar het noorden te gaan.'

'Klinkt realistisch,' was Giordino het met hem eens. 'Laten we hopen dat ze in één stuk naar de bodem zijn gezakt, zodat ze een mooi, duidelijk sonarbeeld geven.' Hij keek op zijn horloge. 'Ik kan Jack maar beter wakker maken, dan kan hij voor we ter plekke arriveren de AUV's in gereedheid brengen. We hebben er twee aan boord, dus kunnen we twee afzonderlijke zoekgebieden uitzetten en die tegelijkertijd aan een onderzoek onderwerpen.'

Terwijl Pitt de coördinaten uitzette voor twee aaneensluitende zoekgebieden, bereidden Giordino en Dahlgren de AUV's op hun tewaterlating voor. De afkorting stond voor *autonomous underwater vehicle* – autonoom onderwatervaartuig. De AUV's waren onbemande apparaten die de vorm van een torpedo hadden, en sonar en andere sensoren aan boord hadden waardoor ze in staat waren om een elektronische kaart van de zeebodem te maken. Ze werden zodanig geprogrammeerd dat ze een van tevoren bepaald deel van die bodem systematisch afzochten, en deden dat met een vaartje van tien knopen en op een hoogte van enkele meters boven de zeebodem, waarbij het apparaat zich automatisch aan de steeds wisselende contouren aanpaste.

Toen gezagvoerder Stenseth vlak langs de noordkant van de Royal Geographical Society Islands voer liet hij de *Narwhal* vaart minderen, want ze stonden op het punt Pitts eerste zoekgebied binnen te varen. Vanaf de achtersteven werd een drijvende transponder overboord gezet, waarna het schip met hoge snelheid naar de tegenoverliggende hoek van het zoekgebied opstoomde om daar een tweede boei uit te zetten. De transponders stonden in rechtstreeks contact met rond de aarde cirkelende GPS-satellieten, en leverden dan ook exacte referentiepunten ten behoeve van de onderwaternavigatie van de over de zeebodem zwevende AUV's.

Op het achterdek van het schip hielp Pitt Giordino en Dahlgren met het downloaden van het zoekplan in de processor van de eerste AUV, en keek vervolgens toe hoe een kraan de grote gele vis overboord zette. Zodra de kleine schroef was gaan draaien werd de AUV losgekoppeld. Het apparaat schoot naar voren en verdween al snel onder het donkere, kolkende water. Aangestuurd door de op en neer dobberende transponders stoof de AUV naar het beginpunt en begon toen zigzaggend met zijn elektronische ogen de bodem af te zoeken.

Zodra het eerste onderwatervaartuig veilig en wel was gelanceerd, stuurde Stenseth het schip naar het noorden, naar het tweede zoekgebied, en werd het hele proces herhaald. De mannen aan dek werden geteisterd door een bijtende wind toen ze de tweede AUV te water lieten, en daarna haastten ze zich naar de warmte van het even verderop gelegen commandocentrum. Een technicus had beide zoekgebieden al op een groot scherm staan, waarop ook de beide AUV's en de transponders te zien waren. Pitt trok zijn parka uit en keek naar enkele kolommen met cijfers die snel aan de zijkant van het scherm werden geüpdatet.

'Beide AUV's zijn op diepte en functioneren,' zei hij. 'Keurig werk, heren.'

'We hebben het nu niet meer in de hand,' reageerde Giordino. 'Het ziet ernaar uit dat het een uur of twaalf gaat duren voor de vis klaar is met zijn werk en weer naar boven komt.'

'Zodra ze terug aan boord zijn, hebben we maar weinig tijd nodig om te downloaden en nieuwe accu's aan te brengen, dan kunnen we ze daarna weer snel overboord zetten voor de volgende twee zoekgebieden,' zei Dahlgren.

Giordino fronste zijn wenkbrauwen terwijl Pitt hem een vernietigende blik toewierp.

'Wat heb ik gezegd?' vroeg hij verbaasd.

'Op dit schip,' antwoordde Pitt, terwijl er een vlijmscherpe grijns over zijn gezicht gleed, 'moet het in één keer goed zijn.'

58

Zestig mijl westelijker tornde de *Otok* tegen de door de wind opgezweepte wateren op en volgde een nagenoeg kaarsrechte koers in de
richting van de Royal Geographical Society Islands. In het stuurhuis stond
Zak over een satellietfoto van de eilanden gebogen en bekeek die aandachtig door een vergrootglas. De groep werd gedomineerd door twee grotere
eilanden: West Island, dat door een smal stuk water werd gescheiden van
het kleinere East Island. De mijnbouwwerkzaamheden van Mid-America
waren langs de zuidkust van het West Island gelokaliseerd, tegenover de
Queen Maud Golf. Op de foto kon Zak twee gebouwen en een lange pier
onderscheiden, terwijl een eindje verderop iets te zien was wat op een dag-
bouwmijn leek, een vorm van mijnbouw waarbij de grond laag voor laag
wordt afgegraven.

'Er is net een boodschap voor je binnengekomen.'

De kapitein van de *Otok*, die zich zo te zien nog niet geschoren had,
kwam naar Zak gelopen en gaf hem een velletje papier. Zak vouwde het
open en las:

Pitt zaterdagochtend vroeg vanuit D.C. in Tuktoyaktuk aangekomen. Is
aan boord NUMA-onderzoeksvaartuig *Narwhal* gegaan. Om 1600 uur vertrokken; vermoedelijke bestemming Alaska. M.G.

'Alaska,' zei hij hardop. 'Ze kunnen vandaag de dag nauwelijks ergens anders naartoe, hè?' voegde hij er glimlachend aan toe.

'Alles goed?'

'Ja, alleen een te late poging van de concurrentie.'

'Hoe varen we op de eilanden aan?' vroeg de kapitein, terwijl hij over
Zaks schouder keek.

'We zetten koers naar de zuidkust van West Island. We gaan eerst een
kijkje bij dat mijnbouwbedrijf nemen. Laten we gewoon bij die pier aanleggen en kijken of er iemand thuis is. Het is nog vroeg in het seizoen, dus
misschien zijn ze nog niet met de zomerwerkzaamheden begonnen.'

'Misschien een prima plek om onze gevangenen te dumpen.'

Zak tuurde uit het venster aan de achterkant van de brug en zag de lichter die door het onstuimige water heen en weer werd geslingerd.

'Nee,' antwoordde hij na even te hebben nagedacht. 'Die zitten daar uiterst comfortabel.'

Comfortabel was niet bepaald het woord waaraan Rick Roman moest denken. Maar onder de gegeven omstandigheden, moest hij toegeven, hadden ze geprobeerd er het beste van te maken.

Het koude stalen dek en de stalen wanden van hun drijvende gevangenis zorgden ervoor dat ze zichzelf nauwelijks warm konden houden, maar de spullen die in de opslagruimte waren achtergelaten zouden misschien een oplossing kunnen vormen. Met behulp van zijn zaklantaarn verzamelde Roman zijn mannen en liet ze de stapels banden onder handen nemen. Om te beginnen werd er een laag rubber over het dek uitgespreid, en daarna werd er van banden een serie muurtjes gebouwd, waardoor een kleinere ruimte ontstond waar toch nog iedereen in kon. Vervolgens werden de trossen afgewikkeld en over de rubberwanden en de vloer gedrapeerd, zodat er een extra isolatielaag werd gecreëerd en de mannen iets gerieflijker konden liggen. Dicht opeengepakt in de kleine enclave hadden de mannen een gecombineerde lichaamswarmte die de temperatuur geleidelijk aan deed stijgen. Na enkele uren richtte Roman zijn zaklantaarntje op een fles water die bij zijn voeten stond en zag dat van de bevroren inhoud de bovenste vijf centimeter ontdooid waren en lichtjes heen en weer klotste. In het zo goed mogelijk geïsoleerde onderkomen was de temperatuur tot boven het vriespunt gestegen, zag hij met enige voldoening.

En dat was de enige voldoening die hij de afgelopen tijd had gekend. Toen Murdock en Bojorquez na een inspectietocht van twee uur door het binnenste van de lichter waren teruggekeerd, hadden ze alleen maar somber nieuws te vertellen. Murdock had, afgezien van de spelonkachtige ruimen zelf, in de rest van het schip geen mogelijke uitgangen gevonden. Ook de gigantische luiken konden ze onmogelijk van hun plaats krijgen en hadden voor hetzelfde geld dichtgelast kunnen zitten.

'Ik heb wel dit gevonden,' zei Bojorquez, terwijl hij een kleine klauwhamer met houten steel omhooghield. 'Iemand moet hem in het ruim hebben laten vallen en heeft toen niet de moeite genomen hem op te halen.'

'Maar zelfs met een voorhamer kunnen we tegen die deur niets uitrichten,' reageerde Roman.

Maar Bojorquez liet zich niet afschrikken en ging met het veel te kleine gereedschap de knevel aan de binnenkant te lijf. Binnen de kortste keren begeleidde het constante gehamer de krakende geluiden van de door het water gesleepte lichter. Mannen gingen in de rij staan om hun krachten ook eens op de hamer bot te vieren, de meesten uit pure verveling, anderen alleen maar om het wat warmer te krijgen. Boven het onophoudelijke gehamer uit klonk plotseling de stem van Murdock.

'We varen langzamer.'

'Ophouden met hameren,' beval Roman.

Een eind voor hen uit hoorden ze hoe de motoren van de ijsbreker minder toeren gingen maken, terwijl weer even later duidelijk te horen was dat ze alleen nog maar stationair draaiden, en het volgende moment stootte de lichter op een stil in het water liggend voorwerp. Zwijgend luisterden de mannen, in de hoop dat hun ijskoude gevangenschap achter de rug was.

59

De Royal Geographical Society Islands doemden als een massa vaal-
gele heuvels boven het onrustige grijze water op. De eilanden hadden
hun naam gekregen van de poolreiziger Roals Amundsen, in 1905, tijdens
zijn epische reis aan boord van de *Gjoa*, toen hij er als eerste in slaagde
om de hele Noordwestelijke Doorvaart af te leggen. De eilanden, ruim
een eeuw lang ver van iedereen verwijderd en door iedereen vergeten,
waren in feite weinig meer dan een voetnoot, totdat een onafhankelijke
exploratiemaatschappij op West Island een aan de oppervlakte liggende
zinkader aantrof, en de mijnconcessie vervolgens aan Mid-America verkocht.

Het mijnbouwkamp van Mid-America was gebouwd langs een brede
baai aan de ruige zuidkust van het eiland, waar nog tientallen inhammen
en lagunes te vinden waren. Een natuurlijke diepe vaargeul stelde grote
schepen in staat om de baai binnen te varen, vooropgesteld dat het zee-
ijs er verdwenen was. Het bedrijf had een honderd meter lange semi-
drijvende pier aangelegd die zich vanaf de oever in de baai uitstrekte en
er nu, tussen de brokken ijs die hier nog ronddobberden, leeg en verlaten
bij lag.

Zak had de kapitein gezegd dat hij richting pier moest varen en tuurde
zelf met een kijker de kustlijn af. Hij zag twee geprefabriceerde gebouwen
die aan de voet een steile rotswand stonden, met pal ernaast een grindweg
die een klein stukje landinwaarts liep. De vensters van de gebouwen waren
donker, en voor de deuren lag nog wat sneeuw die zich daar verzameld had.
Nadat hij ervan overtuigd was geraakt dat het bedrijf na de winter zijn
werkzaamheden nog niet had hervat en dat er niemand aanwezig was, gaf
hij opdracht de *Otok* aan de pier af te meren.

'Laat het team geologen zich verzamelen, dan kunnen ze aan wal,' zei
Zak tegen de kapitein. 'Ik wil weten welke mineralen er in het erts zitten
dat hier wordt gewonnen, en ik wil een geologisch rapport over het gebied
hier.'

'Volgens mij staat het team te trappelen om van boord te gaan,' zei de kapitein sarcastisch, want hij had gezien dat een aantal van de geologen tijdens de reis behoorlijk zeeziek was geweest.

'Kapitein, voor ik aan boord kwam heb ik een groot pak naar het schip laten sturen. Is er in Tuktoyaktuk iets binnengekomen?'

'Ja, daar is een grote kist afgeleverd. Ik heb die in het voorste ruim laten opslaan.'

'Laat hem naar mijn kajuit overbrengen. Er zitten wat spullen in die ik aan wal nodig heb,' zei hij.

'Ik zal het onmiddellijk laten doen. Wat doen we met de gevangenen in de lichter? Die zijn misschien al op sterven na dood,' zei hij terwijl hij op de bedieningsconsole naar een digitale thermometer keek die de buitentemperatuur aangaf – vijftien graden onder nul.

'Ach ja, onze ingevroren Amerikanen. Ik weet zeker dat hun verdwijning momenteel heel wat mensen uitermate zenuwachtig maakt,' zei Zak op een arrogant toontje. 'Misschien moeten we maar wat dekens en voedsel bij ze naar binnen gooien. Misschien is het zinvol als we ze voorlopig nog even in leven laten.'

Terwijl de geologen aan wal stapten, vergezeld door het bewapende beveiligingsteam, daalde Zak naar zijn kajuit af. Het pakket, een zware metalen hutkoffer die met een hangslot was afgesloten, stond midden op het tapijt op hem te wachten. In de kist zat een zorgvuldig bijeengebrachte verzameling ontstekingen en detonators, samen met voldoende dynamiet om een hele stadswijk met de grond gelijk te maken. Zak haalde er enige onderdelen uit en stopte die in een tasje, om vervolgens de hutkoffer weer op slot te doen. Nadat hij een dikke parka had aangetrokken liep hij naar het hoofddek en stond op het punt van boord te gaan, toen hij door een bemanningslid staande werd gehouden.

'Er is op de brug een boodschap voor u binnengekomen. De kapitein vraagt of u direct boven wilt komen.'

Zak holde de trap naar de brug op, waar de kapitein in de hoorn van een beveiligde satellietverbinding sprak.

'Ja, hij staat naast me,' zei de kapitein, draaide zich toen om en gaf de telefoon aan Zak.

De korzelige stem van Mitchell Goyette schalde uit de hoorn.

'Zak, de kapitein vertelt me net dat jullie bij de vestiging van Mid-America afgemeerd liggen.'

'Dat klopt. Ze zijn nog niet met hun zomerwerkzaamheden begonnen, dus het ligt er allemaal wat verlaten bij. Ik was net van plan van boord te gaan om ervoor te zorgen dat ze dit jaar niet meer aan werken zouden toekomen.'

'Uitstekend. Afgaande op de manier waarop de stemming in Ottawa steeds grimmiger wordt, betwijfel ik of de Amerikanen ooit nog in staat zullen zijn daar terug te keren.' Maar Goyettes hebzucht stak al snel de kop weer op. 'Probeer geen infrastructuur te vernielen waar we nog wat aan kunnen hebben nadat ik die handel daar tegen een afbraakprijs heb overgenomen,' snoof hij verachtelijk.

'Ik zal eraan denken,' antwoordde Zak.

'Vertel eens, wat ben je over dat ruthenium aan de weet gekomen?'

'De geologen zijn nu bezig met een eerste verkenning van het gebied rond het mijnbouwkamp. Maar wij bevinden ons momenteel aan de zuidkant van het eiland, terwijl de Inuit-mijn volgens de kaart van die handelaar langs de noordkust te vinden zou moeten zijn. Over een paar uur gaan we die kant uit.

'Heel goed. Hou me op de hoogte.'

'Er is nog iets wat je moet weten,' zei Zak, en liet het explosieve nieuws vallen. 'We hebben de Amerikaanse bemanning van de *Polar Dawn* in onze macht.'

'Je hebt wát?' krijste Goyette, waardoor Zak gedwongen was de hoorn een heel stuk bij zijn oor vandaan te houden. De industrieel was witheet, ook nog nadat Zak de omstandigheden rond de ontvoering had uitgelegd.

'Geen wonder dat de politici op ontploffen staan,' siste hij. 'Je staat op het punt de Derde Wereldoorlog te ontketenen.'

'Het zorgt er anders wel voor dat de Amerikanen hier de eerstkomende decennia niet meer mogen komen,' bracht Zak ertegenin.

'Dat mag zo zijn, maar er valt voor mij niets aan hun afwezigheid te verdienen als ik achter de tralies zit. Los dit probleem zo snel mogelijk op, en zonder incidenten!' blafte hij. 'Wat je ook doet, er mag geen enkel verband met mij worden gelegd.'

De verbinding werd verbroken en Zak legde de hoorn neer. Die knaap was geen haar beter dan de rest, een fantasieloze schurk die door intimidatie aan zijn miljarden was gekomen, vond Zak. Toen ritste hij zijn parka weer dicht en ging aan wal.

Rond de baai lag een bruine ring van rots en gravel, die, naarmate je verder landinwaarts kwam, overging in een witte ijsvlakte. De uitzondering daarop werd gevormd door een grote rechthoekige groeve die een paar honderd meter in de helling van een heuvel doorliep en eindigde in een vlakke, verticale wand die onmiskenbaar door een graafmachine was gemaakt. Het winnen van zink was hier duidelijk een kwestie van dwars door het landschap graven, waar het mineraalrijke erts dicht onder de oppervlakte zat. In de verte zag Zak enkele geologen lopen, die de restanten van de meest recente graafwerkzaamheden onderzochten. De baai zelf lag grotendeels beschut tegen de ijskoude westenwind, maar Zak spoedde zich over de pier, want hij wilde zich niet langer aan de kou blootstellen dan strikt noodzakelijk was. Snel liet hij zijn blik over het mijnbouwbedrijf voor hem gaan, en zag direct dat het qua techniek weinig voorstelde. Het grootste van de twee gebouwen was een opslagplaats waarin het gereedschap was gestald – bulldozers, grondverzetmachines en een kiepauto – waarmee de bodem van het eiland werd afgegraven om vervolgens via een lopende band in de richting van de pier te worden vervoerd. Een kleiner gebouw was waarschijnlijk het onderkomen voor het personeel en het kantoor.

Zak liep eerst naar het kleinere gebouw en rammelde aan de knop van een deur die klaarblijkelijk op slot zat. Hij haalde een Glock automatic uit zijn broekzak, vuurde twee keer op het nachtslot en trapte de deur vervolgens open. Het interieur had wel iets weg van dat van een uitgebreid woonhuis, met twee grote slaapkamers waarin stapelbedden stonden, plus een ruime keuken, een eetkamer en een zitkamer. Zak liep onmiddellijk naar de keuken door en keek naar het fornuis, waarvan de gasleiding naar een voorraadkast liep waarin een grote tank met propaangas stond. Hij deed de tas open, haalde er een staaf dynamiet uit en legde die onder de tank, om er vervolgens een slaghoedje aan vast te maken dat hij weer aan een tijdmechanisme verbond. Hij keek even op zijn horloge, stelde het tijdmechanisme zodanig in dat de explosie over anderhalf uur zou plaatsvinden en verliet toen het gebouw.

Vervolgens liep hij naar de opslagplaats waar het gereedschap was gestald, nam enkele ogenblikken lang de buitenkant in zich op en liep naar de achterkant. Een kleine steile helling, die vol lag met grote en kleine rotsblokken, torende boven het gebouw uit. Moeizaam klom hij ertegenop, totdat hij een smalle richel bereikte die horizontaal over de bovenkant van de heuvel liep. Hij trapte een gat in de bevroren grond, vlak onder een rotsblok ter grootte van een huis, deed zijn handschoenen uit en stopte een staaf dynamiet in het gat. Binnen de kortste keren had hij steenkoude vingers en wist niet hoe snel hij het tijdmechanisme van de ontsteking moest instellen. Toen hij daarmee klaar was liep hij een paar meter door en plaatste onder een min of meer even groot rotsblok een tweede springlading.

Snel holde hij de helling af, keerde naar de voorkant van het gebouw terug en plaatste een laatste springlading bij een grote schuifdeur. Nadat hij het tijdmechanisme had ingesteld keerde hij snel naar de pier terug en liep terug naar de ijsbreker. Toen hij het schip naderde zag hij dat de kapitein vanaf de brug zijn kant op keek. Zak pompte zijn arm op en neer ten teken dat hij de scheepshoorn moest activeren. Enkele seconden later echoden twee oorverdovende stoten over de heuvels om de geologen te laten weten dat ze terug aan boord moesten komen.

Zak draaide zich om en keek of de geologen de boodschap hadden begrepen en liep toen door naar de lichter, die langs het eind van de pier lag. De pier reikte maar tot de voorsteven van de lichter en Zak moest even wachten tot de stroming het vaartuig tegen de meerpalen aandrukte voor hij op een verzonken ladder kon springen waarlangs hij het dek van de lichter kon bereiken. Hij klauterde omhoog, liep toen helemaal naar achteren en passeerde de luiken van ruim vier op weg naar een ondiepe uitholling aan de achterkant van het schip. Hij knielde neer, in de beschutting van een lage stalen borstwering, en stopte de nog resterende explosieven in de holte, maar deze keerde voegde hij er een tijdontsteking aan toe die radiografisch kon worden geactiveerd. De springlading was weliswaar niet onder de waterlijn geplaatst, zoals hij eigenlijk het liefst had gedaan, maar hij wist dat de explosieven in de stevige zeegang waarmee ze geconfronteerd zouden worden hun werk zouden doen. Volkomen voorbijgaand aan de levens van de mannen die een eindje verderop dicht opeengepakt zaten, ging Zak met een grimmig gevoel van voldoening van boord. Goyette zou het niet leuk vinden om een nagenoeg nieuwe lichter te verspelen, maar wat kon hij ervan zeggen? Zak had opdracht gekregen om geen bewijsmateriaal achter te laten, en het tot zinken brengen van de lichter op een plaats waar niemand hem ooit nog terug zou kunnen vinden was de perfecte oplossing.

De laatste geologen en beveiligingsmensen klommen net aan boord toen Zak de loopplank bereikte. Hij liep direct naar de brug door, dankbaar voor de warmte die daar heerste.

'Iedereen is terug aan boord,' meldde de kapitein. 'Wil je weg of wil je eerst nog met de geologen praten?'

'Die kunnen me onderweg bijpraten. Nu wil ik zo snel mogelijk die noordkust eens bekijken.' Hij keek op zijn horloge. 'Maar misschien is het leuk om voor we vertrekken eerst even van de show te genieten.'

Twee minuten later ging de keuken in het personeelsonderkomen de lucht in, waardoor het hele gebouw tegen de vlakte ging. De propaantank, die bijna vol gas had gezeten, spatte in een massieve vuurbal uiteen en oranje vlammen schoten omhoog, terwijl de schokgolf de vensters aan boord deed rinkelen. Enkele ogenblikken later explodeerde de springlading bij de opslagplaats, waarbij de schuifdeur werd weggeblazen en het dak in elkaar zakte. De dynamietstaven op de helling waren vervolgens aan de beurt, en bij de daaropvolgende aardverschuiving kwam er een enorme lading rotsblokken en aarde op het ingezakte dak terecht. Toen het stof eindelijk was gaan liggen, zag Zak dat het hele gebouw onder een dikke laag rots en steen verpletterd was.

'Heel effectief,' mompelde de kapitein. 'Ik denk dat we ons voorlopig geen zorgen hoeven te maken over een mogelijke Amerikaanse aanwezigheid hier.'

'Zo is het maar net,' antwoordde Zak met een aan arrogantie grenzende zekerheid.

60

De westenwind striemde Straat Victoria, zodat de schuimkoppen over de nog sporadisch aanwezige stukken drijfijs spoelden. Zich een weg banend door het donkere water zag het turkooisblauwe NUMA-schip eruit als een baken in een verder kleurloze wereld. Met de Royal Geographical Society Islands nog net in de verte zichtbaar, voer het schip langzaam in zuidelijke richting, op weg naar het eerste van Pitts zoekgebieden.

'Zo te zien is een vaartuig bezig de noordwestelijke kust te ronden,' meldde de roerganger terwijl hij naar het radarscherm keek.

Gezagvoerder Stenseth pakte een verrekijker en ontdekte aan de horizon twee stipjes die achter elkaar aan leken te varen.

'Waarschijnlijk een Aziatische koopvaarder die zich laat escorteren bij een poging de doorvaart te passeren,' zei hij. Hij draaide zich naar Pitt om, die aan de kaartentafel zat en de constructietekeningen bestudeerde van de schepen die aan de Franklin-expeditie hadden deelgenomen. 'Het duurt niet lang meer voor we de finishlijn passeren. Enig idee wanneer die torpedo van jou boven water komt?'

Pitt wierp een blik op zijn oranje Doxa-duikhorloge. 'Ze moet binnen een halfuurtje aan de oppervlakte komen.'

Het bleek uiteindelijk twintig minuten langer te duren, toen een van de bemanningsleden de gele AUV aan de oppervlakte zag dobberen. Stenseth manoeuvreerde het schip langszij en de AUV werd snel aan boord gehesen. Giordino haalde de harddrive van één terabyte uit het apparaat en bracht de informatie haastig naar een kleine projectieruimte room, waar een computer en een groot scherm op hem stonden te wachten.

'Ga je naar de bioscoop?' vroeg Stenseth toen Pitt opstond en zich uitstrekte.

'Ja, de eerste van twee nogal lange hoofdfilms. Heb je de juiste positie van die transponders?'

Stenseth knikte. 'Die gaan we vervolgens oppikken. Vanwege de krachtige zuidelijke stroming zijn ze een heel eind afgedreven. We zullen wat extra vaart moeten maken om te voorkomen dat ze op de rotskust van een van die eilanden terechtkomen.'

'Ik zal Dahlgren zeggen dat hij zich gereed moet houden,' antwoordde Pitt. 'Dan kunnen we daarna vis nummer twee uit het water plukken.'

Pitt liep naar de verduisterde projectieruimte, waar Giordino de door de sonar verzamelde data al op het scherm had staan. Een goudkleurig beeld van de zeebodem scrolde voorbij, die hoofdzakelijk vlak maar toch ook rotsachtig was.

'Een mooi scherp beeld,' zei Pitt, terwijl hij naast Giordino ging zitten.

'We hebben de frequentie wat opgeschroefd, zodat we van een hogere resolutie gebruik konden maken,' zei Giordino, en overhandigde Pitt een bak met popcorn. 'Maar ik ben bang dat het nog steeds niet kan tippen aan *Casablanca*.'

'Dat geeft niet. Zo lang we maar iets vinden wat het waard is om opnieuw af te spelen, *Sam*.'

De twee mannen leunden achterover en tuurden naar het scherm, waar zich een eindeloze strook zeebodem voor hun ogen begon te ontrollen.

61

De Zodiac stuiterde over de korte golfslag, terwijl in het ijskoude stuifwater dat werd opgeworpen nog kleine stukjes ijs bleken te zitten. De
bestuurder had het gas helemaal opengedraaid en bleef dat doen totdat ze
een breed, ongebroken ijsveld naderden dat zich langs de hele kust leek uit
te strekken. Toen ze een stuk vonden waarvan de rand een soort helling
vormde, stuurde hij de rubberboot het zee-ijs op. De verstevigde romp van
de Zodiac gleed nog een paar meter door en kwam toen tegen een klein
heuveltje tot stilstand. Zak zat achterin en wachtte tot het team geologen
was uitgestapt en ging toen zelf van boord, op de voet gevolgd door een
beveiligingsman met een jachtgeweer, wiens enige taak het was om nieuwsgierige beren te verjagen.

'Pik ons over precies twee uur anderhalve kilometer verderop langs de
kust weer op,' beval Zak de bestuurder, met zijn arm in westelijke richting
gebarend. Toen hielp hij bij het weer in het water duwen van de Zodiac en
keek toe hoe de rubberboot terug stoof naar de *Otok*, die een halve mijl uit
de kust was blijven liggen.

Zak had in de behaaglijke warmte van zijn kajuit kunnen blijven, en de
biografie van Will Bill Hickok kunnen lezen die hij had meegenomen,
maar hij was bang dat de geologen er in de kou wel eens een potje van zouden kunnen maken. Maar wat hem in werkelijkheid naar het vasteland had
gedreven, hoewel hij dat niet wenste toe te geven, was de teleurstelling die
hij had gevoeld toen de wetenschappers met hun bevindingen over de geologische situatie rond de Mid-America-mijn waren gekomen.

Hoewel hij er nauwelijks van stond te kijken toen ze bevestigden dat de
grond op de zuidkant van het eiland behoorlijk wat zink- en ijzererts bevatte, had hij verwacht dat er ook wel wat sporen van het element ruthoni-
um aanwezig zouden zijn. Maar daar was niets van aangetroffen. De geologen hadden geen enkele aanwijzing gevonden die erop wees dat er in de
bovenste aardlagen wel eens aan platina gerelateerde elementen aanwezig
zouden kunnen zijn.

Dat had verder nauwelijks iets te betekenen, hield hij zichzelf voor, aangezien hij precies wist waar dat ruthenium te vinden was. Hij stak zijn hand diep in de zak van zijn parka en haalde de logboekpagina's tevoorschijn die hij bij de Miners Co-op achterover had gedrukt. In dik houtskool was een eenvoudige schematische tekening gemaakt die onmiskenbaar het West Island moest voorstellen. Op de noordkust van het eiland was een kleine X ingetekend. Boven aan de bladzijde stond in een afwijkend handschrift 'Royal Geographical Society Island', met een ganzenpen in Victoriaans schuinschrift geschreven. Het was, volgens een pagina ervoor in het logboek, een nagetekende versie van de Inuit-kaart waarop de robbenjagers uit Adelaide de plaats hadden aangegeven waar ze ruthenium in handen hadden gekregen, het mineraal dat ze vreemd genoeg Zwarte Kobluma hadden genoemd.

Zak vergeleek de kustlijn met een moderne kaart van de eilanden en identificeerde de betreffende plek als een punt dat iets ten westen moest liggen van de plaats waar ze aan land waren gekomen.

'De mijn moet zo'n achthonderd meter verderop langs de kust liggen,' kondigde hij aan nadat het groepje over het ijs naar een met rotsen bezaaide strand was getrokken. 'Kijk goed om je heen.'

Zak liep voor de geologen uit over het strand, erop gespitst het mineraal zelf te ontdekken. De kou leek te verdwijnen toen hij zich probeerde voor te stellen welke rijkdommen hier op deze kust op hem te wachten zouden kunnen liggen. Goyette stond al bij hem in het krijt omdat hij ervoor had gezorgd dat Amerikaanse investeerders uit het Canadese poolgebied zouden worden verjaagd. Als hij nou ook nog het ruthenium zou weten te vinden, was dat de kroon op zijn werk.

De grillig gevormde kust werd doorsneden door talloze geulen en kliffen die richting binnenland steeds verder omhoog leidden. De ravijnen lagen nog vol met keihard geworden ijs, terwijl de heuveltoppen er kaal bij lagen, waardoor het landschap een gevlekt patroon vertoonde dat wel iets weg had van de vacht van een appelschimmel. Een aardig eindje achter Zak aan volgden de geologen, die het duidelijk koud hadden en regelmatig halt hielden om een blootliggend gedeelte van een heuvel te onderzoeken en monsters van het gesteente te nemen. Toen hij het doelgebied bereikte zonder ook maar iets gevonden te hebben wat op een mijn leek, begon Zak bezorgd heen en weer te lopen totdat de geologen hem hadden ingehaald.

'De mijn moet hier ergens in de buurt liggen,' schreeuwde hij. 'Kam het hele gebied zorgvuldig uit.'

Terwijl de geologen zich verspreidden gebaarde de beveiliger naar Zak dat hij naar de rand van het zee-ijs moest komen. Vlak voor de voeten van de man lag het zwaar verminkte karkas van een ringelrob. Het vlees van het zeezoogdier was in grote hompen van de vacht gerukt. De beveiligingsman wees naar de schedel van het dier, waar een breed spoor van een klauw dwars door de huid was getrokken.

'Alleen een beer laat dit soort sporen achter,' zei de bewaker.

'Afgaande op de geringe hoeveelheid bederf moet dit een recente maaltijd zijn geweest,' reageerde Zak. 'Blijf goed om je heen kijken, maar vertel niets aan onze wetenschappelijke vrienden. Die kunnen zich door de kou al nauwelijks concentreren.'

De ijsbeer liet zich niet zien, en, zeer tot Zaks ongenoegen, het ruthenium ook niet. Na een uur lang de omgeving grondig uitgekamd te hebben, hielden de kleumende geologen het voor gezien en sjokten teleurgesteld in de richting van Zak.

'De visuele resultaten komen overeen met die op het zuidelijk deel van het eiland,' zei een van de geologen, een bebaarde man met treurige lichtbruine ogen. 'We zijn hier gesteente tegengekomen met aan de oppervlakte sporen van ijzer, zink en een beetje lood. Maar uit niets blijkt dat hier ertsen van de platinagroep in de grond zouden zitten, dus ook geen ruthenium. Maar om de aanwezigheid daarvan definitief uit te kunnen sluiten moeten we eerst onze monsters analyseren, en dat moet aan boord gebeuren.'

'En hoe zit het met sporen die op de aanwezigheid van een mijn duiden?' vroeg Zak.

De geologen keken elkaar aan en schudden het hoofd.

'Als de Inuit zich zo'n honderdzestig jaar geleden met het delven van erts hebben beziggehouden, moeten ze dat in het gunstigste geval op een erg primitieve manier hebben gedaan, met eenvoudige hulpmiddelen,' zei de woordvoerder van de geologen. 'Dan moeten er sporen te vinden zijn van omgewoelde aarde en dergelijke. Maar we hebben niets gezien wat daarop lijkt; tenzij ze onder een van deze ijsvelden liggen.'

'Ik begrijp het,' zei Zak zwakjes. 'Goed, dan gaan we terug aan boord. Ik wil het resultaat van jullie analyses zo snel mogelijk zien.'

Terwijl ze over het zee-ijs naar het punt liepen waar ze zouden worden opgepikt, pijnigde Zak verbijsterd zijn hersenen. Hier was geen touw aan vast te knopen. Uit het logboek bleek duidelijk dat het ruthenium van het eiland afkomstig was. Was het mogelijk dat het erts in kleine hoeveelheden was gevonden en dat er niets meer van over was? Was het verkeerd in het logboek vermeld, of was het allemaal bedrog? Terwijl hij op de Zodiac stond te wachten tuurde hij over het water, en zag toen plotseling een turkooisblauw onderzoeksvaartuig dat recht op het eiland af voer.

Zijn verbijstering maakte razendsnel plaats voor blinde woede.

62

Pitt en Giordino waren al drie uur bezig met het bestuderen van de sonargegevens toen eindelijk het scheepswrak in beeld verscheen. Giordino had het aantal beelden per seconde verdubbeld, zodat ze bijna klaar waren met het analyseren van de resultaten van het eerste zoekgebied. Door de snel voorbijtrekkende beelden van de zeebodem keken de mannen wat glazig uit hun ogen, maar beiden schoten overeind toen het wrak te zien was. Giordino tikte razendsnel op het toetsenbord een commando in en het beeld bevroor.

Het was een duidelijk schaduwbeeld van een wrak dat nagenoeg rechtop op de bodem van de zee stond, en slechts een lichte slagzij vertoonde. De omtrek van het wrak leek geheel intact, op een lelijke spleet na die horizontaal over de voorsteven liep.

'Het is een houten schip,' merkte Pitt op, wijzend naar drie lange, spits toelopende masten die deels over het dek lagen en voor de rest op de zeebodem rustten. 'Zo te zien heeft het een stompe boeg, wat kenmerkend is voor mortierschepen, en de *Erebus* en de *Terror* waren oorspronkelijk als zodanig gebouwd.'

Met behulp van de cursor begon Giordino de afmetingen van het schip vast te stellen.

'Tweeëndertig meter lang. Klopt dat een beetje?' vroeg hij.

'Exact,' antwoordde Pitt, vermoeid glimlachend. 'Dit moet een van Franklins schepen zijn.

De deur van de projectiekamer vloog open en Dahlgren, die een harddrive bij zich had, beende naar binnen.

'De tweede AUV is ook terug aan boord en dit is wat ze te zeggen heeft,' merkte hij op, en gaf de informatiedrager aan Giordino. Hij wierp een zijdelingse blik op het scherm, maar het volgende moment puilden zijn ogen bijna uit.

'Jeetje, je hebt haar al gevonden. Dat wrak ziet er nog uitstekend uit,' voegde hij eraan toe, knikkend naar het heldere beeld.

'Dit is er maar één van de twee,' zei Pitt.

'Ik zal het onderwatervaartuig klaar laten maken. Dat wordt een mooie duik naar de zeebodem.'

Pitt en Giordino voltooiden het afkijken van de door de eerste AUV verzamelde beelden en bekeken vervolgens snel de gegevens van het tweede sonarvaartuig. De rest van de beelden leverde niets op. Het andere wrak moest zich ergens buiten de eerste twee zoekgebieden bevinden. Pitt besloot het zoekgebied nog niet te vergroten en eerst vast te stellen welk wrak ze precies hadden gevonden.

Met de coördinaten van het wrak ging hij op weg naar de brug, waar hij gezagvoerder Stenseth aan stuurboord op de brugvleugel aantrof, waar hij in de verte tuurde. Op een mijl of twee afstand stoomde de ijsbreker *Otok* in noordelijke richting op, met een lege lichter op sleeptouw.

'Kijk eens aan, dat lijkt verdomd veel op een van die lichters van jouw grote vriend Goyette,' merkte Stenseth op.

'Toeval?' vroeg Pitt.

'Misschien,' antwoordde Stenseth. 'Die lichter ligt hoog in het water, dus is-ie leeg. Waarschijnlijk op weg naar Ellesmere Island voor een lading steenkool, en dan via de Noordwestelijke Doorvaart richting China.'

Pitt bekeek de vaartuigen, die steeds dichterbij kwamen, aandachtig en verbaasde zich over de gigantische afmetingen van de lichter. Hij liep terug naar de kaartentafel en pakte de foto die hij van Yeager had gekregen, de foto van een van Goyettes lichters die op een werf in New Orleans in aanbouw was. Hij bekeek de foto en zag dat het een exacte kopie was van het vaartuig dat over stuurboord naderde.

'Een duidelijke match,' merkte Pitt op.

'Denk je dat ze onze positie aan de Canadese autoriteiten zullen doorgeven?'

'Ik betwijfel het. Maar de kans bestaat wel dat ze hier om dezelfde reden zijn als wij.'

Pitt hield de ijsbreker, die een kwart mijl verderop voorbij voer, aandachtig in de gaten. Er werd niet vriendelijk over de radio met elkaar gekeuveld, alleen een zwijgend heen en weer wiegen op het kielzog van de lichter toen de schepen passeerden. Pitt bleef kijken en zag hoe de ijsbreker een noordelijke koers aanhield.

Stenseth had waarschijnlijk gelijk, vermoedde hij. Als hier een lege lichter voer moest die haast wel naar een nieuwe lading op weg zijn, en Ellesmere Island lag nog een stuk noordelijker. Maar toch gaf de aanblik van de twee vaartuigen hem een ongemakkelijk gevoel. Op de een of andere manier was hun aanwezigheid hier geen toeval.

63

'De naam van dat schip is *Narwhal*. Een Canadese boot.'
Zak griste de kijker uit de handen van de kapitein en keek zelf. Hij bekeek het onderzoeksvaartuig aandachtig, las de naam die in witte letters op de achtersteven stond. Toen hij het achterdek wat beter bekeek zag hij daar een geel onderwatervaartuig staan waar op de zijkant NUMA stond geschilderd. Zeer tot zijn ongenoegen zag hij dat het schip de roodwitte Canadese vlag in top had.

'Een schaamteloze move, meneer Pitt,' mompelde hij. 'Dat is geen Canadees schip, kapitein. Dat is een Amerikaans onderzoeksvaartuig dat door de NUMA wordt gerund.'

'Hoe kan een Amerikaans onderzoeksvaartuig nou hier rondvaren?'

Zak schudde zijn hoofd. 'Blijkbaar door de boel te beduvelen. Ik weet bijna zeker dat ze achter het ruthenium aanzitten. Die sukkels denken blijkbaar dat het zich ergens onder water bevindt.'

Hij keek naar het NUMA-schip, dat naarmate zij naar het noorden opstoomden steeds verder vervaagde.

'Hou deze koers aan totdat we buiten hun radarbereik zijn. Blijf dan een uur of twee bij ze uit de buurt en vaar dan langzaam terug tot het punt waar je ze op jouw radar kunt waarnemen. Komen ze in beweging, dan vaar je achter hen aan.' Hij wierp een snelle blik op de brugklok. 'Vlak voor het donker wordt, als we onze volgende zet doen, ben ik er weer.'

Zak daalde de trap af naar zijn kajuit, met de bedoeling om even wat te slapen. Maar als hem iets niet lukte maakte hem dat prikkelbaar. De analyses van de mineraalmonsters die langs de noordkust van het eiland waren gevonden, hadden niets opgeleverd, en nu was er ook nog eens dat NUMA-schip.

Hij pakte een fles whisky en schonk een glas voor zichzelf in, maar verspilde dat toen het schip onverwacht een slinger maakte. Een deel van de whisky belandde op de Inuit-kaart, die op zijn nachtkastje had gelegen. Snel pakte hij de kaart op en hield hem overeind, waardoor enkele druppels whisky langs de pagina naar beneden liepen. De vloeistof doorsneed het eiland als een bruine rivier, en leek het in twee afzonderlijke eilanden op te splitsen. Zak staarde een hele tijd naar de kaart, en zocht toen gehaast een satellietfoto van de eilandengroep op. Toen hij de contouren van het West Island vergeleek, klopten de kustlijnen van de zuid- en westkust precies, maar dat gold niet voor de oostkust. Hij schoof de Inuit-kaart wat opzij en vergeleek de vorm ervan vervolgens met het satellietbeeld van East Island. De oostelijke kustlijn klopte, maar daarna hielden de overeenkomsten op.

'Jij stomme idioot,' mompelde hij tegen zichzelf. 'Je bent op de verkeerde plek aan het zoeken.'

Het antwoord lag recht voor zijn neus. De smalle strook water tussen het West Island en het East Island was honderdvijftig jaar geleden blijkbaar helemaal dichtgevroren geweest. De Inuit-kaart vertegenwoordigde in feite beide eilanden, die hier als één enkel stuk land waren getekend. Dat betekende dat de plaats waar het ruthenium vandaan kwam zo'n drie kilometer verder naar het oosten lag dan hij in eerste instantie gedacht had.

Hij ging op de rand van zijn bed zitten, sloeg de whisky achterover en ging met hernieuwde hoop liggen. Nog was alles niet verloren, want die rutheniummijn moest er nog zijn. Dat kon niet anders. Tevreden met die wetenschap, richtte hij zijn aandacht op zaken die eerst nog moesten worden opgelost. Om te beginnen, vond hij, moest hij eens kijken wat hij met Pitt en dat NUMA-schip zou gaan doen.

64

De harde westenwind begon eindelijk aan kracht in te boeten, waardoor ook de golfslag een stuk minder woest werd. De aanzienlijk zwakkere wind bracht een sliertige, grijze mist met zich mee die tijdens de voorjaars- en zomermaanden in dit gebied niet ongewoon was. De thermometer begon naar het vriespunt te kruipen, waardoor er aan boord prompt weer grappen over het zachte weer werden gemaakt.

Pitt was alleen maar dankbaar dat het weer zodanig was gekalmeerd dat ze zonder groot risico het onderwatervaartuig te water konden laten. Hij klauterde door het luik van de *Bloodhound* naar binnen, liet zich in de stoel van de bestuurder zakken en begon de instrumenten die betrekking hadden op de accu's en de elektromotoren te controleren. Naast hem zat Giordino, die voor het duiken de gebruikelijke checklist naliep. Beide mannen hadden een dunne trui aan, en rilden in de koude cabine, maar ze wisten dat het straks door alle elektronische apparatuur aan boord snel warm zou worden.

Pitt keek op toen Jack Dahlgren zijn pokerface door het luik stak.

'Vergeet niet, jongens, die accu's zijn in dit koude weer sneller leeg dan gewoonlijk. Goed, als jullie de scheepsbel van dat schip voor me meebrengen heb je kans dat ik het licht voor jullie aan laat.'

'Als jij het licht aan laat, zal ik nog eens kijken of ik je je baan laat houden,' repliceerde Giordino.

Dahlgren glimlachte alleen maar en begon een evergreen van Merle Haggard te neuriën, 'Okie from Muskogee', deed het luik dicht en sloot het vervolgens af. Een paar minuten later stond hij achter het bedieningspaneel van een kleine kraan, tilde het onderwatervaartuig van het dek en liet dat in het midden van het felverlichte duikgat van de *Narwhal* zakken. Binnen gaf Pitt aan dat er ontkoppeld kon worden, en het gele sigaarvormige onderwatervaartuig begon aan zijn afdaling.

De zeebodem bevond zich op een diepte van ruim driehonderd meter en de *Bloodhound*, die zich langzaam liet meevoeren, had bijna een kwartier nodig om daar aan te komen. Het grijsgroene water veranderde aan de andere kant van het grote uitkijkvenster van het onderwatervaartuig al snel in zwart, maar Pitt wachtte tot ze een diepte van tweehonderdvijftig meter hadden bereikt voor hij de krachtige buitenlampen inschakelde.

Giordino, die in de langzaam warmer wordende cabine in zijn handen wreef, keek Pitt quasi-zielig aan.

'Heb ik je wel eens verteld dat ik allergisch ben voor kou?' vroeg hij.

'Minstens een keer of duizend.'

'Het dikke Italiaanse bloed van mijn *mama* stroomt niet écht lekker onder deze vrieskistomstandigheden.'

'Volgens mij heeft de doorstroming van jouw bloed meer te maken met jouw voorkeur voor sigaren en pepperonipizza's dan met jouw moeder.'

Giordino wierp hem bij deze herinnering een dankbare blik toe, viste een sigaar uit zijn zak en stak die tussen zijn tanden. Toen haalde hij een afdruk van het sonarbeeld van het scheepswrak tevoorschijn en spreidde dat over zijn schoot uit.

'Wat gaan we precies doen als we de plaats van het wrak hebben bereikt?'

'Ik stel me zo voor dat we drie dingen moeten doen,' antwoordde Pitt, die de duik wel degelijk had voorbereid. 'Om te beginnen, en dat lijkt me nogal voor de hand liggend, moeten we proberen dat wrak te identificeren. We weten dat de *Erebus* een rol heeft gespeeld bij het ruthenium dat in handen van de Inuit is gekomen. We weten niet of hetzelfde geldt voor de *Terror*. Als dit het wrak van de *Terror* is, is het heel goed mogelijk dat we geen aanwijzingen zullen vinden. Het tweede doel is te kijken of we in het ruim kunnen komen en vaststellen of daar nog substantiële hoeveelheden van het mineraal aanwezig zijn. Ons derde doel is ook nog eens het lastigst. Dat betreft het doorzoeken van de longroom en de hut van de kapitein om te kijken of het logboek nog bestaat.'

'Je hebt gelijk,' was Giordino het met hem eens. 'Dat logboek van de *Erebus* moet de heilige graal zijn. Daar zal ongetwijfeld in vermeld staan waar dat ruthenium is gevonden. Maar het getuigt wel van een grandioos optimisme te denken dat er een kans bestaat dat het intact bewaard is gebleven.'

'Dat geef ik onmiddellijk toe, maar het is niet onmogelijk. Dat logboek is waarschijnlijk een zwaar, in leer gebonden logboek dat in een kast of la is opgeborgen. In dit koude water hier is de kans het grootst dat het bewaard is gebleven. En dan moeten de deskundigen nog vaststellen of het geconserveerd kan worden, en daarna ontcijferd.'

Giordino keek op de dieptemeter. 'We zitten straks op tweehonderdvijfentachtig meter.'

'Ik ga over op neutraal drijfvermogen,' antwoordde Pitt, die de variabele ballasttanks van het onderwatervaartuig bediende. Dat vertraagde hun afdaling aanzienlijk en toen ze een diepte van driehonderd meter bereikten waren ze overgegaan op een slakkengangetje. Enkele minuten later doemde er een vlakke, rotsachtige zeebodem voor hen op. Pitt schakelde de voortstuwing in en stuurde het vaartuig op anderhalve meter boven de bodem naar voren.

Op de onherbergzame, bruine vlakte onder hen waren nauwelijks tekenen van leven te zien, een koude, lege wereld die niet zo heel veel afweek van het ijskoude land dat boven het wateroppervlak uitstak. Pitt draaide het onderwatervaartuig tegen de stroming in en liet het vaartuig een serie S-bochten maken. Hoewel de *Narwhal* recht boven het wrak positie had gekozen, besefte Pitt dat ze tijdens de afdaling door de stroming een behoorlijk stuk naar het zuiden waren afgedreven.

Giordino was de eerste die het wrak zag, en wees naar een donkere schaduw rechts van hen. Pitt stuurde de *Bloodhound* in een scherpe bocht die kant op en even later was het statige wrak in het schijnsel van hun lampen duidelijk te zien.

Voor hen bevond zich een negentiende-eeuws houten zeilschip. Het was een van de opmerkelijkste scheepswrakken die Pitt ooit had gezien. Het ijskoude poolwater had ervoor gezorgd dat het schip nagenoeg perfect bewaard was gebleven. Het schip was weliswaar met een dunne laag slib bedekt, maar verder leek het volledig intact, van boegspriet tot aan het roer. Alleen de masten, die het tijdens de lange weg naar de bodem hadden begeven, lagen schots en scheef over de reling.

Het oude schip, vastgeklonken aan deze desolate, eeuwige ankerplaats, leek omgeven door een aura van hopeloosheid. Pitt vond het schip nog het meest op een graftombe op een verder lege begraafplaats lijken. Er liep plotseling een rilling over zijn rug toen hij aan de mannen dacht die aan boord van dit schip hadden gevaren, en vervolgens gedwongen waren geweest om het onderkomen waar ze drie jaar op hadden doorgebracht onder barre omstandigheden te verlaten.

Pitt bracht het duikbootje er wat dichter naartoe en voer er toen op korte afstand omheen, terwijl Giordino de aan de voorkant van de *Bloodhound* gemonteerde videocamera activeerde. Het hout van de romp zag er nog stevig uit, en op plaatsen waar de sliblaag vrij dun was konden ze duidelijk zien dat er nog een zwarte verflaag op de romp zat. Toen ze rond de achtersteven voeren zag Giordino tot zijn grote verbazing het uiteinde van een schroef uit het zand steken.

'Hadden die schepen een stoommachine aan boord?' vroeg hij.

'Die was als aanvulling op hun zeilen bedoeld, met name om te gebruiken als ze in het pakijs terecht zouden komen,' bevestigde Pitt. 'Beide schepen waren uitgerust met een kolengestookte locomotiefmotor, speciaal ingebouwd voor het leveren van extra vermogen om door het dunnere zee-ijs heen te komen. Die stoommachines werden ook gebruikt om het interieur van de schepen te verwarmen.'

'Geen wonder dat Franklin ervan uitging dat het hem moest lukken om aan het eind van de zomer door Straat Victoria heen te ploegen.

'Alleen bestaat de kans dat hij op dat punt van de expeditie niet meer voldoende steenkool aan boord had. Althans, sommige deskundigen denken dat, en gaan ervan uit dat dat tekort aan kolen er ook de oorzaak van is geweest dat de schepen in het ijs vast kwamen te zitten.'

Pitt stuurde het onderwatervaartuig naar de bakboordskant van het schip, in de hoop dat hij op de voorsteven de naam van het schip zou zien staan. Maar tot zijn grote teleurstelling trof hij hier het enige onmiskenbare bewijs aan dat het schip schade had opgelopen. Onder de boeg was de romp naar binnen gedrukt en was er een wirwar van afgebroken spanten en planken ontstaan, ongetwijfeld veroorzaakt door het steeds verder oprukkende ijs. De schade had zich uitgebreid tot het bovendek toen het verzwakte voorschip met de zeebodem in aanraking was gekomen, waardoor de spanten erboven het hadden begeven. Aan beide kanten van de middellijn, ongeveer anderhalve meter achter de stompe voorsteven van het schip, was een heel stuk van de voorsteven als een accordeon in elkaar gedrukt. Geduldig liet Pitt de *Bloodhound* aan beide kanten van het voorschip bewegingloos in het water hangen, terwijl Giordino met een op afstand bedienbare arm het slib wegveegde – maar nergens werden herkenbare letters gevonden.

'Ik krijg de indruk dat dit schip het leuk vindt om tegen te stribbelen,' mompelde Pitt.'

'Zoals heel wat van de dames waarmee ik op stap ben geweest,' zei Giordino met een grimas. 'Straks moeten we nog achter Dahlgrens scheepsbel aan.'

Pitt liet het onderwatervaartuig boven het dek uit stijgen en voer toen terug naar de achtersteven. Op het dek daar lagen opmerkelijk weinig obstakels; het schip bevond zich blijkbaar in de overwinteringsmodus toen het in de steek werd gelaten. Het enige ongebruikelijke was een grote stellage van canvas die in de midscheeps over de hele breedte van het schip was aangebracht. Pitt wist uit historische beschrijvingen dat er 's winters wel vaker tentachtige constructies op het bovendek werden opgezet, zodat de bemanningsleden toch af en toe aan de bedompte onderkomens konden ontsnappen en aan dek hun benen even konden strekken.

Pitt voer verder naar achteren, waar hij het blokrooster voor de roerganger zag liggen, met vlak ervoor het grote stuurwiel, dat nog recht overeind stond en nog steeds met het roer verbonden was. Er vlak naast hing een kleine bel, maar ook daar werd, nadat hij grondig was onderzocht, geen naam op aangetroffen.

'Ik weet waar de scheepsbel is,' zei Pitt plotseling, en voer terug in de richting van de voorsteven. Hij liet het duikbootje boven de wirwar van balken en planken hangen waar de boeg het had begeven, en wees naar beneden.

'Hij moet ergens tussen die puinhoop daar liggen.'

'Ongetwijfeld,' beaamde Giordino met een knik van zijn hoofd. 'We hebben alleen onze dag niet. Of nacht.' Hij keek op de instrumenten op de console voor zich. 'We kunnen nog vier uur van onze elektromotoren gebruikmaken. Wil je naar die scheepsbel op zoek of wil je binnen een kijkje nemen?'

'Laten we Rover maar een wandelingetje laten maken. Deze schade heeft ook wel weer een voordeel, denk ik. We komen nu een stuk gemakkelijker binnen.'

Pitt bracht de *Bloodhound* behoedzaam een stukje verder naar voren, naar een stuk dek zonder obstakels, en zette het onderwatervaartuig toen voorzichtig neer. Toen uit niets bleek dat het dek doorboog, schakelde hij de voortstuwingsmotoren uit.

Giordino was al druk in de weer met het activeren van weer een ander apparaat. Tussen de twee landingsski's van het onderwatervaartuig in bevond zich een kleine, aan een lijn zittende ROV ter grootte van een attachékoffertje. Deze onderwaterrobot was voorzien van een ultrakleine videocamera en enkele felle schijnwerpers, en kon tot in de kleinste uithoeken van het scheepswrak doordringen.

Met behulp van een joystick stuurde Giordino de Rover vanuit zijn houder naar het open deel van het dek. Pitt schakelde een monitor schuin boven hen in, waar de beelden die de onderwaterrobot opnam live te zien waren. Methodisch boven en rond het gekraakte hout zigzaggend vond Giordino na een tijdje een groot gat in het dek en manoeuvreerde de ROV het inwendige van het schip binnen.

Pitt ontvouwde een opengewerkte tekening van de *Erebus* en probeerde aan de hand van de beelden de locatie van de ROV, die nu ergens onder het hoofddek zat, vast te stellen. Het schip had benedendeks twee niveaus, plus een bedompt ruim onder de waterlijn waar zich de stoommachine, de ketel en de kolenvoorraden moesten bevinden. De onderkomens en de eetzalen voor zowel de bemanning als de officieren waren op het benedendek te vinden, één verdieping onder het hoofddek. Onder het benedendek lag het koebrugdek, dat alleen als bergruimte voor voedsel, gereedschappen en reserveonderdelen werd gebruikt.

'Je komt waarschijnlijk neer in de buurt van de kombuis,' merkte Pitt op.

'Die grenst aan het bemanningsonderkomen, en dat moet een vrij groot vertrek zijn.'

Giordino liet de Rover zakken tot het dek in zicht kwam. Het water dat in het schip stond was buitengewoon helder, waardoor nagenoeg alles perfect te zien was. Pitt en Giordino zagen, op nog geen anderhalve meter van de ROV verwijderd en gemonteerd op een dubbele laag bakstenen, het grote keukenfornuis staan. Het was een enorm gietijzeren gevaarte en de gladde bovenkant was van zes pitten voorzien. Erbovenop stonden verscheidene pannen van diverse afmetingen.

'Eén kombuis, zoals gevraagd,' merkte Giordino op.

Vervolgens manoeuvreerde hij de ROV naar achteren, waarbij hij de camera langzaam van links naar rechts liet bewegen. De dunne tussenwanden rond de kombuis waren omgevallen, waardoor het uitgebreide bemanningsverblijf zichtbaar werd. Hier was bijna geen rommel te zien, afgezien van een aantal houten platen die op regelmatige afstand van elkaar op de vloer lagen.

'Bakstafels,' legde Pitt uit toen de camera van de Rover op een van de tafelbladen inzoomde. 'Ze zaten tegen het plafond aan om ruimte te maken voor de hangmatten van de bemanning, maar konden, als er gegeten moest worden, door middel van een touw naar beneden worden gehaald. Maar doordat het touw is verteerd zijn ze op het dek terechtgekomen.'

De ROV bewoog zich naar achteren door het compartiment, dat echter steeds smaller werd en op een gegeven moment uitkwam bij een brede wand.

'Dat moet het grote luikgat zijn,' legde Pitt uit. 'Ga verder naar achteren, dan krijgen we straks een trap naar beneden die uitkomt op het koebrugdek. Daar hebben ze iets overheen gedaan om te voorkomen dat het van benedenuit zou gaan tochten, maar laten we hopen dat dat los is geschoten toen het schip zonk.'

Giordino stuurde de ROV rond het luikgat en bracht hem toen snel tot stilstand. De camera helde over naar het dek en bood uitzicht op een groot rond gat in de vloer.

'Hier is geen deur,' zei hij.

'Maar we kunnen natuurlijk ook door het mastgat naar beneden zakken,' reageerde Pitt.

In het mastgat had een van de drie masten van het schip gezeten, masten die tot helemaal beneden in het schip hadden doorgelopen. Nu de masten tijdens het zinken waren losgekomen, was er een doorgang tot helemaal onder in het schip ontstaan.

De Rover perste zich door de opening, waarna de schijnwerpers hun licht verspreidden over het zwarte koebrugdek. De daaropvolgende vijftig minuten zocht de ROV alle hoeken en gaten van het dek af en speurde Giordino uiterst systematisch naar mogelijke sporen van het erts. Maar het enige wat ze vonden was een uitgebreide collectie gereedschap en wapens, terwijl ook de keurig opgevouwen zeilen van het schip er lagen opgeslagen, die nooit meer door een zeebries beroerd zouden worden. Ze keerden naar het mastgat terug en daalden af in het daaronder gelegen ruim, waar ze in de buurt van de enorme stoomketel nog maar een paar stukken steenkool aantroffen. Toen ze op beide niveaus niets vonden was Giordino net begonnen de onderwaterrobot behoedzaam naar het benedendek te manoeuvreren, toen de radio aan boord van het onderwatervaartuig krakend tot leven kwam.

'*Narwhal* aan *Bloodhoud*, luisteren jullie?' klonk de moeiteloos te herkennen stem van Jack Dahlgren.

'Hier de *Bloodhoud*. Zeg het maar, Jack,' reageerde Pitt.

'De gezagvoerder vertelt me net dat onze vrienden met die lichter op sleeptouw zich weer op het randje van ons radarscherm ophouden. We krijgen de indruk dat hij op tien mijl noordelijk van ons zit en nauwelijks van positie verandert.'

'We hebben het begrepen. Hou ons op de hoogte.'

'Doe ik. Hebben jullie daar beneden een beetje mazzel?'

'Nauwelijks. We zijn Rover aan het uitlaten en zijn nu op weg naar de kapiteinskajuit om daar ons geluk te beproeven.'

'Hoe zit het met jullie accu's?'

Pitt keek naar een rijtje metertjes boven hem. 'We kunnen nog negentig minuten op de zeebodem blijven, en waarschijnlijk zullen we al die tijd nodig hebben.'

'Begrepen. We houden het erop dat jullie binnen twee uur boven komen. *Narwhal*, over en uit.'

Pitt tuurde naar de donkere leegte achter het onderwatervaartuig en dacht aan de ijsbreker aan de oppervlakte. Zouden ze de *Narwhal* in de gaten houden? Zijn gevoel zei hem dat dat het geval was. Het zou niet zijn eerste confrontatie met de lange arm van Mitchell Goyette worden, wist hij nu. En hoe zat het met Clay Zak? Zou die huurmoordenaar van Goyette aan boord van die ijsbreker kunnen zitten?

Giordino haalde hem weer terug naar de taak die hen te wachten stond. 'Klaar om naar achteren te gaan.'

'De klok tikt,' zei Pitt kalm. 'Laten we het afmaken.'

65

Terwijl de duisternis over Straat Victoria neerdaalde werd de *Otok* omhuld door een dikke, ijskoude nevel. De *Narwhal* was allang niet meer met het blote oog te zien en Zak zocht haar op de radar op, om het onderzoeksvaartuig als een klein vlekje helemaal boven aan het scherm terug te vinden. Op de brug beende de kapitein van de ijsbreker onophoudelijk heen en weer, en aan zijn gezicht was duidelijk te zien dat hij zich dood verveelde, want zijn schip lag nu al een paar uur lang stationair in het water.

Maar de kapitein kon op het gezicht van Zak nog steeds geen enkel teken van verveling ontdekken. Integendeel, hij vertoonde een vreemd soort opperste concentratie. Zoals vlak voor een moordaanslag was hij zich van alles bewust en stonden al zijn zintuigen op scherp. Hoewel hij al heel wat moorden had gepleegd, had hij het nog nooit zo grootschalig gedaan. Hij gaf er de voorkeur aan het te zien als een vaardigheidstest, maar dan wel een waar zijn bloed sneller van ging stromen. Het gaf hem het gevoel van onoverwinnelijkheid, aangewakkerd door de wetenschap dat hij altijd degene was geweest die aan het langste eind had getrokken.

'Breng ons tot op acht kilometer van de *Narwhal*,' beval hij de kapitein uiteindelijk. 'En doe dat kalm en rustig.'

De kapitein ging achter het stuurwiel staan en bracht het schip en de lichter die het op sleeptouw had op een zuidelijke koers. Geholpen door de krachtige stroming hoefde de sleepboot nauwelijks meer vermogen te geven dan stationair, en binnen een uurtje was de afstand overbrugd. Toen ze hun nieuwe positie hadden bereikt zette hij de boeg van zijn schip opnieuw met de kop in de stroming, zodat ze op hun plaats zouden blijven.

'Acht kilometer afstand en stationair,' meldde hij aan Zak.

Zak tuurde naar de nevelige duisternis buiten en tuitte zijn lippen van voldoening.

'Bereid je voor om op mijn commando de lichter los te gooien,' zei hij.

De kapitein keek hem aan of hij gek was geworden.

'Wát zei je?' vroeg hij.

'Je hebt me gehoord. We gaan die lichter losgooien.'

'Dat ding heeft tien miljoen dollar gekost. En met deze mist en met deze stroming lukt het ons nooit meer om hem vast te maken. Die stoot lek op het ijs of loopt op een van de eilanden aan de grond. Hoe dan ook, Goyette vermoordt me.'

Zak schudde zijn hoofd en er lag een flauwe glimlach rond zijn mond. 'Zo ver komt die lichter niet. Wat Goyette betreft, vergeet die ondertekende brief niet die ik je in Kugluktuk heb gegeven, waarin staat dat ik tijdens mijn verblijf op deze boot de volledige zeggenschap heb. Geloof me, voor hem is dit een bijna te verwaarlozen bedrag, als je bedenkt dat het een probleem elimineert dat hem uiteindelijk wel eens honderden miljoenen dollars zou kunnen kosten. Bovendien,' voegde hij er samenzweerderig aan toe, 'dat schip is toch ook nog verzekerd?'

Schoorvoetend gaf hij de twee bemanningsleden op het achterdek opdracht om de sleeptrossen te bemannen. De mannen wachtten in de kou terwijl Zak zich naar zijn kajuit haastte, om even later mét zijn leren tas op de brug te verschijnen. Op Zaks commando liet de kapitein de schroef achteruit slaan en voer de *Otok* een stukje in de richting van de lichter, zodat de dikke trossen niet langer strak stonden en slap in het water kwamen te hangen. De dekknechten maakten een klemplaat los, haalden de uiteinden van de trossen van de sleepbeting op het achterdek, en keken somber toe hoe de lijnen langs de achtersteven gleden en in het zwarte water verdwenen.

Toen de brug een seintje kreeg dat er was losgemaakt, liet de kapitein de ijsbreker weer een stukje vooruit varen, waarna hij op aandringen van Zak zijn schip een bocht liet maken om uit te komen op de stuurboordflank van de lichter. De donkere massa van de lichter kon, hoewel de mist nog steeds dikker werd, enkele meters verderop worden onderscheiden. Zak tastte in de leren tas, haalde een hoogfrequent radiozendertje tevoorschijn en liep de brugvleugel op. Hij schoof een korte antenne uit, zette het apparaatje aan en drukte vrijwel onmiddellijk op de ZEND-knop.

Het radiosignaal hoefde maar een korte afstand af te leggen om het slaghoedje te activeren dat hij op de achtersteven had geplaatst. Nog geen seconde later ontbrandde de lading dynamiet.

De explosie was niet echt luid en was visueel gezien ook niet echt spectaculair, eigenlijk alleen maar een krachtige knal die binnen de lichter weergalmde, gevolgd door een kleine rookwolk die van het achterdek opsteeg. Zak keek maar enkele seconden toe en keerde toen naar de warmte van de brug toe, waar hij het zendertje weer in de tas opborg.

'Ik vind het maar niks om het bloed van die mannen aan mijn handen te hebben,' mopperde de kapitein.

'Je ziet het helemaal verkeerd, kapitein. Het verlies van die lichter was puur een ongeluk.'

De kapitein kon Zak alleen maar vol ontzetting aankijken.

'Het is allemaal heel simpel,' vervolgde Zak. 'Je noteert in het logboek, en je meldt het aan de autoriteiten zodra je een haven binnenloopt, dat het Amerikaanse onderzoeksschip in dikke mist met onze lichter in aanvaring is gekomen en dat beide vaartuigen zijn gezonken. Gelukkig waren we in staat om snel de trossen te kappen en zijn er bij ons geen slachtoffers gevallen. Helaas hebben we, ondanks langdurig zoeken, geen overlevenden van het NUMA-schip uit het water kunnen oppikken.'

'Maar dat NUMA-schip ís helemaal niet gezonken,' protesteerde de kapitein.

'Daar,' antwoordde Zak snerend, 'komt binnenkort verandering in.'

66

Driehonderd meter onder het wateroppervlak was het afgelopen uur voor Pitt en Giordono op totale frustratie uitgelopen. Terwijl Giordino de Rover op het benedendek naar achteren stuurde, kwam de ROV met een ruk tot stilstand en weigerde hij nog verder te gaan. Hij liep de kabel na en zag toen dat die aan het eind van de kombuis ergens aan vast was blijven zitten. Het werd nog vervelender toen de thrusters van de ROV een enorme wolk slib rond de vastzittende kabel opwierpen. Hij moest tien minuten wachten voor ze weer voldoende zicht hadden om de kabel los te kunnen maken.

Binnen in de *Bloodhound* was het nu echt warm geworden en er liepen zweetdruppeltjes over het gezicht van Giordino terwijl hij gespannen de ROV door het bemanningsverblijf en de gang naar het achterschip van het schip loodste.

'Waar is de longroom ergens op dit schip? Ik denk dat Rover en ik momenteel hard aan een koud glas bier toe zijn,' mompelde hij.

'Dan moet je benedendeks in de victualiënopslag inbreken, waar de rum werd bewaard. Maar daar moet ik gelijk bij zeggen dat als dit de *Erebus* is, je niets zult vinden, want Franklin was geheelonthouder.

'Dan weten we het nu zeker,' zei Giordino. 'Verder bewijs hebben we niet nodig. Gezien mijn huidige hoeveelheid geluk kan zonder meer worden afgeleid dat dit de *Erebus* moet zijn.'

Hoewel ze langzaam maar zeker door hun tijd heen waren, dacht geen van beide mannen eraan om op te geven. Ze stuurden de ROV verder naar achteren, door de centrale gang, langs de kleine officiershutten, om uiteindelijk in het grote vertrek helemaal achterin uit te komen. Dit was de longroom, die over de hele breedte van het schip liep en het enige redelijk comfortabele toevluchtsoord voor de mannen aan boord was, althans voor de officieren. Er was een behoorlijke bibliotheek, je kon er schaken en kaarten, en er waren ook andere vormen van ontspanning te vinden, maar het was ook een mogelijke bewaarplaats voor het logboek van het schip. Maar net als de rest van het vaartuig bood de longroom geen enkele aanwijzing waar het de identiteit van het schip betrof.

Op de vloer en rond een op zijn kop liggende tafel lag een kniehoge hoop boeken. Die hadden oorspronkelijk achter glas op planken aan beide kanten van het vertrek gestaan, maar waren tijdens de tocht naar de bodem van de zee van de schappen door het glas uit de kasten gevallen en lagen nu overal in het rond. Giordino liet de ROV langzaam heen en weer door de kajuit bewegen en nam de kamerbrede puinhoop aandachtig op.

'Het lijkt de stadsbibliotheek van San Francisco wel, vlak na de zware aardbeving van 1906,' zei Giordino.

'De scheepsbibliotheek bestond uit twaalfhonderd boeken,' reageerde Pitt, die de enorme troep vol teleurstelling bekeek. 'Als onder die stapel het logboek begraven ligt, hebben we wel een paar weken tijd en ongelooflijk veel geluk nodig om het boven water te krijgen.'

Hun frustratie werd onderbroken door Dahlgren, die opnieuw een boodschap voor hen had.

'Het spijt me dat ik het feest moet onderbreken, maar de grote wijzer op de klok zegt dat het tijd is dat jullie naar boven komen,' zei hij.

'We komen er zo aan,' antwoordde Pitt.

'Oké. De gezagvoerder heeft me verder gevraagd jullie te zeggen dat onze schaduw dichterbij is gekomen, en nu op een mijl of vier weer afstand houdt. Ik denk dat hij zich een stuk prettiger zal voelen als jullie onmiddellijk aan de reis naar boven beginnen.'

'Begrepen. *Bloodhound* over en uit.'

Giordino keek Pitt eens aan en zag een bezorgde blik in zijn groene ogen.

'Denk je dat die knakker die je bij de Miners Co-op tegen het lijf bent gelopen aan boord van die ijsbreker zit?'

'Dat begin ik me af te vragen,' antwoordde Pitt.

'Laten we de kajuit van de commandant nog even proberen, dan gaan we er daarna vandoor.'

Die grensde aan de longroom en lag tegen de zijkant van het schip, en bood nog enige hoop op het vinden van het logboek. Maar een smalle schuifdeur die toegang tot de kajuit moest bieden zat dicht, en hoezeer Giordino ook met de ROV manoeuvreerde, hij ging niet open. Met nog maar nauwelijks voldoende vermogen voor een uur, terwijl de tocht naar boven minstens twintig minuten zou duren, maakte Pitt een einde aan de zoektocht en zei tegen Giordino dat hij Rover terug naar huis moest brengen.

Giordino stuurde de ROV terug naar de kombuis en vervolgens naar het gat in de boeg waardoorheen ze naar binnen waren gekomen, terwijl tegelijkertijd de besturingskabel op een spoel werd ingenomen. Pitt schakelde de thrusters van het onderwatervaartuig in en keek toen, wachtend op de ROV, door het uitkijkvenster naar de elektronicahouder onder de neus van de *Bloodhound*.

'Hoe is die test met de mineralensensor eigenlijk afgelopen?' vroeg hij, wijzend naar de houder.

'Hij lijkt het uitstekend te doen,' antwoordde Giordino, die zijn blik strak op de monitor schuin boven hem gericht hield terwijl hij de onderwaterrobot langs de gebroken spanten en planken in het voorschip manoeuvreerde. 'Maar we kunnen pas echt zien hoe accuraat hij is als onze monsters op het hoofdkwartier zijn geanalyseerd.'

Pitt reikte naar voren en activeerde de sensor, en hield een scherm in de gaten terwijl hij wachtte tot de computer de eerste berekeningen had gemaakt. Het verbaasde Pitt niet dat het scherm aangaf dat er een grote ijzerconcentratie in de buurt moest zijn, en dat er ook sporen van koper en zink gevonden waren. Dat ijzer klopte, aangezien het schip er vol mee zat, van de ankers en ankerkettingen tot aan de grote stoommachine beneden in het schip. Maar er was nog een ander spoorelement waarop zijn blik bleef rusten. Wachtend totdat de ROV zich uit het benedendek zou wringen, gaf hij een beetje gas en bracht het onderwatervaartuig wat omhoog. Uiterst langzaam manoeuvrerend bracht hij het vaartuig boven de beschadigde boegsectie, terwijl hij tegelijkertijd één oog op de output van de sensor gericht hield.

'Als het je lukt nog wat goud aan boord van deze schuit te vinden, houden we misschien nog wat over aan deze duik die we verder zo snel mogelijk moeten vergeten,' zei Giordino.

Pitt liet het onderwatervaartuig boven de beschadigde boeg dansen en richtte zich steeds verder op een klein stukje van het schip in de buurt van de middenlijn. Hij schoof naar een stabiel deel van het dek en zette de *Bloodhound* erop neer. Giordino had de kabel van de ROV nu nagenoeg helemaal binnengehaald en stond op het punt de onderwaterrobot aan te haken.

'Wacht eens even,' zei Pitt. 'Zie je die afgebroken spant daar rechtovereind staan, een meter of drie voor ons uit?'

'Ik zie 'm.'

'Ernaast, aan de voet ervan, ligt iets dat is afgedekt, een tikkeltje naar rechts. Kijk eens of de ROV dat spul weg kan blazen.'

Enkele seconden later had Giordino de Rover al in positie gebracht. Hij schakelde hem uit en liet de ROV op een hoop brokstukken zakken waar een laagje slib overheen lag. Zodra de ROV contact maakte, gaf hij de kleine thrusters een dot gas. De kleine ROV schoot omhoog, en wierp tegelijkertijd een dikke wolk bezinksel op. De gestage stroming die over het schip stond zorgde ervoor dat het troebele water snel uit het zicht verdween. Beide mannen zagen een rond voorwerp met een gouden glans tussen de brokstukken liggen.

'Mijn goudstaven,' zei Giordino quasi-geestig.

'Iets veel beters, denk ik,' reageerde Pitt. Hij wachtte niet tot Giordino de ROV laag over het voorwerp liet gaan, maar bracht het onderwatervaartuig wat verder naar voren om het van dichtbij te bekijken. Door het uitzichtvenster naar beneden turend zag hij de onmiskenbare vorm van een grote bel.

'Jeetje, hoe heb je dat te midden van deze troep weten op te sporen?' vroeg Giordino.

'Dat is aan het snuffelapparaat van de *Bloodhound* te danken. Ik zag dat er sporen van koper en zink werden waargenomen, en toen bedacht ik dat dat de twee componenten waren waaruit brons bestaat. Toen besefte ik dat het óf een kikker moest zijn óf een scheepsbel.'

Ze keken op de bel neer en zagen dat er aan de zijkant letters stonden, maar daar konden ze niets van maken. Uiteindelijk voer Pitt weer een metertje of twee naar achteren, zodat de ROV kon inzoomen voor een close-up.

De bel zat vol aangroeisels, maar een nadere blik met de camera van de Rover onthulde twee letters: ER.

'Die letters maken onderdeel uit van de naam *Erebus*,' merkte Giordino enigszins opgelucht uit.

'Geef nog eens een stoot met dat ding,' zei Pitt.

Terwijl Giordino de ROV zodanig manoeuvreerde dat hij het slib kon wegblazen, controlcerde Pitt de accureserve en zag dat ze nog maar voor een halfuurtje energie aan boord hadden. Er was geen tijd meer te verliezen.

Na de tweede stoot van Rover spoot het slib omhoog in een dikke wolk bruine deeltjes. Pitt had het gevoel dat het uren duurde voor het water weer een beetje helder werd, terwijl dat in feite maar een paar seconden was. Giordino leidde de ROV terug over de bel terwijl ze wachtten tot de troebele wolk was weggedreven. Beiden staarden ze zwijgend naar de monitor waarop nu alle letters op de bel langzaam zichtbaar werden.

Er stond TERROR.

67

Na drie dagen lang in de ijskoude duisternis opgesloten te zitten, ondergingen de gevangenen aan boord van de lichter nu een heel ander soort doodsangst. Roman had opdracht gegeven om spaarzaam om te gaan met de steeds zwakker wordende zaklampjes, dus het overgrote deel van de tijd moesten de mannen tastend hun weg zoeken. De aanvankelijke gevoelens van woede en de vastberadenheid om te ontsnappen waren in wanhoop veranderd in de kille ruimte, waar de mannen zo dicht mogelijk tegen elkaar aan waren gekropen om te voorkomen dat ze onderkoeld zouden raken. De hoop was weer even opgelaaid toen de lichter langs de kade tot stilstand was gekomen en de deur heel even werd geopend. Dat bleek slechts een inspectie te zijn door enkele gewapende bewakers, maar die hadden in elk geval wat voedsel en dekens achtergelaten voor ze er weer haastig vandoor waren gegaan. Roman zag dat als een gunstig teken. Hij ging ervan uit dat ze geen voedsel zouden hebben gekregen als men niet van plan was hen in leven te laten.

Maar nu was hij daar niet zo zeker meer van. Toen Bojorquez hem had gewekt om te melden dat de motoren van de ijsbreker een ander geluid maakten, vermoedde hij dat ze hun bestemming hadden bereikt. Maar toen was er plotseling een eind gekomen aan het ritmische rukken van de sleepkabels, terwijl de door de korte golfslag veroorzaakte slingerbewegingen waren gebleven. Hij had het gevoel dat ze stuurloos in het water lagen.

Enkele ogenblikken later explodeerde met een harde klap de door Zak geplaatste springlading. De ontploffing echode als een onweersbui in een fles door de lege ruimen van de lichter. De commando's en de bemanning van de *Polar Dawn* schoten overeind en vroegen zich af wat er gebeurd was.

'Kapitein Murdock!' riep Roman, terwijl hij zijn zaklantaarntje aandeed.

Murdock schuifelde naar voren, een vermoeide blik in zijn ogen als gevolg van het gebrek aan slaap.

'Wat denkt u?' vroeg Roman kalm.

'Het klonk een heel eind naar achteren. Ik stel voor dat we een kijkje gaan nemen.'

Daar ging Roman mee akkoord. Toen hij de ongeruste blik in de ogen van de mannen om hem heen zag, riep hij tegen Bojorquez: 'Sergeant, zet je tanden weer eens in die deur. Ik wil vóór het ontbijt frisse lucht hier.

Enkele ogenblikken later ging de gedrongen sergeant met zijn kleine hamer de deur weer te lijf. Roman hoopte dat het geklop de mannen weer een beetje zou oppeppen, terwijl het tegelijkertijd het geluid zou maskeren van datgene wat er op het achterschip gebeurde.

Roman ging Murdock voor naar het open luik in de achterwand en liet de lichtbundel van zijn zaklantaarntje op de drempel schijnen. Een stalen ladder liep recht naar beneden, een donkere leegte tegemoet.

'Na u, kapitein,' zei Murdock kortaf.

Roman klemde het zaklampje tussen zijn tanden, zette een voet op de bovenste sport en begon behoedzaam de ladder af te dalen. Hoewel hij absoluut geen hoogtevrees had, vond hij het zenuwslopend om zich aan boord van een rollend schip in een ogenschijnlijk peilloos diep zwart gat te laten zakken.

De onderste sport leek maar niet te komen, maar na een afdaling van dertien meter bereikte hij eindelijk de bodem van ruim één. Hij richtte zijn zaklamp op de onderste sporten en zag dat Murdock vlak achter hem aan kwam. De stevig gebouwde kapitein, een man van net zestig en een grijze baard, hijgde niet eens.

Murdock liep voorop tijdens hun tocht door het ruim, en deed een paar ratten opschrikken, die hier ondanks de kou blijkbaar welig tierden.

'Ik wilde het niet zeggen met de mannen erbij, maar dat klonk volgens mij alsof er een explosie plaatsvond aan boord,' merkte hij op.

'Dat dacht ik ook al,' reageerde Roman. 'Denk je dat ze ons tot zinken willen brengen?'

'Daar komen we snel genoeg achter.'

De twee mannen vonden aan de andere kant van het ruim opnieuw een stalen ladder, die ze beklommen om even later uit te komen bij een korte doorgang die toegang gaf tot ruim twee. Ze herhaalden dat proces nog twee keer en staken daarbij de volgende twee ruimen over. Toen ze aan het eind van ruim drie de ladder beklommen, hoorden ze in de verte het geluid van klotsend water. Toen ze de doorgang hadden bereikt scheen Roman met zijn zaklantaarn in ruim vier.

In de tegenoverliggende hoek zagen ze een kleine waterval die langs de wand naar beneden kletterde, terwijl zich op de vloer een steeds groter wordende plas aan het vormen was. De explosie had geen gapend gat in de zijkant van de romp geslagen, maar had wel een aantal staalplaten ontzet, waardoor het water als bij een brede zeef naar binnen sijpelde. Murdock bekeek de schade en schudde zijn hoofd.

'We kunnen niets doen om het binnenstromen te vertragen,' zei hij. 'Zelfs als we over het juiste materiaal zouden beschikken. Daarvoor zijn die platen over een te breed oppervlak ontzet.'

'Maar de hoeveelheid water die binnenkomt valt eigenlijk wel mee,' zei Roman, op zoek naar iets positiefs.

'Dat zal alleen maar erger worden. De schade lijkt net boven de waterlijn te zitten, maar door de ruige zee komt er toch water binnen. Naarmate er meer water in dit ruim komt te staan, zal de lichter bij de achtersteven dieper in het water komen te liggen, zodat er nog meer water binnenkomt. Het zal op die manier alleen maar erger worden.'

'Maar in de doorgang zit een luik dat we kunnen sluiten. Als we het vollopen tot dit ruim kunnen beperken, dan moeten we het toch kunnen redden?' zei Roman.

Murdock wees naar boven. Drie meter boven hun hoofd hield de stalen wand op, en waren er alleen nog maar stalen steunbalken te zien die doorliepen tot aan het enkele meters hoger gelegen hoofddek.

'Deze ruimen zijn niet gebouwd als afzonderlijke waterdichte compartimenten,' zei hij. 'Als dit ruim vol water komt te staan, loopt het daarna over naar ruim drie, en dat gaat dan zo door.'

'Tegen hoeveel water is ze bestand?'

'Omdat deze lichter leeg is, moet ze met twee ondergelopen ruimen kunnen blijven drijven. Bij kalm weer misschien wel met drie. Maar zodra het water in ruim één terechtkomt is er geen houden meer aan.'

Hoewel hij bang was voor het antwoord, vroeg Roman hoeveel tijd ze nog hadden.

'Daar kan ik alleen maar naar gissen,' zei Murdock met zachte stem. 'Hoogstens een uur of twee, denk ik.'

Roman richtte het steeds zwakker wordende lampje van zijn zaklampje op het binnenstromende water en liet de lichtstraal vervolgens naar beneden glijden, naar de vloer van het ruim. Een steeds groter wordende plas zwart water weerkaatste in de verte, waarbij het glinsterende oppervlak wel iets weg had van een visitekaartje van de dood.

68

Toen duidelijk te zien was dat het achterschip dieper in het water kwam te liggen, gaf Zak de kapitein van de *Otok* opdracht om bij de lichter weg te varen. Het grote, zwarte gevaarte, dat duidelijk zinkende was, werd al snel door een mistbank opgeslokt, en zou het tijdens zijn doodsstrijd zonder publiek moeten doen. Zak draaide de lichter en de ten dode opgeschreven opvarenden snel de rug toe.

'Op weg naar het NUMA-schip,' beval hij. 'En doof de navigatielichten.'

De kapitein knikte, bracht het roer in lijn met de stationaire positie van het onderzoeksvaartuig en voerde geleidelijk aan het motorvermogen op tot de ijsbreker een vaart van tien knopen maakte. Onder de deken van mist waren de navigatielichten van de *Narwhal* niet te zien, dus moest de jacht geheel met behulp van de radar plaatsvinden. Het onderzoeksvaartuig lag nog steeds stil in het water, en de ijsbreker overbrugde de afstand tussen de twee schepen in hoog tempo.

'Kapitein, als we dat schip tot op drie kilometer genaderd zijn, wil ik dat je vol vermogen geeft. We varen ongeveer een kilometer voor haar langs, zodat ze daar denken dat we richting land opstomen, maar dan maken we een scherpe bocht en varen terug, om haar vervolgens te rammen in de midscheeps.'

'Je wilt dat schip rámmen?' zei de kapitein vol ongeloof. 'Dat kost ons allemaal het leven.'

Zak keek hem verbijsterd aan. 'Absoluut niet. Zoals je maar al te goed weet is dit schip voorzien van een anderhalve meter dikke voorsteven, die vastzit aan een speciaal verstevigde dubbele romp. Met deze boot vaar je zelfs dwars door de Hoover Dam heen zonder een schrammetje op te lopen. Zolang je maar kans ziet om de verstevigde boeg van de *Narwhal* te ontwijken, gaan we straks dwars door haar heen als een warm mes door de boter.'

De kapitein keek Zak aan met iets van respect in zijn ogen. 'Je hebt mijn schip blijkbaar behoorlijk bestudeerd,' zei hij nors. 'Ik hoop alleen maar dat meneer Goyette de droogdokrekeningen van jouw salaris betaalt, en niet van het mijne.'

Zak bracht een luidruchtig gegrinnik ten gehore. 'Waarde kapitein, als we onze troeven goed uitspelen kan ik straks een hele vloot ijsbrekers voor je kopen.'

Hoewel de zee door de donkere nacht en de dikke mist werd gemaskeerd, hield Bill Stenseth aandachtig elke beweging van de ijsbreker in de gaten. Bij afwezigheid van zijn radarman, een van de vele bemanningsleden die in Tuktoyaktuk van boord waren gegaan, zat Stenseth nu zelf achter het radarscherm. Hij was extra oplettend geworden toen hij zag dat de radarecho in de verte zich in tweeën had gesplitst. Hij besefte dat de lichter niet langer door de ijsbreker op sleeptouw werd genomen en begon beide radarecho's vervolgens nauwgezet te volgen.

Bezorgd keek hij toe hoe de ijsbreker tot op drie mijl naderde op een koers die uiteindelijk bij de *Narwhal* uit zou komen, en reikte naar de marifoon.

'Niet-geïdentificeerd vaartuig dat op 69,2955 noorderbreedte, 100,1403 westerlengte vanuit het zuiden nadert, hier het onderzoeksvaartuig *Narwhal*. Wij voeren momenteel een onderwateronderzoek uit. Houd alstublieft twee kilometer afstand, over.'

Stenseth herhaalde de oproep, maar kreeg nog steeds geen antwoord.

'Wanneer komt de *Bloodhound* weer boven water?' vroeg hij aan de roerganger.

'Volgens Dahlgrens laatste melding zaten ze nog steeds bij dat wrak. Dus dat gaat nog minstens twintig minuten duren.'

Stenseth keek nog wat aandachtiger naar het radarscherm en zag dat de ijsbreker geleidelijk aan meer vaart begon te maken en nu bijna op twee mijl afstand was gekomen. Verder leek het schip ook enigszins van koers te veranderen, zwenkte hij wat meer af en leek hij de *Narwhal* voorlangs te willen passeren. Wat hun bedoeling ook mocht zijn, Stenseth vertrouwde die lui voor geen cent.

'Langzaam vooruit,' beval hij de roerganger. 'Koers driehonderd graden.'

Stenseth wist maar al te goed dat het vooruitzicht op een aanvaring in dikke mist voor een zeeman een van de ergste nachtmerries was die er bestond. In gedachten zag hij weer voor zich hoe de *Stockholm* zich in de flank van de *Andrea Doria* boorde, en liet zijn schip naar het noordwesten draaien om te voorkomen dat zich een dergelijke frontale botsing voor zou doen. Een heel klein beetje opgelucht zag hij dat het andere vaartuig zijn zuidoostelijke koers aanhield en de ruimte tussen beide routes nog wat groter werd. Maar de schijn dat men elkaar op veilige afstand zou passeren was van korte duur.

Toen de twee schepen elkaar tot op een mijl genaderd waren, gaf de ijsbreker plotseling vol gas en verdubbelde ze haar snelheid binnen enkele seconden. Aangedreven door een tweetal machtige gasturbines die het schip in staat stelden een hele serie zware lichters op sleeptouw te nemen, was de ijsbreker een toonbeeld van kracht. Niet meer in haar bewegingen belemmerd door de lichter, veranderde de sleepboot in een hazewind die in staat was om met een snelheid van dertig knopen door het water te snijden. Onder commando van Zak bouwde het schip steeds meer vaart op en stoof op volle kracht door de golven.

Binnen enkele seconden had Stenseth in de gaten dat de ijsbreker sneller was gaan varen. Het schip hield zijn koers aan, totdat de radar hem vertelde dat het andere vaartuig aan een scherpe bocht naar het westen begon.

'Volle kracht vooruit!' beval Stenseth, wiens blik het radarscherm geen moment losliet.

Hij was verbijsterd door de route van de ijsbreker, die na een korte draai nu rechtstreeks op het NUMA-schip afkwam. Elke twijfel over de bedoelingen van het andere vaartuig schudde hij van zich af. Hij was duidelijk van plan de *Narwhal* te rammen.

Stenseths bevel om vaart te maken zorgde ervoor dat Zaks poging om het schip en de bemanning onverhoeds te overvallen in het water viel. Maar de ijsbreker was met haar snelheid nog steeds in het voordeel, hoewel van verrassing natuurlijk geen sprake meer was. De *Otok* was het onderzoeksvaartuig tot op een kwart mijl genaderd voor de *Narwhal* kans zag twintig knopen te maken. Stenseth tuurde door het raam achter in de brug, maar kon in de zwarte mist niets onderscheiden.

'Ze komt snel dichterbij,' zei de roerganger die vanuit zijn ooghoeken zag hoe de radarecho van de ijsbreker het midden van het radarscherm steeds dichter naderde. Stenseth ging zitten en stelde de schaal zodanig in dat hij de afstand per honderd meter kon aflezen.

'We laten haar dichtbij komen. Maar zodra ze tot op honderd meter genaderd zijn, wil ik dat je hard stuurboord geeft en een pal oostelijke koers gaat volgen. Er ligt langs de kust van King William Island nog voldoende zee-ijs. Als we daar dicht genoeg bij kunnen komen, raken ze, met al dat ijs op de achtergrond, onze radarsignatuur misschien kwijt.'

Hij keek naar een opengevouwen kaart en zag dat hun afstand tot King William Island ruim vijftien mijl was. Veel te ver weg, besefte hij, maar hij was nagenoeg door zijn keuzes heen. Als hij deze aanslag nog een paar keer kon afweren, zouden zijn achtervolgers de jacht misschien opgeven. Hij ging staan en hield zijn blik op het radarscherm gericht, wachtte nog even tot de echo die hen achtervolgde bijna bij hen was, en knikte toen kort naar de roerganger.

Het zware onderzoeksvaartuig schudde en kreunde toen het roer helemaal om ging en het schip scheef in het water hangend aan zijn nieuwe koers begon. Het was een dodelijk partijtje blindemannetje. Op het radarscherm leek de ijsbreker samen te vallen met hun eigen positie, maar Stenseth zag de ijsbreker nog steeds niet opdoemen. De *Otok* bleef nog bijna een volle minuut zijn westelijke koers volgen voor men aan boord de manoeuvre van de *Narwhal* doorhad en scherp naar het oosten draaide.

Door Stenseths actie kreeg het schip kostbare seconden extra om meer snelheid op te bouwen, terwijl de bemanning gewaarschuwd werd en bevel kreeg om naar de brug te komen. Maar het duurde niet lang of de ijsbreker kwam opnieuw steeds dichter bij haar achtersteven.

'Hard bakboord, deze keer,' beval Stenseth toen de *Otok* opnieuw tot zo'n honderd meter was genaderd.

De ijsbreker had deze keer met deze manoeuvre rekening gehouden, maar gokte net verkeerd en boog naar stuurboord af. Snel hervatte ze de jacht weer terwijl Stenseth probeerde dichter in de buurt van King William Island te komen. Het snellere schip kwam in een hoog tempo dichterbij en opnieuw werd de *Narwhal* gedwongen een schijnbeweging te maken, waarbij Stenseth deze keer opnieuw koos voor een scherpe bocht naar bakboord. Maar deze keer gokte Zak goed.

Als een hongerige haai die vanuit de diepte van een onheilspellende zee tevoorschijn springt, brak de ijsbreker plotseling door het mistgordijn en boorde zijn dodelijke voorsteven zich in de flank van de *Narwhal*. De denderende klap trof het schip vlak achter het duikgat en de boeg van de ijsbreker drong zo'n vijf meter het schip binnen. De *Narwhal* kapseisde bijna onder al dit geweld en schoof hevig trillend zijwaarts door de golven. Een enorme hoeveelheid ijskoud stuifwater geselde het dek terwijl het schip zijn uiterste best deed weer overeind te krabbelen.

De aanvaring bracht wel duizend kreten van mechanische pijn met zich mee – het geknars van metaal op metaal, hydraulische leidingen die het begaven, rompplaten die versplinterden, voortstuwingsinstallaties die imploderen. Terwijl de verwoesting zijn hoogtepunt naderde, was er heel even een vreemd moment van stilte, waarna het gewelddadige geweeklaag overging in het murmelende gekreun van de sterfelijkheid.

De ijsbreker maakte zich langzaam los uit de gapende wond, waarbij tijdens het achteruit slaan een stuk van de achtersteven van de *Narwhal* afbrak. De scherpe boeg van de *Otok* was door de klap geplet, maar verder was het schip nagenoeg intact, terwijl zelfs de dubbel uitgevoerde romp geen lekkages vertoonde. De *Otok* bleef nog even ter plaatse, zodat Zak en de bemanning het resultaat van hun destructieve handwerk konden bewonderen, maar even later verdween het moordzuchtige schip als een dodelijke spookverschijning in de nacht.

Maar de *Narwhal* was ondertussen aan haar doodsstrijd begonnen, dat vast niet lang zou duren. Bijna onmiddellijk kwam de machinekamer van het schip onder water te staan, terwijl het achterschip steeds dieper in het water kwam te liggen. Twee waterdichte wanden voor het duikgat begaven het, waardoor er nog meer water naar binnen stroomde. Hoewel het schip gebouwd was om zich een weg door bijna twee meter ijs te banen, was de *Narwhal* niet ontworpen om een vernietigende klap op de flanken te weerstaan. Binnen enkele minuten lag het schip al half onder water.

Op de brug krabbelde Stenseth overeind om te ontdekken dat de stuurhut een donker hol was geworden. Ze beschikten over geen enkel vermogen meer, terwijl de noodgenerator, die midscheeps stond opgesteld, bij de aanvaring ook onklaar was geraakt. Het hele schip was nu in duisternis gehuld.

De roerganger was als eerste bij een kast met noodapparatuur die zich aan de achterkant van de brug bevond, en haalde snel een zaklantaarn tevoorschijn.

'Kapitein, alles goed met u?' vroeg hij, terwijl hij de lichtbundel door de brug liet spelen totdat hij Stenseths indrukwekkende gestalte had gevonden.

'Met mij is het beter gesteld dan met dit schip,' antwoordde hij terwijl hij over een pijnlijke arm wreef. 'Laten we de bemanning bij elkaar zien te krijgen. Ik ben bang dat we het schip op korte termijn zullen moeten verlaten.'

De twee mannen trokken hun parka aan en daalden af naar het hoofddek, dat naar achteren toe steeds verder begon over te hellen. Ze stapten de kombuis van het schip binnen, die verlicht werd door een paar lampen die door batterijen werden gevoed. Het grootste deel van de kernbemanning had zich al verzameld en had zijn poolkleding aangetrokken, en keek nu angstig om zich heen. Een kleine man met een gezicht als een bulldog kwam op de twee mannen af.

'Kapitein, de machinekamer staat helemaal onder water en er is een stuk van de achtersteven afgerukt,' zei de man, de eerste machinist van de *Narwhal*. 'Verder zou het water ook al het voorste ruim hebben bereikt. Ik ben bang dat hier niets tegen opgewassen is.'

Stenseth knikte. 'Zijn er gewonden gevallen?'

De machinist wees naar de zijkant van de kombuis, waar bij een man met een van pijn vertrokken gezicht de linkerarm net verbonden was en die nu een geïmproviseerde mitella aangemeten kreeg.

'Toen dat andere schip bij ons naar binnen voer is de kok gevallen en heeft zijn arm gebroken. Verder lijkt iedereen er zonder kleerscheuren van afgekomen te zijn.'

'Wie missen we nog?' vroeg Stenseth, die razendsnel koppen telde en ontdekte dat er twee man ontbraken.

'Dahlgren en Rogers, de scheepselektricien. Die proberen de bijboot te water te laten.'

Stenseth draaide zich om en liet zijn blik langs de gezichten glijden. 'Ik ben bang dat we het schip moeten verlaten. Iedereen aan dek – nú. Als het ons niet lukt om aan boord van de bijboot te komen, gebruiken we een van de noodvlotten die zich aan bakboord bevinden. Laten we snel in actie komen.'

Stenseth ging de mannen voor naar buiten en bleef alleen even staan om te constateren dat het water al tot aan de voet van de opbouw was opgerukt. Hij versnelde zijn pas en liep door naar het ijskoude, uitgestrekte voorschip, terwijl hij alle mogelijke moeite moest doen om op het steeds verder overhellende dek zijn evenwicht te bewaren. Aan de andere kant van het dek zag hij de lichtbundel van een zaklantaarn, terwijl twee mannen druk met een handwinch in de weer waren. Een vier meter lange houten sloep hing in de davits die hoog boven hen uittorenden, maar door de hoek waaronder het dek zich nu bevond was het nagenoeg onmogelijk om de achtersteven van de roeiboot over de reling heen te krijgen. Een van de mannen slingerde met een duidelijk waarneembaar Texaans accent de ene na de andere verwensing de nachtelijke lucht in.

Stenseth snelde ernaartoe en met de hulp van nog enkele bemanningsleden slaagden ze erin om de achtersteven over de reling te tillen. Dahlgren haalde de pal van de winch en liet de bijboot al slippend snel in het water zakken. Stenseth pakte de boeglijn en liep met de boot een meter of acht naar achteren, tot het water rond zijn laarzen klotste. De bemanning ging snel aan boord door simpelweg vanaf de reling van de *Narwhal* in de bijboot te stappen.

Stenseth telde opnieuw de koppen, een stuk of veertien, ging toen na de gewonde kok als laatste man aan boord en zocht in de overvolle boot een plaatsje helemaal achterin op. Er was weer een lichte bries opgestoken, waardoor de mist af en toe uiteen werd gereten, maar waardoor er ook een krachtiger golfslag was ontstaan. De bijboot dreef snel enkele tientallen meters bij het stervende schip vandaan, maar de opvarenden bleven dicht genoeg in de buurt om van haar laatste momenten getuige te zijn.

Ze waren nog maar nauwelijks een beetje uit de buurt toen de voorsteven van het turkooisblauwe vaartuig zich hoog in de nachtlucht verhief, zich uit alle macht verzettend tegen de zwaartekracht. Maar na het slaken van een diepe zucht gleed de *Narwhal*, begeleid door het gesis van luchtbellen, terug in het zwarte water om even later in de diepte te verdwijnen.

Er welde een blinde woede in Stenseth op, maar toen hij naar zijn bemanning keek, voelde hij toch iets van opluchting. Het was een klein wonder dat niemand bij de aanvaring om het leven was gekomen en dat iedereen veilig en wel aan boord van de bijboot had kunnen komen. De kapitein huiverde bij de gedachte aan het aantal slachtoffers dat zou zijn gevallen als Pitt niet het overgrote deel van de bemanning en de wetenschappelijke staf in Tuktoyaktuk van boord had laten gaan.

'Ik ben die verdomde stenen vergeten.'

Stenseth draaide zich om naar de man naast hem, en zag toen pas dat hij naast Dahlgren op het achterste bankje zat.

'Afkomstig van die fumarole,' vervolgde hij. 'Rudi had ze op de brug laten liggen.'

'Wees blij dat je heelhuids hebt kunnen ontkomen,' reageerde Stenseth. 'Mooi werk van je, die bijboot te water laten.'

'Ik had geen zin om midden op de poolzee in een rubberbootje rond te dobberen,' reageerde hij. Hij liet zijn stem zakken en zei: 'Het is die jongens menens, hè?'

'Ik ben bang dat ze wat dat ruthenium betreft bereid zijn over lijken te gaan.' Hij stak zijn hoofd scheef in de wind en probeerde vast te stellen of de ijsbreker nog in de buurt was. Een zwak gegrom in de verte vertelde hem dat ze niet van plan waren in de buurt te blijven rondhangen.

'Kapitein, op het uiterste zuidoostpuntje van King William Island ligt een kleine nederzetting die Gjoa Haven heet,' merkte de roerganger op die een bankje voor hem zat. 'Vanaf hier een mijl of honderd. Volgens de kaart het dichtstbijzijnde bewoonde gebied, ben ik bang.'

'We horen genoeg brandstof aan boord te hebben om King William Island te bereiken. Dan moeten we daarna maar te voet verder,' zei Stenseth. Hij draaide zich weer naar Dahlgren om en vroeg: 'Heb jij Pitt nog kunnen waarschuwen?'

'Ik heb hem verteld dat we onze positie boven het wrak zouden verlaten, maar de elektriciteit viel weg voor ik hem kon waarschuwen dat we niet meer terug zouden komen.' Hij probeerde te zien hoe laat het was. 'Ze moeten binnenkort aan de oppervlakte komen.'

'We kunnen slechts raden waar dat zal gebeuren. Hen in deze mist proberen terug te vinden is nagenoeg onmogelijk. We varen een keer dwars door het betreffende gebied heen en zetten dan koers naar de kust om daar hulp te zoeken. Als het harder gaat waaien kunnen we maar beter niet op zee zitten.'

Dahlgren knikte met een gedeprimeerde blik in zijn ogen. Pitt en Giordino stonden er minstens even slecht voor als zij, besefte hij. Hij slaagde erin het motortje van de bijboot tot leven te wekken, liet het scheepje in zuidelijke richting draaien en verdween in een donkere mistbank.

69

Pitt en Giordino hingen nog steeds boven de scheepsbel toen ze van Dahlgren te horen kregen dat de *Narwhal* zijn positie boven het wrak op zou geven. Volkomen in beslag genomen door het blootleggen van de naam op de bel hadden ze verder niet op de melding gereageerd.

De ontdekking dat het scheepswrak de *Terror* bleek te zijn zorgde bij Pitt voor enige opluchting. Nu uit niets bleek dat er ooit ruthenium aan boord was geweest, was er nog steeds ruimte voor hoop. Het erts dat de Inuit in bezit hadden gehad moest van de *Erebus* afkomstig zijn, en misschien was alleen aan boord van dát schip het geheim rond het begerenswaardige mineraal te vinden. De vraag was alleen waar de *Erebus* ergens terechtgekomen was. Het was bekend dat de twee schepen min of meer samen in de steek waren gelaten, dus was de kans groot dat ze ook min of meer bij elkaar in de buurt gezonken waren. Pitt was ervan overtuigd dat als hij het zoekgebied van de AUV iets vergrootte hij het tweede schip uiteindelijk zou weten op te sporen.

'*Bloodhound* aan *Narwhal*, we beginnen aan onze tocht naar boven,' gaf Giordino via de radio door. 'Hoe is de situatie bij jullie?'

'We zijn momenteel aan het verkassen. Ik zal proberen op de brug de laatste informatie los te krijgen. Zodra ik die heb laat ik het je weten. Over.'

Het was het laatste wat ze van Dahlgren te horen zouden krijgen. Maar omdat ze veel te lang op de bodem waren gebleven, maakten ze zich nu voornamelijk zorgen over het op tijd bereiken van de oppervlakte, waarbij ze ook nog wat vermogen wilden overhouden. Pitt schakelde de buitenverlichting en de sensorapparatuur uit om stroom te besparen, terwijl Giordino hetzelfde deed met alle computers die niet strikt noodzakelijk waren. Terwijl de duisternis in het onderwatervaartuig neerdaalde en ze aan hun tocht naar boven begonnen, leunde Giordino in zijn stoel achterover, sloeg zijn armen over elkaar en deed zijn ogen dicht.

'Maak me maar weer wakker als het tijd is om wat ijskoude lucht binnen te laten,' mompelde hij.

'Ik zal ervoor zorgen dat Jack klaar staat met je pantoffels en je krantje.'

Opnieuw keek Pitt bedachtzaam naar de metertjes die aangaven hoe het met de nog beschikbare elektriciteit was gesteld. Er was nog genoeg reservevermogen voor de zuurstofvoorziening en de ballastpompen, maar verder had het niet zo gek veel te betekenen. Met grote tegenzin schakelde hij het voortstuwingssysteem van de *Bloodhound* uit, in de wetenschap dat ze tijdens de tocht omhoog met een krachtige stroming te maken zouden hebben. Het onderwatervaartuig recht in het duikgat van de *Narwhal* prikken konden ze wel vergeten, omdat ze waarschijnlijk een mijl of twee verderop aan de oppervlakte zouden komen. En dan alleen maar als de *Narwhal* weer naar zijn oude positie was teruggekeerd.

Pitt schakelde nog wat elektronische apparatuur uit en tuurde vervolgens naar de zwarte leegte aan de andere kant van de ruit. Plotseling klonk er een gehaaste, dringende stem uit de radio. '*Bloodhound*, we worden...'

De radioboodschap werd midden in de zin afgebroken en werd gevolgd door totale stilte. Giordono kwam met een ruk overeind en reageerde al op de boodschap nog voor goed en wel zijn ogen open waren. Ondanks herhaalde pogingen werden zijn oproepen richting *Narwhal* niet beantwoord.

'Misschien is hun signaal in een thermocline verloren gegaan,' opperde Giordino.

'Of de transponderverbinding werd verbroken op het moment dat ze meer vaart gingen maken,' reageerde Pitt.

Het waren allemaal onwaarschijnlijke excuses om de waarheid weg te redeneren die geen van beiden onder ogen wilde zien – dat de *Narwhal* wel degelijk in de problemen zat. Giordino bleef hun moederschip om de paar minuten oproepen, maar kreeg geen antwoord. En geen van beiden kon hier verandering in brengen.

Pitt keek naar de dieptemeter van het onderwatervaartuig en vroeg zich af of ze misschien aan de zeebodem vast zaten. Sinds ze het afgebroken radiobericht hadden ontvangen was hun stijgsnelheid steeds verder afgenomen en leken ze nu omhoog te krúípen. Hij probeerde zijn blik van het metertje los te maken, omdat hij besefte dat hoe langer je ernaar keek, hoe trager het wijzertje zou bewegen. Hij leunde achterover en deed zijn ogen een tijdje dicht, probeerde zich voor te stellen met wat voor soort problemen de *Narwhal* te maken had gekregen, terwijl Giordino ijverig doorging met radio-oproepen.

Toen hij uiteindelijk zijn ogen opendeed, zag hij dat ze nog dertig meter diep zaten. Een paar minuten later dobberden ze tussen de luchtbellen en het schuim aan de oppervlakte. Pitt deed de buitenverlichting aan, maar het licht weerkaatste simpelweg tegen de omringende mistdeken. De radio bleef zwijgen terwijl ze in het op en neer deinende water zachtjes heen en weer werden geslingerd.

Alleen midden in een koude, lege zee, besefte zowel Pitt als Giordino dat het allerergste was gebeurd. De *Narwhal* was niet meer.

70

'Hoe bedoel je, het reddingsteam is verdwenen?'
De boze stem van de president weerkaatste tegen de muren van de Situation Room in het Witte Huis, die zich op de begane grond in de westelijke vleugel bevond. Een kolonel van het leger, door de Pentagon-generaals naar voren geschoven om als kop van Jut te dienen, ging met een kalme, monotone stem verder.

'Meneer de president, het team is op het afgesproken tijdstip niet bij het oppikpunt komen opdagen. De mannen die bij de geïmproviseerde landingsstrip waren achtergebleven heeft van het aanvalsteam niet gehoord dat er problemen waren en zijn zelf op het afgesproken tijdstip geëvacueerd.'

'Mij was een missie beloofd die nauwelijks risico's met zich mee zou brengen en met negentig procent kans op succes,' zei de president terwijl hij de minister van Defensie woedend aankeek.

Er daalde een stilte over het vertrek neer; niemand had zin om deze man nog verder tegen de haren in te strijken.

Twee stoelen van de president verwijderd vond vicepresident Sandecker deze inquisitie wel iets amusants hebben. Toen hij door de Nationale Veiligheidsadviseur voor een ingelaste vergadering naar het Witte Huis werd ontboden, trof hij in de vergaderruimte tot zijn verrassing niet minder dan vijf generaals rond de minister van Defensie aan. Dat was geen goed voorteken, besefte hij. Sandecker was geen fan van de minister, een man die hij bekrompen en onbesuisd vond. Maar, geconfronteerd met deze crisis, zette hij zijn persoonlijke gevoelens snel van zich af.

'Kolonel, waarom vertelt u ons niet precies wat er gebeurd is,' zei Sandecker, op die manier de woede van de president deels neutraliserend.

Gedetailleerd beschreef de kolonel de geplande missie, alsmede de inlichtingen die de reddingsactie ondersteunden. 'Het verwarrende is dat er aanwijzingen zijn dat het team wat betreft het bevrijden van de gevangenen honderd procent succesvol is geweest. Uit onderschepte radioberichten van de Canadese strijdkrachten in Tuktoyaktuk blijkt dat er een overval op het detentieonderkomen heeft plaatsgevonden en dat de bemanning van de *Polar Dawn* is ontsnapt. Uit niets blijkt dat ze opnieuw gevangen zijn genomen.'

'En als dat Special Forces-team nou eens gewoon werd opgehouden?' vroeg Sandecker. 'De nachten zijn daar momenteel erg kort. Misschien waren ze gedwongen om zich wat langer schuil te houden en konden ze pas later naar de landingsstrip terugkeren.'

De kolonel schudde zijn hoofd. 'We hebben nog maar een paar uur geleden, onder dekking van de duisternis, een toestel naar de oppikplaats teruggestuurd. Dat is heel even aan de grond geweest, maar er was niemand, terwijl ook nieuwe radio-oproepen niet beantwoord werden.'

'Ze kunnen toch niet zomaar van de aardbodem verdwenen zijn,' mopperde de president.

'We hebben de satellietopnamen van de omgeving, het radioverkeer en de plaatselijke contacten geanalyseerd. Dat heeft allemaal niets opgeleverd,' meldde Julie Moss, de Nationale Veiligheidsadviseur van de president. 'De enige conclusie die we kunnen trekken is dat ze in alle stilte opnieuw gevangen zijn genomen en naar een andere plaats zijn overgebracht. Misschien zijn ze wel weer aan boord van de *Polar Dawn* gebracht, of misschien wel met vliegtuigen opgehaald.'

'Hoe luidde het officiële Canadese antwoord op ons verzoek om schip en bemanning vrij te laten?' vroeg Sandecker.

'Ze hebben niet geantwoord,' zei Moss. 'Op diplomatiek gebied doen ze net of we niet bestaan, terwijl hun premier en het parlement rustig doorgaan met het uiten van de meest bizarre beschuldigingen aan het adres van het "Amerikaanse imperialisme". Het lijkt verdorie wel een bananenrepubliek.'

'En ze beperken zich niet alleen tot woorden,' onderbrak de minister van Defensie. 'Ze hebben al hun strijdkrachten in de hoogste staat van paraatheid gebracht, terwijl ze ook de havens voor ons gesloten hebben.'

'Dat klopt,' zei Moss. 'De Canadese kustwacht is begonnen alle schepen die onder Amerikaanse vlag varen en naar Vancouver en Québec op weg zijn, terug te sturen, evenals de lichters die Toronto als bestemming hebben. We gaan ervan uit dat over een dag of twee ook de gewone grensposten tijdelijk dicht gaan.'

'Dit loopt helemaal uit de hand,' zei de president.

'Het is nog veel erger. We hebben te horen gekregen dat de lopende aardgasleveringen vanuit de Melville Sound opgeschort gaan worden. We hebben redenen om aan te nemen dat dat gas aan de Chinezen geleverd wordt, hoewel we niet weten of dat gebeurt in opdracht van de Canadese overheid of dat de eigenaar van het gasveld dat op eigen houtje doet.'

De president liet zich met een verbouwereerde blik op zijn gezicht onderuit in zijn stoel zakken. 'Op die manier komt onze hele toekomst op het spel te staan,' zei hij zacht.

'Meneer de president,' verklaarde de minister van Defensie, 'met alle mogelijke respect, de Canadese regering beschuldigt ons er ten onrechte van dat we verantwoordelijk zijn voor het verlies van hun arctische ijslaboratorium en voor schade aan een van hun patrouillevaartuigen. Ze hebben onrechtmatig een schip van de Amerikaanse kustwacht dat in internationale wateren voer opgebracht en behandelen de bemanningsleden daarvan als krijgsgevangenen. En ze hebben hetzelfde gedaan met het Delta Forcesteam, of misschien hebben ze ze wel gedood, en de bemanning van dat schip misschien ook wel. Je weet maar nooit. Bovendien vormen ze met die energiechantage een bedreiging voor ons hele land. Diplomatie heeft duidelijk gefaald, meneer de president. Het wordt tijd dat we uit een ander vaatje gaan tappen.'

'We hebben nog lang geen reden om militair in te grijpen,' merkte Sandecker bits op.

'Misschien heb je gelijk, Jim, maar het leven van die mannen staat op het spel,' zei de president. 'Ik wil dat er bij de premier een formele eis wordt ingediend tot vrijlating binnen vierentwintig uur van zowel de bemanning als het reddingsteam. Doe het vertrouwelijk, zodat deze mediageile premier geen gezichtsverlies hoeft te lijden. Dan kunnen we later wel over het schip onderhandelen. Maar ik wil dat die mannen onmiddellijk vrijkomen. En ik wil dat die gasleveranties op korte termijn worden hervat.'

'Hoe gaan we reageren als ze ons niet tegemoetkomen?' vroeg Moss.

Nu nam de minister van Defensie het woord. 'Meneer de president, we hebben verschillende opties voor een beperkte verrassingsaanval opgesteld.'

'Een 'beperkte verrassingsaanval'... Wat moet dat nou weer betekenen?' vroeg de president.

De deur van de vergaderruimte ging open en een Witte-Huismedewerker kwam geluidloos binnen en overhandigde Sandecker een briefje.

'Bij een "beperkte verrassingsaanval",' vervolgde de minister van Defensie, 'wordt een minimale hoeveelheid militaire middelen ingezet om een zo groot mogelijk deel van de Canadese lucht- en zeestrijdkrachten door middel van precisieaanvallen uit te schakelen.'

Het gezicht van de president werd vuurrood. 'Ik heb het niet over een regelrechte oorlog. Ik wil alleen iets om hun aandacht te trekken.'

De minister van Defensie nam snel gas terug. 'Maar we hebben ook nog een lijstje opties voor missies tegen één enkel doelwit,' merkte hij kalmpjes op.

'Wat denk je, Jim?' vroeg de president, terwijl hij zich tot Sandecker richtte.

Tijdens het lezen van het briefje verscheen er een grimmige trek op het gelaat van de vicepresident, en toen hij daarmee klaar was hield hij het omhoog.

'Ik hoor net van Rudi Gunn van de NUMA dat hun onderzoeksvaartuig *Narwhal* in de Noordwestelijke Doorvaart ter hoogte van Victoria Island vermist wordt. Men gaat ervan uit dat het schip óf in vreemde handen is gevallen óf met alle opvarenden, onder wie Dirk Pitt, de directeur van de NUMA, ten onder is gegaan.'

Toen de minister van Defensie over tafel Sandecker aankeek, verscheen er een wolfachtige glimlach op zijn gezicht.

'Het ziet ernaar uit,' zei hij venijnig, 'dat we nu plotseling wél een reden hebben.'

71

In het verleden hebben de Verenigde Staten bij minstens vijf, zes verschillende gelegenheden gewapende invallen in Canada uitgevoerd. De bloederigste daarvan vond plaats tijdens de Amerikaanse Revolutie, toen generaal Richard Montgomery vanuit Fort Ticonderoga naar het noorden opmarcheerde en Montreal veroverde, om daarna verder op te rukken naar de stad Québec. Bij hem voegde zich een tweede strijdmacht die Canada via Maine was binnengetrokken, aangevoerd door Benedict Arnold. Op 31 december vielen de Amerikanen de stad Québec aan en slaagden erin de stad korte tijd bezet te houden, om vervolgens in een felle slag met de Britten te worden teruggeslagen. Een tekort aan voorraden en versterkingen, evenals het sneuvelen van Montgomery, maakte dat er voor de Amerikanen weinig anders op zat dan hun uitstapje naar Canada af te breken.

Toen tijdens de oorlog van 1812 de vijandelijkheden weer oplaaiden, voerden de Amerikanen herhaalde malen aanvallen op Canada uit om het tegen de Britten op te nemen. De meeste daarvan eindigden in een mislukking. Het opmerkelijkste succes vond plaats in 1813, toen Toronto (dat toen York heette) werd geplunderd, waarbij de Amerikanen de parlementsgebouwen tot de grond toe afbrandden. Maar die overwinning zou voor de Verenigde Staten het jaar daarop nog een staartje krijgen, toen de Britten naar Washington opmarcheerden. Woedend om de vernielingen die waren aangericht, waren de Britten niet te beroerd om de openbare gebouwen in de Amerikaanse hoofdstad in brand te steken.

Nadat het in 1783 koloniale onafhankelijkheid had verkregen, werden Canada en Verenigde Staten al snel buren die goede relaties onderhielden en bondgenoten. Maar het wantrouwen verdween nooit helemaal. In de jaren twintig van de twintigste eeuw ontwikkelde het Amerikaanse departement van Oorlog strategische plannen om Canada binnen te vallen als onderdeel van een hypothetische oorlog met het Verenigd Koninkrijk. Bij 'Oorlogsplan Rood', zoals het werd genoemd, draaide het om aanvallen op Winnipeg en Québec, in combinatie met een aanval vanuit zee op Halifax. De Canadezen, die geen zin hadden om over zich heen te laten lopen, ontwikkelden op hun beurt 'Defensieplan nummer 1', dat een contra-invasie van de Verenigde Staten behelsde. Op Albany, Minneapolis, Seattle en Great Falls, Montana, zouden verrassingsaanvallen worden uitgevoerd, in de hoop dat de Canadezen voldoende tijd konden rekken totdat de Britse versterkingen arriveerden.

Maar sinds die jaren twintig waren de tijd en de technologie aanzienlijk veranderd. Groot-Brittannië speelde bij de verdediging van Canada geen enkele rol meer en de militaire macht van Amerika had tot een allesoverheersende onevenwichtigheid op het gebied van bewapening geleid. Hoewel de verdwijning van de *Narwhal* de president mateloos irriteerde, rechtvaardigde het op geen enkele manier een gewapende inval. Voorlopig in elk geval nog niet. Het zou sowieso weken duren voor er een grondoffensief kon worden georganiseerd, mocht de situatie nog verder verslechteren, en hij wilde binnen achtenveertig uur snel en krachtig reageren.

Het plan waartoe uiteindelijk besloten werd, tenzij alle gevangenen vrij werden gelaten, was simpel maar tegelijkertijd pijnlijk. Schepen van de Amerikaanse marine zouden eropuit worden gestuurd om in het westen de haven van Vancouver te blokkeren, en in het westen de Saint Lawrence River, waardoor de Canadese buitenlandse handel grotendeels stil zou komen te liggen. Stealth-bommenwerpers zouden verrassingaanvallen uitvoeren op Canadese luchtmachtbases bij Cold Lake in de provincie Alberta en Bagotville in Québec. Mochten de Canadezen inderdaad van plan zijn om geen elektriciteit meer te leveren, dan zouden er Special Forces klaarstaan om de belangrijkste hydro-elektrische centrales van het land te bezetten. Op een later tijdstip zou ook worden geprobeerd het Melville-gasveld in handen te krijgen.

De Canadezen konden daar maar weinig tegenoverstellen, beweerden de minister van Defensie en zijn generaals. Onder dreiging van nieuwe luchtaanvallen zouden ze de gevangenen wel moeten vrijlaten en zou er opnieuw over de Noordwestelijke Doorvaart gesproken moeten worden. Maar iedereen was het erover eens dat het zover nooit zou komen. Als ze niet binnen vierentwintig uur aan de eisen van het ultimatum gehoor zouden geven, zouden de Canadezen gewaarschuwd worden voor de consequenties. Dan hadden ze geen andere keuze dan zich erbij neer te leggen.

Maar er was één probleem waar de haviken in het Pentagon geen moment aan hadden gedacht. De Canadese autoriteiten hadden geen idee wat er met de bemanning van de *Polar Dawn* was gebeurd.

72

Opgesloten in hun zinkende stalen doodskist zou de bemanning van de *Polar Dawn* om vierentwintig uur extra hebben gesmeekt, maar hun vooruitzicht op een mogelijk overleven was ingekort tot enkele minuten.

Tot nu toe hadden Murdocks voorspellingen geklopt. Ruim nummer vier van de lichter had zich gestaag met zeewater gevuld, om op een gegeven moment over te lopen naar ruim drie. Terwijl de achtersteven door het toegenomen gewicht steeds dieper kwam te liggen, stroomde er steeds meer water naar binnen. In de kleine opslagruimte begon het dek onder de voeten van de mannen steeds onheilspellender over te hellen, terwijl het geluid van binnenstromend water steeds dichterbij kwam.

Bij het geopende luik in de achterwand dook een man op, een van Romans commando's, zwaar ademend nadat hij vanuit het ruim langs de ladder omhoog was geklommen.

'Kapitein,' bracht hij hijgend uit, terwijl hij zijn lantaarn door de ruimte liet glijden, op zoek naar zijn commandant, 'in ruim nummer twee staat nu ook al water.'

'Dank je, korporaal,' antwoordde Roman. 'Waarom ga je niet even zitten? Rust een beetje uit. Verdere verkenningen zijn niet meer nodig.'

Roman ging naar Murdock op zoek en nam hem terzijde. 'Als deze lichters onder water verdwijnen,' fluisterde hij, 'vliegen de luiken er dan van af?'

Murdock schudde zijn hoofd, en keek hem toen aarzelend aan.

'Deze boot zinkt in elk geval voordat ruim één helemaal is volgelopen. Dat betekent dat zich onder het luik een luchtzak gaat ontwikkelen, waar de druk zal toenemen als de lichter daadwerkelijk onder de golven verdwijnt. Dan bestaat inderdaad de kans dat het luik eraf zal vliegen, maar als dat gebeurt zitten we misschien al honderd meter onder water.'

'Dat betekent dat we nog steeds een kans hebben,' zei Roman kalm.

'Maar wat wil je dan?' reageerde Murdock. 'Een mens houdt het in dit water geen tien minuten uit.' Hij schudde geïrriteerd zijn hoofd, en zei toen: 'Prima. Ga rustig verder en biedt die mensen hoop. Ik zal je laten weten als ik denk dat deze tobbe op het punt staat ten onder te gaan, dan kun jij de mannen op de ladder verzamelen. Dan hebben ze in elk geval nog iets waaraan ze zich tijdens hun ritje naar de hel vast kunnen houden.'

Bojorquez, die bij de toegangsdeur stond, had naar het gesprek geluisterd, en was daarna weer op de knevel in gaan hameren. Hij besefte zo langzamerhand ook wel dat het een loos gebaar was. De kleine hamer kon tegen het geharde staal niets uitrichten. Urenlang hameren had alleen maar een kleine deuk in de knevel veroorzaakt. Het zou nog uren, misschien wel dagen duren voor hij het eigenlijke afsluitmechanisme aan kon pakken.

Tussen de slagen door keek hij naar zijn medegevangenen. Koud, hongerig en terneergeslagen zaten ze daar bij elkaar, terwijl een deel van hen met een soort redeloze vertwijfeling zijn kant uit keek. Verrassend genoeg was er geen spoor van paniek te bespeuren. Hun emoties even verstard als het koude staal van de lichter, accepteerden de opgesloten mannen het lot dat hun te wachten stond.

73

De bijboot van de *Narwhal* was gevaarlijk overbelast. Oorspronkelijk bedoeld om ruimte te bieden aan twaalf man, konden de veertien bemanningsleden die het schip hadden verlaten weliswaar moeiteloos een plekje aan boord vinden, maar het extra gewicht was net voldoende om de vaareigenschappen in een ruwe zee nadelig te beïnvloeden. En omdat de zijkanten van het scheepje voortdurend door de korte golfslag gegeseld werden, duurde het niet lang of een laagje ijskoud water begon onder in de boot rond te klotsen.

Stenseth was op het bankje in de achtersteven gaan zitten nadat het hem na enkele moeizame pogingen eindelijk gelukt was om de ijskoude motor te starten. Met de twee veertigliterblikken benzine hadden ze net voldoende brandstof aan boord om King William Island te bereiken. Maar Stenseth had ook al last van een onbehaaglijk gevoel, in het besef dat ze straks, als ze de veiligheid van Gjoa Haven wilden bereiken, in de voetsporen van Franklins ten ondergang gedoemde bemanning zouden moeten treden.

Bang dat de boot anders helemaal vol zou lopen, stuurde de gezagvoerder hem behoedzaam door de witgekuifde golven. Er hing nog steeds een dichte mist boven het water, maar hij meende toch een zwak lichtschijnsel in de nevel te zien, wellicht een teken dat de korte poolnacht op zijn eind liep. Hij was niet direct een oostelijke koers naar King William Island gaan volgen, maar hield zich aan zijn belofte om eerst een korte zoektocht naar Pitt en Giordino uit te voeren. Met nauwelijks enig zicht wist hij dat de kans dat ze het onderwatervaartuig zouden kunnen lokaliseren uiterst klein was. Om de zaak nog te verergeren bleek er in de bijboot geen GPS aanwezig te zijn. Vertrouwend op een kompas dat vanwege de nabijheid van de magnetische Noordpool niet nauwkeurig werkte, stuurde Stenseth op gegist bestek terug naar de plaats van het scheepswrak.

De roerganger schatte dat ze ongeveer zes mijl noordwestelijk van de plaats van het wrak door de ijsbreker waren aangevaren. Rekening houdend met de stroming en hun eigen vaart, stuurde Stenseth de boot twintig minuten lang naar het zuidoosten, en schakelde toen de motor uit.

Dahlgren en de anderen riepen Pitts naam door de mist, maar het enige geluid dat ze als antwoord kregen was het klotsen van de golven tegen de romp van de bijboot.

Stenseth startte de motor weer, voer nog eens tien minuten in zuidoostelijke richting, en bracht de motor opnieuw tot zwijgen. Herhaald roepen in de mist bleef onbeantwoord. Stenseth voer weer verder en herhaalde het hele proces nog eens. Toen het geluid van de laatste oproepen was weggestorven, richtte hij zich tot de bemanning.

'We kunnen het ons niet veroorloven zonder brandstof te komen zitten. Ik denk dat we het beste in oostelijke richting naar King William Island kunnen varen en daar proberen hulp te vinden. Als de mist is opgetrokken en het weer wat beter wordt moet het niet zo moeilijk zijn om dat onderwatervaartuig terug te vinden. En ik kan wel zeggen dat Pitt en Giordino het in dat duikbootje waarschijnlijk een stuk comfortabeler hebben dan wij.'

De bemanningsleden knikten instemmend. Ze hadden veel respect voor Pitt en Giordino, maar beseften dat hun eigen situatie verre van veilig was. Ze gingen opnieuw op weg en volgden een pal oostelijke koers, totdat de buitenboordmotor begon te sputteren om het vervolgens voor gezien te houden toen het eerste blik benzine geheel leeg was. Stenseth koppelde de brandstofleiding aan het tweede blik en stond op het punt de motor te herstarten, toen de roerganger plotseling iets riep.

'Wacht even!'

Stenseth draaide zich om naar de man, die een eindje verderop zat. 'Ik dacht dat ik iets hoorde,' zei hij tegen de gezagvoerder, bijna fluisterend deze keer.

De hele boot zweeg, de mannen durfden nauwelijks nog adem te halen, en iedereen luisterde aandachtig. Er verstreken enkele seconden voor de anderen het ook hoorden. Een zwak geklop in de verte dat wel iets weg had van het luiden van een klok.

'Dat zijn Pitt en Giordino,' riep Dahlgren. 'Kan niet anders. Ze tikken een sos op de romp van de *Bloodhound*.'

Stenseth keek hem vol scepsis aan. Dahlgren moest het bij het verkeerde eind hebben. Ze waren veel te ver verwijderd van de laatst bekende positie van het onderwatervaartuig. Maar wat kon er in deze sombere poolnacht nog meer klopsignalen geven?

Stenseth startte de buitenboordmotor weer en liet de bijboot steeds groter wordende cirkels beschrijven, om de motor af en toe weer tot zwijgen te brengen om te proberen te bepalen waar het geluid vandaan kwam. Na een tijdje hoorde hij het geklop vanuit oostelijke richting sterker worden, en draaide die kant op. De gezagvoerder voer langzaam maar gespannen, bang dat het kloppen zou ophouden voor hij de exacte richting had kunnen bepalen. De mist ging langzaam maar zeker over in dikke slierten, terwijl de ochtendschemering zijn best deed tot het wateroppervlak door te dringen. Hoe dichtbij ze ook mochten zitten, hij besefte heel goed dat ze het onderwatervaartuig, als ze ophielden met kloppen, ook zo weer kwijt konden raken.

Gelukkig bleven ze de metaalachtige geluiden horen. Het kloppen werd alleen maar luider en klonk zelfs boven het ronken van de buitenboordmotor uit. Met een lichte beweging van het roer veranderde Stenseth van koers en voer recht op het geluid af totdat het in zijn oren galmde. Hij voer blindelings door een donkere mistbank, maar schakelde razendsnel de motor uit toen er een enorme zwarte vorm vlak voor hen opdoemde.

De lichter leek minder gigantisch dan toen Stenseth hem voor het laatst had gezien, toen hij nog door de ijsbreker werd voortgesleept. Toen zag hij waarom. Het achterschip van de lichter was voor een groot deel onder water verdwenen. De boeg stond schuin omhoog en deed Stenseth aan de laatste minuten van de *Narwhal* denken. Nadat hij nog maar zo kort geleden getuige was geweest van de ondergang van zijn eigen schip, wist hij dat deze lichter aan zijn laatste minuten bezig was, misschien zelfs wel seconden.

Stenseth en de bemanning reageerden teleurgesteld op hun ontdekking. Ze hadden al hun hoop gevestigd op het vinden van Pitt en Giordino. Maar hun teleurstelling veranderde al snel in afgrijzen toen ze beseften dat de lichter elk moment onder water kon verdwijnen.

En dat het kloppen afkomstig was van iemand die erin zat opgesloten.

74

Dahlgren liet de lichtbundel van een zaklantaarn over het open dek van de lichter glijden, op zoek naar een toegang, maar kon op het voorschip alleen maar vaste stalen wanden ontdekken.

'Breng ons eens naar de stuurboordkant, kapitein,' vroeg hij.

Stenseth stuurde de bijboot om de hoog optorenende voorsteven van de lichter heen, en minderde vervolgens vaart. Het ritmische kloppen klonk plotseling aanzienlijk luider.

'Daar!' riep Dahlgren, die met het schijnsel van zijn lamp het zijcompartiment had gevonden. Er was een ketting te zien die rond de knevel op een deur was gewikkeld, en vervolgens aan een stang van de reling was vastgemaakt.

Zonder een woord te zeggen bracht Stenseth de bijboot naast de lichter, totdat hij tegen een stuk van de metalen reling botste dat uit het water stak. Dahlgren was al overeind gekomen en sprong aan boord van het dek van de lichter, om naast het luik van het gedeeltelijk onder water staande ruim drie terecht te komen.

'Snel, Jack,' riep Stenseth. 'Deze boot houdt het waarschijnlijk niet zo gek lang meer uit.'

Hij nam snel weer enige afstand van de lichter, want hij wilde niet meegezogen worden als het reusachtige vaartuig plotseling onder de golven zou verdwijnen.

Dahlgren liep snel tegen het hellende dek op, en nam vervolgens de trap die naar de afgesloten opslagruimte leidde. Hij bonsde met zijn gehandschoende hand op de stalen deur en bulderde: 'Is daar iemand?'

Onmiddellijk reageerde sergeant Bojorquez met geschrokken stem: 'Ja. Kun je ons hier uit krijgen?'

'Doe ik,' antwoordde Dahlgren.

Snel bekeek hij het stuk ketting waarmee de knevel provisorisch aan de stang was vastgezet. Er zat nauwelijks enige speling in, en de vervorming die in het zinkende schip had plaatsgevonden had de ketting richting lier strak getrokken. In het schijnsel van zijn zaklantaarn bestudeerde hij beide uiteinden en concludeerde al snel dat de knoop waarmee de ketting aan de stang was vastgezet waarschijnlijk het gemakkelijkst los te krijgen was, en richtte daar dan ook al zijn aandacht op.

Hij rukte zijn handschoenen uit, pakte de buitenste schakels beet en begon uit alle macht te trekken. De ijskoude stalen schakels drukten diep in zijn vlees maar weigerden mee te geven. Hij verzamelde al zijn krachten en trok opnieuw, zette zich uit alle macht schrap en had het gevoel dat zijn vingers het elk moment konden begeven. Maar er kwam geen beweging in de ketting.

Het dek onder hem maakte plotseling een slingerbeweging en hij voelde het schip iets draaien onder het ongelijkmatig trekken van de snel vol water stromende ruimen. Hij maakte zijn kapotte en nagenoeg bevroren vingers van de schakels los, keek naar de ketting en probeerde een andere aanpak. Hij boog zich over het bordes om vanuit een betere hoek te kunnen werken en begon met zijn laarzen op de knoop in te beuken. Vanuit de opslagruimte hoorde hij verscheidene stemmen paniekerig schreeuwen dat hij op moest schieten. Vanaf het water, een eindje verderop, schreeuwden enkele bemanningsleden van de *Narwhal* hem aanmoedigingen toe. En alsof de lichter niet achter wilde blijven en ook van de grote druk blijk wilde geven, klonk er diep van beneden een metaalachtig gekreun.

Met woest kloppend hart trapte Dahlgren met zijn tenen tegen de ketting en ramde er vervolgens keihard met zijn hak tegenaan. Hij beukte er steeds harder op, en ging steeds razender tekeer. Verwoed hakte hij erop in, alsof zijn eigen leven ervan afhing. Hij bleef net zolang schoppen en trappen tot één enkele schakel van de ketting eindelijk over de strak opgewonden rol glipte.

Daardoor ontstond er net voldoende speling om de volgende schakel met één enkele trap door het ontstane gat te trappen, en toen nog een. Dahlgren liet zich op zijn knieën vallen, en rukte met zijn gevoelloze vingers het vrije uiteinde van de ketting los. Snel maakte hij de ketting rond de knevel los, gaf er een harde trap tegen en trok de stalen deur vervolgens open.

Dahlgren wist niet wat hij kon verwachten en richtte zijn zaklantaarn op de gestaltes die naar de uitgang opdrongen. Toen hij zich nog wat verder naar binnen boog zag hij tot zijn schrik hoe zesenveertig broodmagere, onderkoelde mannen hem als een soort verlosser aanstaarden. Bojorquez was degene die het dichtst bij de deur stond, zijn kleine hamer nog steeds stevig vasthoudend.

'Ik weet niet wie je bent, maar ik ben verdomde blij dat ik je zie,' zei de sergeant met een brede grijns.

'Ik ben Jack Dahlgren, van het NUMA-onderzoeksvaartuig *Narwhal*. Waarom komen jullie dat hol niet uit?'

De gevangenen haastten zich door de deur naar buiten en wankelden op het hellende dek. Dahlgren zag tot zijn grote verrassing dat sommige mannen een militair uniform droegen, met kleine Amerikaanse vlaggetjes op de mouw. Roman en Murdock waren de laatsten die naar buiten kwamen en waren duidelijk opgelucht.

'Ik ben Murdock, van de *Polar Dawn*. En dit is kapitein Roman, die geprobeerd heeft ons in Kugluktuk te bevrijden. Is uw schip in de buurt?'

Dahlgrens verbazing over het feit dat ze de gevangengenomen Amerikanen hadden gevonden werd getemperd door het slechte nieuws dat hij alleen maar kon geven.

'Ons schip is geramd en tot zinken gebracht door het schip dat deze lichter op sleeptouw had.'

'Hoe zijn jullie dan hier gekomen?' vroeg Roman.

Dahlgren wees naar de bijboot die enkele meters verderop naast de zinkende lichter in het water lag.

'We konden onszelf nauwelijks in veiligheid brengen. We hoorden het geklop en dachten dat het ons onderwatervaartuig was.'

Hij keek om zich heen naar de uitgeputte mannen, die zich afvroegen of er een einde aan hun beproeving was gekomen. Ze waren maar tijdelijk aan de dood ontsnapt, beseften ze, en Dahlgren had het gevoel dat hij hier als hun scherprechter stond. Hij draaide zich naar Roman en Murdock om en kreeg slechts met de grootst mogelijke moeite een verontschuldiging over zijn lippen waarvan hij wist dat die meedogenloos klonk.

'Het spijt me dat ik het moet zeggen, maar we kunnen niemand meer aan boord hebben.'

75

Stenseth keek toe hoe de golven over de luiken van ruim twee sloegen, zodat alleen ruim een en het voorschip nog boven het water uitstaken. Hij had geen flauw idee waarom deze schuit nog niet naar de bodem van de zee was verdwenen, maar hij wist wel dat het niet lang meer zou duren.

Hij richtte zijn blik vervolgens op de verwilderd uitziende mannen die langs de reling stonden, die hem smekend aankeken, maar die ook maar al te goed beseften dat hun situatie hopeloos was. Net als Dahlgren verbaasde het hem hoeveel mannen er uit die opslagruimte naar buiten stapten. Hij was nog steeds verbijsterd door de schaamteloze poging van de bemanning van de ijsbreker om deze mensen moedwillig de dood in te jagen. Wat voor monster voerde het commando over die sleper?

Zijn zorgen richtten zich weer op de veiligheid van zijn eigen mensen. Hij besefte dat het, zodra de lichter onder water zou verdwijnen, een afschuwelijke vechtpartij zou worden, waarbij deze schipbreukelingen alles zouden doen om aan boord van de bijboot te komen. Hij mocht niet het risico nemen dat de toch al veel te zwaar beladen boot zou zinken en ook zijn eigen mannen hier aan hun eindje kwamen. Hij zorgde ervoor dat de bijboot op een veilige afstand van de lichter bleef, terwijl hij zich tegelijkertijd afvroeg hoe hij Dahlgren van boord kreeg zonder dat de rest van de mannen zich ook op de bijboot zouden storten.

Hij zag dat Dahlgren met twee mannen stond te praten, van wie een naar de onder water staande achtersteven van de lichter wees. Vervolgens stapte Dahlgren naar de reling en schreeuwde toen dat Stenseth dichterbij moest komen. De gezagvoerder bracht de bijboot behoedzaam naar de lichter, vlak bij de plaats waar Jack stond, maar hield de andere mannen daarbij scherp in het oog. Maar toen Dahlgren overstapte stoof niemand op de boot af.

'Kapitein, zet alsjeblieft koers naar de achtersteven van dit gevaarte, een meter of vijftig, zestig verderop. Snel!' spoorde Dahlgren hem aan.

Stenseth liet de bijboot keren en voer langs de zinkende kolos naar de onder water liggende achtersteven. Hij zag niet dat Dahlgren zijn laarzen uitdeed en op zijn ondergoed na al zijn kleren uittrok, om vervolgens zijn parka weer aan te doen.

'Er zouden op de achtersteven twee Zodiacs aanwezig moeten zijn,' riep hij bij wijze van uitleg.

Daar hadden ze nu verdomde weinig aan, bedacht Stenseth. Die waren óf weggedreven of bevonden zich nu zo'n tien, twaalf meter onder water. Hij zag dat Dahlgren in de voorsteven stond en met zijn lantaarn op iets richtte dat in het water dobberde.

'Daar!' zei hij gespannen.

Stenseth manoeuvreerde de bijboot naar enkele donkere voorwerpen die nu wat duidelijker aan de oppervlakte zichtbaar waren. Het waren twee stel spits toelopende uitsteeksels die gelijktijdig en op slechts anderhalve meter afstand van elkaar af en toe door het wateroppervlak braken. Toen hij wat dichterbij kwam zag Stenseth dat het de tapse uiteinden van de drijvers van twee Zodiac-boten waren. De twee rubberboten stonden rechtovereind in het water, en zaten met hun boeglijnen nog aan de reling van de lichter vast.

'Heeft iemand een mes?' vroeg Dahlgren.

'Jack, je kunt zo het water niet in,' waarschuwde Stenseth, die toen pas besefte dat Dahlgren zijn kleren had uitgetrokken. 'Je krijgt binnen de kortste keren last van onderkoeling en dan is het met je gedaan.'

'Ik was niet van plan een langdurig bad te nemen,' reageerde hij grinnikend.

De eerste machinist had een zakmesje bij zich, haalde het uit zijn zak en gaf het aan Dahlgren.

'Een beetje dichterbij graag, kapitein,' vroeg Dahlgren, terwijl hij zijn parka weer uittrok.

Stenseth manoeuvreerde de bijboot tot anderhalve meter van de Zodiacs en schakelde de buitenboordmotor uit. Dahlgren stond voor in de boot, klapte het mes open, haalde toen diep adem en sprong toen zonder ook maar één moment te aarzelen overboord.

Dahlgren, die een uitstekend duiker was, was overal ter wereld in ijskoude zeeën gedoken, maar niets had hem kunnen voorbereiden op de schok van deze onderdompeling in water van drie graden onder nul. Duizend zenuwuiteinden trokken zich onmiddellijk pijnlijk samen. Zijn spieren verstrakten en onwillekeurig ontsnapte er een hoeveelheid lucht uit zijn longen. De schok was zo erg dat zijn hele lichaam verstijfde, terwijl alle commando's die door zijn hersenen naar de zenuwen werden verzonden werden genegeerd. Even dreigde hij door een gevoel van paniek te worden overmand en hij kreeg de aanvechting direct naar de oppervlakte terug te keren. Dahlgren moest zich uit alle macht tegen dat instinct verzetten en dwong zijn gevoelloze ledematen in beweging te komen. Langzaam lukte het hem de schok te boven te komen en slaagde hij erin zwembewegingen te maken. Een zaklantaarn had hij niet bij zich, maar die had hij in het donkere water ook niet nodig. Hij streek met één hand langs een van de drijvers van de Zodiac, zodat hij zich kon blijven oriënteren. Met een paar krachtige slagen van zijn benen daalde hij een paar meter naast de rubberromp af en voelde dat hij bijna bij de stomp toelopende voorkant aangekomen was. Op de tast ging hij langs de punt naar beneden totdat hij de strak staande boeglijnen voelde. Die greep hij met zijn vrije hand beet en hij trok zichzelf langs de lijn verder naar beneden, terwijl hij ook nog een paar keer krachtig met zijn benen sloeg, op zoek naar het punt waar de twee Zodiacs waren vastgemaakt.

De blootstelling aan het ijskoude water begon zijn motoriek aan te tasten en hij moest zichzelf dwingen steeds verder te gaan. Een meter of zes, zeven onder de Zodiac bereikte hij de lichter, en zijn hand vond een zware kikker waar beide lijnen van de boten aan vast waren gemaakt. Hij zette onmiddellijk het mes in de eerste lijn en moest een paar keer furieus hakken om hem door te krijgen. Het lemmet was niet bepaald scherp en het duurde dan ook een paar seconden voor hij het touw had doorgesneden en de boot naar de oppervlakte schoot. Toen hij de tweede lijn wilde pakken begonnen zijn longen pijnlijk te protesteren tegen het langdurig inhouden van de adem, terwijl de rest van zijn lichaam langzaam maar zeker gevoelloos begon te worden. Zijn lichaam gaf duidelijk het signaal af dat hij de lijn moest loslaten en zo snel mogelijk naar de oppervlakte moest terugkeren, maar zijn vastberadenheid weigerde te luisteren. Hij stootte het mes naar voren, totdat het de lijn vond, en begon toen met al zijn resterende kracht te zagen.

Het touw knapte met een scherp geluid dat onder water duidelijk te horen was. De tweede Zodiac volgde het voorbeeld van de eerste en schoot als een raket naar de oppervlakte, spoot boven het water uit en kwam vervolgens met een harde klap plat op de golven terecht. Dahlgren miste het grootste deel van deze snelle tocht omhoog: hij werd weliswaar enkele meters meegetrokken maar verloor toen de greep op de lijn, hoewel hij vaart genoeg had om even later happend naar lucht aan de oppervlakte te komen, waar hij de grootst mogelijke moeite moest doen om met zijn ijskoude ledematen weer niet kopje-onder te gaan.

Maar de bijboot was onmiddellijk bij hem en hij werd door drie paar armen uit het water geplukt. Snel werd hij met een oude deken droog gewreven en trok toen enkele shirts over elkaar aan, alsmede enkele lange onderbroeken, stuk voor stuk ter beschikking gesteld door zijn medebemanningsleden. Toen hij eindelijk zijn parka en laarzen weer aanhad, staarde hij, onophoudelijk huiverend, met wijd opengesperde ogen Stenseth aan.

'Dát was koud water,' mompelde hij. 'Dat hoeft van mij geen tweede keer.'

Stenseth liet geen tijd verloren gaan en manoeuvreerde de bijboot snel langs de Zodiacs, pakte de boeglijnen beet en gaf weer gas. Met de op het water stuiterende Zodiacs op sleeptouw, schoot de bijboot over het open water naar het steeds verder onder de golven verdwijnende voorschip van de lichter. Het water stond nu halverwege het luik van ruim één, maar op de een of andere manier weigerde het gigantische vaartuig nog steeds ten onder te gaan.

De bevrijde gevangenen waren op het voorschip samengedromd, ervan overtuigd dat de bijboot hen aan hun lot had overgelaten. Toen het geronk van de buitenboordmotor plotseling weer aanzwol, tuurden ze tegen beter weten in nog enigszins hoopvol in de duisternis. Enkele seconden later doemde de bijboot uit de nevelen op met twee lege Zodiacs op sleeptouw. Een paar mannen begonnen te juichen, en anderen vielen hen al snel bij, totdat vanaf het voorschip één gigantisch emotioneel geladen gejuich van dankbaarheid opsteeg.

Stenseth manoeuvreerde de bijboot tot pal naast ruim één, kwam tot stilstand, met de twee Zodiacs vlak achter hem. Terwijl de uitgeputte mannen snel aan boord van de rubberboten klauterden, stapte Murdock in de bijboot over.

'God zegene jullie,' zei hij tegen de hele bemanning.

'Je moet die bevroren Texaan helemaal voorin bedanken, tenminste, als hij eindelijk eens ophoudt met rillen,' zei Stenseth. 'Ik wilde ondertussen voorstellen hier zo snel mogelijk te verdwijnen, voor die gigant ons allemaal mee naar beneden zuigt.'

Murdock knikte en stapte over op een van de Zodiacs. De rubberboten waren binnen de kortste keren gevuld en snel werd er tegen de lichter afgeduwd. Omdat de motoren vol water waren gelopen en er geen peddels meer waren, waren ze wat betreft de voorstuwing geheel van de bijboot afhankelijk. Een bemanningslid van de *Narwhal* gooide een sleeplijn naar een van de Zodiacs, terwijl de andere rubberboot daar weer achter vastgemaakt werd.

De drie vaartuigen dreven bij de zinkende lichter vandaan, en toen even later de sleeplijn strak kwam te staan startte Stenseth de buitenboordmotor weer. Niemand had zin om nog langer bij de ten ondergang gedoemde lichter te blijven en emotioneel afscheid nemen was er al helemaal niet bij, want dat schip vertegenwoordigde voor de mannen die erop gevangen hadden gezeten uitsluitend ellende. De drie vaartuigen ploeterden in oostelijke richting en lieten het zinkende schip al snel in de nevel achter. Met nauwelijks enig gemurmel gleed de zwarte kolos, waarvan de ruimen nu nagenoeg vol water stonden, enkele ogenblikken later bijna geluidloos onder de golven.

76

'Het is hier even donker als driehonderd meter beneden ons op de bodem.'

Giordino keek door het uitkijkraam van het onderzeevaartuig naar buiten, en zijn vaststelling was niet overdreven. Slechts enkele ogenblikken geleden was de *Bloodhound* te midden van een massa schuim en luchtbellen aan de oppervlakte gekomen. De twee inzittenden hoopten nog steeds de fonkelende lichtjes van de *Narwhal* in de buurt te zien, maar in plaats daarvan troffen ze een koude, donkere zee aan, gehuld door een dikke mist.

'Misschien moeten we de radio nog maar eens proberen, voor we helemaal geen stroom meer hebben,' zei Pitt.

De accu's van het onderwatervaartuig waren bijna leeg en Pitt wilde het nog resterende vermogen voor de radio bewaren. Hij boog zich iets naar voren, haalde een hendel over waarmee hij de ballasttanks vergrendelde, en schakelde vervolgens het luchtfiltersysteem uit, dat met zo weinig elektriciteit toch nauwelijks functioneerde. Als ze frisse lucht wilden hebben zouden ze het luik op een kier moeten zetten, hoewel die lucht dan wel ijskoud zou zijn.

Eenmaal aan de oppervlakte riepen ze de *Narwhal* opnieuw via de radio op, maar hun oproep bleef ook deze keer onbeantwoord. Hun zwakke signaal werd alleen opgevangen door de *Otok*, maar werd in opdracht van Zak genegeerd. De *Narwhal*, daarvan waren ze nu wel overtuigd, was van het toneel verdwenen.

'Nog steeds helemaal niets,' zei Giordino moedeloos. Hij dacht na over de radiostilte, en vroeg: 'Wat valt van die knaap aan boord van de ijsbreker te verwachten als hij kort geleden nog een conflict met de *Narwhal* heeft gehad?'

'Erg weinig,' antwoordde Pitt. 'Hij heeft de neiging dingen op te blazen zonder aan de gevolgen daarvan te denken. Hij zit achter het ruthenium aan, wil dat ten koste van alles in handen krijgen. Als hij aan boord van die ijsbreker zit, dan heeft hij het ook op ons voorzien.'

'Mijn gevoel zegt me dat hij aan Stenseth en Dahlgren zijn handen vol zal hebben.'

Daar kon Pitt maar weinig troost uit putten. Hij was degene die het schip deze kant uit had gestuurd en hij was ook degene die de bemanning in gevaar had gebracht. Omdat hij niet wist wat er met het schip was gebeurd, ging hij uit van het ergste en beschouwde zichzelf daarvoor verantwoordelijk. Giordino zag aan de ogen van Pitt dat hij zich schuldig voelde, en stapte op een ander gespreksonderwerp over.

'Hebben we geen voortstuwing meer?' vroeg hij, hoewel hij het antwoord allang wist.

'Ja,' antwoordde Pitt. 'We zijn momenteel helemaal overgeleverd aan de genade van de wind en de stroming.'

Giordino keek naar buiten. 'Ik vraag me af wat onze volgende halteplaats zal worden.'

'Met een beetje geluk worden we in de richting van een van de Royal Geographical Society Islands gestuwd. Maar als de stroming ons eromheen leidt, zouden we nog wel eens een tijdje kunnen ronddobberen.'

'Als ik had geweten dat we een cruise zouden gaan maken, dan had ik een goed boek meegenomen… En mijn lange onderbroek.'

Beide mannen hadden alleen maar een dunne trui aan, omdat ze bij een duik over het algemeen niets warmers nodig hadden. Maar nu de elektronische apparatuur aan boord van het onderwatervaartuig was uitgeschakeld, werd het snel kouder.

'Ik zou zelf al heel erg blij zijn met een broodje rosbief en een tequila,' merkte Pitt op.

'Begin nou niet over eten,' klaagde Giordino. Hij leunde achterover in zijn stoel en sloeg zijn armen over elkaar in een poging warm te blijven. 'Weet je,' zei hij, 'er zijn dagen dat die zachte leren stoel op het hoofdkantoor helemaal niet zo erg is.'

Pitt keek hem met opgetrokken wenkbrauwen aan. 'Heb je plotseling genoeg van het veldwerk?'

Giordino bromde iets, en schudde toen het hoofd. 'Nee. Ik weet dat het erop uitdraait dat zodra ik dat kantoor binnenstap, ik weer onmiddellijk terug naar zee wil. En jij?'

Pitt had al eens eerder over die vraag nagedacht. Hij had een stevige prijs betaald, zowel lichamelijk als mentaal, voor zijn avonturen van de afgelopen jaren, avonturen die hem maar al te vaak in de problemen hadden gebracht. Maar hij besefte dat hij niet anders zou willen.

'Het leven is één grote zoektocht, maar ik heb het zoeken altijd tot mijn leven gemaakt.' Hij draaide zich naar Giordino om en zei grinnikend: 'Ik ben bang dat ze ons achter het stuur vandaan zullen moeten peuteren.'

'Ik ben bang dat het ons in het bloed zit.'

Niet in staat om hun lot ook maar enigszins te beïnvloeden, liet Pitt zich achterover in zijn stoel zakken en deed zijn ogen dicht. Gedachten aan de *Narwhal* en zijn bemanning tolden door zijn hoofd, gevolgd door beelden van Loren in Washington. Maar het beeld dat steeds weer bij hem terugkwam was het gezicht van een breedgeschouderde man met een dreigende blik in zijn ogen. Het was het hoofd van Clay Zak.

77

Het onderwatervaartuig stampte en slingerde in de korte golfslag, en werd met een vaartje van bijna drie knopen in zuidelijke richting gedreven. Geleidelijk kondigde het arctische ochtendgloren zich aan en werd de dikke grijze mist die laag boven het water hing iets lichter. Met weinig anders te doen dan het in de gaten houden van de radio probeerden de twee mannen wat te rusten, maar met de steeds verder dalende binnentemperatuur was het al snel te onaangenaam om te kunnen slapen.

Pitt draaide net aan het luik boven hun hoofd toen het interieur gevuld werd door een schrapend geluid en het onderwatervaartuig met een schok tot stilstand kwam.

'Land in zicht,' mompelde Giordino, die zijn slaperige ogen opendeed.

'Bijna,' reageerde Pitt, die naar buiten keek. Een licht briesje had een kleine opening in de mist geblazen, waardoor er recht voor hen een wit ijsplateau zichtbaar was geworden. Het volgende moment verdween het uitgestrekte ijsveld achter een mistsliert die een meter of dertig voor hen uit voorbijschoof.

'De kans is groot dat er aan de andere kant van dit ijsveld land ligt,' mijmerde Pitt.

'En daar vinden we dan ook een kraampje waar je hete koffie kunt krijgen?' vroeg Giordino, die in zijn handen wreef om ze een beetje warm te maken.

'Ja... maar dan wel zo'n drieduizend kilometer verder naar het zuiden.' Hij keek Giordino aan. 'We kunnen uit twee dingen kiezen. Hier in ons gezellige titanium duikbootje blijven zitten, of proberen hulp te vinden. De Inuit jagen nog steeds in deze omgeving, dus misschien is hier ergens een nederzetting in de buurt. Als de mist optrekt bestaat er altijd nog een redelijke kans dat we een passerend schip kunnen aanhouden.' Hij keek naar zijn kleren. 'Helaas zijn we niet bepaald gekleed voor een wandelingetje over het ijs.'

Giordino rekte zich uit en geeuwde. 'Ik persoonlijk ben het meer dan zat om nog veel langer in dit blik te zitten. Laten we onze benen strekken en kijken wat er in de buurt te vinden is.'

'Akkoord,' zei Pitt, en knikte.

Giordino ondernam nog een laatste poging om contact met de *Narwhal* op te nemen en schakelde de radio toen uit. De mannen klommen door het luik naar buiten en werden prompt geconfronteerd met een temperatuur van twaalf graden onder nul. De boeg had zich stevig in het dikke zee-ijs vastgeklemd, dus konden ze moeiteloos van het onderwatervaartuig op de bevroren vlakte stappen. Een in kracht toenemende bries begon de laaghangende mist te verdrijven. Voor hen strekte zich alleen maar ijs uit, dus begonnen ze maar aan hun mars, met de droge sneeuw krakend onder hun voeten.

Het zee-ijs was hoofdzakelijk vlak, hoewel hier en daar verspreid liggende verhogingen in het ijslandschap te zien waren. Ze hadden nog maar een korte afstand afgelegd toen Giordino links van hen iets opmerkte. Het leek op een kleine sneeuwhut die nogal primitief in een ijsrichel was uitgehouwen.

'Dat ziet eruit alsof het door een mens is gemaakt,' zei Giordino. 'Misschien heeft iemand daar zijn oorwarmers laten liggen.'

Giordino liep naar de ingang van het hol, liet zich op een knie zakken en stak zijn hoofd naar binnen. Pitt liep achter hem aan en bleef toen staan om een afdruk te bekijken die hij in de sneeuw tegenkwam. Toen hij de vorm herkende verstijfde hij.

'Al,' fluisterde hij waarschuwend.

Giordino aarzelde. Hij had al gezien dat aan het eind van de schemerige toegang, die een kleine meter lang was, het hol zich verbreedde. Binnen in het duistere interieur kon hij nog net een grote witte bontmassa onderscheiden die bij elke ademhaling iets op en neer ging. De ijsbeer had zijn winterslaap al achter de rug, maar was naar zijn winterschuilplaats teruggekeerd voor een lentetukje. En een hongerige ijsbeer, die volkomen onvoorspelbaar was, kon beide mannen moeiteloos verorberen.

Hij herkende het gevaar onmiddellijk, en Giordino schoof stilletjes achteruit naar buiten. Geluidloos vormde hij het woord 'beer' naar Pitt, en samen haastten ze zich, op hun tenen over het ijs lopend, bij het hol vandaan. Toen ze buiten gehoorsafstand waren vertraagde Giordino zijn pas en keerde de kleur weer een beetje op zijn bleke gezicht terug.

'Ik hoop alleen maar dat de robben in dit gebied niet al te snel zijn en in groten getale voorkomen,' zei hij hoofdschuddend, nog steeds enigszins aangedaan door de recente ontdekking.

'Ja, ik zou het niet leuk vinden als je als haardkleedje in dat berenhol zou eindigen,' antwoordde Pitt, die met moeite een lach kon onderdrukken.

Het gevaar was maar al te reëel, wisten ze, en terwijl ze zich verder van zee verwijderden bleven ze goed om zich heen kijken.

Naarmate het berenhol achter hen in de mist verdween, doemde er voor hen uit in de nevel een donker, rotsachtig lint op dat onmiskenbaar het vasteland moest zijn. Aan de horizon waren in een golvend patroon van kammen en ravijnen bruine en grijze stukken grond te zien. Ze waren op de noordkust van de Royal Geographic Society Islands terechtgekomen, zoals Pitt al had voorspeld, en in dit geval op West Island. Een grote hoeveelheid ijs, opgestuwde schotsen die 's winters door Straat Victoria schuurden, had zich langs de kust verspreid en vormde een barrière die hier en daar wel achthonderd meter breed was. Benaderd vanuit de bevroren zee leek het kale eiland alleen maar kille troosteloosheid uit te stralen.

De twee mannen hadden de kustlijn bijna bereikt toen Pitt plotseling bleef staan. Giordino draaide zich om, zag de blik op Pitts gezicht en spitste zijn oren. In de verte was een zwak gekraak te horen, begeleid door een dof gerommel. Het geluid duurde onverminderd voort, en klonk naarmate de bron dichterbij kwam steeds luider.

'Onmiskenbaar een schip,' mompelde Giordino.

'Een ijsbreker,' zei Pitt.

'*De* ijsbreker?'

Giordino's vraag werd een paar minuten later beantwoord, toen honderd meter uit de kust de logge voorsteven van de *Otok* uit de mist opdoemde. Zijn hoge boeg sneed door het dertig centimeter dikke ijs alsof het pudding was, waarbij bevroren brokstukken alle kanten op vlogen. Alsof het de aanwezigheid van Pitt en Giordiono plotseling leek te bespeuren, nam het stampen van de machines van de ijsbreker langzaam af tot het niet meer was dan een laag, stationair geronk en kwam het vaartuig tegen het zich ophopende ijs tot stilstand.

Pitt tuurde naar het vaartuig, en werd overvallen door een kil, misselijk gevoel. Hij had onmiddellijk gezien dat de voorsteven van het schip in elkaar was gedrukt, onmiskenbaar het gevolg van een harde aanvaring. Het was recente averij, en het bewijs daarvan was het feit dat bij de klap van verscheidene huidplaten de verf was afgeschraapt, en dat op die beschadigingen nog geen enkele roestvorming te zien was. Veelzeggender nog was de turkooisblauwe verf die hier en daar op de geplette boeg van de ijsbreker te zien was.

'Die boot heeft de *Narwhal* geramd,' stelde Pitt vast.

Giordino knikte; hij was tot dezelfde conclusie gekomen. De aanblik veroorzaakte bij beide mannen een verlammend gevoel, want ze beseften dat hun bangste vermoedens nu bewaarheid werden. De *Narwhal* lag nu ongetwijfeld ergens op de bodem van Straat Victoria, samen met de bemanning. Toen zag Giordino iets dat bijna even schokkend was.

'Die boot heeft niet alleen de *Narwhal* geramd,' zei hij. 'Moet je eens kijken naar de rompplaten rond het kluisgat.'

Pitt bekeek de romp van de ijsbreker aandachtig en zag een ondiepe deuk die het gevolg van een aanvaring moest zijn geweest. De rode verf op de romp was er weggeschraapt, waardoor er een grijze onderlaag zichtbaar was geworden. Aan de rand van de deuk was een rechthoekig stuk witte verf te zien.

'Zou dit schip in een vorig leven een grijs oorlogsschip zijn geweest?' opperde hij.

'Wat dacht je van de FFG-54? Een fregat van onze marine, eveneens bekend onder de naam *Ford*. We zijn dat schip een paar weken geleden in de Beaufortzee tegengekomen. De overlevenden van dat Canadese ijskamp kwamen ook al met dat verhaal. Het lijkt er verdomd veel op dat onder die rode verf het witte cijfer 5 schuilgaat.'

'Snel even overschilderen in het grijs dat door de Amerikaanse marine wordt gebruikt, en voor je het weet heb je een internationaal incident.'

'Tijdens een sneeuwstorm en met de Stars and Stripes in top dwars door het ijskamp scheuren – ik kan me voorstellen dat die wetenschappers op het verkeerde been zijn gezet. De vraag is alleen, waarom al deze moeite doen?'

'Gezien het ruthenium en de olie- en gasreserves hier in de buurt, ben ik geneigd te denken dat Goyette hier de arctische ijsbaron wil uithangen,' zei Pitt. 'Het wordt allemaal een stuk gemakkelijker voor hem als hij ervoor kan zorgen dat de Verenigde Staten uit dit gebied geweerd worden.'

'En momenteel komt die Amerikaanse aanwezigheid voornamelijk neer op jou en mij.'

Hij was nog niet goed en wel uitgesproken toen drie mannen in zwarte parka's aan dek van de ijsbreker verschenen en naar de reling liepen. Zonder te aarzelen brachten ze elk een Steyr-machinepistool omhoog, richtten op Pitt en Giordino en openden het vuur.

78

Mijlen verder naar het noordoosten weerklonk een luid gesputter en gekuch over het water. Naar brandstof snakkend verbruikte de buitenboordmotor van de bijboot de laatste druppels benzine, en kwam toen gorgelend tot stilstand. De mannen aan boord zwegen en keken elkaar nerveus aan. Uiteindelijk tilde de roerganger van de *Narwhal* een leeg veertigliterblik boven zijn hoofd.

'Kurkdroog, kapitein,' zei hij tegen Stenseth.

De gezagvoerder van de *Narwhal* wist dat dat eraan zat te komen. Als ze alleen door waren gevaren hadden ze de kust gehaald. Maar de twee afgeladen Zodiacs die ze op sleeptouw hadden genomen hadden als een soort zeeanker gefungeerd. En de stevige golfslag en de krachtige zuidelijke stroming waar ze het tegen hadden moeten opnemen hielpen ook niet erg mee. Maar hij had geen moment overwogen de mannen in de andere boten achter te laten.

'Riemen tevoorschijn halen,' beval Stenseth. 'Laten we proberen deze koers aan te houden.'

Hij boog zich naar de roerganger toe, die een uitstekend navigator was, en vroeg kalm: 'Hoe ver denk je dat we van King William Island verwijderd zijn?'

De roerganger keek moeilijk.

'Het is onder deze omstandigheden erg moeilijk om in te schatten welke afstand we hebben afgelegd,' antwoordde hij met zachte stem. 'Ik heb het idee dat we zo'n vijf mijl van het eiland af zitten.' Hij haalde nauwelijks merkbaar zijn schouders op om aan te geven dat hij niet zeker was van zijn zaak.

'Daar zat ik ook aan te denken,' antwoordde Stenseth, 'hoewel ik hoop dat we een stuk dichterbij zitten.'

Het vooruitzicht geen land te zullen bereiken begon hem steeds meer angst in te boezemen. De golfslag was nog hetzelfde, maar hij was ervan overtuigd dat de wind enigszins was aangewakkerd. Tientallen jaren op zee hadden ervoor gezorgd dat hij een uitstekend inzicht in het weer had ontwikkeld. Hij voelde het aan zijn botten dat het water straks aanzienlijk ruwer zou worden. En gezien hun netelige situatie zou dat wel eens hun ondergang kunnen worden.

Hij draaide zich om en keek naar de zwarte rubberboten die in de mist achter hen aan hingen. In het eerste licht van de dageraad kon hij van de geredde mannen nu enkele gezichten onderscheiden. Een aantal was er slecht aan toe, dat zag hij onmiddellijk, en had nog duidelijk te lijden van de kou. Maar als groep vormden ze een toonbeeld van kalme onver-schrokkenheid – niemand klaagde over de positie waarin men verkeerde.

Murdock kreeg Stenseth in het oog en riep: 'Enig idee waar we zitten?'

'Straat Victoria. Iets ten westen van King William Island. Ik wilde dat ik kon zeggen dat er elk moment een cruiseschip langs kan komen, maar ik ben bang dat we op onszelf zijn aangewezen.'

'We zijn allang blij dat jullie ons hebben gered. Hebben jullie nog extra riemen aan boord?'

'Nee, ik ben bang dat jullie wat betreft de voortstuwing nog helemaal van ons afhankelijk zijn. Maar we moeten toch over niet al te lange tijd land in zicht krijgen,' voegde hij er optimistisch aan toe, een optimisme dat hij absoluut niet voelde.

De bemanning van de *Narwhal* wisselde elkaar aan de riemen af. Het kost-te ongelooflijk veel moeite om vaart te blijven maken, terwijl het zonder meer frustrerend was dat ze, met al die nevel om zich heen, niet konden zien welke vorderingen ze maakten. Af en toe spitste Stenseth zijn oren om te horen of hij de branding al op een kust kon horen stukslaan, maar het enige wat hij hoorde was het geluid van golven die tegen de drie vaartuigen sloegen.

Zoals hij al voorspeld had begonnen de golven in hoogte toe te nemen en wakkerde de wind nog meer aan. Steeds meer water sloeg over het dol-boord van de bijboot, zodat al snel enkele mannen opdracht kregen te gaan hozen. Stenseth zag dat de Zodiacs met hetzelfde probleem te kam-pen hadden en via de achtersteven een hoop water binnenkregen. De situa-tie verslechterde snel en er was nog steeds geen enkele aanwijzing dat ze in de buurt van land zaten.

Tijdens het opnieuw wisselen van roeiers riep een bemanningslid die he-lemaal voorin zat plotseling: 'Kapitein, ik zie iets in het water!'

Stenseth en de anderen tuurden onmiddellijk naar voren en zagen aan de rand van de mist een donker voorwerp. Maar wat het ook mocht zijn, be-sefte Stenseth, het was in elk geval geen land.

'Het is een walvis,' schreeuwde iemand.

'Nee,' mompelde Stenseth, die zag dat het laag in het water liggende voorwerp zwart en onnatuurlijk glad was. Hij bekeek het argwanend en zag dat het niet bewoog en ook geen geluid maakte.

Toen klonk er een luide, elektronisch versterkte stem uit de mist. Iedereen sprong geschrokken op, maar de woorden die volgden getuigden van een raadselachtig mededogen dat in schril contrast stond met de onherbergzame omgeving waarin de mannen verkeerden.

'Ahoy,' riep de onzichtbare stem. 'Hier het USS *Santa Fe*. Voor iedereen van jullie die "Dixie" kan fluiten hebben we hier aan boord een warme grog en een warme kooi beschikbaar.'

79

Clay Zak kon zijn ogen niet geloven. Nadat hij het NUMA-schip tot zinken had gebracht, gaf hij opdracht koers te zetten naar de Royal Geographical Society Islands en hij had zich vervolgens in zijn hut teruggetrokken. Hij had geprobeerd wat te slapen, maar dat was niet gelukt, zozeer werd hij in beslag genomen door het lokaliseren van het ruthenium. Al na een paar uurtjes was hij naar de brug teruggekeerd en had bevel gegeven koers te zetten naar het West Island. Het vaartuig ploegde door de aangrenzende ijszee en naderde de nieuwe locatie van de rutheniummijn.

Toen het schip langzaam en met veel geknars in het ijs tot stilstand kwam liet hij de geologen uit hun kooi halen. Een minuut later zag de roerganger een felgekleurd voorwerp dat zich aan de rand van het zee-ijs bevond.

'Het is het onderwatervaartuig van dat onderzoeksschip,' meldde hij.

Met één sprong was Zak bij het brugvenster en keek vol ongeloof toe. Inderdaad, een eindje verderop, aan stuurboord en door de grijze mist nauwelijks zichtbaar, lag het felgele onderwatervaartuig in het ijs ingeklemd.

'Hoe zijn ze dit aan de weet gekomen?' foeterde hij, niet beseffend dat het duikbootje hier uit eigener beweging was aangespoeld. Van pure woede begon zijn hart feller tekeer te gaan. Hij was de enige die beschikte over de Inuit-kaart met daarop de rutheniummijn. Hij had nog maar kortgeleden dat nieuwsgierige NUMA-schip tot zinken gebracht en was daarna rechtstreeks naar de betreffende plek gevaren. En toch bleek Pitt hem nu voor te zijn.

De kapitein van de ijsbreker, die in zijn kooi had liggen slapen, had gemerkt dat het schip stil was komen te liggen, en wankelde nu met slaperige ogen naar de brug.

'Ik heb je nog zo gezegd dat je met deze beschadigde boeg uit de buurt van het zeeijs moet blijven,' mopperde hij. 'Toen hem alleen maar een kille blik werd toegeworpen, vroeg hij: 'Kunnen we de geologen eropuit sturen?'

Zak negeerde hem, want de eerste stuurman wees door een raampje aan bakboord naar buiten.

'Kapitein, er staan twee mannen op het ijs,' meldde hij.

Zak bekeek de twee gestalten even en ontspande toen zichtbaar.

'Vergeet die geologen maar,' zei hij grijnzend. 'Stuur het bewakingsteam naar me toe. Nú.'

Het was niet de eerste keer dat er op Pitt en Giordino werd geschoten, en ze kwamen bij het zien van het eerste mondingsvuur dan ook onmiddellijk in actie. Terwijl de eerste kogels zich op slechts enkele centimeters bij hen vandaan in het ijs boorden verspreidden ze zich razendsnel en holden in de richting van de kust. Vanwege het ongelijke oppervlak konden ze het onmogelijk op een rennen zetten, zodat ze gedwongen waren om een zigzagparcours te volgen; ze werden daardoor een uiterst lastig doelwit, terwijl de schutters – omdat Pitt en Giordino steeds verder uit elkaar werden gedreven – nu moesten kiezen wie ze onder vuur zouden nemen.

De drie pistoolmitrailleurs brachten een snel *tat-tat-tat-tat* ten gehore, terwijl rond de voeten van Pitt en Giordino de brokken ijs de lucht in spatten. Maar ze hadden er stevig de sokken in en de nauwkeurigheid van de schutters werd, naarmate het tweetal verder uit de buurt van de ijsbreker kwam, snel minder. Beide mannen holden naar een dunne mistbank die over het strand hing. Uiteindelijk wisten ze de kust te bereiken, waar de mist hen als een mantel omhulde en ze onzichtbaar waren voor de schutters aan boord van het schip.

Naar adem happend liepen de twee mannen over een stuk strand dat vol lag met ijs weer naar elkaar toe.

'Dat hadden we net nodig, een nieuw warm welkom op deze ijskoude buitenpost,' zei Giordino terwijl er enorme condenswolken uit zijn mond naar buiten kwamen.

'Je moet de dingen van de zonzijde bekijken,' bracht Pitt moeizaam uit. 'Het waren een paar seconden waarin we vergaten hoe koud het hier is.'

Zonder muts, handschoenen en parka hadden beide mannen het vreselijk koud. Hun abrupte sprint had hun bloed weliswaar weer een beetje in beweging gebracht, maar hun gezicht en oren tintelden pijnlijk, terwijl hun vingers bijna gevoelloos waren. De lichamelijke inspanningen om warm te blijven begonnen hun energiereserves al uit te putten, en beide mannen voelden zich na de korte sprint bekaf.

'Ik heb zo het gevoel dat onze warm aangeklede vrienden op korte termijn achter ons aan zullen komen,' zei Giordino. 'Heb jij nog een voorkeur welke kant uit we 'm zullen smeren?'

Pitt liet zijn blik langs de kustlijn glijden, hoewel zijn zicht belemmerd werd door de nu langzaam oplossende nevel. Voor hen rees een vrij steile richel op, die links van hen steeds hoger leek te worden. Rechts van hen liep hij af, om over te lopen in een ander, iets rondere heuvel.

'We moeten zo snel mogelijk van dit ijs af, zodat we geen sporen achterlaten. Ik voel er het meest voor het hoge terrein te nemen. Verder denk ik dat we, als we naar het binnenland willen, het beste de kust naar rechts kunnen volgen.'

De mannen gingen op een sukkeldrafje op weg terwijl een windstoot bevroren ijsdeeltjes in hun gezicht joeg. De aanwakkerende wind zou nu hun vijand worden, niet alleen vanwege de kou maar ook omdat ze de mist verdreef waarin ze zich verborgen hielden. Ze bereikten de voet van de lage rotswand en liepen door naar een steil, met ijs gevuld ravijn dat de richel doorsneed. Ze beseften dat daar geen doorkomen aan was en renden verder, op zoek naar de volgende doorgang die hen landinwaarts kon brengen. Ze hadden zo'n achthonderd meter over het strand afgelegd toen ze opnieuw door een windstoot werden getroffen.

De wind geselde hun onbedekte huid, terwijl hun longen hun uiterste best moesten doen om de ijskoude lucht te absorberen. Alleen ademhalen was al een foltering, maar geen van beiden hield in. Toen was het metaalachtige gehamer van pistoolmitrailleurvuur weer te horen, waarbij de kogels zich in een rotswand enkele meters achter hen boorden.

Pitt wierp een snelle blik over zijn schouder en zag dat de windstoot achter hen een opening in de mist had gecreëerd. In de verte waren twee gestalten zichtbaar, die onmiskenbaar hun kant uit kwamen. Zak had zijn bewakers in drie groepjes opgesplitst en in verschillende richtingen het strand op gestuurd. Het duo dat in westelijke richting was gezonden had een meevaller: de wind joeg het mistgordijn open waardoor de twee vluchtelingen zichtbaar werden.

Voor zich zag Pitt een volgende mistbank hun kant uit rollen. Als ze nog één minuut kans zagen om niet door kogels geraakt te worden, zou die mist hen weer aan het oog onttrekken.

'Die knapen beginnen me te irriteren,' bracht Giordino moeizaam uit terwijl beide mannen hun tempo nog wat verhoogden.

'Hopelijk denkt die ijsbeer er net zo over,' antwoordde Pitt.

Een nieuw salvo boorde zich in de ijsrand een eindje voor hen uit. De schutters waren een stuk minder nauwkeurig, want ze vuurden nu tijdens het lopen, maar het was een kwestie van tijd voor ze een toevalstreffer zouden plaatsen. Terwijl hij naar de mist sprintte bekeek Pitt de richel links van hem. Een eindje verderop werd die opnieuw door een ondiep ravijn doorsneden, alleen was dit iets breder dan het eerste. Het lag vol met rotsen en ijs, maar zo te zien moesten ze ertegenop kunnen klimmen.

'Laten we zodra die mist over is gewaaid proberen tegen het volgende ravijn op te klauteren,' hijgde hij.

Giordino knikte, deed alle mogelijke moeite om de mistbank te bereiken, waar ze op dat moment nog een meter of vijftig van verwijderd waren. Een nieuw salvo boorde zich in het ijs, deze keer vlak achter hen. De schutters waren blijven staan om weer eens een gericht schot te lossen.

'Ik geloof nooit dat we het halen,' mompelde Giordino.

Ze waren bijna bij het ondiepe ravijn, maar waren nog steeds een eind van de mist verwijderd. Enkele meters verderop zag Pitt een groot, plat, rechtovereind staand en met ijs bedekt rotsblok uit het ravijn steken. Happend naar adem wees hij er alleen maar op.

De helling vlak boven hun hoofd spatte plotseling in brokstukken uit elkaar toen de schutters de juiste afstand vonden. Beide mannen doken onwillekeurig in elkaar en reikten naar het rotsblok, om zich er het volgende moment achter te storten terwijl enkele centimeters verderop de kogels de aarde omploegden. Languit op de grond liggend probeerden ze in de ijzige lucht weer enigszins op adem te komen, waarbij hun lichaam overal pijn deed. Terwijl ze daar zo lagen, onzichtbaar voor hun achtervolgers, hield het vuren op, en enkele ogenblikken later werd hun locatie door de mistbank aan het oog onttrokken.

'Volgens mij moeten we hier omhoog,' zei Pitt, die moeizaam overeind kwam. Het ravijn boven hen werd gevuld door een donkere massa met ijs bedekte rotsblokken, maar ernaast was een geul te zien die wel degelijk begaanbaar was.

Giordino knikte, stond op en liep naar de helling. Hij begon te klimmen en zag toen dat Pitt niet meekwam. Hij draaide zich om en zag dat zijn metgezel aandachtig naar het stuk rots keek en er met zijn hand overheen gleed.

'Misschien is dit niet het juiste moment om het gesteente te bewonderen,' merkte hij vermanend op.

Pitts vingers volgden de platte rots naar de onder het ijs zittende helling, en keek toen op. 'Dit is geen rots,' zei hij snel. 'Dit is een roer.' Giordino keek Pitt aan alsof hij stapelgek was geworden, maar volgde toen diens blik omhoog langs de helling. Boven hen bevond zich een donkere rotsmassa onder een dun laagje ijs. Toen hij de heuvel nog wat beter bekeek, voelde Giordino hoe zijn mond van verbazing openviel. Het was helemaal geen rotsmassa, besefte hij verbijsterd.

Boven hen, verankerd in het ijs, bevond zich de zwarte houten romp van een negentiende-eeuws zeilschip.

80

De *Erebus* lag erbij als een vergeten relikwie uit een vervlogen tijdperk. Gevangen in het drijfijs dat haar van het beschadigde zusterschip had gescheiden, was de *Erebus* door een gigantische hoeveelheid zee-ijs die honderdzestig jaar geleden door Straat Victoria was opgerukt, de kust op gedrukt. Een scheepswrak dat geweigerd had op zee ten onder te gaan was in het ravijn geschoven om geleidelijk aan begraven te worden onder het ijs.

De romp was omgeven door ijs, terwijl het schip aan bakboord aan de steile helling zat vastgekoekt. De drie masten van het schip stonden nog overeind, maar allemaal onder een andere hoek en gehuld in een ijslaag die verbonden was met de aangrenzende richel. Maar aan de stuurboordkant en op het dek was opmerkelijk weinig ijs te zien, merkten Pitt en Giordino toen ze langs de geul omhoog klauterden en vervolgens over de leuning klommen. De mannen keken verbijsterd om zich heen, en konden nog steeds niet geloven dat ze op het dek van Franklins vlaggenschip liepen.

'Smelt al het ijs en ze ziet eruit alsof ze zo weer naar Engeland terug kan varen,' merkte Giordino op.

'Als ze ruthenium aan boord heeft, stel ik voor dat we eerst even de Potomac opzeilen,' reageerde Pitt.

'Voorlopig neem ik genoegen met een paar dekens en een glaasje rum.'

De mannen rilden onafgebroken van de kou, terwijl hun lichamen hun uiterste best deden de temperatuur niet nog verder te laten dalen. Beiden voelden ze zich slap en lusteloos, en Pitt besefte dat ze snel naar warmte op zoek moesten. Hij stapte over een trapgat achter het hoofdluik en trok een uit elkaar vallend canvas dekzeil weg.

'Heb je iets bij je wat licht geeft?' vroeg hij aan Giordino terwijl hij in het duistere interieur tuurde.

Giordino haalde een Zippo-aansteker tevoorschijn en gooide hem die toe. 'Maar als er Cubaanse sigaren aan boord blijken te zijn wil ik hem terug.'

Pitt daalde als eerste de steile trap af en klikte zodra hij het benedendek had bereikt de aansteker aan. Hij zag enkele kaarsenlantaarns aan de wand hangen en stak de zwartgeblakerde pitten ervan aan. De oude kaarsen branddden nog steeds krachtig en wierpen een flakkerende oranje gloed over de gelambriseerde gang. Giordino vond een olielamp die aan een spijker hing, zodat ze nu ook een lamp hadden waarmee ze van het ene na het andere vertrek konden lopen. In tegenstelling tot de *Terror*, met zijn spartaanse uitstraling, was het aan boord van de *Erebus* een puinhoop. De gang lag bezaaid met kisten, afval en andere rommel. Overal lagen tinnen bekers in het rond, terwijl de onmiskenbare geur van rum in het schip hing, samen met nog wat bedompte luchtjes. En dan waren er de lichamen nog.

Toen ze naar voren liepen om een snelle blik in de bemanningsverblijven te werpen, werden Pitt en Giordino geconfronteerd met een macaber duo: twee mannen lagen met ontbloot bovenlichaam languit op de grond. Bij de een was de zijkant van het hoofd verbrijzeld, terwijl op enige afstand een bebloede baksteen lag. Bij de ander stak een groot keukenmes uit zijn ribbenkast. Stijf bevroren en op een angstaanjagende manier geconserveerd, kon Pitt zelfs nog zien welke kleur ogen de mannen hadden. In het bemanningsverblijf vonden ze nog een heel stel lichamen in min of meer dezelfde toestand. Pitt zag onwillekeurig dat op de gezichten van de doden een gekwelde uitdrukking lag, alsof ze waren omgekomen door iets dat veel erger was dan alleen de elementen.

Pitt en Giordino bleven hier maar kort, wilden niet te lang getuige zijn van dit afschuwelijke tafereel, liepen terug naar de trap en daalden af naar het koebrugdek. Toen ze het washok bereikten onderbraken ze hun zoektocht naar het ruthenium even. Hier werd ook de bovenkleding van de bemanning bewaard, en de opslagruimte bevatte dan ook planken met laarzen, jassen, hoeden en dikke sokken. Ze vonden twee dikke wollen officiersjassen die nagenoeg pasten en de mannen trokken de kleding snel aan, waarna ze het geheel completeerden met wanten en een hoed. Na enige tijd voelden ze eindelijk weer iets dat in de verte op warmte leek en doorzochten vervolgens de rest van het dek.

Net als op het bovengelegen dek was het koebrugdek één grote puinhoop. Lege vaten en kisten waarin voedsel had gezeten vormden een hoge stapel, waaruit kon worden afgeleid dat er ooit een enorme hoeveelheid levensmiddelen aan boord moest zijn geweest. Ze gingen de victualiënkamer binnen, die niet op slot zat, en waar gewoonlijk de sterkedrank en de wapens werden bewaard. Hoewel de rekken met musketten zo te zien niet waren aangeraakt, vormde de rest van de opslagruimte een slagveld: kapotgeslagen vaten waarin rum en cognac hadden gezeten lagen op de grond, terwijl ook hier overal kleine tinnen bekertjes over de vloer verspreid lagen. Ze liepen verder naar achteren en stuitten op de bunkers waarin gewoonlijk de steenkolen voor de stoommachine werden opgeslagen. De bunkers waren leeg, maar Pitt zag op de bodem van een van de bunkers wat zilverachtige stof en enkele bolletjes liggen. Hij pakte een van de bolletjes op en merkte onmiddellijk dat het veel zwaarder dan steenkool was. Giordino ontdekte vlak in de buurt een opgerolde jutezak. Met zijn voet rolde hij hem uit en zag toen dat er in sjabloonletters BUSHVELD, ZUID-AFRIKA op stond gedrukt.

'Ze hebben het hier wel opgeslagen gehad, maar blijkbaar hebben ze alles aan de Inuit overgedaan,' mompelde Pitt, terwijl hij het bolletje in de kolenbunker teruggooide.

'Dan zit er niets anders op dan dat we het logboek proberen te vinden en te kijken waar ze het vandaan hadden,' zei Giordono.

Plotseling hoorden ze buiten een zwak geschreeuw.

'Zo te horen komen onze vrienden deze kant op,' zei Giordino. 'We kunnen maar beter gaan.' Hij deed een stap in de richting van de trap, maar zag dat Pitt niet achter hem aan kwam. Hij kon de radertjes in diens hoofd bijna zien draaien.

'Denk jij dat het zinvol is om aan boord te blijven?' vroeg Giordino.

'Als wij ze het warme welkom kunnen geven waarvan ik dénk dat we ze het kunnen geven,' antwoordde Pitt met een flauw glimlachje.

Met de olielamp zwaaiend ging hij Giordino voor naar de victualiën-kamer. Hij zette de lamp boven op een kist die ook al jarenlang van een ijs-laagje was voorzien, en stapte af op het rek waar de Brown Bess-musketten in stonden die hij al eerder had gezien. Hij haalde een wapen uit het rek, hield het omhoog, bekeek het nauwkeurig en kwam tot de conclusie dat de musket in uitstekende conditie verkeerde.

'Het is niet bepaald een automatisch wapen, maar het brengt het machtsevenwicht wel een beetje dichterbij,' merkte hij op.

'Ik denk niet dat de vorige eigenaar het erg vindt als we ze gebruiken,' antwoordde Giordino.

Pitt draaide zich om, nieuwsgierig naar de reden waarom zijn vriend die opmerking maakte. Hij zag Giordino op de kist wijzen waarop ze de olie-lamp hadden neergezet. Pitt kwam een stapje dichterbij en besefte plotseling dat het geen gewone kist was maar een houten doodskist die op een paar schragen was geplaatst. Het licht van de olielamp weerkaatste op een tinnen plaatje dat op het brede uiteinde van het deksel was bevestigd. Pitt boog zich iets naar voren en veegde een laagje ijs weg, waardoor witte letters zichtbaar werden die met de hand op het tin waren aangebracht. Toen hij het grafschrift las liep er een koude rilling over zijn rug.

SIR JOHN FRANKLIN
1786 – 1847
ZIJN ZIEL BEHOORT DE ZEE TOE

81

Zak wachtte tot zijn beveiligingsteam Pitt en Giordino nagenoeg hadden ingesloten, en zou pas daarna de gerieflijke warmte van de ijsbreker verlaten. Hoewel hij natuurlijk onmogelijk kon weten of een van deze
mannen inderdaad Pitt was, vertelde zijn intuïtie dat dat vrijwel zeker het
geval moest zijn.

'Thompson en White hebben ze achtervolgd toen ze probeerden landinwaarts te ontkomen,' meldde een van de huurlingen die naar het schip
waren teruggekeerd. 'Een eindje verderop ligt een oude boot op het strand
waar ze blijkbaar in geklommen zijn.'

'Een boot?' herhaalde Zak.

'Ja, een of ander oud zeilschip. Het zit vastgeklemd in een ravijn en zit
onder het ijs.'

Zak wierp een snelle blik op de bij de Miners Co-op gestolen kaart, die
op de kaartentafel lag. Had hij weer een verkeerde inschatting gemaakt?
Wás het helemaal geen mijn, maar een schip waar het Inuit-ruthenium vandaan kwam?

'Breng me naar dat schip,' beval hij. 'Ik ga dit voor eens en voor altijd
uitzoeken.'

De wind haalde nog steeds af en toe fel uit en geselde zijn gezicht terwijl
ze langs het zee-ijs ploeterden. De aanwakkerende wind zorgde er ook
voor dat de grondmist snel oploste, en Zak zag een eind verderop op het
strand verscheidene van zijn mannen aan de voet van een lage steile rotswand staan. Er was nergens een schip te zien, en hij vroeg zich af of zijn
beveiligingsmensen misschien iets te lang in de kou hadden rondgelopen.
Maar toen hij het ravijn naderde, zag hij de omvangrijke zwarte romp van
de *Erebus* tussen de richel geklemd zitten en keek verbaasd toe. Zijn aandacht werd echter afgeleid door een van de mannen die naar hem toe liep.

'Hun sporen leiden naar die geul daar. We zijn ervan overtuigd dat ze
aan boord zijn geklommen,' zei de man, een kleerkast met een spleetje tussen zijn voortanden die White heette.

'Neem twee man mee en ga aan boord van het schip,' reageerde Zak nadat er nog vijf man om hem heen waren komen staan. 'De rest van jullie verspreidt zich over het strand voor het geval ze een omtrekkende beweging proberen te maken.'

White selecteerde twee man en klauterde tegen de geul op, op enige afstand gevolgd door Zak. Het hier en daar nog met ijs bedekte terrein reikte tot ongeveer een halve meter onder het bovendek, waardoor er nog een klein stukje tegen de romp op moest worden geklommen om de reling te bereiken en aan boord te stappen. White was de eerste die boven was en klom, nadat hij zijn pistoolmitrailleur over zijn schouder had gehangen, snel tegen de romp op, om vervolgens zijn been over de reling te slaan. Toen hij zijn voet neerzette keek hij naar de overkant, waar net een man met zwart haar en enkele musketten bij zich aan dek was verschenen.

'Staan blijven!' bulderde White.

Maar dat deed Pitt niet.

Het werd onmiddellijk een dodelijke race wie zijn wapen het eerst kon richten, en geen van beiden aarzelde ook maar een seconde. White had het voordeel van een lichter wapen, maar hij bevond zich in een enigszins lastige positie, met één been over de reling. Hij griste het wapen van zijn schouder, wist de pistoolgreep te pakken te krijgen en bracht de loop omhoog, maar hij haalde de trekker al over voor hij goed kon richten. Een ongevaarlijke salvo echode over het dek en boorde zich in een hoop ijs vlak bij het trapgat.

Met zenuwen die even koud waren als het ijs dat het schip omhulde, had Pitt op één na alle wapens laten vallen en drukte nu de dikke kolf van de geladen Brown Bess-musket tegen zijn schouder. De kogels van de huurling ricocheerden een eindje verderop over het dek, terwijl Pitt snel de lange loop richtte en vervolgens de trekker overhaalde. Pitt had het gevoel dat het minuten duurde voor het aan de buitenkant gemonteerde percussieslaghoedje het zwartkruit deed ontbranden en de loden kogel de loop uit schoot.

Op korte afstand was de Brown Bess een dodelijk accuraat wapen en Pitt was een uitstekend schutter. De loden kogel trof White vlak onder het sleutelbeen, en de inslag was zo krachtig dat hij van de reling werd geslingerd. Zijn lichaam sloeg overboord en kwam met een harde klap op de bevroren aarde vlak voor Zaks voeten terecht. Met een verbaasde blik in zijn gebroken ogen keek hij nog even naar Zak op – en stierf toen.

Zak stapte gevoelloos over het lichaam en haalde zijn eigen Glock automatic tevoorschijn.

'Neem ze te grazen!' siste hij tegen de twee andere mannen, en gebaarde met zijn pistool naar het schip.

De schotenwisseling werd al snel een dodelijk spel van kat en muis. Pitt en Giordino doken om de beurt uit het trapgat op om snel twee of drie musketten af te vuren en weer net op tijd weg te duiken voor de kogels uit de pistoolmitrailleurs. Het zicht aan dek werd door een dichte rooksluier, veroorzaakt door het verbrande zwartkruit, al snel beperkt, waardoor het voor de schutters aan beide kanten bijna onmogelijk was om fatsoenlijk te richten.

Pitt en Giordino hadden aan de voet van de trap een geïmproviseerd herlaadstation ingericht, waardoor één man kon blijven vuren terwijl de ander de wapens laadde. Pitt had in de victualiënkamer een vaatje met tweeënhalve kilo zwartkruit gevonden, dat hij naar het benedendek had gebracht. Vanuit het vaatje werden een aantal kruithoorns gevuld, die op hun beurt werden gebruikt om zwartkruit aan te brengen in de musketten, geweren en percussiepistolen die ze beneden hadden gevonden. Tijdens het langdurige herlaadproces zoals dat in het verleden werd gehanteerd, werd het kruit in de loop gegoten, waar het vervolgens met een laadstok werd samengeperst, gevolgd door de loden kogel en een prop watten, die ook werden aangestampt. Pitt was redelijk bekend met het afvuren van antieke wapens en liet Giordino zien hoe de juiste hoeveelheid kruit en de juiste aanstamptechniek het proces kon versnellen. Het laden van een musket met lange loop nam over het algemeen een halve minuut in beslag, maar nadat ze enkele wapens hadden klaargemaakt, waren beide mannen in staat om in nog geen vijftien seconden te herladen. Uit het trapgat opduikend vuurden ze dan één of meerdere wapens af, waarbij ze probeerden hun tegenstanders zoveel mogelijk in het ongewisse te laten.

Ondanks hun superieure vuurkracht, kostte het Zak en zijn mannen de grootst mogelijke moeite om een fatsoenlijk gericht schot af te geven. Ze werden gedwongen om tegen de romp op te klauteren, moesten de reling vastgrijpen en er dekking achter zoeken, terwijl ze vervolgens moesten proberen gericht te vuren. Pitt en Giordino wisten precies waar ze zaten en veroorzaakten bij hun tegenstanders ernstig bebloede handen door de reling met hun loden kogels te versplinteren. Zak kroop kalm voor de twee andere schutters langs en klampte zich behendig aan de buitenreling vast. Hij draaide zich naar de andere mannen om en fluisterde tussen de schoten door: 'Na het volgende schot komen jullie alle twee omhoog en openen het vuur.'

Beide mannen knikten, maakten zich zo klein mogelijk en wachtten tot de volgende musketkogel zou worden afgevuurd. Het was Pitts beurt om een schot te lossen en hij kroop met twee musketten langs de trap omhoog, terwijl er op de bovenste tree nog een vuursteenpistool klaar lag. Hij schouderde een van de musketten, tuurde over de bovenrand en tuurde door de rook van Giordino's laatste schot in de richting van de reling.

Boven de reling ving hij heel even een glimp op van een zwarte parka en snel bracht hij zijn wapen die kant uit. Hij wachtte tot er een hoofd zou opduiken, maar de schutter weigerde in beweging te komen. Pitt besloot het kogelwerend vermogen van de zijreling uit te proberen, richtte dertig centimeter lager en haalde de trekker over.

De kogel ging dwars door de oude plank en boorde zich in de kuitspier van de schutter die erachter lag. Maar zijn lichaam reageerde al op het geluid van het musketschot, en hij kwam met zijn pistoolmitrailleur overeind om te vuren. Drie meter verderop langs de reling dook de tweede schutter op.

Pitt zag in de blauwe nevel beide mannen omhoogkomen en dook onmiddellijk in het trapgat weg. Maar terwijl hij een stap achteruit deed namen zijn instincten het van hem over en hij pakte snel het pistool dat op de bovenste tree lag. Terwijl hij zijn hoofd razendsnel introk ging zijn arm met het pistool omhoog. Zijn hand wees al enigszins naar de tweede schutter, en Pitt richtte dan ook op het hoofd van de man en haalde snel de trekker over.

Op hetzelfde moment reet een explosie van lood door het omringende dek, waardoor er een regen van splinters op hem neer daalde. Zijn oren vertelden hem dat een van de pistoolmitrailleurs was opgehouden met vuren, terwijl de ander nog steeds het trapgat bestookte. Hij liet zich enigszins duizelig naar beneden zakken en draaide zich naar Giordino om, die met twee pistolen met houten kolf en een Purdey-geweer op weg naar boven was.

'Ik denk dat ik een van hen te grazen heb genomen,' zei Pitt.

Giordino hield halt en zag op de vloer vlak naast Pitts voeten een snel groter wordende plas bloed.

'Je bent geraakt.'

Pitt keek naar beneden en tilde toen zijn rechterarm op. In de mouw, ter hoogte van zijn onderarm, was een V-vormig gat geslagen waar nu onafgebroken bloed uit druppelde. Pitt kneep zijn hand samen, waarmee hij nog steeds het pistool vasthield.

'Het bot is niet geraakt,' zei hij.

Hij trok de wollen jas uit terwijl Giordino de mouw van Pitts trui openscheurde. In het vlezige gedeelte van zijn onderarm zaten twee lelijke wonden, terwijl de spieren en botten op wonderbaarlijke wijzen aan de kogel waren ontsnapt. Snel scheurde Giordino stroken van Pitts trui, die hij vervolgens strak om de verwondingen bond, en hielp Pitt weer in zijn jas.

'Ik zorg wel voor het herladen,' zei Pitt, wiens bleke gezicht weer wat kleur kreeg. Met de tanden op elkaar geklemd van de pijn keek hij Giordino vastbesloten aan en zei: 'Maak ze af.'

82

Toen de twee schutters overeind waren gekomen om te vuren, had Zak zich achter de reling schuilgehouden. Hun barrage als dekking gebruikend was hij snel opgestaan, over de reling gerold en toen over het dek naar de met ijs omgeven voormast gehold. Hij keek richting achterschip, maar kon onmogelijk een goedgericht schot op het trapgat lossen, aangezien het ijs op de midscheeps een te hoge barrière vormde.

Het was een absurde situatie, bedacht hij, om tegengehouden te worden door mannen die gebruikmaakten van wapens die ruim anderhalve eeuw oud waren. Hij moest toegeven dat ze lef hadden, iets waar het zijn eigen veiligheidsmensen duidelijk aan ontbrak. Hij zocht naar een beter punt van waaruit hij het vuur kon openen, maar toen hij dat niet zag, ging hij op zoek naar een manier om benedendeks te komen. Hij zag het voorste luik, maar dat lag nog onder een halve meter ijs, en op het voorschip was verder geen trap naar beneden. Hij keek omhoog en zag dat de voormast onder een vreemde hoek opzij helde. Een ra had zich in de richel geboord, waardoor de mast aan stuurboord vast was komen te zitten. De zware mast had rond de voet het dek opengescheurd, waardoor er een vijftig, zestig centimeter breed gat was ontstaan waarlangs je beneden kon komen.

Als Zak naar de schotenwisseling had gekeken, was hij wellicht getuige geweest van de dood van zijn tweede schutter en had hij zijn volgende stap misschien opnieuw in overweging genomen. Maar hij dacht zoals altijd al drie stappen vooruit: hij stopte zijn Glock in zijn broekzak, liet zichzelf door het gat in het dek zakken en kwam in het duistere interieur beneden terecht.

Giordino klom behoedzaam naar de bovenste tree van de trap en tuurde over de rand. Op het dek was het stil en hij zag geen enkele beweging. Toen hoorde hij een kreet, die weliswaar dicht in de buurt maar niet van het schip afkomstig was. Met het geweer in de aanslag kroop hij het trapgat uit en stapte aarzelend over de zijreling.

Hij zag naast het schip twee lichamen op hun rug op het ijs liggen. White, de huurling die als eerste was neergeschoten, had zijn ogen nog open en rond zijn bovenlichaam had zich een rode plas gevormd. Naast hem lag de tweede schutter, die in zijn voorhoofd een groot gat had zitten, het resultaat van Pitts laatste pistoolschot. Op het strand zag Giordino nog een derde man, die om hulp riep. Hij hield zijn been omklemd en bewoog zich hinkend voort, terwijl er een dun rood spoor achter hem aan liep.

Giordino hoorde een geluid achter zich en draaide zich razendsnel om, maar zag toen dat het Pitt was, die een tikkeltje moeizaam uit het trapgat kwam met in zijn goede hand een pistool en een musket over zijn schouder.

'Is het ons gelukt ze te verjagen?' vroeg hij.

'Dankzij jouw scherpschutterskunst,' antwoordde Giordino, die over de reling naar de twee dode schutters wees. 'Volgens mij heb jij vandaag de kalkoenenjacht gewonnen.'

Pitt voelde geen enkele wroeging toen hij naar de lijken keek. Hoewel het doden van een mens hem geen enkele voldoening schonk, had hij geen medelijden met huurmoordenaars, en al helemaal niet met lieden die de hand hadden gehad in het tot zinken brengen van de *Narwhal*.

'Zo te horen lopen er nog wat collega's van ze op het strand rond,' zei hij. 'En die komen straks massaal terug.'

'Daar zat ik ook al aan te denken,' antwoordde Giordino. Hij zag Pitts onder het bloed zittende mouw en keek zijn vriend zorgelijk aan. 'Ik wil je niet beledigen, maar ik voel er weinig voor om deze oude schuit tot mijn persoonlijke Alamo te maken.'

'Denk je dat we een betere kans hebben boven in het ravijn?'

Giordino knikte. 'Ik denk dat het tijd is om het pand te verlaten. Ze kunnen wachten tot het donker wordt en ons dan onder de voet lopen of, erger nog, deze boot in de fik steken. We kunnen die knapen met deze proppenschieters natuurlijk maar beperkte tijd op afstand houden. Ze komen waarschijnlijk langzaam en uiterst behoedzaam terug, waardoor wij tijd krijgen tegen die heuvel op te klauteren. We kunnen voldoende kogels en kruit meenemen om ze ervan te weerhouden al te dichtbij te komen. Hopelijk geven ze de jacht op een gegeven moment gewoon op, en laten ze ons in alle rust doodvriezen,' voegde hij er spottend aan toe.

'Er is nog één ding dat we in elk geval ook moeten meenemen,' merkte Pitt op.

'Het is niet te geloven dat je er met dat ding al niet vandoor bent gegaan,' reageerde Giordino grijnzend. 'De sleutel tot de hele toestand. Het logboek van dit schip.'

Pitt knikte alleen maar, in de hoop dat ze het logboek zouden vinden en dat de inhoud de offers die al waren gebracht zouden rechtvaardigen.

'Neem even rust, dan ga ik op zoek,' zei Giordino, die naar de trap liep.

'Nee, ik ga wel,' antwoordde Pitt, die over zijn gewonde arm wreef. 'Met deze arm kan ik toch niet met de musket schieten, mocht er nieuw gezelschap arriveren.' Hij liet het wapen van zijn schouder glijden en gaf dat aan Giordino, samen met het pistool. 'Ga je gang en schiet zodra je het wit van hun ogen ziet.'

Pitt daalde de trap af en voelde zich enigszins licht in het hoofd, ongetwijfeld veroorzaakt door bloedverlies. Hij liep door de gang naar achteren, in de richting van de officiersverblijven, bij het licht van de kaarsen die hij eerder had aangestoken. Toen hij het nog niet onderzochte deel van het schip bereikte werd het donker in de gang. Hij vloekte binnensmonds toen hij besefte dat hij was vergeten de olielamp mee te nemen en stond op het punt om te keren, toen hij voor hem in de duisternis een zwak schijnsel ontdekte. Hij deed nog een paar passen naar voren en zag toen aan het eind van de gang licht flikkeren. Het was licht dat niet door hem en ook niet door Giordino was achtergelaten.

Hij liep op zijn tenen naar het eind van de gang, die uitkwam op de longroom. Daar brandde een kaars, die lange zwarte schaduwen op de wanden wierp. Pitt sloop naar de deur en tuurde naar binnen.

Met tanden die glommen in het geelbruine licht keek Clay Zak met een boosaardige glimlach op van de grote tafel die in het midden van het vertrek stond,

'Kom binnen, meneer Pitt,' zei hij met een kille stem. 'Ik verwachtte u al.'

83

Een meter of tien bij de rand van het zee-ijs vandaan was een baardrob druk in de weer in het donkergroene water, op zoek naar een verdwaalde kabeljauw. Het zeezoogdier met zijn grijze vacht merkte een zwart uitsteeksel op dat uit het water oprees en zwom ernaartoe om het eens wat beter te bekijken. Hij drukte zijn snuit met snorharen tegen het koude metalen voorwerp, kon er niets aan ontdekken wat eetbaar was, draaide zich om en zwom weg.

Twintig meter onder de oppervlakte moest kapitein-luitenant-ter-zee Barry Campbell grinniken om het uitvergrote beeld van de rob. Hij stelde het oculair van de Type 18-periscoop opnieuw in op de rode ijsbreker die een kwart mijl verderop lag, en nam het vaartuig aandachtig op. Hij stapte bij de periscoop vandaan en gebaarde naar Bill Stenseth, die een eindje verderop in de krappe commandocentrale van het USS *Santa Fe* stond.

Stenseth had onmiddellijk sympathie opgevat voor de energieke commandant van de onderzeeboot. Met zijn rossige haar en dito baard, sprankelende ogen en gemakkelijke lach deed Campbell Stenseth denken aan een jeugdige Santa Claus, toen de kerstman nog geen dikke buik en wit haar had. De joviale Campbell, die al twintig jaar bij de Amerikaanse marine diende, was in alles wat hij deed doelbewust. Hij had geen moment geaarzeld toen Stenseth er bij hem op had aangedrongen om een elektronische zoektocht naar Pitt en Giordino en het vermiste onderwatervaartuig uit te voeren. Campbell liet de aanvalsonderzeeër onmiddellijk koers zetten naar het zuiden en zorgde ervoor dat alle sonarapparatuur werd bemand. Toen even later werd ontdekt dat de ijsbreker in de buurt rondhing, gaf Campbell opdracht onder water te verdwijnen en zo onopgemerkt te blijven.

Stenseth liep naar de periscoop en tuurde door het dubbele oculair. Een kristalhelder, uitvergroot beeld van de rode ijsbreker spatte hem tegemoet. Stenseth keek aandachtig naar de geplette voorsteven van het schip en was eigenlijk verbaasd dat de schade, na het keihard aanvaren van de *Narwhal*, niet veel groter was.

'Jawel, overste, dat is het vaartuig dat ons heeft geramd,' zei hij zakelijk. Hij hield zijn gezicht tegen het oculair gedrukt en stelde scherp op een man in het zwart die lopend op weg was naar het schip. Toen hij keek waar de man vandaan kwam, zag hij dat op het strand nog enkele mannen bij elkaar stonden.

'Er staat een groepje mannen op de oever,' zei hij tegen Campbell. 'Ze lijken gewapend te zijn.'

'Ik heb ze ook al gezien,' antwoordde Campbell. 'Draai de periscoop nou eens negentig graden naar rechts,' verzocht hij.

Stenseth deed wat er gevraagd werd, totdat er een felgeel voorwerp wazig voorbijgleed. Hij draaide de periscoop weer iets terug en stelde opnieuw in, terwijl hij in zijn keel een brok omhoog voelde komen. De *Bloodhound* was nu duidelijk te zien, met de neus in het zee-ijs geklemd en het bovenluik open.

'Dat is het onderwatervaartuig. Dan moeten Pitt en Giorgino aan land zijn gegaan,' zei hij met een stem die iets gehaasts had gekregen. Hij kwam overeind en keek Campbell aan.

'Overste, de mannen aan boord van die ijsbreker hebben mijn schip tot zinken gebracht en hebben geprobeerd de bemanning van de *Polar Dawn* te vermoorden. En ze zullen Pitt en Giordino ook doden, áls ze dat al niet hebben gedaan. Ik móét u vragen in te grijpen.'

Campbell verstijfde enigszins. 'Kapitein Stenseth, we zijn Straat Victoria binnengevaren met de strikte opdracht een zoek- en reddingsactie uit te voeren. Mijn orders zijn volkomen duidelijk. Ik mag onder geen enkel beding een confrontatie met de Canadese strijdkrachten aangaan. Als ik van die richtlijn wil afwijken, moet ik het met mijn superieuren opnemen, en dan duurt het waarschijnlijk nog vierentwintig uur voor ik antwoord krijg.'

De onderzeebootcommandant ademde langzaam uit, maar toen verscheen er een scheve glimlach op zijn gezicht en begonnen zijn ogen te glinsteren. 'Daar staat tegenover dat als u mij vertelt dat twee van onze eigen mensen vermist zijn, ik onmiddellijk in actie mag komen.'

'Jawel, overste,' antwoordde Stenseth, die onmiddellijk begreep waar hij naartoe wilde. 'Volgens mij zijn twee bemanningsleden van de *Narwhal* óf aan boord van die ijsbreker en wachten ze daar verder transport af, óf ze zijn aan wal zonder dat ze over voldoende eten, kleding en onderdak beschikken, en hebben in beide gevallen onze hulp nodig.'

'Kapitein Stenseth, ik weet niet wie deze mensen zijn, maar ze zien er in elk geval niet uit als Canadese militairen. We gaan die NUMA-jongens voor u halen. En als deze knakkers ons bij de reddingsoperatie mochten proberen te dwarsbomen, dan garandeer ik u dat ze daar spijt als haren op het hoofd van zullen krijgen.'

Het was volkomen ondenkbaar dat Rick Roman er niet bij betrokken zou worden. Hoewel hij en zijn commandoteam door hun beproevingen aan boord van de lichter behoorlijk waren verzwakt, beseften ze dat er nog een kwestie moest worden afgehandeld. Toen bekend werd dat er een SEAL-team bijeengebracht zou worden dat naar Pitt en Giordino op zoek zou gaan, smeekte Roman de commandant van de *Santa Fe* bijna om mee te mogen doen. Campbell besefte dat zijn eigen SEAL-team onderbemand was, en ging met tegenzin akkoord. En als een kleine tegemoetkoming aan terechte retributie gaf hij Roman de leiding over het enterteam dat de ijsbreker zou onderzoeken.

Na een hete douche, droge kleren en twee uitgebreide bezoekjes aan de officiersmess, voelde Roman zich weer mens. Gestoken in witte poolkleding verzamelde hij in de bemanningsmess zijn team en de SEAL-commando's om zich heen.

'Ooit gedacht dat je nog eens een amfibische actie zou ondernemen vanuit een kernonderzeeër?' vroeg hij aan Bojorquez.

'Nee, kapitein. Ik ben een landrot en dat zal ik altijd blijven. Hoewel, als ik kijk naar wat deze mannen hier aan boord te eten krijgen, dan krijg ik bijna spijt dat ik bij het leger ben gegaan.'

Een dek hoger, in de commandocentrale, bracht overste Campbell de onder water varende *Santa Fe* behoedzaam naar de rand van het ijsveld. Hij had een eindje verderop een ijsheuvel zien liggen die ervoor zou zorgen dat ze vanaf de ijsbreker in de verte niet onmiddellijk te zien zouden zijn. Hij liet de periscoop neer en keek toe hoe zijn duikofficier de onderzeeër onder het ijs manoeuvreerde. Even later kwam de *Santa Fe* tot stilstand en rees toen langzaam naar de oppervlakte.

Met bijna bovennatuurlijke precisie stak de toren van de onderzeeboot slechts een halve meter boven het ijsoppervlak uit. Het team van Roman en enkele SEAL's haastten zich door de toren heen naar boven, openden het luik en stonden even later op het omliggende zee-ijs. Vijf minuten later zakten de toren en de masten weer onder het ijs en werd de onderzeeboot wederom een onderzeese spookverschijning.

De commando's splitsten zich snel op, waarbij de twee SEAL's op pad gingen om de *Bloodhound* te onderzoeken, terwijl Roman en zijn mannen in de richting van de ijsbreker slopen. Het schip lag zo'n achthonderd meter bij hen vandaan, aan de andere kant van een voornamelijk vlak ijsveld dat hier en daar richels en heuveltjes vertoonde waarachter ze dekking konden zoeken. Maar in hun witte poolkleding vielen de mannen nauwelijks op. Methodisch oprukkend naderde Roman het schip vanaf de zeekant en trok toen in een wijde bocht om de voorsteven heen, want achterlangs kon niet, aangezien zich daar open water bevond. Toen hij bij de ijsbreker aan bakboord een soort staatsietrap zag hangen, bracht hij zijn mensen tot op twintig meter van die trap en zocht dekking achter een lage richel. Het werd nog even spannend toen twee mannen met donkere parka's aan de trap afdaalden, maar die liepen richting kust zonder ook maar één keer in de richting van Roman en zijn team te kijken.

In de wetenschap dat ze nog niet waren ontdekt wachtten Roman en zijn mannen af, terwijl de ijskoude wind over hun plat op de grond liggende lichamen streek.

84

Een dekknecht die wachtdienst had op de brug van de *Otok* was de eerste die het zag.

'Kapitein,' riep hij tegen de gezagvoerder, 'daar, aan bakboord, wordt het ijs kapot gedrukt.'

De kapitein, die bij de kaartentafel een kop koffie zat te drinken, kwam zichtbaar geïrriteerd overeind en liep langzaam naar het brugvenster aan bakboord. Hij arriveerde daar net op tijd om te zien hoe er een hoeveelheid ijs ter grootte van een huis omhoog werd gedrukt en een paar grijsgevlekte buizen door het oppervlak staken. Een seconde later barstte de zwarte, druppelvormige toren van de *Santa Fe* door het ijs, dat alle kanten uit vloog.

De *Santa Fe*, een aanvalsonderzeeër van de 688i Los Angeles-klasse was speciaal aangepast voor operaties onder het poolijs. Met haar speciaal versterkte romp, periscoop- en radarmasten, terwijl de duikroeren voor op de romp waren gemonteerd in plaats van aan de toren, kon de onderzeeboot moeiteloos door ijs van een meter dik breken. Toen het schip vijftig meter naast de *Otok* aan de oppervlakte kwam, brak de romp van de *Santa Fe* in één keer door het ijsveld, waardoor een smalle strook zwart staal van honderd meter lang te zien was.

De kapitein van de *Otok* zag vol ongeloof hoe er van het ene op het andere moment een kernonderzeeër ten tonele verscheen. Maar zijn hersenen begonnen koortsachtig te werken toen hij een gestage stroom in het wit geklede mannen, bewapend met machinegeweren, uit het voorste luik van de onderzeeër zag stormen. Hij putte slechts een minimale troost uit het feit dat al die gewapende mannen in de richting van het eiland holden, en niet op zijn schip afkwamen.

'Snel, haal die trap omhoog,' schreeuwde hij tegen de dekknecht. Hij draaide zich om naar een bemanningslid dat bij de radio zat en bulderde: 'Waarschuw de beveiligingsmensen die nog aan boord zijn!'

Maar hij was te laat. Een seconde later vloog de brugdeur open en drie in wit gestoken gestalten stormden naar binnen. Voor de kapitein kon reageren had iemand de loop van een automatisch geweer al tegen zijn zij gedrukt. Met een gechoqueerd gevoel van onderwerping stak hij zijn armen omhoog en staarde toen in de bruine ogen van een lange man die het wapen in zijn zij had gezet.

'Waar... waar kom jíj vandaan?' stamelde hij.

Rick Roman keek de kapitein onbewogen aan, maar toen verscheen er een kille grijns op zijn gezicht.

'Ik kom uit die ijskoude gevangenis die je gisteravond besloot tot zinken te brengen.'

85

Zak zat comfortabel aan het hoofd van de houten tafel die in het midden van de longroom stond. Een flakkerende kaars die op tafel stond verlichtte een groot in leer gebonden boek dat opzij was geschoven. Voor Zak bevond zich een stapeltje glasplaten, alle ter grootte van een royale ansichtkaart. Een paar centimeter van zijn rechterhand verwijderd lag zijn Glock-pistool.

'Een nogal opmerkelijk schip,' zei Zak, 'met een interessante geschiedenis als het om de documentatie gaat.'

'De *Erebus* was bijna het eerste schip dat de Noordwestelijke Passage over de hele lengte heeft afgelegd, Clay,' reageerde Pitt.

Zaks wenkbrauw ging een fractie omhoog toen hij zijn naam hoorde.

'Ik zie dat je je huiswerk hebt gedaan. Maar dat is zo verrassend niet, neem ik aan. Je bent een deskundige, heb ik gemerkt. En heel erg vasthoudend.'

Pitt keek Zak aan, kwaad op zichzelf dat hij het percussiepistool niet bij zich had gestoken. Met een gewonde arm en zonder wapen had hij tegen deze moordenaar geen enkele kans. Misschien kon hij tijd rekken, totdat Giordino met zijn musket naar hem op zoek zou gaan.

'Ik ben bang dat het enige wat ik van Clay Zak weet is dat hij een waardeloze schoonmaker is en het leuk vindt om onschuldige mensen te vermoorden,' zei Pitt kil.

'Leuk vinden heeft er niets mee te maken. Je zou kunnen zeggen dat het zakelijk gezien noodzakelijk is.'

'En voor welke zaken van jou heb je ten koste van alles ruthenium nodig?' vroeg Pitt.

Zak wierp hem een humorloze grijns toe. 'Voor mij is het weinig meer dan een glimmend metaal. Maar voor mijn werkgever is het veel meer waard. En blijkbaar is het voor jouw land ook van grote strategische waarde. Als we op de een of andere manier kans zouden zien om te voorkomen dat het mineraal gebruikt gaat worden voor die installaties voor kunstmatige fotosynthese van jullie, blijft mijn werkgever een buitengewoon rijk man. En als hij ook nog eens de hele rutheniumvoorraad beheerst, wordt hij nog rijker.'

'Mitchell Goyette heeft meer geld dan hij ooit zal kunnen opmaken. En toch laat hij zijn ziekelijke hebzucht prevaleren boven het profijt dat het miljoenen mensen overal ter wereld zou kunnen brengen.'

'Aha, we hebben hier met een gevoelsmens te maken, hè?' zei Zak lachend. 'Onmiskenbaar een teken van zwakheid.'

Pitt negeerde die opmerking, die nog steeds tijd probeerde te rekken. Zak leek niet te merken dat er aan dek niet meer geschoten werd – of het interesseerde hem niet. Misschien ging hij ervan uit dat Giordino gedood was.

'Jammer dat dat ruthenium niet meer dan een mythe is,' zei Pitt. 'Het ziet ernaar uit dat zowel jouw als mijn pogingen het te vinden voor niets zijn geweest.'

'Heb je het schip doorzocht?'

Pitt knikte. 'Er is hier niets te vinden.'

'Een slimme gevolgtrekking, dat dat Inuit-erts van een schip afkomstig moest zijn. Hoe heb je dat aannemelijk gemaakt? Ik was op zoek naar een mijn op het vasteland.'

'In de gegevens die je naliet bij de Miners Co-op mee te pikken werd aan het erts gerefereerd als Zwarte Kobluna. De naam en data kwamen overeen met Franklins schip *Erebus*, maar van mijn kant bleek dat een verkeerde veronderstelling te zijn,' loog Pitt.

'Ach ja, die op instorten staande Miners Co-op. Blijkbaar hebben ze al het ruthenium gekocht dat er aan boord was. En het wás aan boord,' voegde hij er met een doordringende blik aan toe.

Zak pakte een van de glasplaten op en schoof die over tafel naar Pitt. Die pakte hem op en bekeek hem in het schijnsel van de kaars. Het was een daguerreotypie, het resultaat van een vroeg fotografisch procedé waarbij een beeld werd vastgelegd op een gepolijste, met een zoutoplossing voorbereide, zilveren plaat, die vervolgens tussen glas werd geklemd om te voorkomen dat hij zou beschadigen. Op de plaat die Pitt werd toegeschoven was een groepje bemanningsleden van de *Erebus* te zien die een aantal zware zakken voortsleepten die eruitzagen of er stukken rots in zaten. Een glimp van de horizon achter het schip liet een met ijs bedekt terrein zien, waaruit kon worden opgemaakt dat het erts ergens in het poolgebied aan boord werd gebracht.

'Je had volkomen gelijk met je veronderstelling,' zei Zak. 'Het erts was wel degelijk aan boord. Blijft de vraag waar het werd gewonnen.'

Hij reikte naar voren en klopte op het in leer gebonden boek dat op tafel lag.

De kapitein was zo vriendelijk om het logboek aan boord achter te laten,' zei hij zelfvoldaan. 'De bron van het ruthenium moet hierin staan genoteerd. Wat denk je dat dit boek waard is, meneer Pitt? Een miljard dollar?'

Pitt schudde zijn hoofd. 'Niet eens de levens die het al heeft gekost.'

'Of de levens die het nog gaat kosten?' voegde Zak er met een verwrongen grijns aan toe.

Aan de andere kant van de dikke planken waaruit het schip was opgetrokken klonk plotseling automatisch geweervuur. Maar het geluid klonk op een vreemde manier van heel ver weg. Het was duidelijk te ver verwijderd om op het schip gericht te kunnen zijn, en er werd ook niet vanaf het bovendek door Giordino teruggeschoten. Maar er waren wel twee verschillende soorten vuur te horen, afkomstig uit verschillende soorten wapens. Ergens op het ijs werd tussen twee onbekende partijen een complete veldslag uitgevochten.

In het zwakke schijnsel in de kajuit meende Pitt op Zaks gezicht een zorgelijke trek waar te nemen. Er was nergens een spoor van Giordino te bekennen, maar het vastberaden raderwerk in Pitts hoofd was er ondertussen in geslaagd een alternatieve strategie te ontwikkelen. Hoewel hij zich door het bloedverlies nog steeds zwakjes voelde, wist hij dat hij nú in actie moest komen. Van een tweede kans zou wel eens geen sprake kunnen zijn.

Hij deed een stapje achteruit en liet de glasplaat iets zakken, alsof hij hem nog wat beter wilde bekijken. Toen knipte hij hem bijna nonchalant richting Zak, althans, hij probeerde het er nonchalant uit te laten zien. In plaats van hem over tafel terug te schuiven, wierp hij hem een centimeter of tien boven het tafelblad keihard terug. En in plaats van op Zak te richten, zwiepte hij hem in de richting van de lantaarn met de kaars die midden op tafel stond.

De zware glasplaat boorde zich moeiteloos door de zijkant van de lantaarn, zodat de splinters alle kanten uit spatten. Maar nog veel belangrijker was het feit dat de kaars onmiddellijk doofde. Van het ene op het andere moment werd de longroom in een diepe duisternis gedompeld.

Toen de daguerreotypie de lantaarn raakte was Pitt allang in beweging gekomen. Hij dook onmiddellijk achter het uiteinde van de tafel weg en liet zich op één knie op de grond vallen. Maar Zak was niet gek. Nog voor de vlam goed en wel uit was had de beroepsmoordenaar zijn pistool al te pakken. Snel bracht hij de Glock omhoog en vuurde naar het andere uiteinde van de tafel.

De kogel zoefde zonder schade aan te richten over Pitts hoofd. Hij negeerde het schot, pakte met beide handen de twee dikke poten naast hem beet en schoof de hele tafel richting Zak. Die vuurde nog twee schoten af en probeerde Pitt met behulp van het mondingsvuur in de pikdonkere kamer te lokaliseren. Toen het tot hem doordrong dat Pitt de tafel zijn kant uit schoof, vuurde hij nog een keer in de richting van het andere uiteinde, en probeerde vervolgens uit zijn stoel overeind te komen. Hij richtte deze keer goed, maar zijn poging te gaan staan kwam net te laat. Een kort salvo boorde zich op slechts enkele centimeters van Pitts hoofd in het tafelblad, maar het dikke mahoniehout absorbeerde de loden kogels. Beschermd door het harde hout duwde Pitt de tafel steeds sneller naar achteren. Met alle kracht waarover hij nog beschikte baande hij zich een weg naar voren, negeerde hij de pijn in zijn arm en de draaierigheid in zijn hoofd.

Het andere hoofdeinde trof Zak vol in de borst, waardoor hij, voor hij kans zag overeind te komen, in zijn stoel werd teruggeworpen. De stapel glasplaten viel boven op hem, waardoor hij nauwelijks meer kon vuren. Pitt bleef zijn rechthoekige stormram naar voren duwen, zodat Zak met stoel en al naar achteren schoof. Beide meubelstukken schoven nog een stuk naar achteren, totdat de achterpoten van de stoel op een iets omhoog-stekende vloerplank stootten. De poten bleven steken, maar de tafel ver-volgde zijn weg, waardoor Zak achteroversloeg en met een harde klap op de vloer belandde. Hij bleef vuren met de Glock, maar de kogels boorden zich zonder verdere schade aan te richten in het tafelblad.

Pitt hoorde de klap, maar pas toen hij het mondingsvuur zag besefte hij dat Zak neer was gegaan. Hij stond nu bloot aan Zaks vuur van onder de tafel, maar hij aarzelde geen moment, ook al hoorde hij het pistool op-nieuw afgaan. Pitt zette zijn schouder tegen de onderkant van de tafel, zette zich schrap tegen het dek en duwde hem met een laatste krachts-inspanning omhoog totdat de zware tafel bijna recht overeind stond en boven op Zaks benen terechtkwam. Pitt was er bijna in geslaagd de tafel te laten kantelen, toen hij voelde dat zijn linkerbeen onder hem werd wegge-slagen. Op zijn rug liggend had Zak in het wilde weg onder de tafel door drie schoten gelost en had vervolgens kans gezien zijn been los te trekken. Twee kogels hadden Pitt net gemist, maar een derde wist zijn been te vin-den en boorde zich in zijn dij. Hij verloor zijn evenwicht, maar snel ver-plaatste hij zijn gewicht naar het rechter en steunde op de tafel.

Hij was net een seconde te laat. Zak zat al op zijn knieën en gaf een harde ruk aan de tafel, waardoor Pitt zijn houvast verloor. Terwijl de tafel begon te wankelen, kwam Zak snel overeind en gebruikte zijn superieure lichaamskracht om hem verder opzij te draaien.

Omdat hij plotseling geen kracht meer kon zetten, werd Pitt samen met de tafel zijwaarts geworpen en kwam met een klap tegen de boekenkasten terecht die langs de achterwand stonden. Het geluid van rinkelend glas vulde het donkere vertrek toen Pitt tegen de glazen deurtjes voor de boekenplanken werd geslingerd. Toen sloeg hij tegen de vloer, gevolgd door de zware tafel, die met een doffe plof boven op hem viel. De tafel nam nog een stuk of wat boekenplanken mee, zodat een lawine van boekbanden, versplinterde planken en glas boven op de omgekeerde tafel neerkletterde.

Zak stond een eindje verderop op adem te komen en hield ondertussen zijn Glock op de tafel gericht. Hij luisterde aandachtig, maar hoorde helemaal niets. Geen gekreun, geen geschuifel, er leek geen enkele beweging meer uit de buurt van Pitts lichaam te komen, dat grotendeels bedolven was. Terwijl zijn ogen zich langzaam aan het duister aanpasten kon Zak heel vaag Pitts levenloze benen onder de tafel zien uitsteken. Hij bukte zich, zocht de vloer rond zijn eigen voeten af en vond het zware logboek. Hij drukte het tegen zijn borst, kwam overeind en liep behoedzaam in de richting van de verlichte gang, om daar eenmaal aangekomen zonder om te kijken zijn pas te versnellen.

86

An dek had Giordino zo zijn eigen problemen. Na een korte gevechtspauze zag hij opnieuw drie schutters die de voet van het ravijn probeerden te bereiken. Toen hij op zijn hurken bij de reling wachtte tot hij een goed gericht schot kon afvuren, hoorde hij ergens op het ijs een schotenwisseling plaatsvinden. Giordino, die door het ravijn en de mist geen goed zicht had, had geen flauw idee waarom er geschoten werd, maar zag wel dat het geen enkel effect had op de drie mannen die op het schip af kwamen. Hij liet ze nog een stukje dichterbij komen, kwam toen met zijn musket overeind en vuurde op de dichtstbijzijnde schutter. De man liet zich bij het zien van Giordino onmiddellijk op de grond vallen en de musketkogel miste hem op een haartje, maar ging wel dwars door de parka van de man. De aanvallers hadden hun lesje geleerd en begonnen afwisselend dekkingsvuur af te geven, zodat de anderen weer een stukje op konden rukken. Giordino bewoog zich bukkend langs de reling, om af en toe plotseling omhoog te komen om vanuit steeds een andere positie te vuren, om daarna weer zo snel mogelijk weg te duiken om te voorkomen dat hij geraakt zou worden. Hij slaagde erin een van de schutters in het been te schieten, maar de andere twee wisten elkaar dekkend tot vlak bij het schip te komen. Nadat hij de laatste geladen musket had afgevuurd, was Giordino gedwongen op het trapgat terug te vallen, terwijl hij zich afvroeg waarom Pitt zo lang wegbleef. Omdat hij volledig op zijn eigen vuurgevecht geconcentreerd was geweest had hij de schoten in de longroom totaal niet gehoord.

'Dirk, ik heb geladen musketten nodig,' schreeuwde hij naar beneden, maar er kwam geen antwoord. Hij richtte het geweer op de zijreling en bracht de twee percussiepistolen op zijn schoot in gereedheid. Hij kon nog een paar schoten lossen en dan was hij reddeloos verloren, tenzij Pitt snel tevoorschijn kwam.

Aan de voet van de trap waadde een lange gestalte langzaam door een hoeveelheid antieke wapens die op het dek lag, en keek omhoog. Giordino bevond zich een meter of drie hoger, zat op de bovenste twee treden van de trap en hield zijn blik strak op de zijreling gericht. Als hij een blik naar beneden had geworpen, had hij Zak misschien niet eens zien staan, die vanaf het zwakverlichte benedendek naar hem opkeek. Zak overwoog zijn bewakingsmensen de klus te laten afmaken, maar bedacht toen dat het passender was om Giordino zelf te doden. Hij bracht het logboek naar zijn linkerhand over, plaatste zijn voeten iets uit elkaar en richtte zijn Glock automatic op Giordino.

Hij hoorde het geluid van de pijnlijke voetstappen niet die ergens achter hem in de gang schuifelden. Maar hij kromp heel even in elkaar toen een luide waarschuwingskreet door de gang echode, net op het moment dat hij de trekker wilde overhalen.

'Al!'

Zak draaide zich om en staarde vol ongeloof de gang in. Op een meter of zes, zeven afstand, met een lantaarn met daarin een kaars, stond Dirk Pitt, die eruitzag als de tot leven gewekte dood. Zijn gezicht zat onder het bloed, het gevolg van het gebroken glas dat hij over zich heen had gekregen, terwijl er op zijn voorhoofd een lelijke paarsrode bult glom. Zijn rechtermouw was nat en roodgekleurd, wat ook voor zijn linkerbeen gold, en in de gang liep een bloederig spoor achter hem aan. Hij had geen wapens bij zich en steunde op zijn goede been, terwijl er op zijn gezicht een grimas van pijn te zien was. Maar ook al was er op hem ingebeukt en geschoten, toch keek hij Zak trots en vol minachting aan.

'Jij bent de volgende,' siste Zak hem toe en richtte zijn aandacht weer op Giordino, die Pitts kreet had gehoord, maar zich van de situatie beneden nog niet bewust was. Zak richtte de Glock voor de tweede keer op Giordino, maar werd afgeleid door een fel schijnsel dat zijn kant uit kwam. Hij draaide zich snel naar Pitt om en zag dat de gewonde man de lantaarn zijn kant uit had geslingerd. De worp leek nergens op, vond Zak toen hij zag dat de lantaarn hem niet eens zou bereiken. Hij keek naar Pitt en schudde zacht grinnikend zijn hoofd terwijl de lantaarn vlak voor zijn voeten op het dek uit elkaar spatte.

Alleen was het wel degelijk een prima worp. De lantaarn raakte het dek precies op de plek waarop Pitt had gemikt, een paar centimeter bij het vaatje met zwartkruit vandaan dat ze hadden gebruikt om de musketten te laden. Bij het razendsnel herladen was er nogal wat kruit op de vloer terechtgekomen, en het was dan ook een kwestie van tijd voor het dek onder aan de trap in een hel zou veranderen. De uit elkaar gespatte lantaarn deed het losse kruit ontbranden en het volgende moment schoten er rook en vonken rond Zaks voeten omhoog. De huurmoordenaar deinsde instinctief achteruit, bij de vlammetjes vandaan, maar kwam daardoor zonder het te weten wel dichter bij het vaatje met zwartkruit te staan. Enkele ogenblikken later bereikte het brandende kruitspoor het vaatje, dat met een oorverdovende klap explodeerde.

De ontploffing schudde het schip hevig heen en weer, terwijl rook en vlammen langs de trap omhoogschoten. Pitt werd tegen het dek geslagen en kreeg een regen van brokstukken over zich heen, maar de grootste klappen werden opgevangen door zijn dikke wollen jas. Met nog nagalmende oren wachtte hij enkele minuten tot de rook enigszins was opgetrokken, krabbelde toen overeind en strompelde naar de trap, hoestend en kuchend vanwege de kordietdeeltjes die nog in de lucht hingen. De zijwanden waren weggeblazen en een groot gat in het dek bood nu uitzicht op het koebrugdek, maar verder viel de schade eigenlijk wel mee.

Pitt zag een schoen bij het gat liggen en besefte toen pas dat er nog een losse voet in zat. Hij keek op en zag anderhalve meter verderop de eigenaar van de schoen liggen.

Clay Zak was een stuk het trapgat in geblazen en zijn verminkte lichaam zat tussen de treden gefrommeld. Hij hing ondersteboven en zijn ogen staarden nietsziend in de verte. Pitt kwam een stapje dichterbij en bekeek de moordenaar zonder ook maar een greintje mededogen.

'Jij wilde toch zo graag een klapper maken?' zei hij tegen het lijk, draaide zich toen om en keek langs de nog rokende trap omhoog.

87

De kracht van de explosie van het zwartkruit blies Giordino van de bovenste treden van de trap en deed hem drie meter verderop met een harde klap op het dek belanden. Zijn kleren waren verschroeid, zijn longen leken in brand te staan en zijn lichaam zat onder de blauwe plekken, maar toch had hij de ontploffing overleefd en kon hij al zijn ledematen nog bewegen. Terwijl de dikke zwarte rookwolk die zich direct na de explosie boven het schip had gevormd bezig was op te trekken, probeerde hij weer enigszins bij zijn positieven te komen. Hij vocht tegen de kloppende hoofdpijn, terwijl er in zijn oren een heel carillon tekeer leek te gaan. Moeizaam rolde hij op zijn zij en veegde wat gruis uit zijn ogen, maar verstijfde toen een van de in het zwart gestoken schutters zijn hoofd boven de reling stak.

Giordino was bij de explosie zijn wapens kwijtgeraakt en de schutter leek dat ook te beseffen. In de overtuiging dat hem niets kon overkomen kwam hij verder overeind en richtte in alle rust zijn pistoolmitrailleur op Giordino.

Het was een kort salvo, hoogstens vier, vijf schoten. Giordino kon het vanwege zijn nog nagalmende oren nauwelijks horen. Maar hij was wel getuige van het resultaat. De kogels boorden zich niet in zijn eigen vlees of het dek vlak naast hem. In plaats daarvan sloegen de kogels in het lichaam van de schutter in. Er kwam bloed uit zijn mond, en het volgende moment zakte hij tegen de reling langzaam in elkaar en bleef hij op de met ijs bedekte grond liggen.

Giordino keek er uitdrukkingsloos naar, maar hoorde toen nog meer salvo's. Het volgende moment dook er een tweede gestalte bij de reling op, eveneens bewapend, en ook deze man richtte de loop van zijn wapen op Giordino. Alleen was deze schutter in het wit gekleed, terwijl een ivoorkleurig skimasker en bijbehorende bril zijn gezicht bedekten. Een tweede in het wit gestoken man – die ook een wapen bij zich droeg – voegde zich bij hem, en het volgende moment klauterden ze samen over de reling en kwamen op Giordino af, maar hielden daarbij wel constant hun wapen op hem gericht.

Giordino was te zeer op de naderende mannen gefocust om te zien dat er nog een derde man bij de reling was verschenen. De nieuwkomer keek naar Giordino en schreeuwde de twee mannen toen iets toe. Het duurde een paar seconden voor Giordino's nog tuitende oren de woorden konden ontcijferen.

'Rustig aan, luitenant!' riep de derde man met een vertrouwd Texaans accent. 'Die man hoort bij ons.'

De twee Navy SEAL's van de *Santa Fe* bleven onmiddellijk staan maar hielden hun wapen in de aanslag totdat Jack Dahlgren haastig naast Giordino was neergeknield. Hij pakte een mouw van Giordino's antieke jas beet en hielp hem overeind, maar kon toch niet nalaten te vragen: 'Sinds wanneer zit jij bij de Britse marine?'

'We kregen het een beetje koud toen jullie niet in de buurt waren om ons uit het water te hijsen,' wist Giordino uit te brengen, verbijsterd door het plotselinge opdagen van Dahlgren.

'Waar is Dirk?'

'Die was beneden. Daar heeft die explosie ook plaatsgevonden,' antwoordde hij met een zorgelijke blik in zijn ogen.

Krimpend van de pijn wankelde Giordino langs Dahlgren in de richting van de trap en tuurde naar beneden. Nauwelijks een meter lager zag hij het nog smeulende lichaam van een donkerharige man liggen die blijkbaar met enorme kracht tegen de traptreden was gekwakt, en deed zijn ogen dicht. Het duurde bijna een minuut voor hij ze weer kon openen, en zag toen dat Dahlgren en de SEAL's om hem heen waren komen staan. Toen hij verder naar beneden keek, zag hij plotseling uit de duisternis van het benedendek iemand tevoorschijn wankelen. Een onder het bloed zittende, behoorlijk toegetakelde Pitt schuifelde naar de voet van de trap en keek omhoog naar zijn vriend. Hij hield een dik, van buiten enigszins verschroeid boek tegen zich aan gedrukt.

'Heeft iemand een vuurtje voor me?' vroeg hij met een gepijnigde grijns.

Pitt werd snel naar de *Santa Fe* overgebracht en verdween, eenmaal aan boord van de onderzeeër, onmiddellijk richting ziekenboeg, op de voet gevolgd door Giordino. Ondanks het grote bloedverlies waren Pitts verwondingen niet levensbedreigend en zijn wonden werden snel schoongemaakt en verbonden. Hoewel de scheepsarts hem opdracht gaf in bed te blijven, vond Pitt een wandelstok en strompelde hij een uurtje later alweer door de onderzeeboot om zich bij de rest van de bemanning van de *Narwhal* te voegen. Toen hij samen met Giorgino trekkebenend de officiersmess binnenkwam, trof hij daar de drie kapiteins aan, Campbell, Murdock en Stenseth, die zittend aan een tafeltje het over de ijsbreker hadden.

'Horen jullie niet in bed te liggen?' vroeg Stenseth.

'We hebben tijdens de terugreis nog tijd genoeg om te slapen,' reageerde Pitt. Stenseth hielp hem in een stoel terwijl Campbell koffie ging halen, waarna de mannen begonnen met het uitwisselen van verhalen over hun beproevingen en ontdekkingen.

'Gaan jullie tossen wie die ijsbreker mag besturen?' vroeg Giordino een tijdje later.

'We zijn alleen maar aan boord van dat schip gegaan om naar jullie te zoeken,' reageerde Campbell. 'Ik was absoluut niet van plan om het in beslag te nemen, maar de heren hier hebben me net verteld welke rol het heeft gespeeld in het ontvoeren van de bemanning van de *Polar Dawn* en het tot zinken brengen van de *Narwhal*.'

'Er is nog iets wat je van dat schip moet weten,' zei Pitt. 'Al?'

Giordino vertelde over de onderliggende laag grijze verf op de romp van de ijsbreker en dat daarop in witte verf gedeeltelijk het nummer 54 zichtbaar was.

'Ik durf er alles onder te verwedden dat die schuit dat Canadese ijskamp aan flarden heeft gevaren, en zich daarbij als Amerikaans fregat heeft voorgedaan,' zei hij.

Campbell schudde zijn hoofd. 'Deze lieden zijn volslagen waanzinnig. Ze hebben bijna de Derde Wereldoorlog op hun geweten. Ik denk dat er niets anders op zit dan het schip zo snel mogelijk naar een Amerikaanse haven over te brengen.'

'Het is een schip onder Canadese vlag, dus moet het geen enkel probleem zijn om er de doorvaart mee te passeren,' zei Pitt.

'En je hebt twee kapiteins die bereid zijn om haar terug te varen,' zei Stenseth, terwijl Murdock instemmend knikte.

'Dat wordt dan piraterij,' zei Campbell glimlachend. 'We gaan op weg naar Anchorage, waarbij ik onder water achter jullie aan zal varen, voor het geval er zich onderweg nog problemen mochten voordoen.' Hij liet zijn blik over de kleine mess glijden. 'Eerlijk gezegd zijn we momenteel een tikkeltje overbevolkt.'

'We nemen onze beide bemanningen mee naar het schip,' zei Murdock, die in de richting van Stenseth knikte. 'Kapitein Roman meldde dat er ruim voldoende lege kooien aan boord van die boot zijn.'

'Al en ik gaan ook met de ijsbreker mee,' zei Pitt. 'Al heeft last van claustrofobie en ik moet nog wat leeswerk inhalen.'

'Dan weten we waar we naartoe moeten,' stelde Campbell vast. 'Ik zal de helft van mijn SEAL's op de *Otok* laten overstappen, dan kunnen die met de beveiliging helpen, en dan kunnen we daarna vertrekken.'

De drie kapiteins stonden op om hun mensen in te lichten, en Pitt en

Giordino dronken hun koffie op. Giordino leunde achterover in zijn stoel en keek met een brede glimlach op zijn gezicht naar het plafond.

'Je maakt een buitengewoon opgewekte indruk,' merkte Pitt op.

'Je hebt gehoord wat de man zei,' antwoordde Giordino. 'We gaan naar Anchorage. Anchorage, Alaska,' herhaalde hij bijna liefdevol. En dat ligt ten zuiden van de poolcirkel. Heb je ooit een plaatsnaam gehoord die zo warm en uitnodigend klinkt?' vroeg hij met een tevreden glimlach.

88

De B-2 Spirit zat nu al ruim vijf uur in de lucht. De wigvormige stealth-bommenwerper was opgestegen vanaf luchtmachtbasis Whiteman in Missouri en vloog in westelijke richting, ogenschijnlijk bezig aan een normale oefenvlucht. Maar nadat het achthonderd kilometer boven de Grote Oceaan had gevlogen, draaide het zwartgrijze toestel, dat wel iets weg had van een reusachtige vliegende manta, naar het noordoosten en vloog in de richting van de kust van de staat Washington.

'AC-016 volgt een koers van nul-zeven-acht graden,' zei de missiecommandant met zijn zachte Carolina-accent. 'Ze is precies op tijd.'

'Ik zie 'r,' reageerde de piloot.

Hij schoof de gashendels van de vier straalmotoren iets naar voren en liet het toestel een bocht beschrijven totdat hij dezelfde koers volgde, en liep toen langzaam maar zeker in op een klein wit doelwit dat door het cockpitraam te zien was. Tevreden over de positie die ze nu innamen, haalde de piloot de gashendels weer iets naar zich toe en hield een snelheid aan die overeenkwam met die van het andere toestel.

Nog geen vierhonderd meter voor hen uit en driehonderd meter lager vloog een Boeing 777 van Air Canada die van Hongkong op weg was naar Toronto. De piloten van het passagiersvliegtuig zouden niet weten waar ze het zoeken moesten als ze hadden geweten dat een bommenwerper die een miljard dollar had gekost vlak achter hen aan op weg was het Canadese luchtruim binnen te dringen.

Met een nagenoeg onzichtbare radarsignatuur hoefde de bemanning van de B-2 zich eigenlijk geen zorgen te maken toen ze zich in de echo van de 777 nestelde zodat ze hun missie konden voltooien. Maar gezien de verhoogde staat van paraatheid die aan beide kanten van de grens gold, werd er geen enkel risico genomen. De bommenwerper volgde het straalpassagiersvliegtuig over Vancouver en British Columbia naar Alberta. Ongeveer tachtig kilometer ten westen van Calgary voerde het Canadese toestel een kleine koerscorrectie naar het zuidoosten uit. De B-2 bleef nog even rechtdoor vliegen en draaide toen scherp naar het noordoosten.

Hun doelwit was de Canadese luchtmachtbasis bij Cold Lake, in de provincie Alberta, een van de twee bases waar straaljagers van het type CF-18 Hornet waren gestationeerd. Een kwart 'stick' van zeven lasergestuurde tweehonderdvijftigkilobommen moesten op het vliegveld worden afgeworpen, met de bedoeling zo veel mogelijk jachttoestellen te vernietigen en tegelijkertijd zo min mogelijk slachtoffers onder het personeel te maken. Omdat de Canadese regering na zijn oproep om binnen vierentwintig uur te reageren niets meer van zich had laten horen, had de president gekozen voor de door het Pentagon voorgestelde verrassingsaanval op één enkele militaire installatie.

'Nog acht minuten tot doelwit,' kondigde de missiecommandant aan. 'Ik ga nú de bewapening op scherp stellen.'

Terwijl hij een volledig gecomputeriseerd wapenbedieningsprogramma activeerde, drong er plotseling een dringende stem in hun headset door.

'Death-52, Death-52, hier Command,' klonk de onverwachte stem uit Whiteman. 'U krijgt opdracht om de missie af te breken. Ik herhaal, de missie wordt afgebroken. Trekt u zich terug en graag bevestiging, over.'

De missiecommandant bevestigde de ontvangst van het last minutebericht en deactiveerde onmiddellijk het bewapeningsprogramma. De piloot beschreef een wijde bocht en vloog terug naar de Pacific, om van daaruit naar hun thuisbasis koers te zetten.

'De baas speelde wel heel erg hoog spel,' zei de piloot na een poosje.

'Daar zeg je me wat,' reageerde de missiecommandant, die duidelijk opgelucht klonk. 'Wat ben ik blij dat die missie geschrapt is.'

Hij liet zijn blik over de Canadese Rockies glijden waar ze net overheen vlogen, en voegde eraan toe. 'Ik hoop maar dat niemand te weten komt hoe weinig het heeft gescheeld.'

89

Bill Stenseth luisterde naar het lage geronk van de krachtige gasturbines waarmee de ijsbreker was uitgerust en knikte toen naar de roerganger van de *Narwhal* ten teken dat het grote vaartuig in beweging kon komen. Toen het schip zich langzaam een weg door het ijs baande, stapte Stenseth de ijskoude brugvleugel op en stak zijn hand op naar de *Santa Fe*, die nog steeds een eindje verderop in het ijs lag. Kapitein-luitenant-ter-zee Campbell, die in de toren stond, groette terug, om vervolgens weer verder te gaan met de voorbereidingen voor het vertrek van zijn eigen vaartuig.

De *Otok* keerde en voer tussen de ijsschotsen door naar het NUMA-onderwatervaartuig, om er vlak naast tot stilstand te komen. Twee bemanningsleden daalden af naar het ijs en bevestigden een hijsstrop aan de *Bloodhound*. Met behulp van een elektrische kraan werd het onderwatervaartuig opgehesen en in een hoekje op het achterdek van de ijsbreker geplaatst. In een onverwarmd voorraadhok er vlak naast werden de lichamen van Clay Zak en zijn gesneuvelde beveiligingsmensen opgeslagen, gewikkeld in geïmproviseerde, van canvas gemaakte lijkzakken.

Een eind verderop op het ijs stak een beer zijn kop boven een richel uit en nam alle bedrijvigheid aandachtig in zich op. Het was dezelfde ijsbeer die door Giordino bijna wakker was gemaakt. Het dier rekte zich uit, keek ontstemd in de richting van de onderzeeboot, draaide zich toen om en liep weg over het ijs, op zoek naar eten.

Toen de *Bloodhound* was vastgezet kwam de ijsbreker opnieuw in beweging, om even later, tot grote opluchting van Stenseth, het open water te bereiken. Het schip voer in oostelijke richting, op een route die hen via de Queen Maud-golf naar de Beaufortzee zou brengen. De *Santa Fe* was nu onder het ijs verdwenen en volgde de ijsbreker op een mijl of twee. Stenseth zou verrast hebben opgekeken als hij had gehoord dat hij, tegen de tijd dat ze de Amerikaanse territoriale wateren naderden, door niet minder dan drie Amerikaanse onderzeeboten werd geschaduwd, die samen een geluidloos escorte vormden, terwijl enkele langeafstandspatrouillevliegtuigen hun voortgang vanuit de lucht in de gaten hielden.

Samen met Murdock genoot Stenseth van deze kans om het commando over een nieuw schip te voeren. Met zijn eigen bemanning van de *Narwhal* en het grootste deel van die van de *Polar Dawn* aan boord, werd hij omringd door uiterst capabele assistenten. De voormalige bemanning van de ijsbreker zat benedendeks achter slot en grendel, bewaakt door het SEAL-contigent van de *Santa Fe* en de commando's van Rick Roman. Bijna iedereen wilde de thuisreis aan boord van de ijsbreker maken, als een soort genoegdoening voor de beproevingen die hun door de bemanning van dit schip waren aangedaan.

Zodra het schip het zee-ijs achter zich had gelaten draaide Stenseth zich om naar het lawaaiige gezelschap vlak achter hem. Pitt zat aan de kaartentafel, het gewonde been op een klapstoeltje, en nam een slokje hete koffie. Vlak naast hem zaten Giordino en Dahlgren, die speculeerden over de inhoud van het dikke, in leer gebonden logboek dat op tafel lag.

'Zijn jullie nog van plan te kijken wat er in het logboek van de *Erebus* staat, of wil je me nóg langer in spanning houden?' vroeg Stenseth aan het trio.

'De kapitein heeft gelijk,' zei Giordino, die net als Pitt een indrukwekkende hoeveelheid pleisters op zijn gezicht had zitten. Hij schoof het logboek voorzichtig in de richting van Pitt.

'Volgens mij is de eer aan jou,' merkte hij op.

Pitt keek verwachtingsvol naar het boek. Het logboek van de *Erebus* was in leer gebonden, terwijl op het voorplat in reliëf een wereldbol was aangebracht. Het boek had bij de explosie van het zwartkruit nauwelijks schade opgelopen – er zaten alleen maar een paar lichte brandplekken op de band. Vlak voordat het kruitvaatje was ontploft had Zak het logboek net onder een andere arm gestopt, en had het op die manier onbedoeld met zijn lichaam beschermd. Pitt had het boek vlak bij Zaks verfrommelde lichaam gevonden, vastgeklemd tussen twee treden.

Pitt sloeg het boek open en bladerde door naar de eerste formele aantekening.

'Je bouwt de spanning wel op, hè?' zei Stenseth.

'Kom nou eens ter zake,' drong Dahlgren aan.

'Ik wist eigenlijk wel dat ik het in mijn kajuit had moeten laten liggen,' reageerde hij.

Begeleid door nieuwsgierige blikken en eindeloze vragen, besefte hij dat het chronologisch doorlopen van het hele dagboek geen doen was, en bladerde door naar de laatste logboekaantekening.

'"21 april 1848",' las hij, en de mannen om hem heen deden er het zwijgen toe. '"Het spijt me te moeten zeggen dat ik me vandaag genoodzaakt zie om de *Erebus* te verlaten. Een deel van de bemanning blijft zich als waanzinnigen gedragen, en leveren zowel voor de officieren als voor de andere bemanningsleden groot gevaar op. Het komt door het harde zilver, denk ik, hoewel ik niet weet waarom. Met elf competente mannen zal ik naar de *Terror* op weg gaan, om daar de dooi van het komende voorjaar af te wachten. Dat de almachtige God ons genadig moge zijn, en de zieke mannen die achterblijven. Kapitein-ter-zee James Fitzjames".'

'Het harde zilver,' zei Giordino. 'Dat moet het ruthenium zijn.'

'Waarom zouden de mannen daar gek van zijn geworden?' vroeg Dahlgren.

'Het staat niet vast dat dat het geval is geweest,' zei Pitt, 'hoewel ik van een oude prospector ooit een gelijkluidend verhaal over aan ruthenium toegeschreven waanzin heb gehoord. De bemanning van de *Erebus* was vanwege het ingeblikte voedsel nogal ontvankelijk voor loodvergiftiging en botulisme, en daar kwamen scheurbuik, bevriezingsverschijnselen en andere ontberingen die bij een langdurig verblijf in het poolgebied horen nog eens bij. Het kan best wel eens een combinatie van factoren zijn geweest.'

'Hij heeft blijkbaar nogal een ongelukkige beslissing genomen door het schip te verlaten,' merkte Giorgino op.

'Ja,' was Pitt het met hem eens. 'De *Terror* was door het ijs in elkaar gedrukt en waarschijnlijk gingen ze ervan uit dat met de *Erebus* hetzelfde zou gebeuren, dus valt te begrijpen waarom ze naar de kust zijn getrokken. Maar op de een of andere manier bleef de *Erebus* in het ijs vast zitten en is ze later blijkbaar de wal op gedrukt.'

Pitt bladerde terug in het logboek, en las de notities van de voorafgaande weken en maanden hardop voor. Het logboek vertelde een verontrustend verhaal dat de nieuwsgierige mannen op de brug al snel tot zwijgen bracht. Tot in alle tragische details beschreef Fitzjames Franklins noodlottige poging om tijdens de laatste zomerdagen van 1846 door Straat Victoria te varen. Het weer werd snel slechter en beide schepen kwamen ver van het vasteland vast te zitten in het zee-ijs. Hun tweede poolwinter ving aan, waarin Franklin ziek werd en stierf. Het was in deze periode dat bij sommige bemanningsleden de eerste tekenen van waanzin te bespeuren waren geweest. Merkwaardigerwijs stond in het logboek ook genoteerd dat dit vreemde gedrag totaal afwezig was bij de bemanning van het zusterschip, de *Terror*. De waanzin bij de bemanning van de *Erebus*, alsmede hun gewelddadige gedrag, bleef zich echter uitbreiden, zodat Fitzjames op een gegeven moment gedwongen was om zich samen met zijn resterende mannen op de *Terror* terug te trekken.

De eerdere logboekaantekeningen behelsden over het algemeen de dagelijkse gang van zaken en Pitt begon pagina's over te slaan, totdat hij op een lange aantekening stuitte die betrekking had op het harde zilver.

'Ik denk dat dit het is,' zei hij zacht, terwijl de rest van de mannen op de brug dichter om hem heen kwam staan en hem zwijgend aankeek.

'"27 augustus 1845. Positie 74.36.212 noorderbreedte, 92.17.432 westerlengte. Ter hoogte van Devon Island. Kalme zee, enig pannenkoekenijs, westelijke wind, vijf knopen. Steken voor de *Terror* de Lancaster Sound over als uitkijk om 0900 uur zeilen waarneemt. Om 1100 benaderd door de walvisvaarder *Governess Sarah*, Kaapstad, Zuid-Afrika, met als gezagvoerder kapitein Emlyn Brown. Deze meldt dat zijn vaartuig door ijs is beschadigd en gedwongen is geweest enkele weken in de Sound door te brengen, maar nu is gerepareerd. Bemanning beschikt nauwelijks meer over voedsel. We geven ze een vat meel mee, vijfentwintig kilo ingezouten varkensvlees, wat voedsel in blik en een kwart vaatje rum. Opgemerkt wordt dat nogal wat bemanningsleden van de *G.S.* vreemd gedrag en een onbetamelijk maniërisme vertonen. Als uiting voor zijn dankbaarheid voor het voedsel liet hij tien zakken 'hard zilver' bij ons aan boord brengen. Een uitzonderlijk erts dat in Zuid-Afrika wordt gewonnen en dat volgens Brown uitstekend warmte kan vasthouden. De bemanning heeft emmers met het erts op het kombuisfornuis verhit en 's nachts onder hun hangmatten gezet, met opmerkelijk resultaat.

Morgen gaan we op weg naar Straat Barrow".'

Pitt liet de woorden bezinken en keek toen langzaam op. Op de gezichten van de mannen om hem heen was uitsluitend teleurstelling te zien. Giordino was de eerste die iets zei.

'Zuid-Afrika,' herhaalde hij langzaam. 'De jutezak die we in het ruim hebben gevonden. Daar stond "Bushveld, Zuid-Afrika" op vermeld. Jammer genoeg bevestigt die het relaas.'

'Zou dat spul nog steeds in Zuid-Afrika gewonnen worden?' opperde Dahlgren.

Pitt schudde zijn hoofd. 'Ik had me die naam moeten herinneren. Het was een van de mijnen die Yeager heeft nagetrokken. In feite speelde die al zo'n jaar of veertig geleden geen rol van betekenis meer.'

'Dus in het poolgebied hoeven we nergens meer naar ruthenium op zoek,' stelde Stenseth nuchter vast.

'Nee,' antwoordde Pitt, die het logboek met een verslagen blik dichtsloeg. 'Net als Franklin, hebben we een ijskoude en dodelijke doorgang naar nergens gevolgd.'

EPILOOG

De rots

Franklin op weg naar zijn laatste rustplaats

90

Hoewel Mitchell Goyette absoluut geen gewoontedier was, had hij wel één opmerkelijk ritueel. Als hij in Vancouver was, lunchte hij elke vrijdagmiddag in de Victoria Club. Dat was een chique particuliere golfclub in de heuvels ten noorden van de stad, en de afgeschermde enclave bood vanaf het prachtige clubhuis vlak bij de achttiende green een verbluffend mooi uitzicht op Vancouver Harbor. Toen Goyette als jongeman had geprobeerd lid te worden, was dat door de arrogante hotemetoten uit de zogenaamde hogere kringen die het bij de club voor het zeggen hadden, onvoorwaardelijk afgewezen. Maar jaren later had hij wraak genomen door in het kader van een veelomvattende deal de golfbaan en het clubhuis te kopen. Hij had alle oude leden er prompt uitgegooid en vervolgens voornamelijk bankiers, politici en andere machtsmanipulators binnengehaald, lieden die hem zouden kunnen helpen bij het uitbouwen van zijn fortuin. Als hij niet druk bezig was met het rondmaken van een nieuwe deal, ontspande Goyette zich hier tijdens een lunch waarbij hij drie martini's nuttigde, in gezelschap van een van zijn vriendinnen en zittend in een afgescheiden gedeelte met uitzicht over de haven.

Het was precies vijf voor twaalf toen de door een chauffeur bestuurde Maybach van Goyette bij het wachthuisje vaart minderde en prompt door de bewaking bij de hoofdingang van het clubhuis werd doorgewuifd. Twee blokken verderop keek een man in een wit bestelbusje hoe de Maybach het terrein op reed, en startte toen de motor van zijn auto. De bestelwagen, met op de zijkant een magnetisch bord met daarop de tekst COLUMBIA SCHOONMAAKMATERIALEN, stopte bij het wachthuisje. De chauffeur, die een honkbalpetje en een zonnebril droeg, draaide het raampje naar beneden en stak een klembord met een bestelbon naar buiten.

'Ik heb een bestelling voor de Victoria Club,' zei de chauffeur met een verveelde stem.

De bewaker wierp een blik op het klembord en gaf dat ongelezen terug.

'Rij maar door,' antwoordde hij. 'Voor de dienstingang moet je rechts aanhouden.'

Trevor Miller glimlachte flauwtjes terwijl hij het klembord met de nep-bestelbon op de stoel naast hem gooide.

'Nog een fijne dag,' zei hij tegen de bewaker en reed de oprijlaan op.

Trevor had zich nooit kunnen voorstellen dat er nog eens een dag zou aanbreken waarop hij genoodzaakt zou zijn om iemand om te brengen. Maar de dood van zijn broer en talloze anderen, allemaal slachtoffers van Goyettes industriële hebzucht, mocht zonder meer moord worden genoemd. En die moorden zouden doorgaan, wist hij, begeleid door een onophoudelijke vernietiging van het milieu. Het was natuurlijk mogelijk dat het publiek op een gegeven moment het hoofd van Goyette zou eisen, maar de man zelf zou altijd worden beschermd door corrupte politici en duurbetaalde advocaten. Er was maar één manier om hier een eind aan te maken, en dat was een einde maken aan Goyette. Hij wist dat het rechtssysteem niet in staat was deze klus te klaren, dus was hij tot de slotsom gekomen dat hij het zelf moest doen. En wie kon het beter doen dan een onopvallende ambtenaar die nauwelijks argwaan wekte en eigenlijk niets te verliezen had?

Trevor reed met de bestelwagen naar de achterkant van het clubgebouw en parkeerde naast een vrachtwagen die zo te zien biologische groenten kwam afleveren. Hij deed de achterdeur open, pakte een steekwagentje en zette daar vier zware dozen op. Hij reed ermee de achterdeur binnen en werd tegengehouden door de bedrijfsleider van de club, een kleine, gedrongen man met een lui rechteroog.

'Toiletvoorraden en schoonmaakmiddelen,' zei Trevor toen de man hem de weg versperde.

'Volgens mij hebben we vorige week pas nieuwe voorraad binnengekregen,' reageerde de bedrijfsleider met een verbaasde blik, maar het volgende moment gebaarde hij Trevor naar een stel klapdeuren naast de keuken.

'Voor de toiletten moet je die deur door en dan naar links. Er vlak naast bevindt zich de voorraadkast,' zei hij. 'Mijn assistent zit binnen achter de reserveringsbalie. Die zal voor de spullen tekenen.'

Trevor knikte, liep de keuken uit en een korte gang in, om even later bij de dames- en herentoiletten uit te komen. Bij het vensterloze herentoilet aangekomen stak hij heel even zijn hoofd naar binnen, maar deed snel een stapje achteruit. Enkele ogenblikken later kwam er een clublid met een goudkleurig poloshirt aan naar buiten. Trevor reed het steekwagentje naar binnen en zette de dozen op het toilet in het achterste hokje, en deed de deur ervan dicht. Hij liep naar de bestelwagen terug en bracht nog vier ladingen naar binnen, die hij tegen de achterwand plaatste. Hij maakte een van de dozen open en haalde er een draagbaar hittekanon uit, waarvan hij het snoer in een stopcontact onder een wasbak stak, maar schakelde het

408

apparaat nog niet in. Daarna schoof hij een van de dozen naar het midden van de vloer. Die gebruikte hij als opstapje, rekte zich uit en draaide met behulp van een plukje papieren handdoekjes de helft van de plafondlampen los, waardoor er in het herentoilet een soort schemerduister hing. Hij vond het enige aircorooster in het vertrek, draaide het dicht en plakte het vervolgens met isolatietape helemaal af.

Hij was tevreden over de eerste maatregelen en stapte vervolgens een hokje binnen, zette zijn pet af en ritste zijn overall open. Eronder droeg hij een zijden overhemd en een donkere pantalon. Hij graaide in de geopende doos en haalde er een blauwe blazer en keurige schoenen uit tevoorschijn, die hij snel aantrok. Toen hij zichzelf in de spiegel bekeek concludeerde hij dat hij best voor lid of gast door kon gaan. Hij had zijn baard afgeschoren en zijn haar laten knippen, dat hij vervolgens met een kortwerkende kleurstof had behandeld, waardoor er een zwarte glans overheen hing. Hij zette een modieuze zonnebril op en ging vervolgens op weg naar de bar.

Het was niet druk in de bar en het aangrenzende restaurant – slechts een handjevol zakenlieden en opzichtig geklede golfers zaten er te lunchen. Nadat hij Goyette in zijn afgescheiden hoekje had zien zitten, nam Trevor aan de bar plaats, van waaruit hij een onbelemmerd uitzicht op de magnaat had.

'Wat kan ik voor u inschenken?' vroeg de barkeeper, een aantrekkelijke vrouw met kort zwart haar.

'Een Molson, graag. En ik vroeg me af of er misschien ook een glas bij meneer Goyette kon worden afgeleverd,' zei hij, en wees naar de hoek.'

'Uiteraard. Wie kan ik zeggen dat de gulle gever is?' vroeg ze.

'Zeg alleen maar dat de Royal Bank of Canada zijn manier van zakendoen bijzonder waardeert.'

Trevor zag dat het bier bij zijn tafeltje werd afgeleverd en was blij toen Goyette het glas accepteerde alsof het de normaalste zaak van de wereld was en niet eens de moeite nam om in de richting van de bar te kijken. Goyette was al aan zijn tweede martini bezig en sloeg het bier achterover op het moment dat zijn lunch werd geserveerd. Trevor wachtte tot Goyette en zijn vriendin begonnen te eten, en keerde toen naar het herentoilet terug.

Trevor hield de deur open voor een al wat oudere man die net naar buiten kwam en mopperde over de slechte verlichting, en hing vervolgens een bord aan de deur waarop stond GESLOTEN – WORDT MOMENTEEL GEREPAREERD – S.V.P. TOILET IN CLUBHUIS GEBRUIKEN. Hij ging snel weer naar binnen en spande een strook gele waarschuwingstape over de urinoirs, en trok vervolgens handschoenen aan. Met een stanleymes in de hand ging hij van doos tot doos, sneed ze open en kieperde de inhoud op de grond. In elke doos zat vijf kilo in plastic verpakt droog ijs, bevroren koolstofdioxide, eveneens bekend onder de benaming koolzuurgas. Hij klapte de kartonnen dozen vervolgens in elkaar en stapelde ze in het laatste hokje op, om vervolgens het droge ijs tegen de achterkant van het toilet op te stapelen, waarna hij systematisch de plastic verpakking opensneed. Binnen de kortste keren begon zich een vluchtige damp te ontwikkelen, maar Trevor dekte de blokken af met de geplette dozen, zodat het ijs niet al te snel zou smelten. Tot zijn opluchting zag hij dat in het zwakke licht die damp nauwelijks te zien was.

Hij keek op zijn horloge en zette snel een kleine gereedschapskist bij de deur neer, waar hij zijn pet en overall overheen legde. Met behulp van een klein zaklantaarntje en een schroevendraaier maakte hij aan de binnenkant van de deur de klink zodanig los dat hij er nog net niet af viel. Hij gooide het gereedschap in de kist, deed heel voorzichtig de deur open en liep naar de bar terug.

Goyette was bijna klaar met eten, maar Trevor ging weer aan de bar zitten en bestelde een tweede biertje, waarbij hij zijn toekomstige slachtoffer echter geen moment uit het oog verloor. Met zijn bulderende gelach gedroeg Goyette zich exact zoals Trevor had verwacht dat dit soort lieden zich gedroeg. Ordinair, egoïstisch en ongelooflijk arrogant, vormde deze man in z'n eentje een wandelende staalkaart van psychische afwijkingen die waarschijnlijk allemaal terug te voeren waren op een diepgewortelde onzekerheid. Trevor keek eens naar de man en moest vechten tegen de verleiding om naar hem toe te lopen en een botermesje in zijn oor te rammen.

Na een tijdje schoof hij het bord van zich af en kwam hij overeind. Trevor legde snel wat bankbiljetten voor de bardame op de toog en haastte zich richting gang. Hij haalde het bord met GESLOTEN van de deur, stapte snel naar binnen en trok zijn overall aan, en had nog maar net zijn pet opgezet toen Goyette naar binnen stapte. Toen hij Trevor in zijn werkkleren zag staan keek de zakenman hem ontstemd aan.

'Waarom is het hier zo donker?' vroeg hij op hoge toon. 'En waar komt die stoom vandaan?' Hij wees naar een wasemachtige substantie die achter in de toiletruimte te zien was.

'Een lek in de leiding,' antwoordde Trevor. 'Door condens ontstaat er op de een of andere manier damp. Ik denk dat dat lek ook voor kortsluiting heeft gezorgd – dat daarom die lampen het niet doen.'

'Nou, repareer het dan,' blafte Goyette.

'Jawel, meneer. Komt voor elkaar.'

Trevor zag Goyette naar de urinoirs met de gele tape ervoor kijken, waarna hij op het eerste toilethokje af stapte. Zodra de deur achter hem dichtklikte, stapte Trevor op het hittekanon af, schakelde dat in en zette hem op HOOG. Vervolgens haalde hij het karton weg, waardoor de stapel blokken droog ijs bloot kwamen te liggen. Haastig verspreidde hij enkele blokken in de toiletruimte, waar het al snel warmer begon te worden en het bij het smelten ontstane gas al begon op te stijgen.

Trevor liep naar de deur, opende de gereedschapkist en pakte zijn schroevendraaier en een taps toelopende rubberen deurklem waar aan het dunne uiteinde een touwtje was bevestigd. Hij deed de deur een paar centimeter open en stopte de klem eronder om hem op zijn plaats te houden. Daarna schroefde hij aan de binnenkant de klink helemaal los en gooide die in de gereedschapskist.

Toen hij zich omdraaide voelde hij dat de temperatuur al behoorlijk was gestegen en dat ten gevolgde daarvan ook de wolk koolzuurgas een stuk omvangrijker was geworden. Hij hoorde Goyette zijn gulp dichtritsen en riep: 'Meneer Goyette?'

'Ja?' klonk het nijdig. 'Wat is er?'

'U moet de groeten hebben van Steve Miller.'

Trevor stapte naar de deur, deed het licht uit en ramde met de onderkant van zijn gereedschapskist de plastic wipschakelaar kapot. Hij glipte de deur uit, knielde neer en legde de klem aan de andere kant van de deur op de grond, in de toiletruimte, en liet het touwtje onder de deur door glijden. Hij liet de deur dichtvallen en gaf vanuit de gang een harde ruk aan het touwtje, zodat de rubberklem aan de binnenkant strak tegen de deur aan kwam te zitten.

Toen hij het bord met GESLOTEN weer tegen de deur zette hoorde hij Goyette in de toiletruimte vloeken. Met een brede grijns van voldoening pakte Trevor zijn gereedschapskist en verliet via de keuken het gebouw. Enkele minuten later had hij het terrein van de club verlaten en was hij op weg naar het plaatselijke autoverhuurbedrijf in het naburige Surrey.

Met een sublimatietemperatuur van 78,5 graden onder nul verandert droog ijs al op kamertemperatuur in een gas. Het hittekanon had de toiletruimte al snel tot zo'n vijfendertig graden opgewarmd, zodat de driehonderd kilo droog ijs in een hoog tempo begon te verdampen. Blind rondtastend in de pikdonkere ruimte voelde Goyette bij elke keer dat hij ademhaalde een kille vochtigheid in zijn longen. Steeds duizeliger wordend wist hij met uitgestrekte armen de deur te vinden en tastte met zijn linkerhand naar het lichtknopje, terwijl hij met zijn rechter de klink probeerde te vinden. In een flits van angst besefte hij dat beide ontbraken. Nadat hij een halve minuut vergeefs had geprobeerd de deur met zijn nagels open te krijgen, begon hij uiteindelijk met zijn vuisten tegen het dikke hout te beuken en om hulp te schreeuwen. Toen de lucht steeds kouder en zwaarder werd, begon hij te hoesten en drong met een opkomend gevoel van paniek het besef tot hem door dat er iets vreselijk mis was.

Het duurde enkele minuten voor een hulpkelner zijn geschreeuw hoorde en ontdekte dat de deur vanbinnen klem zat. Nog eens twintig minuten verstreken voor er een monteur was gevonden die kans zag de deur uit zijn scharnieren te lichten. Het groepje mensen dat zich op de gang had verzameld was totaal verbijsterd toen er een witte damp uit de toiletruimte kwam zetten en ze het levenloze lichaam van Goyette op de vloer zagen liggen.

Een week later kwam het Vancouver District Coroner's Office met het sectierapport naar buiten, waarin te lezen stond dat de miljardair was overleden aan verstikking ten gevolge van blootstelling aan een te grote hoeveelheid koolstofdioxide.

'Vroeger werd dit spul ook wel "mijngas" genoemd,' vertelde een al wat oudere patholoog-anatoom tijdens een persconferentie aan de journalisten. 'Ik heb zo'n geval als dit al in geen jaren meer meegemaakt.'

91

Bijna honderd vertegenwoordigers van de media, waarvan meer dan de helft uit Canada afkomstig, verdrongen zich in Anchorage op de kustwachtpier toen de *Otok* daar de haven binnenvoer. De grote ijsbreker naderde uiterst langzaam, zodat de fotografen ruim de tijd hadden om opnamen te maken van de ingedrukte voorsteven en de verschillende verflagen die op de romp waren aangebracht. Vervolgens werd er afgemeerd achter een kotter van de Amerikaanse kustwacht die de naam *Mustang* had meegekregen.

Het Witte Huis en het Pentagon waren onmiddellijk overgegaan tot het relativeren van de vijandelijkheden tussen Canada en de Verenigde Staten, waarbij niet van de diplomatieke kanalen gebruik werd gemaakt maar ze zich rechtstreeks tot het publiek richtten. Er waren al perscommuniqués verspreid waarin uitgebreid verslag werd gedaan van de rol die de *Otok* bij het vernietigen van het Canadese ijskamp had gespeeld, vermomd als Amerikaans oorlogsschip. Kleurenvergrotingen van haar romp, gemaakt door de *Santa Fe*, lieten onder de rode verf een grijze onderlaag zien met daarop het nummer 54, het naamsein van de *Ford*. Men had zelfs een ooggetuige opgespoord, die onder ede had verklaard dat hij in de buurt van Kugluktuk een grijs schip midden in de nacht een droogdok had zien binnenvaren. Dat dok was eigendom van een van Goyettes bedrijven, en enkele dagen later was hetzelfde schip er met een rood geschilderde romp weer uit tevoorschijn gekomen.

De persmensen konden hun geluk niet op toen ze in de gelegenheid werden gesteld om de kapitein en bemanning van de ijsbreker te fotograferen die onder escorte werden afgemarcheerd en onmiddellijk in verzekerde bewaring werden gesteld, in afwachting van uitlevering aan de Royal Canadian Mounted Police. Al snel verspreidde zich het nieuws dat de bemanning had bekend dat ze dwars door het ijskamp was gevaren, en dat ze zich ook schuldig had gemaakt aan de ontvoering van de bemanning van de *Polar Dawn*.

Vervolgens spraken kapitein Murdock en zijn bemanning met de verslaggevers, die geschokt luisterden naar hun relaas over de gebeurtenissen

413

in Kugluktuk en hun bijna fataal afgelopen beproevingen aan boord van de lichter. Daarna beantwoordden Roman en Stenseth om beurten vragen van de pers, totdat de verbijsterde journalisten in kleine groepjes vertrokken om hun artikelen naar hun krant of televisiestation door te sturen. Binnen enkele uren daalde een hele horde onderzoeksverslaggevers op Terra Green Industries neer om Mitchell Goyettes corrupte activiteiten in het poolgebied eens goed tegen het licht te houden.

De persmensen waren allang verdwenen toen Pitt met een kruk onder een arm van het schip strompelde. Naast hem liep Giordino, die twee kleine plunjezakken en het logboek van de *Erebus* droeg. Toen ze het eind van de kade hadden bereikt stopte er een grijze Lincoln Navigator met donkergetinte raampjes vlak voor hen. De chauffeur opende zijn raampje een stukje, waardoor er een breed hoofd met stekeltjeshaar zichtbaar werd. De man keek hen zonder ook maar één keer met zijn ogen te knipperen strak aan.

'De vicepresident zou het zeer op prijs stellen als u instapt,' zei de chauffeur zonder verdere toelichting.

Pitt en Giordino keken elkaar ongerust aan, maar vervolgens deed Pitt het achterportier open, gooide zijn kruk naar binnen en liet zich op de bank zakken, terwijl Giordino van de andere kant instapte. Sandecker keek vanaf de stoel naast de bestuurder toe, met tussen zijn lippen een dikke sigaar geklemd.

'Admiraal, dat is een leuke verrassing,' zei Giordino met zijn gebruikelijke sarcasme. 'Maar we hadden natuurlijk ook best een taxi naar het vliegveld kunnen nemen.'

'Ik wilde net zeggen dat ik blij was om jullie weer levend terug te zien, maar misschien moet ik daar toch nog eens wat dieper over nadenken,' reageerde Sandecker.

'Fijn u weer terug te zien, admiraal,' zei Pitt. 'We hadden u hier alleen niet verwacht.'

'Ik heb zowel Loren als de president beloofd dat ik jullie intact naar huis zou brengen.'

Hij knikte naar de chauffeur, die het terrein van het kustwachtstation afreed en dwars door de stad koers zette naar de internationale luchthaven van Anchorage.

'Heeft u dat de president beloofd?' vroeg Giordino.

'Ja. Ik heb enorm op mijn lazer gehad toen hij erachter kwam dat de *Narwhal*, met de directeur van de NUMA aan boord, ergens midden in de Noordwestelijke Doorvaart zat.'

'Tussen haakjes, nog bedankt voor het sturen van de *Santa Fe*,' zei Pitt. 'Zij waren degenen die ons hachje hebben gered.'

'We hadden het geluk dat ze zich in de Noordelijke IJszee bevonden en het betreffende gebied snel konden bereiken. Maar de president is zich maar al te bewust van het feit dat de bemanning van de *Polar Dawn* ten dode opgeschreven zou zijn als jullie er niet op af waren gegaan.'

'De redding van de *Polar Dawn*-bemanning is aan Stenseth en Dahlgren te danken,' reageerde Pitt.

'Maar belangrijker nog, jullie doorzagen de list met die ijsbreker. Ik kan jullie niet zeggen hoe dicht we bij een gewapend conflict met Canada zijn geweest. De president vindt dat jullie een ernstige crisis hebben weten af te wenden.'

'Dan is het minste wat hij kan doen fondsen beschikbaar stellen voor een vaartuig dat de *Narwhal* moet vervangen,' merkte Giordino op.

De Lincoln zoefde voort over de natte wegen en passeerde Delaney Park, een brede strook gras met bomen waar vroeger het vliegveld van de stad was gesitueerd. Anchorage International Airport was veel later pas aangelegd op een zandbank ten zuidwesten van de stad.

'Hoe verliepen de persconferenties?' vroeg Pitt.

'Precies zoals we hadden gehoopt. De Canadese media hebben zich boven op het verhaal gestort. Die zijn al op weg naar Ottawa om de premier aan de tand te voelen over zijn ongegronde beweringen over die incidenten in het poolgebied. Hij en zijn partij zullen geen andere keus hebben dan de consequenties van hun daden te aanvaarden en hun beschuldigingen tegen ons in te trekken.'

'Ik hoop alleen maar dat het voor Mitchell Goyette ook gevolgen gaat krijgen,' zei Giordino.

'Ik ben bang dat het voor hem te laat is,' antwoordde Sandecker.

'Te laat?' vroeg Giordino.

'Goyette is gisteren in Vancouver dood aangetroffen. Hij is klaarblijkelijk onder nogal mysterieuze omstandigheden om het leven gekomen.'

'Eindelijk gerechtigheid,' merkte Pitt kalm op.

'Is de CIA zo snel in actie gekomen?' vroeg Giordino.

Sandecker keek hem vernietigend aan. 'Wij hebben er niets mee te maken.'

De vicepresident verlegde zijn blik naar Pitt en keek hem ernstig aan. 'Heb je het ruthenium gevonden?'

Pitt schudde zijn hoofd. 'Al heeft het logboek van de *Erebus* hier. Het ruthenium van Franklin bestond wel degelijk, maar hij was eraan gekomen via een ruil met een walvisvaarder uit Zuid-Afrika. In het noordpoolgebied is nooit ruthenium gevonden, terwijl de mijnen in Zuid-Afrika waar het ooit gewonnen werd, al jaren geleden zijn gesloten. Ik ben bang dat we met lege handen zijn teruggekomen.'

Lange tijd was het stil in de auto.

'Tja, dan zullen we naar een andere manier op zoek moeten,' merkte Sandecker uiteindelijk rustig op. 'Jullie hebben in elk geval Franklin terug-gevonden,' voegde hij eraan toe, 'en een honderdvijfenzestig jaar oud mys-terie opgelost.'

'Ik hoop alleen maar dat hij nu zelf ook eindelijk een keertje thuiskomt,' zei Pitt ernstig terwijl hij in de verte naar de toppen van de Chugach Mountains staarde. Even later kwam de Lincoln naast de Air Force Two, het vliegtuig van de Amerikaanse vicepresident, tot stilstand.

92

De dood van Mitchell Goyette maakte aan de mediastorm die rond zijn imperium was opgestoken bepaald geen einde. Integendeel. Enkele journalisten die zich met milieuzaken bezighielden hadden al verband weten te leggen tussen het dumpen van het koolstofdioxide en de afvang- en opvanginstallatie bij Kitimat, en het bijna-ongeluk met het uit Alaska afkomstige cruiseschip. Inspecteurs van het Canadese ministerie voor Milieuzaken waren naar de installatie gekomen, hadden hem vervolgens gesloten en de werknemers naar huis gestuurd, terwijl er ondertussen zowel strafrechtelijke als civiele aanklachten tegen Terra Green werden voorbereid. Hoewel het enkele weken duurde, werd uiteindelijk ook de LNG-tanker die voor het dumpen van het koolstofdioxide verantwoordelijk was bij een scheepswerf in Singapore teruggevonden. Het vaartuig, eveneens eigendom van een dochtermaatschappij van Goyette, werd door de plaatselijke autoriteiten in beslag genomen.

De illegale activiteiten van de mogul waren zowel in Canada als de Verenigde Staten nog diverse keren voorpaginanieuws. Het duurde niet lang voor nader politieonderzoek Goyettes jarenlange corruptie bij het binnenhalen van olie-, gas- en mineraalconcessies aan het licht bracht. Hoewel Jameson, de minister voor Natuurlijke Hulpbronnen, voor zichzelf immuniteit van strafvervolging had weten te regelen, begonnen de bezwarende feiten in een hoog tempo bekend te worden. Er bleken telefonisch grote bedragen aan de premier te zijn overgemaakt, door Goyette betaald smeergeld om over heel Canada zijn afvang- en opslaginstallaties voor koolstofdioxide te kunnen bouwen. Het geldspoor leidde naar tientallen andere clandestiene deals tussen Goyette en premier Barrett om gezamenlijk de natuurlijke hulpbronnen van het land te exploiteren.

Oppositieleiders maakten razendsnel gebruik van het nieuws en de onderzoeken om een grootschalige heksenjacht op de premier te ontketenen. Toch al hevig bekritiseerd vanwege zijn onterechte aantijgingen met betrekking tot de incidenten in het poolgebied, veroorzaakten de beschuldigingen van corruptie een golf van verontwaardiging. Een paar dagen later al, niet langer door het parlement gesteund, nam premier Barrett ontslag, samen met het overgrote deel van zijn kabinet. De voormalige premier, geminacht door het publiek, zou zich nog jarenlang fel tegen de strafrechtelijke beschuldigingen blijven verzetten, om op een gegeven moment in ruil voor een schuldbekentenis strafvermindering te krijgen. Van zijn reputatie was niets meer over en Barrett verdween dan ook binnen de kortste keren uit het openbare leven.

Terra Green Industries van Goyette onderging eenzelfde neergang. Onderzoekers slaagden erin zijn strategie te reconstrueren, die bestond uit het domineren van de in het poolgebied gevonden natuurlijke hulpbronnen door geleidelijk aan te proberen de Amerikaanse aanwezigheid terug te dringen, het monopoliseren van het vervoer ter plaatse, en ambtenaren zodanig om te kopen dat hij in bezit kwam van meerderheidsbelangen. Bedolven door boetes vanwege corruptie en milieuovertredingen die bij elkaar in de honderden miljoenen dollars liepen, werd de besloten vennootschap al snel failliet verklaard. Sommige bezittingen van het bedrijf, waaronder de LNG-tanker, de Victoria Club en Goyettes jacht, werden tijdens een openbare veiling per opbod verkocht. Het overgrote deel van de olie- en gasvelden werd door de overheid overgenomen, die deze natuurlijke hulpbronnen tegen kostprijs op de markt bracht, terwijl ook de vaartuigen in overheidshanden kwamen. Eén ijsbreker en een aantal lichters werden voor een dollar per jaar aan een non-profithulporganisatie verhuurd. De vaartuigen werden naar de Hudsonbaai overgebracht, waarna ze werden ingezet voor het vervoer van overschotten aan tarwe vanuit Manitoba naar door honger geteisterde gebieden in West-Afrika.

Analisten ontdekten dat een klein containerschip met de naam *Alberta* ook tot de Terra Green-vloot behoorde. Een team slimme Mountie-rechercheurs wist te bewijzen dat dit hetzelfde schip was dat in Straat Lancaster de patrouilleboot *Harp* van de kustwacht had geramd, want door slechts enkele letters over te schilderen kon dit schip de naam veranderen in *Atlanta*. Net als de mannen die aan boord van de *Otok* dienst hadden gedaan, was ook deze bemanning bereid te verklaren dat ze hadden gehandeld op rechtstreekse orders van Mitchell Goyette.

Naarmate gematigde maar invloedrijke krachten het binnen de Canadese regering weer voor het zeggen kregen, verbeterden de relaties met de Verenigde Staten snel. De *Polar Dawn* werd zonder veel ophef aan de Amerikanen teruggegeven, samen met een kleine vergoeding voor de bemanningsleden. De bepaling dat onder Amerikaanse vlag varende schepen geen gebruik mochten maken van de Noordwestelijke Doorgang werd geschrapt en korte tijd later tekenden de twee landen een strategisch veiligheidspact. Omwille van een gedeelde, wederzijdse defensie, stond er in de overeenkomst, beloofde Canada plechtig dat Amerikaanse militaire vaartuigen altijd onbeperkte toegang tot de doorvaart zouden hebben. Maar nog belangrijker, vond de president, was het feit dat de Canadese overheid het gasveld in de Melville Sound voor de Amerikanen openstelde. Enkele maanden later vloeiden grote hoeveelheden aardgas onverminderd naar de Verenigde Staten, waardoor er aan de economische ontwrichting ten gevolge van de enorm hoge olieprijzen snel een eind kwam.

Achter de schermen heropenden de FBI en de Royal Canadian Mounted Police gezamenlijk hun dossiers met betrekking tot Clay Zak. De bomaanslag op het laboratorium van de George Washington University en de zinkmijn in het poolgebied konden bijna moeiteloos aan hem worden toegeschreven, maar zijn andere misdaden waren een stuk moeilijker naspeurbaar. Hoewel er wel verdenking bestond, kon hij nooit definitief aan de dood van Elizabeth Finlay in Victoria worden gekoppeld. Maar dat er verband bestond tussen hem en een stuk of tien onopgehelderde sterfgevallen van mensen die allemaal bekendstonden als tegenstander van Goyette, stond haast wel vast. Hoewel hij in een anoniem graf op de North Vancouver Cemetery werd begraven, zouden zijn moorddadige activiteiten een stuk of wat rechercheurs nog jarenlang van de straat houden.

De enige partner van Goyette die kans zag succesvol tussen de vele juridische en mediaonderzoeken door te laveren was de minister van Natuurlijke Hulpbronnen, Arthur Jameson. Ondanks zijn grote betrokkenheid bij deze zaak overleefde Jameson de beproeving en hield er zelfs nog enige bewondering van het publiek aan over. Goyette werd zo veracht, ook al was hij dood, dat de misdaden van Jameson – enkel en alleen omdat hij met bewijsmateriaal op de proppen was gekomen en de hele zaak aan het licht had gebracht – door de vingers werden gezien.

Hij nam ontslag als minister en kreeg de functie van directeur aangeboden bij een gerespecteerde particuliere school in Ontario, waar hij bij het uiterst populaire vak ethiek regelmatig als docent fungeerde. Zijn statuur groeide, terwijl de misdaden die hij in het verleden had begaan uiteindelijk werden vergeten, en Jameson omarmde niet alleen het wetenschappelijke leven maar ook een aanzienlijk bescheidener levensstijl. Alleen zijn vier kinderen moesten af en toe nog wel eens aan zijn vroegere activiteiten denken, in de wetenschap dat er, zodra ze de leeftijd van vijfendertig jaar zouden bereiken, op de Kaaimaneilanden een trustfonds ter waarde van tien miljoen dollar op hen zou liggen wachten.

Wat Goyette zelf betrof: zelfs na zijn dood wist hij maar weinig sympathie te wekken. Zijn omkoperij, intense slechtheid en hebzucht, evenals zijn totale onverschilligheid met betrekking tot de milieueffecten van zijn zakendoen, creëerden een universele wrok. Die stemming heerste zelfs bij de

Royal Canadian Mounted Police, die de omstandigheden rond zijn dood slechts oppervlakkig onderzocht. De officiële instanties beseften dat zijn moordenaar op een voetstuk zou worden geplaatst, bagatelliseerden de omstandigheden rond zijn dood dan ook en meldden dat het waarschijnlijk een ongeluk was geweest. De publieke belangstelling voor zijn dood werd al snel minder, terwijl de politie intern nauwelijks over aanwijzingen beschikte, maar wel over een bijna eindeloze lijst met vijanden, die een oplossing van de moord bij voorbaat uitsloot. Zonder veel ophef werd de dood van Mitchell Goyette al snel een *cold case* die van niemand opgelost hoefde te worden.

93

Een vaandelwacht van de Royal Navy droeg de kist van donker hout de treden af van de neoklassieke anglicaanse kapel, en plaatste die behoedzaam op een sierlijk negentiende-eeuws affuit. De lijkrede had vrij lang geduurd, zoals dat gebruikelijk was bij een begrafenisplechtigheid met koninklijke allure, terwijl de premier van het Verenigd Koninkrijk en de prins van Wales, plus nog enkele notabelen, de obligate opmerkingen hadden geplaatst. De sfeer was enigszins brallerig en patriottisch, en zeker niet persoonlijk, maar zo vreemd was dat niet, want niemand van de aanwezigen had de overledene ooit gekend.

De begrafenis van sir John Alexander Franklin was een grootse en imposante aangelegenheid, maar tegelijkertijd ook een opbeurende gebeurtenis. De ontdekking van Franklins lichaam aan boord van de *Erebus* had bij het Britse volk een hernieuwde, nostalgische belangstelling voor de Romantiek naar boven gebracht, deed de mensen weer denken aan de glorieuze tijd waarin Wellington het aan land voor het zeggen had en Nelson over de zeeën heerste. Over Franklins wapenfeiten in het hoge noorden, voor de moderne generaties niet meer dan een historische voetnoot die nagenoeg vergeten was, werd gedetailleerd verslag gedaan aan een publiek dat plotseling in de ban ervan was geraakt en luidruchtig om meer riep.

Die publieke fascinatie had een enorme druk gelegd op het team archeologen en forensisch specialisten dat tot taak had het schip te onderzoeken en het lichaam te bergen. Vierentwintig uur per etmaal werkend hadden ze, nog voor Franklins lichaam in Londen arriveerde en zijn kist in Westminster Abbey te zien was geweest, twee belangrijke mysteries opgelost.

Hoewel een heel scala aan kwalen aan zijn dood op eenenzestigjarige leeftijd zou hebben bijgedragen, stelden de wetenschappers vast dat tuberculose, een ziekte die in de kleine ruimte van een in het ijs vastzittend schip gemakkelijk kon worden opgelopen, hem uiteindelijk fataal was geworden. Intrigerender nog was de onthulling waarom een groot deel van de bemanning van de *Erebus* waanzinnig was geworden. Op basis van het verslag in het logboek van het schip, dat Pitt naar de Britse autoriteiten had gestuurd, hadden deskundigen een kleine hoeveel ruthenium getest dat in een officierskajuit was aangetroffen. Uit analyses was gebleken dat in het Zuid-Afrikaanse erts een hoog gehalte aan kwik aanwezig was. Zodra de erts in emmers en onderste-ken op het fornuis verwarmd werd, scheidde de erts een giftige damp af die in de kombuis en de bemanningsverblijven bleef hangen. Net als bij de krankzinnig geworden hoedenmaaksters, veroorzaakte langdurige blootstel-ling aan kwik allerlei neurologische afwijkingen en psychotische reacties.

De talloze tragische gebeurtenissen zorgden ervoor dat het verhaal steeds meer aantrekkingskracht kreeg en het publiek kwam in groten getale opdagen om Franklin de laatste eer te bewijzen. De hekken van Kensal Green, een oude, uitgestrekte begraafplaats in het westen van Londen, moesten op de dag van zijn teraardebestelling nadat zich dertigduizend mensen op deze legendarische plek hadden verzameld, worden gesloten.

Het was een warme, drukkende zomerdag, die in niets leek op de pool-omstandigheden waaronder hij was overleden. Het door paarden getrok-ken affuit en de munitiewagen reden langzaam bij de kapel vandaan, ratel-den over een met kinderkopjes geplaveid pad, terwijl de met ijzers beslagen hoeven van de shire-merries bij elke stap die werd gezet luidruchtig klep-perden. Gevolgd door een lange stoet mensen rolde het affuit met daarop de kist naar een afgescheiden gedeelte van de begraafplaats waar enkele hoge kastanjebomen stonden. De koetsier liet de paarden halt houden naast een uitgebreid familiegraf dat via een openstaand hek betreden kon worden. Een leeg, vers gedolven graf bevond zich vlak naast een graftombe met daarop de tekst LADY JANE FRANKLIN, 1792-1875.

Franklins geliefde echtgenote was, meer dan wie ook, bepalend geweest bij het achterhalen van het uiteindelijke lot van de verdwenen expeditie. Onvermoeibaar en zonder zich te bekommeren om de financiële conse-quenties, had ze met eigen middelen niet minder dan vijf reddingsexpedi-ties georganiseerd. Het poolgebied doorkruisend, op zoek naar haar echt-genoot en zijn schepen, waren de eerste expedities daar niet in geslaagd, wat ook gold voor de zoekacties die door de Britse overheid op poten waren gezet. Een andere poolreiziger, Francis McClintock, was uiteindelijk degene geweest die had ontdekt wat er met Franklin was gebeurd. Ge-bruikmakend van het stoomjacht *Fox* en in opdracht van lady Franklin, vond hij op King William Island enkele belangrijke voorwerpen, alsmede een briefje waarin gewag werd gemaakt van Franklins dood in 1847 en de mededeling dat de bemanningen, nadat de schepen in het ijs vast waren komen te zitten, waren weggetrokken.

Er was honderdachtenzestig jaar verstreken sinds hij haar op de oever van de Theems ten afscheid had gekust, maar nu werd John Franklin ein-delijk met zijn echtgenote verenigd.

Zijn ziel zou om nog andere redenen tevreden kunnen zijn, los van het feit dat hij nu naast zijn Jane te ruste werd gelegd. Nadat een fregat van de Royal Navy zijn lichaam vanuit de *Erebus* aan boord had genomen om dat terug naar Engeland te brengen, had dat schip de lange route afgelegd, door Straat Bering, een stuk Grote Oceaan en vervolgens door het Panama-kanaal naar de Atlantische Oceaan.

Sir Franklin had de Noordwestelijke Passage dan wel niet bij leven afgelegd, maar dan in elk geval bij zijn dood.

94

Pitt tuurde door het venster van zijn kantoor naar de een eindje verder-op liggende Potomac, terwijl zijn gedachten even richtingloos werden meegevoerd als de stroming van de rivier.

Sinds hij uit het poolgebied was teruggekeerd had hij eigenlijk zijn draai niet meer kunnen vinden; hij droeg een soort onzekerheid met zich mee die gemengd was met teleurstelling. Dat kwam deels door zijn verwondingen, wist hij. Zijn been en arm heelden uitstekend en de artsen hadden gezegd dat hij volledig zou herstellen. Hoewel hij nauwelijks pijn had, vond hij het nog steeds vreselijk om niet mobiel te zijn. De kruk gebruikte hij al een hele tijd niet meer, maar hij kon af en toe nog niet zonder wandelstok. Giordino had dat wat minder erg gemaakt door met een wandelstok aan te komen waarin – geheel onzichtbaar – een klein flesje tequila kon worden opge-borgen. Ook Loren deed haar uiterste best en probeerde hem als een echte Florence Nightingale bij elke gelegenheid te vertroetelen. Maar toch hield iets hem tegen.

Dat kwam omdat hun missie mislukt was, besefte hij. Hij was daar ge-woon niet aan gewend. De zoektocht naar het ruthenium was ongelooflijk belangrijk geweest, en toch waren ze met lege handen thuisgekomen. Hij had het gevoel dat hij niet alleen Lisa Lane in de kou had laten staan, maar ook nog eens iedereen op deze planeet. Het was zijn schuld niet, natuurlijk niet. Hij had de aanwijzingen gevolgd zoals hij ze gevonden had en had het niet anders kunnen aanpakken. De beste geologen van het land waren al op jacht naar nieuwe plaatsen waar eventueel ruthenium aangetroffen zou kunnen worden, maar de kortetermijnvooruitzichten zagen er somber uit. Het mineraal kwam simpelweg niet in voldoende hoeveelheden voor, en daar kon hij niets aan veranderen.

Zijn intuïtie had hem voor één keer in de steek gelaten en dat deed hem twijfelen. Misschien was hij al veel te lang met dat soort zaken bezig. Mis-schien werd het tijd dat een jongere generatie de teugels in handen nam. Misschien moest hij samen met Loren weer eens terug naar Hawaii, dan kon hij de hele dag vissen.

Hij probeerde zijn neerslachtigheid te verbergen toen er op de deur werd geklopt, en riep tegen het bezoek dat het kon binnenkomen.

De deur vloog open en Giordino, Gunn en Dahlgren stapten naar binnen met een air alsof ze eigenaar van het hele gebouw waren. Elke man had een onderdrukte grijns op het gezicht en Pitt zag dat ze allemaal iets achter hun rug hielden.

'Nou, als dat niet de drie wijzen uit het oosten zijn,' merkte Pitt op.

'Heb je een minuutje?' vroeg Giordino. 'We zouden graag iets met je willen delen.'

'Ik heb alle tijd van de wereld,' zei Pitt, liep nog wat behoedzaam naar zijn bureau en liet zich in zijn stoel zakken. Hij keek de mannen argwanend aan en vroeg: 'Wat proberen jullie voor me verborgen te houden?'

Dahlgren zwaaide met een stuk of wat in elkaar geschoven plastic bekertjes die hij in zijn hand hield.

'Ik vond dat het tijd werd om weer eens wat te drinken,' lichtte hij toe.

Giordino haalde een fles champagne tevoorschijn die hij achter zijn stevige armen verborgen had gehouden.

'Ik zou zelf ook wel een glaasje lusten,' merkte hij op.

'Weten jullie niet dat er wat betreft alcoholgebruik in federale gebouwen bepaalde regels gelden?' sprak Pitt hen vermanend toe.

'Ik geloof dat ik die wel gekregen heb, maar ik heb ze al een hele tijd niet gezien,' antwoordde Giordino. 'Jack, weet jij daar iets van af?'

Dahlgren probeerde zich van de domme te houden en schudde zijn hoofd.

'Oké, waar gaat dit over?' vroeg Pitt, die genoeg had van de fratsen.

'Eigenlijk komt het door Jack,' zei Gunn. 'Want dankzij hem is niet alles voor niets geweest.'

'Integendeel,' zei Giordino, die Gunn grinnikend aankeek. Hij haalde de folie rond de hals van de champagnefles weg en ontkurkte hem. Dahlgren hield hem de bekertjes voor en Giordino schonk voor iedereen een glas in.

'Het kwam door de rots,' probeerde Gunn uit te leggen.

'De rots...' herhaalde Pitt, die met de minuut achterdochtiger werd.

Een van de rotsmonsters bij die fumarole die we voor de kust van Alaska hebben gelokaliseerd,' kwam Giordino tussenbeide, 'vlak voor die toestand met dat Canadese ijskamp. We hebben alle monsters in een zak gestopt die Rudi mee naar het hoofdkwartier zou nemen om daar te laten analyseren. Maar toen hij in Tuktoyaktuk van boord ging heeft hij die zak op de *Narwhal* laten liggen.'

'Ik herinner me die zak nog goed,' antwoordde Pitt. 'Elke keer dat ik op de brug was brak ik mijn nek er bijna over.'

'Ik ook,' mompelde Dahlgren.

'Ligt hij dan niet meer op de brug?' vroeg Pitt.

'Daar lag hij en daar ligt hij nog steeds.' Die zak bevindt zich nog steeds aan boord van de *Narwhal* op de bodem van Straat Victoria.'

'Dat verklaart de champagne nog steeds niet.'

'Tja, het lijkt erop dat onze goede vriend Jack toen hij thuiskwam een steen in zijn zak aantrof,' zei Gunn.

'Ik ben echt geen kleptomaan, ik zweer het je,' zei Dahlgren met een brede grijns. 'Ik ben ook over die zak gestruikeld, en heb toen een van die losse stenen in mijn zak gestoken. Die was ik helemaal vergeten totdat ik aan boord van de *Santa Fe* andere kleren aantrok en besefte dat ik die maar beter bij me kon houden.'

'Een heel verstandige beslissing,' was Gunn het met hem eens.

'Ik heb het vorige week naar het geologielaboratorium gebracht om te laten analyseren, en ze hebben vanochtend de resultaten doorgebeld.'

Gunn haalde het stukje rots tevoorschijn en schoof dat over het bureaublad naar Pitt toe. Hij pakte het op en bekeek het aandachtig. Hij merkte dat het vrij zwaar was en toen viel ook de matte zilveren kleur hem op. Zijn hart begon sneller te kloppen toen hij zich de eigenschappen weer herinnerde van het ertsmonster dat hij van de oude geoloog van Miners Co-op had gekregen.

'Ik heb niet de indruk dat het goud is,' zei hij tegen het trio, en keek hoe ze zouden reageren.

De drie mannen keken elkaar grinnikend aan. Uiteindelijk nam Giordino het woord.

'Wat had je van ruthenium gedacht?'

Pitts ogen begonnen te fonkelen en hij ging onmiddellijk rechtop in zijn stoel zitten. Hij bekeek de brok steen nog wat beter, en keek toen Gunn aan.

'Is dat zo?' vroeg hij kalm.

Gunn knikte. 'En nog hoogwaardig ook.'

'Hoe komen we te weten dat het daar in voldoende hoeveelheden aanwezig is?'

'We hebben de gegevens van de sensoren aan boord van de *Bloodhound* er eens bij gepakt en zijn die nog eens wat beter gaan bekijken. Hoewel die apparatuur niet ontworpen is om ruthenium op te sporen, kan die wel metalen identificeren die tot dezelfde platinagroep behoren. En volgens de *Bloodhound* zijn er bij die fumarole meer platina en platinaderivaten te vinden dan goud in Ford Knox. We kunnen er veilig van op aan dat een groot deel van die op platina gebaseerde erts uit ruthenium bestaat.'

Pitt kon zijn oren niet geloven. Hij had het gevoel dat hij zojuist met een dosis adrenaline was geïnjecteerd. Hij monterde helemaal op en in zijn intelligente groene ogen verscheen een schittering.'

'Gefeliciteerd, baas,' zei Gunn. 'Je hebt nu je eigen rutheniummijn, maar dan wel driehonderd meter onder de zeespiegel.'

Pitt keek de mannen glimlachend aan, en pakte toen een van de plastic bekertjes met champagne.

'Daar wil ik best op drinken,' zei hij, stak zijn bekertje omhoog en toostte met de anderen.

Nadat ze een slokje hadden genomen keek Dahlgren naar zijn bekertje en knikte.

'Weet je,' zei hij met zijn lijzige Texaanse accent, 'dit spul smaakt bijna even lekker als Lone Star-bier.'

95

Het was een van die zeldzame voorjaarsdagen waarop er in Kitimat aan de lucht geen wolkje te zien was, het soort dag waarop het water een hemelsblauwe kleur heeft en de frisse lucht naar pure zuurstof smaakt. Op het terrein van de voormalige afvang- en opslaginstallatie van Terra Green was een klein groepje hoogwaardigheidsbekleders en journalisten bij elkaar gekomen voor een openingsplechtigheid. Een enigszins op een cherubijn lijkende man in een beige pak, de recentelijk aangetreden nieuwe Canadese minister voor Natuurlijke Hulpbronnen, stapte energiek het lage podium op en liet zijn blik over de op klapstoeltjes zittende aanwezigen gaan.

'Dames en heren, het is mij een groot genoegen om het fotosynthesestation Kitimat officieel voor geopend te mogen verklaren, het eerste van zijn soort ter wereld. Zoals u allen weet heeft het ministerie voor Natuurlijke Hulpbronnen deze installatie vorig jaar in bezit gekregen, een installatie die aanvankelijk – en onder niet bepaald ideale omstandigheden – als afvang- en opslaginstallatie voor koolstofdioxide was opgezet. Maar ik ben bijzonder blij te kunnen melden dat hij is omgebouwd tot de allereerste succesvolle, op kunstmatige fotosynthese gebaseerde conversie-installatie ter wereld. In het fotosynthesestation Kitimat zal op veilige en efficiënte wijze kooldioxide in water en waterstof worden omgezet zonder dat het milieu daaronder te lijden zal hebben. Bijzonder prettig is het dat de installatie gebruik kan maken van de bestaande pijpleiding naar Athabasca, zodat nu bijna tien procent van de koolstofdioxide die door de raffinaderijen in het teerzandgebied wordt gegenereerd kan worden omgezet. We kijken hier naar het prototype van een nieuw wapen tegen de vervuiling van de atmosfeer, en uiteindelijk de opwarming van de aarde.'

De aanwezigen, onder wie heel wat inwoners van Kitimat, applaudisseerden luid. De minister voor Natuurlijke Hulpbronnen glimlachte breed en ging toen verder.

'Zoals bij elke onderneming van historisch belang, is de totstandkoming van deze installatie het werk geweest van een groot aantal mensen. En het is een van de vruchtbaarste vormen van gezamenlijk optrekken geworden waarvan ik ooit getuige ben geweest. Dit samenwerkingsverband tussen het Canadese ministerie van Natuurlijke Hulpbronnen, het Amerikaanse ministerie van Energie en de George Washington University getuigt ervan dat in het belang van het algemeen welzijn grootse dingen kunnen worden bereikt. Graag wil ik daarbij een speciaal woord van erkentelijkheid richten tot juffrouw Lisa Lane, aan wie wij het ontstaan van deze omzettingsmethode te danken hebben.'

Lisa zat blozend op de eerste rij, kwam heel even overeind en zwaaide naar het publiek.

'Ik voorzie gigantische veranderingen voor de gehele mensheid en ik kijk, na dit bescheiden begin hier in Kitimat, uit naar de dageraad van een nieuwe wereld. Dank u.'

De aanwezigen applaudisseerden opnieuw, hoorden vervolgens nog enkele toespraken van politici aan, waarna er voor de camera's een groot lint werd doorgeknipt. Toen de speeches achter de rug waren stapte de minister van Natuurlijke Hulpbronnen op Lisa af, die nog steeds op de eerste rij zat, met naast zich Pitt en Loren.

'Juffrouw Lane, wat fijn u weer eens te zien,' begroette hij haar hartelijk. 'Dit moet een bijzonder spannende dag voor u zijn.'

'Dat is het zeker. Onvoorstelbaar dat er zo snel een werkende installatie voor kunstmatige fotosynthese tot stand heeft kunnen komen,' zei ze.

'Uw president en onze nieuwe premier hebben een enorme bereidheid getoond om op korte termijn tot zaken te komen.'

'Meneer de minister, ik zou u graag willen voorstellen aan mijn goede vriendin Congreslis Loren Smith, en haar echtgenoot Dirk Pitt.'

'Leuk u beiden te ontmoeten. Meneer Pitt, was u niet degene die met het voorstel kwam de afvang- en opslaginstallatie om te bouwen?'

'In feite was dat het idee van mijn kinderen,' zei hij, en wees naar Dirk en Summer, die op weg waren naar de bar. 'We vonden allemaal dat toch uit minstens één van Mitchell Goyettes zonden iets positiefs moest kunnen ontstaan.'

De minister huiverde even toen de naam Goyette viel, maar al snel glimlachte hij weer. 'Uw ontdekking blijkt op heel wat gebieden een zegen te zijn, juffrouw Lane,' zei hij tegen Lisa. 'We kunnen onze activiteiten rond het teerzand van Athabasca uitbreiden zodra er nieuwe fotosynthese-installaties zijn gebouwd waarmee de broeikasgassen kunnen worden geëlimineerd. Op die manier kunnen de olietekorten in zowel Canada als de Verenigde Staten voor een groot deel worden opgevangen. Momenteel probeer ik de premier zover te krijgen dat hij fondsen beschikbaar stelt voor twintig nieuwe installaties. Hoe staat het er eigenlijk bij jullie voor?'

'Dankzij de inspanningen van Loren en de vicepresident zijn er middelen beschikbaar gesteld voor dertig installaties, en bestaan er plannen voor nog eens vijftig, die de komende drie jaar gebouwd moeten gaan worden. We beginnen met onze kolencentrales, want die zorgen voor de meeste vervuiling. Er is heel wat opwinding ontstaan over het feit dat we nu in staat zijn om veilig steenkool te kunnen verbranden, zodat we onze centrales nog decennialang van deze brandstof kunnen voorzien.'

'En wat ook niet onbelangrijk is,' zei Loren, 'we hebben ook met de Chinezen een overeenkomst gesloten. Die hebben toegezegd dat ze de komende acht jaar vijfenzeventig installaties gaan bouwen.'

'Dat is fantastisch nieuws, aangezien de Chinezen momenteel de meeste broeikasgassen uitstoten. Het komt goed uit dat de technologie zo gemakkelijk te kopiëren is,' merkte de minister op.

'En we beschikken over voldoende voorraad van de katalysator om het proces blijvend te laten functioneren,' voegde Lisa eraan toe. 'Als de NUMA-organisatie van meneer Pitt het ruthenium niet voor de kust van Alaska had ontdekt, was dit alles niet mogelijk geweest.'

'Stom geluk,' erkende Pitt. 'Maar onze onderzeese mijnbouwoperaties lopen momenteel en voorlopig is de opbrengst hoopgevend. We hopen voldoende van het mineraal naar boven te halen om wereldwijd duizend van dit soort installaties te kunnen bevoorraden.'

'Dan maken we misschien in onze tijd nog mee dat er een eind komt aan de wereldwijde opwarming. Dat zou een buitengewone prestatie zijn,' zei de minister, die vervolgens door een assistent ter zijde werd genomen.

'Het ziet ernaar uit dat jouw dagen als anonieme wetenschapper definitief achter je liggen,' grapte Loren tegen Lisa.

'Het is zo opwindend allemaal, maar eerlijk gezegd ga ik het liefst weer zo snel mogelijk terug naar mijn laboratorium. Er zijn nog genoeg verfijningen die ik kan ontwikkelen, en we hebben de efficiënte omzetting naar waterstof nog steeds niet geperfectioneerd. Gelukkig heb ik op de universiteit een nieuw, beter lab tot mijn beschikking. Ik moet alleen nog op zoek naar een nieuwe assistent.'

'Is Bob officieel in staat van beschuldiging gesteld?' vroeg Loren.

'Ja. Hij had bij verschillende banken op verschillende rekeningen ruim tweehonderdduizend dollar staan waarvan vaststaat dat ze van Goyette afkomstig zijn. Ik kan nog steeds niet geloven dat ik verraden ben door mijn eigen naaste medewerker.'

'Maar zoals Goyette al heeft laten zien, wordt iedereen uiteindelijk door zijn eigen hebzucht ingehaald.'

Plotseling daalde er een hele horde verslaggevers op Lisa neer en bestookte haar met vragen over de installatie en haar wetenschappelijke werk. Pitt